의료기기설계학

엄년식 | 홍주현 | 김경찬 공저

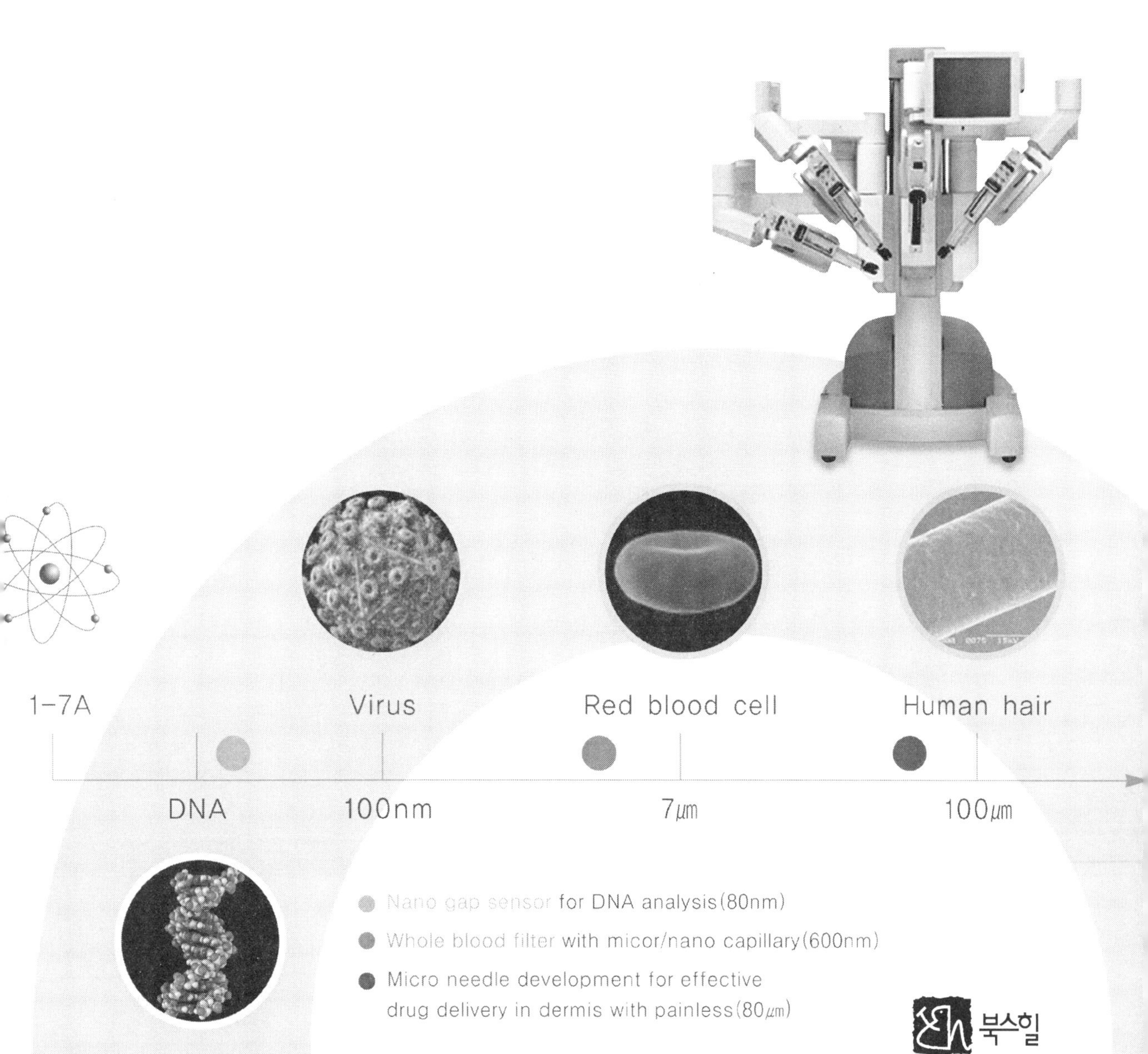

북스힐

차 례

PART 01 의료기기 설계 소개

본 저서는 의공학도들이 학습해왔던 공학적 지식을 시장에서 성공할 수 있는 살아있는 작품으로 완성시키기 위한 기본적인 설계과정을 설명하고, 학생들이 의료기기를 직접 설계하여 학기중에 이론과 실무를 병행해 볼 수 있는 있도록 집필되었다.

또한, 의료기기 설계학이라는 생소한 학문분야를 처음 접하는 학생들에게 의료기기 설계에 필요한 아이디어 발상에서부터 설계툴, 재료선택, 특허출원, GMP와 ISO 등의 인증, 시장런칭에 이르는 분야를 이해시킴에 목표를 두고 제작 되었다.

우선, 의료기기의 정의를 살펴보면, 의료기기란 사람 또는 동물의 질병, 상해 및 장애의 진단 및 치료, 처치, 예방 등에 사용되는 모든 기계 장치 및 소모품 이라고 할 수 있다. 우리나라 식약청 분류 기준 약 2천여 종류의 제품이 있으며 다양한 산업군을 형성한다. 기술적 특징은 전자, 전기, 화학, 소재, 정밀기계, 섬유, 소프트웨어, 광학 등 가장 다양한 기술이 집약, 응용된 것으로, 다품종 소량의 업종에서 세계가 단일 시장을 형성하며, 우리나라는 세계 시장의 1% 정도를 차지하고 있으나 산업성장의 핵심이다.

의료기기설계, 연구개발, 판매활동에 종사하는 인력은 공학적 지식 외 실제 의료인과 동일한 수준의 의료기술지식을 가지고 있어야 하며, 이러한 인력의 양성이 절실히 요구된다.

의료기기 산업은 현재 국내·외에서 모두 높은 산업 성장을 지속하고 있으며, 특히 우리나라의 세계적인 경쟁력을 갖춘 IT, BT, NT, 신소재 등의 기술을 의료기기

산업에 접목하여 우리나라 미래성장동력으로 발전해 나갈 것으로 기대한다.

의료기기 설계란, 의료기기에 대하여 특별히 학문적 혹은 과학적 실체를 세심하게 탐구하고 연구하는 것으로 정의된다. 설계작업은 단지 기술만으로 수행되는 것이 아니라 지식과 기술이 모두 관련되며, 능동적인 동사로서 설계는 다음과 같이 표현할 수 있다.

1. 고안하고 발명하는 것
2. 기획하고 상상한 것들을 정형화하는 것
3. 이루고자 하는 것에 대하여 목표와 목적을 갖는 것

설계 작업은 반드시 실제 장치의 생산과 직결되어야 할 필요는 없으며, 기획 또는 일련된 과정일 수 있고 이러한 것들을 결정하기 위한 연구일 수 있다.

본 저서는 의공학분야에서 설계라는 방대한 범주에 있어서, 설계 방법의 적용을 학생들에게 소개하며, 학생들에게 이 책을 한 학기 동안 수학하면서 하나 이상의 설계 과정 혹은 설계 실습을 병행할 것을 계획한다. 즉, 의료기기와 관련된 창의적 아이디어 발상에서부터 인·허가와 시장런칭에 이르는 모든 분야를 이해시키고 직접 진행할 수 있도록 할 것이다.

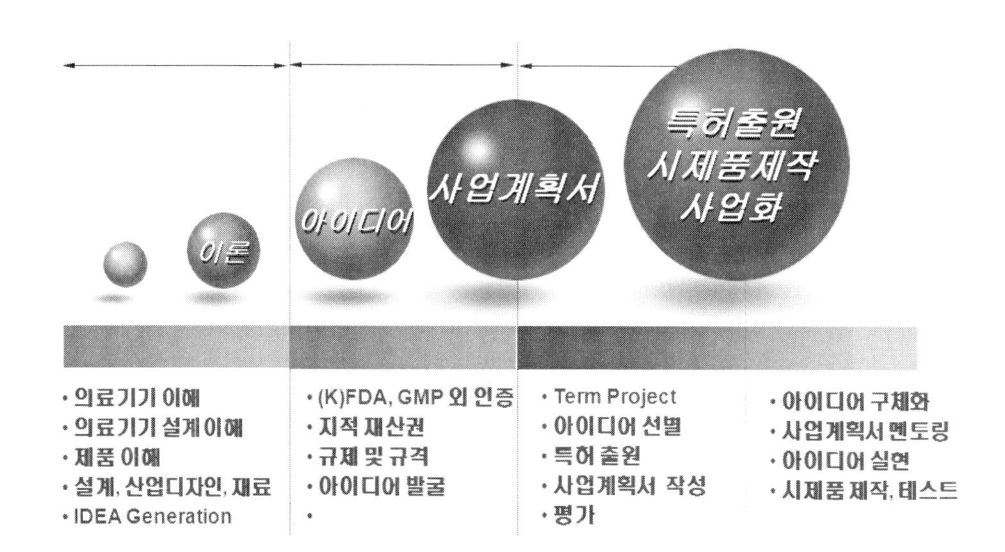

다음은 미국 한 업체의 인력모집(Job Opportunity)의 내용이다. 이것에서 회사에서 요구하는 인력의 요구가 무엇인지 생각해 보고, 어떠한 부분을 채워가야 할지 고민해 보자.

연구개발 엔지니어

본 직책은 높은 동기를 지닌 사람에게 발전적인 성취 기회를 제공합니다. 특허를 획득한 의료 장비를 개발하고 검사하는 당사의 제품 개발팀에서 함께 일할 엔지니어를 찾고 있습니다. 지원자는 반드시 실질적인 경험이 있어야 하며 독립적으로 업무 수행이 가능하여야 합니다. ISO와 FDA에 대한 선행 지식이 있는 지원자는 우선권이 있습니다. 근본적인 책임으로는 제품설계, 검사, 그리고 분석이 포함될 것입니다. 자격이 있는 지원자는 1~3년의 의료장비 회사의 실무경험과 기계공학, 소재공학, 혹은 의공학 전공의 학사학위 소유자입니다. 추가적인 책임으로 동물실험, 임상평가, 특허/관련자료 조사 그리고 필요하다면 현재 진행 중인 개발 과제의 지원이 포함될 수 있습니다. 생체재료 및 기계 설계 경험자는 우대됩니다.

PART

02 기본적인 설계 도구

의료기기를 설계하기 위한 도구들은 현재 많이 사용되고 있으며, 이 도구들은 설계 과정에서 매우 중요한 역할을 한다. 설계는 실제 정보를 수집하고 처리하는 과정으로 이러한 정보는 설계 과정에 대부분 반영된다. 이러한 설계 도구들은 인간과 관련되고, 컴퓨터와 관련되며 물리적인 장치와 관련된 정보를 포함한다. 2.1에서는 아이디어 생성 기법(Idea Generation)에서 사용하고 있는 브레인스토밍(Brainstorming), Method 635, 델파이 방식 그리고 시넥틱스 기법에 대하여 소개를 한다. 2.2에서는 기능 분석에 대하여 설명하고, 2.3에서는 기초 의사결정 기법에 대하여 설명한다. 2.4에서는 객체트리, 2.5에서는 품질 기능 전개 도표를 소개하고, 마지막으로 TRIZ에 대하여 소개할 것이다.

2.1 아이디어 생성 기법(Idea Generation)

아이디어 생성 기법은 브레인스토밍(Brainstorming), Method 635, 델파이 방식 그리고 시넥틱스 기법으로 분류된다.

1. 브레인스토밍

브레인스토밍은 집단토의 방식이며 문제나 주제에 대하여 두뇌에서 폭풍이 몰아치듯 생각나는 아이디어를 가능한 많이 산출하도록 하는 방법이다. 이것은 오스번(A, Osborn)에 의해 제안되었으며 중요한 것은 산출한 생각에 대하여 비판하거나 섣부른 결론을 내리지 않아야 한다는 것이다. 여러 사람들이 자유롭게 제시한 창의적인 아이디어를 종합하여 합리적인 해결책을 모색해야한다. 브레인스토밍에서는 어떠한 내용의 발언이라도 비판을 해서는 안 되며, 오히려 자유분방하고 엉뚱하기까지 한 의견을 출발점으로 해서 아이디어를 전개시키고 있다. 회의에서는 리더를 두고, 구성 원수는 10명 내외의 인원으로 구성된다. 구성원들은 해결 방안에 대한 조사를 담당하는 설계 팀과 오랜 경력을 바탕으로 지식의 기여가 가능한 사람들(비전문가 포함)로 구성되어야 한다. 그림 1은 브레인스토밍 개념도를 나타내었다.

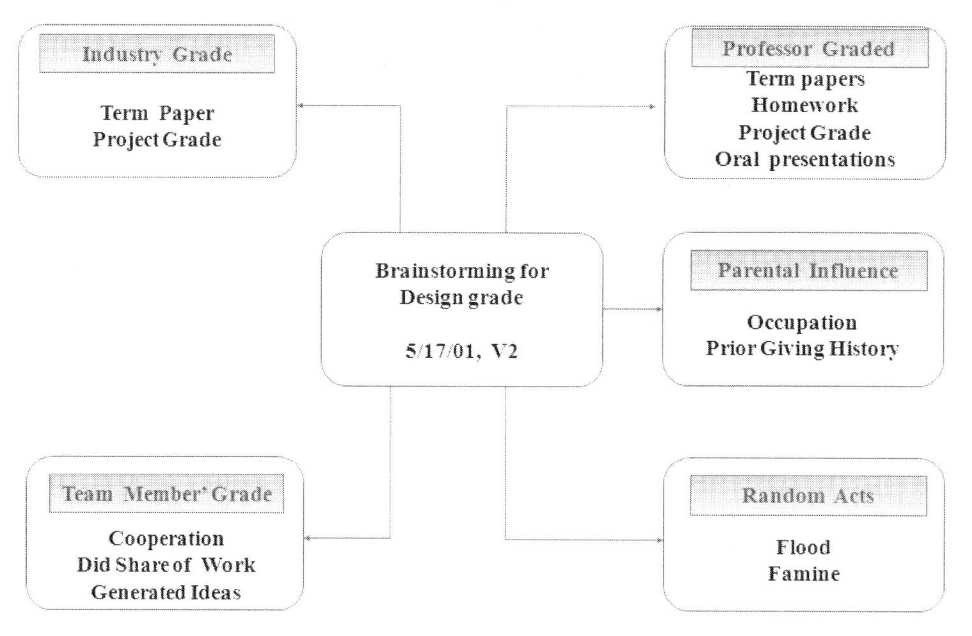

그림 1. 브레인스토밍 개념도

그림 1에서 나타낸 것과 같이 여러 명의 공학 전공 연구자들과 2-3명의 예술 및 이학 전공 연구자들로 구성된 브레인스토밍 팀이 공학 전공 연구자들로 구성된 팀보다 더욱더 많은 정보를 얻을 수 있을 것이다. 이러한 토론은 리더가 적당한 회의

시간을 선정(20-30분 정도)하여야 하고 도출되는 모든 아이디어에 대하여 비판 하지 않을 것을 주지시켜야 한다.

브레인스토밍의 변형된 형태로 브레인 라이팅(brain writing)과 전자 브레인스토밍(electronic brainstorming)이 제안되고 있다. 브레인 라이팅은 조용히 말없이 진행되는 조용한 아이디어 만들기의 개념이다. 회의에 참석한 이들은 서로 이야기를 하지 않고 아이디어를 미리 정해놓은 시트에 기입한다. 초기에 이 기법은 635 기법이라 불렀는데 그 이유는 6명의 참석 인원이 각각 3개씩 아이디어를 5분 안에 생각해 내는 기법이기 때문이었다. 브레인 진행방법은 표 1에서 나타낸 것과 같다.

표 1. 브레인 라이팅 용지

	A	B	C
1			
2			
3			
4			
5			
6			

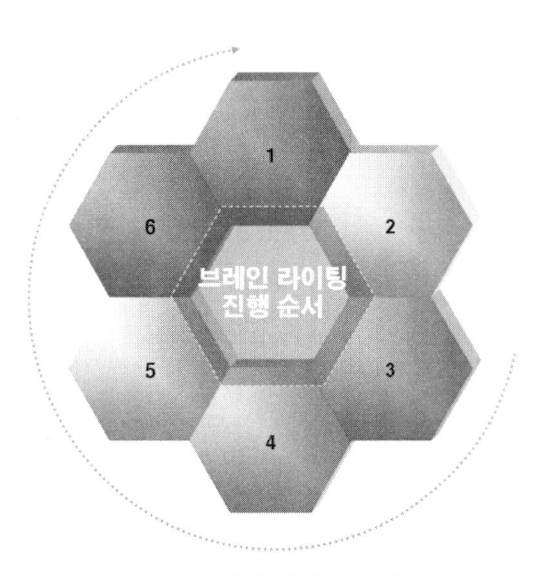

그림 2. 브레인 라이팅 진행순서

브레인 라이팅의 진행순서는 다음과 같다

① 주제는 참가자 전원이 볼 수 있는 장소에 놓는다.
② 회의진행자는 주제와 진행방법에 대해 설명한다.
③ 회의 참석 인원은 브레인 라이팅 용지1의 A, B, C에 아이디어를 기입한다(5분 부여).
④ 회의 참석 인원은 브레인 라이팅 용지2의 A, B, C에 아이디어를 기입한다(5분 부여).
⑤ 5분 후에 가지고 있던 용지를 왼쪽으로 참석인원에게 전달한다.
⑥ 이런 방법으로 1-6까지 계속적으로 회의를 진행한다.

위와 같이 라운드 마다 5분씩 부여하여 진행하면 6라운드로 30분씩 소요되고 전체 모든 아이디어가 채워지면 108가지의 아이디어가 생성된다.

전자 브레인스토밍은 전산망을 이용해 아이디어를 산출하고 평가하는 것으로 기본절차는 전통적 브레인스토밍 문제점을 보완한 방식이다. 전자 브레인스토밍은 다음과 같은 절차를 통하여 진행된다.

① 아이디어 산출 : 아이디어를 익명으로 마음대로 컴퓨터 키보드를 통하여 입력한다.
② 아이디어 편집하기 : 중복되고 불필요한 아이디어는 제거되고 키워드를 통하여 범주화한다.
③ 아이디어 평가하기 : 아이디어를 재평가 하여 순위를 매긴다.
④ 아이디어 실행하기 : 실행 단계를 산출하고, 연결하여 책임 소재를 확인한다.
⑤ 실행

전자 브레인스토밍의 장단점은 다음과 같이 요약될 수 있다.

[장점]
① 아이디어의 병렬 입력

② 익명성
③ 좋은 아이디어를 더 많이 산출함
④ 절차에 대한 높은 만족도
⑤ 큰 집단에서 더욱더 효과적으로 사용할 수 있음
⑥ 아이디어의 산출, 편집, 평가, 실행 등 계열적으로 지원가능

[단점]

① 신기술에 대한 과도한 믿음으로 전자 브레인스토밍을 지나치게 사용할 수 있음
② 컴퓨터 키보드를 사용해야 하기 때문에 타이핑에 익숙하지 않은 사람은 곤란할 수 있음
③ 때로는 익명성이 단점으로 작용될 수 있음
④ 아이디어가 너무 많이 산출되므로 결론을 이끌어 내는 과정이 너무 복잡함
⑤ 전산망과 소프트웨어가 필요하기 때문에 가격이 올라가고 부대시설이 필요함

2. Method 635

635 기법은 6명의 구성원들이 5분 동안 빈 종이에 3개의 아이디어를 기록해서 옆에 있는 사람에게 전달해주고, 다시 5분 동안 3개의 아이디어를 추가하면서 아이디어를 만들어내는 기법을 말한다. 이 기법은 브레인 라이팅의 한 형태로서 단기간에 많은 아이디어를 만들 어 낼 수 있는 장점이 있는 반면에 아이디어의 중복이 생길가능성이 많다는 단점이 있다. 그림 3은 Method 635의 개념도를 보여주고 있다.

위 방법은 소심하거나 사람들과 화합에 문제가 있는 경우 이상적인 방법으로 사용된다. 다시 말해서, 해결 방안이 제시되지 않은 상태에서 해결해야 하는 문제에 대하여 역점을 두어 다루어야 할 필요가 있는 것들을 자세하게 나타낼 수 있다는 의미이다. 예를 들어, 한 대학에서 학생들의 학교생활 만족도를 높이기 위한 방안을 찾기 위해서 635 기법을 이용하기로 하였다. 이에 대한 검토방법은 다음과 같이 나열할 수 있다.

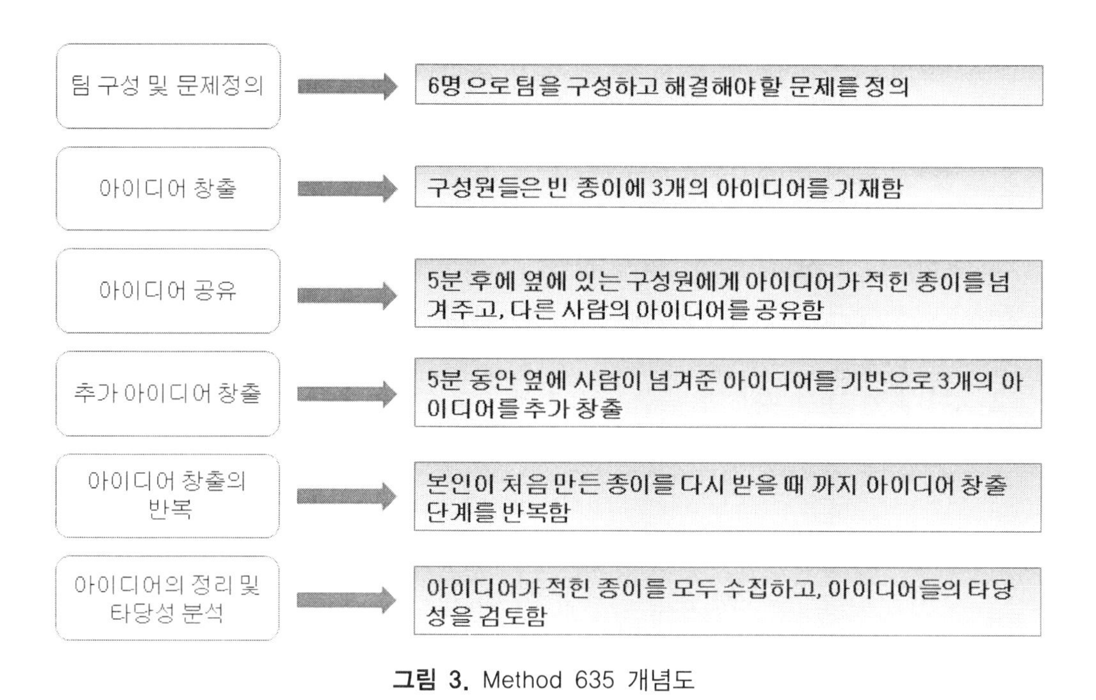

그림 3. Method 635 개념도

① 먼저 6명의 학생들을 선정하고 이들에게 한 장의 종이를 배포한다.
② 학생들은 학교생활에서 개선해야할 항목들을 5분 동안에 3개씩 작성한다.
③ 그 다음에 아이디어가 적힌 종이를 옆에 있는 학생들에게 전달한 다음에 5분 동안 3개의 새로운 아이디어를 추가적으로 작성하게 한다.
④ 이 과정을 처음에 본인이 작성한 종이가 다시 돌아올 때까지 반복하게 한다.
⑤ 마지막으로 아이디어가 적힌 종이를 수집했을때 90개의 아이디어가 만들어져 있을 것이다. 이들 아이디어들 중에서 중복된 아이디어를 제거하고 아이디어들의 타당성을 분석한다.

3. 델파이 방식(Delphi Method)

델파이 방식은 1960년대 초 미국의 RAND 연구소에서 개발되었다. 이 방법은 전문가들이 물리적인 회의 장소에서 대면하는 과정을 없앰으로써, 보다 객관적인 의견 일치를 이끌어내도록 지원해준다. 그리고 전문가들의 익명성 보장을 통한 자유로운 의견 제시 및 의견들에 대한 반복적인 피드백효과를 얻을 수 있다. 델파이 방식의 수행 단계는 다음과 같다.

① 전문가 선정 및 참여를 요청하고 질문지를 개발한다.
② 첫 번째 단계 질문 : 전문가들에 대해 연구자들의 견해를 제시한다.
③ 두 번째 단계 질문 : 첫 번째 단계의 분석결과가 전문가들에게 다시 제시되고, 이 결과를 보면서 전문가들은 자신의 의견을 재평가하고 이에 대한 근거를 제공한다.
④ 세 번째 단계 질문 : 주제에 대한 새로운 견해 및 극단적 견해에 대한 설명이 전문가들에게 제시되고, 이 의견들을 전문가들이 보면서 자신의 의견을 재조정하거나 반박을 수행한다.
⑤ 네 번째 단계 질문 : 참여그룹의 의견 일치가 이루어지고 그 간의 논쟁이 공개된다.

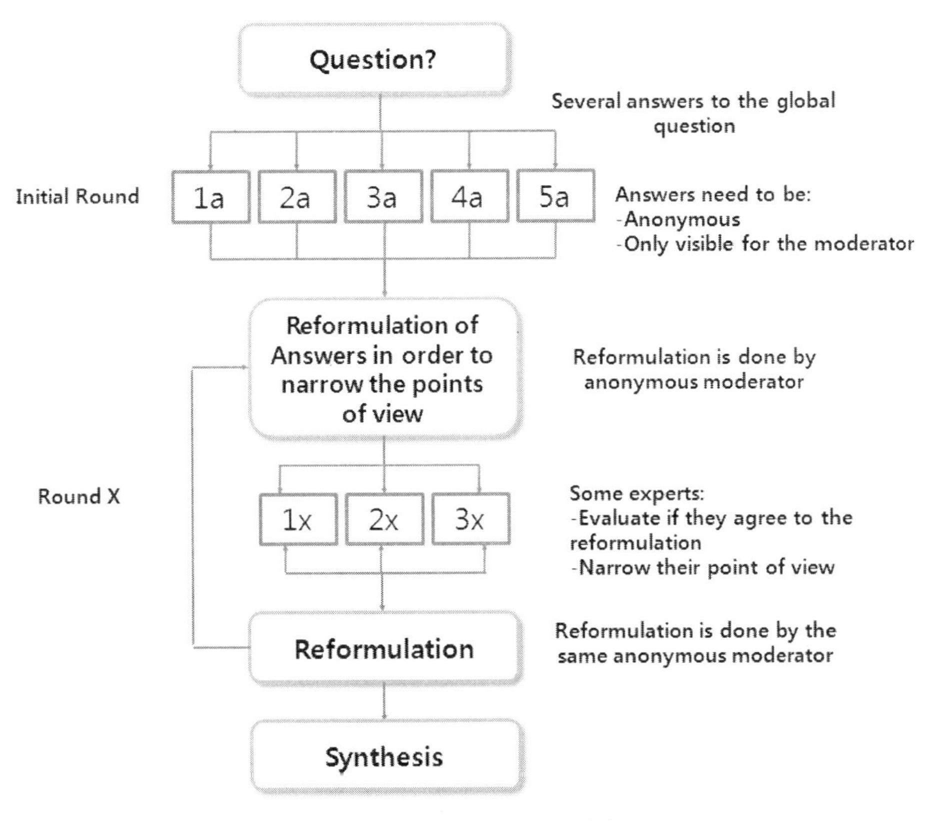

그림 4. Delphi Method 개념도

그림 4는 델파이 방법의 개념도를 나타낸 것으로, 이 기법의 질문의 유형은 가능성 관련 질문, 선호성 질문, 정책 및 대응 방법 질문 등으로 구성되어 있다.

① 가능성 관련 질문 : 실전 경험이 많고 연구현장에 있는 전문가
② 선호성 질문 : 실현 가능성을 판단하는 전문 지식보다는 윤리, 정치, 사회적 차원의 전문성을 가진 전문가
③ 정책 및 대응 방법 질문 : 실현 가능성과 관련된 전문 지식을 가진 전문가

이와 더불어, 델파이 방법을 수행할 때 고려되어야만 하는 사항들이 있다. 예를 들어, 필요한 전문가 수는 어느 정도 되는지 알아야만 하고, 전문가 초빙 방법은 어떤 식으로 할 것인지 선택해야 되며, 데이터 해석은 어떻게 할 것인지 알아야만 한다.

4. 시넥틱스(Synetics)

시넥틱스의 의미는 "관계가 없는 것들을 결부시킨다"라는 의미로서, 의인적 유추, 직접적 유추, 상징적 유추로 수행된다.

① 의인적 유추 : 참가자가 과제 혹은 문제의 대상이 되고 있는 것에 완전히 일치하는 방법을 말한다.
② 직접적 유추 : 우리들 주위에 있는 사상과 사물을 과제와 연결시키는 것이다. 과제의 힌트는 동물, 식물, 자연현상 등을 예로 하여 얻는다.
③ 상징적 유추 : 동화나 이야기의 상징적 인물이나 사건에서 힌트를 얻는다.

예) 백설공주 콤플랙스, 피터팬 시드롬, 신데렐라 콤플렉스

2.2 기능 분석

일반적으로 많은 설계 문제를 개선하고 수정하기 위하여 흐름도를 보편적으로 사용한다. 올바른 흐름도는 지연(Delays), 환자들의 불만사항들, 의료비용 등의 문제

를 분석하고 해결하는데 도움을 줄 것이다. 여기서 분석의 일부 단계로서 단순 공정도표는 신호, 물질, 정보의 흐름 등이 조합된 복합적인 단계가 포함될 것이고, 이러한 흐름도 과정은 최적화된 의사소통 도구가 될 것이다.

1. 단순 공정도표

공정도표는 최대한 단순화되어 나타날 수 있으며, 명료하게 일련의 과정을 전달할 수 있다. 그림 5는 단순 공정도표를 나타낸 것으로, 전반적으로 과정을 쉽게 이해 할 수 있다.

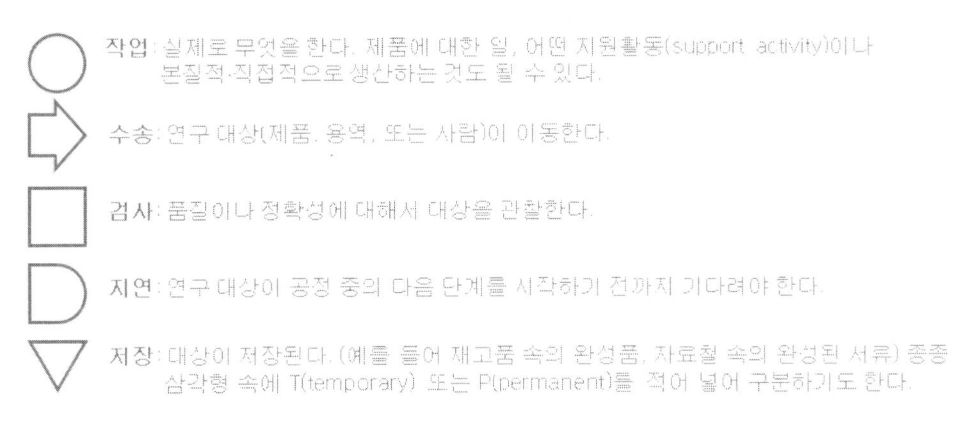

그림 5. 단순 공정도표

공정도표에 사용된 모양들은 매우 일반적인 것들이며, 많은 도표에서는 일반적으로 [작업]에 대해서는 원 또는 타원을 사용하고, [수송]에 대해서는 화살표를 사용하며 [검사]는 정사각형을 사용한다. 그리고 [지연]에 대해서는 “D”를 사용하고, [저장]에 대해서는 역삼각형 또는 마름모꼴을 사용한다. 시스템에서 공정도표는 다음과 같은 의문사항들을 유발시킬 수 있다. 첫 번째로, 어느 부분에서 지연을 최소화시킬 것인가? 두 번째로, 작업 속도를 증가시키기 위해 일부 부품을 어떻게 수송할 것인가? 마지막으로, 작업자들이 분당 얼마나 많은 작업을 수행할 수 있을 것인가?

예를 들어, 우리가 일반적으로 이용하는 레스토랑(Restaurant)에 대한 서비스를 확인해 보도록 하자. 그림 6은 고객이 레스토랑에 도착해서 식사를 하고 레스토랑을 떠날 때까지의 서비스 공정도를 보여주고 있다.

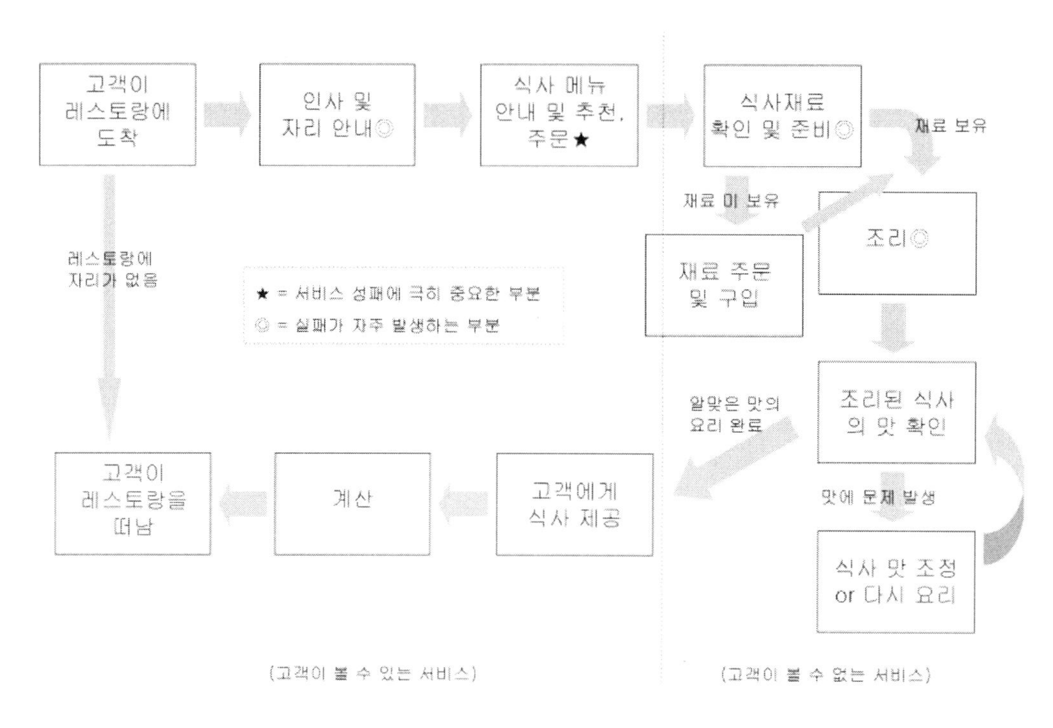

공 정 : 레스토랑 식사 서비스 제공
대 상 : 식사를 하기 위한 고객
시 작 : 고객이 레스토랑에 들어옴
끝 : 고객이 레스토랑을 떠남

요약			
활 동	단계수	시간(분)	거리(m)
생 산 ●	5	45.5	--
이 동 ➡	6	5.3	58
검 사 ■	3	0.5	--
지 연 ◗	3	2.2	--
저 장 ▼	--	--	--

단 계	시간(분)	거리(m)	●	➡	■	◗	▼	단계 기술
1	0.2					○		고객 맞이, 인사, 대기
2	0.8	12		○				고객이 식사할 테이블로 인도
3	1					○		고객의 식사 의사결정 대기
4	2		○					고객의 식사 메뉴 안내 및 추천, 주문 받음
5	0.1				○			주문 사항 확인
6	1	15		○				주문사항을 주방의 요리사에게 전달
7	0.2				○			요리사의 주문 식사 재료 확인 및 준비
8	15		○					조리
9	0.2				○			요리사의 조리된 식사의 맛 확인
10	1					○		웨이터의 대기
11	1.2	15		○				조리된 식사의 서빙
12	1.5		○					웨이터의 주문 요리 설명 및 식사 법 안내
13	25		○					고객이 식사함
14	0.8	12		○				고객이 레스토랑 입구로 감
15	2		○					계산
16	0.5	2		○				웨이터의 고객 배웅 및 인사
17	1	2		○				고객이 레스토랑을 떠남

>> 이 레스토랑의 식사 서비스 공정에는 총 시간 53.5분이 소요되며, 서비스 제공자는 총 58m를 이동한다.

그림 6. 레스토랑의 서비스 공정도

2. 병원내의 진료 흐름도

그림 7은 고혈압 측정을 위해 병원을 방문한 환자의 이동경로를 보이고 있다. 병원 내에서의 진료가 어떠한 피드백 없이 선형적으로 이루어지고 있음을 확인할 수 있다.

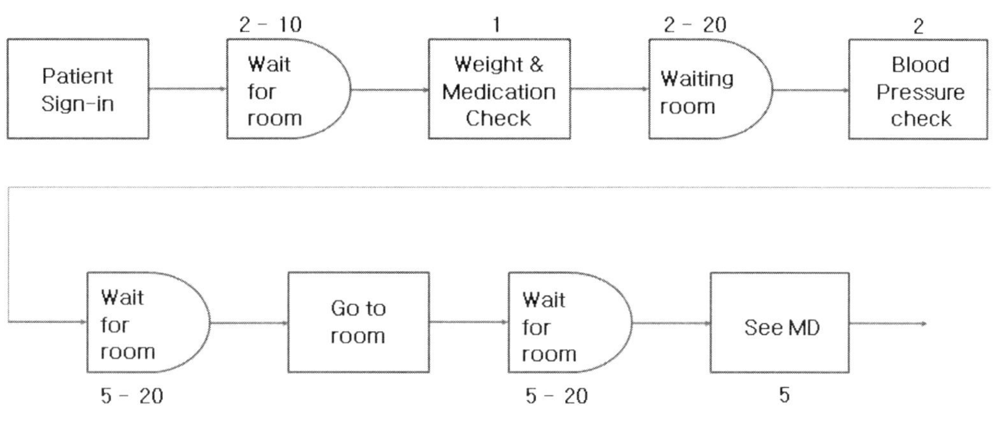

그림 7. 병원내의 진료 흐름도

이 시스템은 선형적이기 때문에 지연시간이 누적됨에 따라 환자의 불만을 유발시킬 수 있다. 이 과정에서 환자의 총 대기시간은 17분에서 71분까지 소요되며, 전문가와의 대화시간은 약 8분정도 소요된다. 그리고 의사와의 진료시간은 5분으로 나타났다. 이 경우 의사만이 환자 진료에 대한 모든 책임을 가지므로 시간 낭비에 따른 비난이 의사에게 돌아오게 된다.

3. 의사결정을 갖는 병원내 진료 흐름도

병원에서 외래진료 과정의 속도를 증가시키기 위하여 그림 8과 같이 의사결정을 할 수 있는 진료 흐름도를 선택할 수 있다. 이 흐름도는 간호사나 다른 의료 전문가가 체중, 심박수, 약물 기록, 혈압 데이터를 기록하고, 환자가 의사의 진찰을 필요로 하는지의 여부와 약물 처방 또는 건강관리사와 면담을 필요로 하는지를 선별할 수 있도록 구성되어 있다. 흐름도의 마름모꼴은 의사결정을 하는 지점으로, y와 n의 분기는 yes 혹은 분기조건이 발생하지 않음을 의미한다.

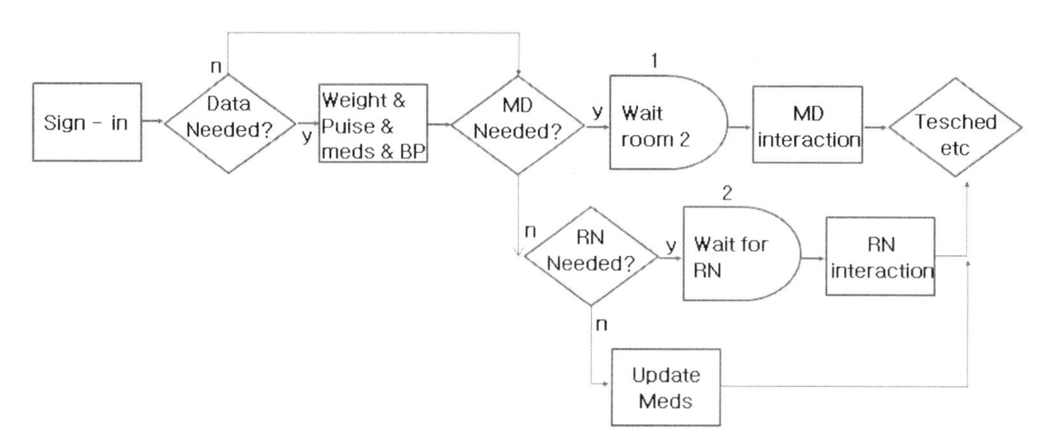

그림 8. 의사결정을 할 수 있는 병원내의 진료 흐름도

이와 같은 흐름도는 보조 인력 배치를 통하여 외래 진료를 위해 내원한 환자의 평균 대기시간을 감소시키는 효과가 있다. 본 모델에서 전반적인 대기시간은 21-71분에서 7-20분으로 감소된다. 의사의 시간은 외래진료로 예약된 환자들에게 모두 소비되는 것이 아니라 [의사의 진찰을 필요로 하는 환자들]에게 사용된다. 예를 들어, 치과에서 치과 의사가 환자를 돌보는 동안 많은 환자를 치위생사가 돌보는 것과 유사하다.

위에서 제시된 것은 외래진료 및 다른 과정의 재설계를 위한 분석에 착수하기 위하여 필요한 일부 필수적인 사항을 최소한의 사항으로 나타낸 매우 기본적인 흐름도이다. 특정 경로를 식별하기 위한 색깔의 사용, 과정의 일부분에 대한 불만사항을 지적하기 위한 추가적인 주석의 사용 그리고 데이터베이스의 설계와 식품공학 등에 대한 과정의 계통도와 같은 많은 다른 과정에 대한 추가적인 특정 기호의 사용과 같이, 많은 변경사항들이 일반적인 흐름도 생성 프로그램의 한 부분으로 존재한다.

2.3 기본적인 의사결정 기법

1. 선정도

설계 과정에서 사용될 수 있는 선정도를 표 2에 나타내었다. 설계도의 핵심적인 설계 요구사항들은 수직으로 목록 화되어 있으며 해당 요구사항들을 이행하기 위하여 고려되는 개념 혹은 설계 선택사항들은 수평으로 목록 화된다.

표 2. 선정도

	Choice Number			
Demand #	1	2	3	4
1	+	+	?	+
2	+	−	−	+
3	+	+	−	?
Summary	go	no go	no go	recheck

표에서 보면 알 수 있듯이 설계 선택사항이 불확실하다면, "?"를 사용한다. 이 도표에서 나타낸 최종 점수는 단순하게 다음의 질문을 생성한다. [-]이 열(선택)이 모든 기준에 부합되는가? [-]만일 부합되지 않는다면, 설계 선택은 반려된다. 만일 오직 "+" 와 "?" 만이 존재한다면, 추가적인 조사를 위한 특정 선택이 필요할 것이다.

예) 습한 환경의 초등학교에 적당한 필기도구의 설계 결정 과정

표 3. 제품 선정 예

	Choice			
Demand #	Fountain Pen	Pencil	Chalk	Marker
Writes on paper	+	+	?	+
Won't stain hands	−	+	+	−
Damp paper tolerant	?	+	?	?
Summary	no go	go	recheck	no go

2. 평가도

평가도는 앞에서 언급한 선정도를 좀더 세밀하게 설계한 것이다. 일반적으로 평

가도는 다양한 요청, 특성, 해결방안에 대한 것을 서로 다른 입장에서 순위 결정을 위해 사용된다. 요청이나 특성은 수직 열에 작성되며, 각각의 요청 및 특성은 일반적으로 1에서 10까지의 범위를 갖는 임의의 크기인 가중치로 표시된다.

표 4. 평가도

		Commercial airline		Ocean Liner	
"Wish"	Weight	Value	Product	Value	Product
High speed	3	5	15	2	6
Convenience	5	4	20	5	25
Comport	5	3	15	5	25
Low cost	2	2	4	3	6
Food & Drink	5	1	5	5	25
Total			59		87

표 4는 여행사의 휴가를 위한 뉴욕과 로마 사이의 이동 수단이 어떤 것이 본인에 알맞은지를 선택한 것이다. 여기서 최대 가중치는 5가 주어졌으며 최저는 1이 주어졌다. 제안된 각각의 해결방안에 대한 총계를 구하고 일반적으로 열의 합이 가장 큰 제안이 선정되게 된다.

3. 개체 트리(objective trees)

개체 트리는 일련의 개체들과 하위 개체들에 대해 우선순위를 할당한 것으로, 각각의 하위 개체의 평가에 대한 산출은 설계자의 생각에 따라 정량화된다.

그림 9에 나타난 개체 트리는 매우 단순하지만 효과적으로 개체 트리를 설명한다. 실제적인 구조에서는 보다 많은 분기와 분기의 단계를 갖는다. 이 방식의 전반적 가치는 복잡한 상황에서 종합적인 우선순위를 제공한다는 것이다. 이러한 개체 트리의 단점은 설계자의 개인적인 선입관에 의거하여 각각의 분기를 평가하여 최종 값으로 확인된다는 것이다.

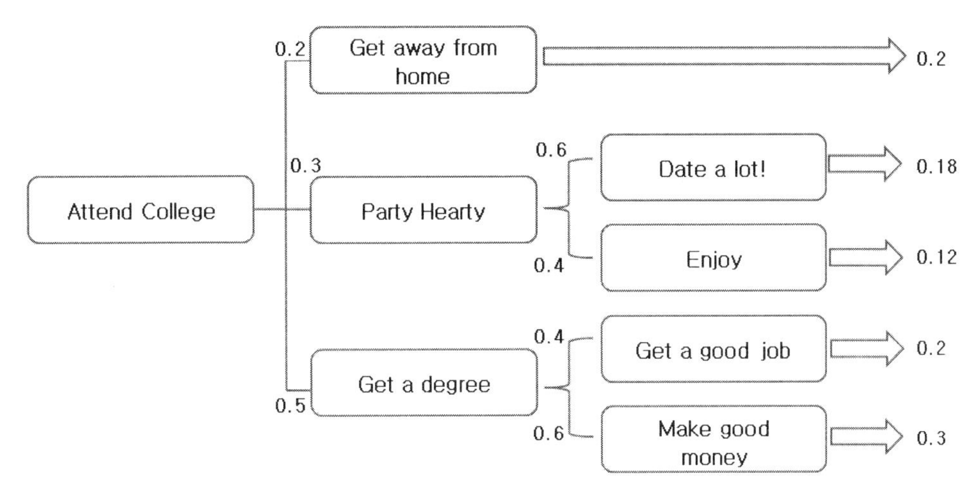

그림 9. 대학 입학에 따른 개체 트리

2.4 트리즈(TRIZ): 창의적 문제해결

트리즈는 "창의적 문제 해결 이론"을 뜻하는 러시아어의 머리글자를 딴 단어로, 구소련의 G. S. 알츠슐러에 의해 1946년부터 1985년까지 약 40여년에 걸쳐 개발되었다. 문제에 대한 혁신적인 해결책을 발견하는 패턴을 찾아내기 위해 이들은 300만 건 이상의 특허를 분석하였고 이를 통해 프로젝트 팀 구성원들이 문제를 창의적으로 해결할 수 있도록 하는 단계적이고 논리적인 문제해결방법을 만들어냈다. 그림 10은 TRIZ를 통한 문제해결 경로를 보여주고 있다.

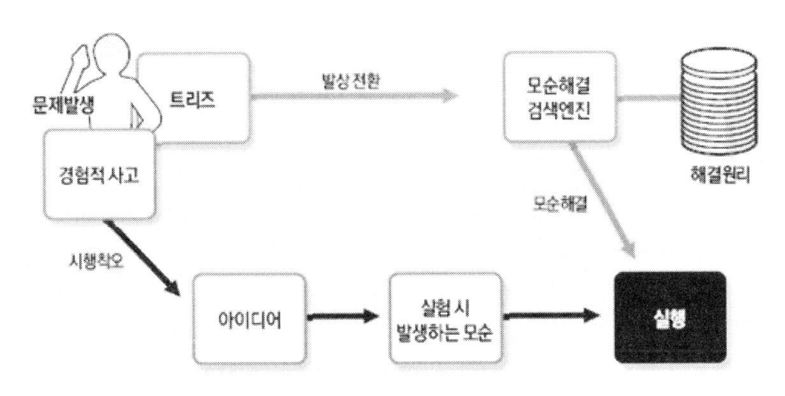

그림 10. TRIZ를 통한 문제해결 경로

현재 TRIZ를 이용한 문제해결 방법은 6시그마, 프로젝트 관리, 위험요소 관리 시스템, 조직적인 혁신을 이루는 데에 있어 혁신적인 방안을 제시하는 방법으로 여러 기업들에게 보급되어 널리 사용되고 있다.

PART

03 생체물성 및 생체 재료

3.1 생체물성의 개요

표 1은 의공학 기술에 사용되는 주요 물리 에너지를 정리한 것이며, 이들의 각종 물리 에너지의 생체 작용을 생각하는 경우에는 주로 세포나 조직 레벨에서의 반응을 살펴보아야 한다.

물리 에너지가 생체 조직에 작용하는 방법은 여러 가지의 경우를 생각할 수 있다.

표 1. 주요한 물리적인 에너지와 의공학 기술의 예

물리적 에너지	의공학 기술
직류 및 저주파 전류	생체전기 · 임피던스 계측, GSR, 기능적 전기자극, 제세동
직류 및 저주파 자장	MRI, 자기치료
고주파 전자계	의용 텔레메트리, MRI, 전기메스, hyperthermia(온열치료)
기계(역학)	혈압계측, 근력계측, 교정기법, 인공관절
유체역학	혈류계측, 심박출량 측정, 폐기능 검사
음파, 초음파	Audiometry, 심음 · 청음, 초음파진단 · 파쇄 · 메스
열	thermography, (심부)체온계측, hyperthermia(온열치료)
광(빛)	광전맥파, 안과검사, 광선치료
방사선	X선 촬영 · CT, 양자 CT, gamma-camera, 방사선 치료

표 2. 생체에서 발생하는 주요한 장해의 분류 및 이를 유발하는 물리 에너지

장해의 분류	장해의 예
물리적 장해	외상, 경색, 골절, 염좌, 열상, 동상
기능적 장해	신경·근의 이상흥분, 전격, 세동, 호흡정지, 체온조절 변조, 전해액 밸런스 변조
생물학적 장해	암발생, 기형발생(X선, 방사선), 불임증, 돌연변이 등의 유전자 장해

생체 조직에서는 인가된 에너지의 강도와 시간의 곱이 일정하더라도, 이에 따라 일어나는 작용이나 반응이 서로 다른 경우가 많다. 에너지의 강도가 어느 레벨 이상에 도달하면, 표 2에 나타내는 **불가역적인 변화**(장해)가 일어난다.

동일한 강도의 에너지가 인가되어도 생체 조직 상태의 차이에 따라 생기는 반응이나 장해는 일정하지 않고, 이 점이 생체 물성을 정량적으로 파악하는 것을 보다 더 곤란하게 하고 있다. 이들은 세포 또는 조직 레벨에서의 불균질 구조, 이방성, 비선형성, 주파수 의존성, 온도 의존성, 특이한 반사 산란 흡수 특성, 경시변화 등 생체조직의 고유한 특이성에 기인하는 경우가 많다.

3.2 생체의 전·자기적 특성

1. 생체의 전기적 특성

일반적으로 물질이나 재료의 전기적 성질을 나타내는 것에도 도전율 σ(또는 그 역수의 저항율 ρ), 유전율 ϵ(또는 비유전률 ϵ_s), 투자율 μ의 3개가 있지만, 생체는 비자성체로 생체 조직의 수동적 전기 특성에 대해서는 전자의 2가지의 문제로 압축된다.

일반적으로 저주파 영역에서는 도전율이, 고주파 영역에서는 유전율이 문제가 되지만, 생체 조직은 도전체 또는 유전체로 일방적으로 나눌 수 없는 물체로 양쪽의 성질을 모두 갖고 있다. **유전완화주파수** fc은 $fc = \sigma/2\pi\epsilon$으로 나타낼 수 있으며, 인가되는 전자장의 주파수 f와의 관계에서 $f \ll fc$이면 도전성, $f \gg fc$이면 유전성이

표 3. 생체조직의 전기적 특성과 유전완화주파수

구분	수분이 많이 포함된 조직			수분이 적게 포함된 조직		
주파수	비유전율 ϵ_s	도전율 σ[S/m]	유전완화주파수 fc[MHz]	비유전율 ϵ_s	도전율 σ[S/m]	유전완화주파수 fc[MHz]
10	160	0.625	70	-	-	-
27.12	113	0.612	97	20	10.9-43.2	10-39
100	71.7	0.889	222	7.45	19.1-75.9	46-182
433	53	1.43	483	5.6	37.9-118	121-377
915	51	1.60	562	5.6	55.6-147	178-470
2450	47	2.21	842	5.5	96.4-213	314-693

지배적으로 된다. 표 3은 10~2450MHz 범위에서의 유전완화주파수의 값을 나타냈으며, 이것에 따라 근육등과 같이 수분을 많이 함유하는 조직에서는 100MHz 이하에서 f 〈〈 fc가 되기 때문에 거의 도전체라고 간주할 수 있지만, 지방 등과 같이 수분을 적게 함유하는 조직에서는 f와 fc가 거의 같기 때문에 양쪽의 성질을 갖는 것을 알 수 있다. 400MHz 이상에서는 양 조직 모두 유전체에 가깝게 된다.

생체 조직의 도전율과 유전율은 각 주파수대역에서 그림 1과 같이 변화한다. 10Hz, 수 MHz, 약 18GHz 부근의 3개의 주파수 영역에서 계단적으로 도전율이 증대하고, 유전율이 감소한다. 이 영역을 α, β, γ 분산이라 하고, α 분산은 1kHz 이하의 낮은 주파수에서 나타나며, 원인은 생체 조직 내의 각종 이온의 집산 시간이나 표면 컨덕턴스에 기인한 것으로 생각할 수 있다. β 분산은 세포나 조직 레벨에서의 불균질 구조에 의한 단락 현상에 의해 발생하기 때문에 구조 분산이라 부른다.

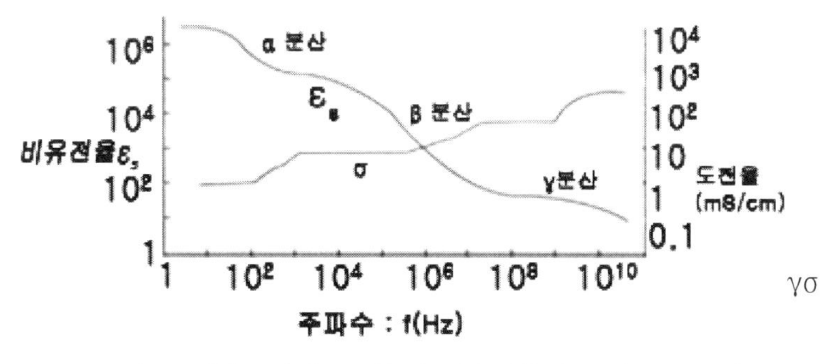

그림 1. 생체조직의 도전율과 비유전율의 주파수 의존성

γ 분산은 20GHz 부근에서 일어나며, 물의 쌍극자 능률에 따른 유전 분산에 의한 것이라고 생각할 수 있다.

(1) 저주파 대역에서의 전기적 특성

저주파 대역에서의 생체 조직은 도전체로서 다룰 수 있으므로, 기본적으로는 단순한 오옴의 법칙을 적용하여 고찰할 수 있다. 그러나 각 장기의 저항률을 살펴보면, 상당한 편차를 나타내고 있다. 이는 각 조직이 일정한 구조로 이루어져 있지 않아서 측정 시의 전류 경로가 다르기 때문에 발생하는 차이(이방성) 및 측정표본의 상태(혈액의 함유량의 차이 등), 온도 의존성, 경시변화에 따라 측정치가 다르게 된다. 저주파 대역에서는 세포막의 임피던스가 높기 때문에 전류는 세포간질액을 통하여 흐른다. 또한, 전류 밀도가 $1mA/cm^2$ 이상이 되면 세포 형질막의 양측에서 전위차가 걸려 세포 흥분 등 능동적 특성이 나타나기 때문에 전기적 특성은 선형으로 되지 않는다.

조직 레벨의 전기적 특성은 수분의 함량에 따라 크게 좌우된다. 표피에는 세포외액이 거의 없으므로 도전율은 현저하게 작고, 표피를 사이에 두고 전압이 걸렸을 경우에는 생체 내에 흘러 들어가는 전류는 적어진다. 한편, 피부를 사이에 두지 않고 직접 생체 내에 전압이 걸릴 경우에는 표피에 비하여 도전율이 현저히 커지기 때문에 보다 많은 전류가 심장 등에 흐르게 되어 위험성이 높아진다.

① 전기쇼크 : 전기적 안전에 관해서 가장 중요한 것은 전기쇼크(electric shock)이다. 인체 몸의 표면(피부)을 통하여 전류가 흘렀을 경우의 인체반응의 상태를 그림 2에 나타냈다. 오래된 세탁기 등 전자제품을 만졌을 경우 손가락 끝이 찌릿하게 느낄 정도의 전류를 **최소 감지 전류**라 한다. 성인 남자의 경우 약 1mA 정도이다. 전류가 10~20mA 정도가 되면 수족의 근육을 자유롭게 움직일 수 없게 되며, 고전압이 걸려 있는 접촉 부분부터 자력으로 손을 뗄 수 없게 된다. 이 한계를 **이탈 전류**라고 한다. 생체에 흐르는 전류가 더 커지게 되면 전류는 몸의 표면뿐만 아니라 체내에도 흘러들어 심장에도 전류가 흘러 심실세동을 일으킨다. 이처럼 전류가 피부를 통하여 체내로 흘러들어가고 다시 체외로 나올 때 발생하는 전기쇼크를 **매크로 쇼크**라고 한다.

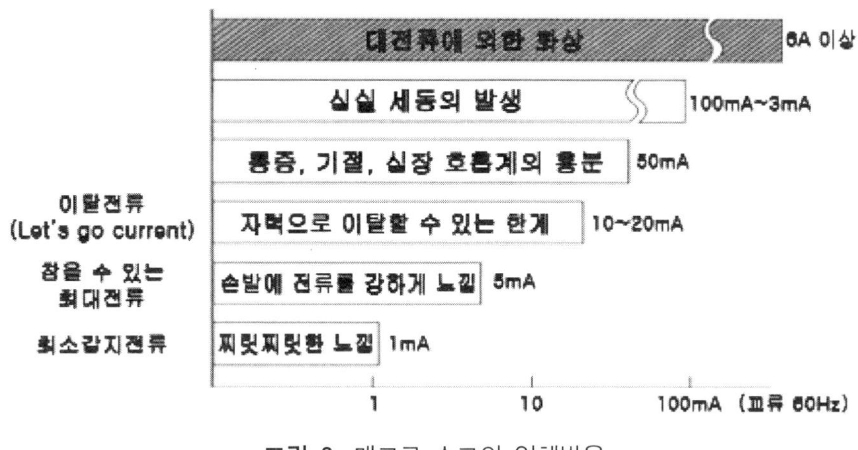

그림 2. 매크로 쇼크의 인체반응

한편, 피부를 통하지 않고 전류가 직접 체내를 통하여 심장을 직격하였을 경우에는 1mA 정도의 전류만으로도 심실세동을 일으켜 사망한다. 이와 같은 전기쇼크를 **마이크로 쇼크**라고 한다. 동물실험(개)에서는 직접 심장에 전류를 흘리면 수 10μA에서 심실세동이 일어나기 때문에 사람의 경우에도 이에 가까운 값(100μA 이하)으로 추측된다. 심장에 직접 적용되는 의료기기에서 누설되는 전류의 허용치는 충분한 안전 계수를 고려하여 10μA 이하로 규정되어 있다. 또한, 전기쇼크를 일으키는 전류 역치는 주파수 의존성이 있으며, 불행하게도 전원 주파수인 50~60Hz에서 전류역치가 가장 낮다. 따라서 이 부근의 저주파 전류에 관해서는 전기쇼크 방지가 가장 중요한 과제가 된다. 또한, 전류의 주파수가 1kHz를 넘으면, 동일 자극 작용을 발생시키는 데 필요한 전류 값은 주파수에 반비례하여 저하한다.

② **고주파 대역에서의 전기적 특성** : 저주파 대역의 안전관리측면에서는 전기쇼크가 중요하였으나, 고주파 대역에서는 세포에 대한 자극 작용은 거의 없고, **열적 작용**에 따르는 온도 상승이 중심이 되며, 생체의 전자파 흡수에 따른 인체 영향을 표 4에 정리하였다. 표 5에 나타내는 바와 같은 비열적 작용도 생각되고 있지만, 정량적 해명은 아직도 불충분하다.

표 4. 생체의 전자파 흡수

양식	파장(m)	주파수(MHz)	흡수의 개요
준공진	10~	~30	표면에서의 흡수가 최대, 생체 내에서 점차 감소 주파수 상승에 따라 전 에너지 흡수가 급격히 증가
전신공진	1~10	30~300	신장(身長)에 공진하는 주파수로 에너지 흡수가 최대
부분공진	0.75~1	300~400	머리 등 부분적 공진부에서 에너지 흡수가 최대
hot spot 형성	0.15~0.75	400~2000	안구, 고환 등 소기관에서의 공진 생체 내부에서 국소적으로 에너지 흡수가 최대로 되어 수 cm 이하의 hot spot를 형성, 주파수의 상승과 함께 이 경향이 감소
표면흡수	~0.15	2000~	피부표면에서 거의 모두 흡수, 체표면에서만 온도상승

표 5. 고주파 전자장이 생체에 미치는 영향

작용	작용대상 및 현상	비고
열적 작용	• 눈 • 고환	• 150mW/cm^{2}에서 백내장 • 5mW/cm^{2}에서 불임증 등
비열적 작용	치사효과, 연명, 성장, 유전, 뇌기능, 뇌파, 심전도, 심박수, 고차신경작용, 반사, 조건반사, 행동패턴, 운동, 학습, 온각, 청각, 신경계 전반, 신경, 근	어느 경우도 연구가 진행되는 과정에 있어 결론이 나오지는 않음

고주파 전자장에 의해 발생하는 열의 흡수는 **비흡수율**(SAR : Specific Absorption Rate) - 생체가 전자장에 노출됨으로써 일어나는 단위 체중당의 흡수 전력을 나타내며, W/kg으로 표시한다. 행동 패턴의 변화 등에 대한 전신평균 SAR의 역치는, 실험용 쥐의 동물 실험 결과로는 4~8W/kg 정도로 되어 있다. 인간의 기초 대사량을 기반으로 하여 고려하면 1~2W/kg의 전자장에 노출되면, 약 1℃의 심부 체온 상승이 일어난다. 이 추정으로부터, 국제적으로 안전역치를 1~4W/kg으로 생각하고, 안전율을 2.5~10으로 하여 전신평균 SAR의 지침을 0.4W/kg으로 생각하고, 안전율을 2.5~10으로 하여 전신평균 SAR의 지침을 0.4W/kg으로 생각하는 것이 주류이다.

전자파가 생체 조직에 조사되면, 전자 에너지가 흡수되어 열로 변환되면서 지수함수적으로 감소해 간다. 이 감쇠상수 α는 도전율이 큰($\sigma \gg \omega\epsilon$) 경우에는 거의

$\alpha = \sigma\mu\omega/2$로 나타낸다.

또, 그 역수($1/\alpha$)는 전자파의 진폭이 조직 내에서 $1/e(\fallingdotseq 0.37)$로 감쇠하기까지의 거리(투과 심도)를 표현하며, 그 깊이는 주파수 및 조직의 차이에 따라 크게 달라, 일반적으로는 수분의 함량이 낮은 뼈나 지방이 수분의 함량이 높은 근육보다는 동일 주파수에서 보다 깊게 투과하게 된다.

2. 생체의 자기장 특성

생체에 대한 자기장의 작용은 충분히 파악되어 있지 않다. 그러나 생체와 자기와의 관계는 각종 생체계측에 이용되고 있다. 자기의 생체 작용을 이용한 것으로 핵자기 공명(NMR)에 의한 화상진단장(MRI)가 있다. 한편, 생체에서 발생하는 자장을 검출하여 생체 정보를 얻기 위해 심자도, 뇌자도, 폐자도 등의 계측이 시도되고 있다. 특히 MRI와 같이 강력한 자장을 생체에 작용시켜야만 하는 의료기기도 있어, 강력한 자장이 생체에 미치는 영향을 해명하기 위한 연구가 진행되고 있으며, 생체에 대한 자기장의 **작용인자**로는 ① 자장의 강도, ② 자장의 방향성과 넓이, ③ 자장이 작용하는 시간, ④ 직류 또는 교류자장, ⑤ 생체의 자장에 대한 반응 특성을 생각할 수 있다.

생체에서 발생하는 자장은 크게 두 가지로 나눠서 생각할 수 있는데, 첫째로는 세포의 전기 활동에 의해 발생하는 생체 내 활동 전류에 의해 발생하는 자장으로, **심자도**($10^{-11} \sim 10^{-10}$T), **뇌자도**($10^{-13} \sim 10^{-12}$T)와 같은 경우이며, 둘째로는 생체

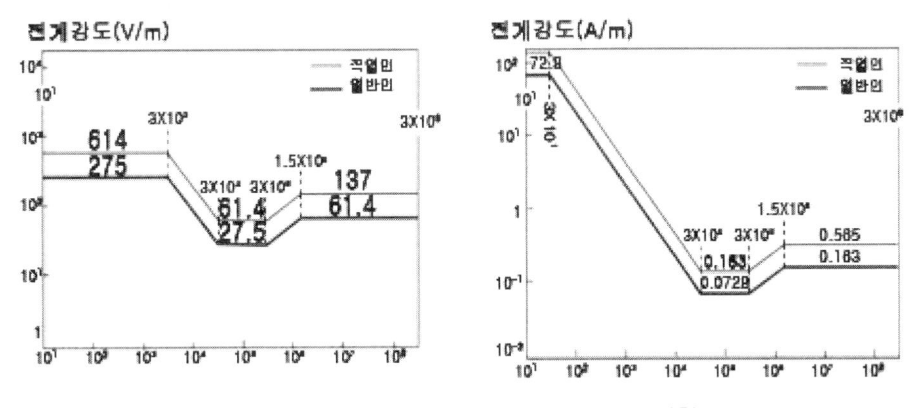

그림 3. ANSI에 의한 전자계 허용강도 지침

내에 축적된 자성 미분체에 의해 발생하는 자장으로, **폐자도**($10^{-9} \sim 10^{-8}$T)를 생각할 수 있다.

미국의 규격 협회 ANSI의 안전 권고에 의하면, 그림 3에 나타내는 관리 지침이 직업인과 일반인을 대상으로 제출되어 있지만 생체의 전자파 공진이 문제가 되는 30~300MHz 범위의 허용 한계치가 가장 적다.

3. 생체의 광학적 특성

(1) 서론

의료에 이용되는 광(光)의 작용으로는 미약한 광 에너지에 의한 **광의 직접적 작용**(자외선에 의한 살균이나 신생아의 고빌리루빈혈증의 광선치료), PDT(Photodyna-mic Therapy)에 이용되는 광 감수성 물질인 HpD(헤마토 폴피린 유도체 등)를 개재한 **광 화학작용**, 그리고 강력한 레이저광을 이용하는 경우 등에 의한 **열작용**에 의한 것으로 나눌 수 있다. 또 광에너지가 열 에너지로 변환된 후의 작용에 관해서는 '생체의 열적 특성'에서 서술하기로 하고, 여기에서는 생략한다.

생체 조직의 수동적인 광학적 특성을 생각하는 경우에는 반사, 흡수, 산란, 투과 특성 등에 대해 파악할 필요가 있다. 이들의 기본적인 성질은, 광학적 특성에만 의한 고유한 것은 아니고, 빛을 포함하는 모든 전자파와 생체 조직 사이에서 일어나는 일반적 현상이다.

또한 빛의 파장대는 자외선, 가시광선, 적외선의 3개 영역으로 분류되며, 각각의 파장대에 따른 특성이 상당히 다르다.

(2) 자외선의 생체 작용

생체 중의 고분자 물질은, 파장 200nm 이하의 자외선을 잘 흡수한다. 일반적으로는 태양광의 최단 파장 이하의 파장 빛을 받으면 생체 조직은 장해를 받기 쉽고, 254nm 부근의 자외선은 가장 살균력이 강하다.

빛의 흡수는 광양자(Photon)를 단위로 행해지고, 이상적으로는 분자가 동시에 1개의 광양자를 흡수하여 1개의 분자 전체에 변화가 생긴다. 1개의 광양자 에너지 E[erg]는 $E = h\nu$[h는 플랭크 상수(6.62×10^{-27}erg/s), ν는 빛의 진동수(s^{-1})], 또는 E = $h\nu/\lambda$[c는 광속($2.998 \times 10^{10} cm/s$), λ는 빛의 파장(nm)]로 나타낸다. 파장이 짧은 자외선은 광양자 에너지가 비교적 크고(예를 들면, 파장 300nm인 빛의 광양자 에너지는 약 95kcal/mol이고, C-H 분자 결합의 해리 에너지인 98.8kcal/mol에 필적하며, C-C, N-N, O-O 결합의 해리 에너지보다 크다), 따라서 생체 고분자 결합에 직접적 작용을 미친다.

(3) 가시광선의 생체 작용

가시광 영역(파장 400~780nm) 중에서도 가장 강한 흡수를 나타내는 것은 혈액 중의 헤모글로빈이며, 피부 조직 내에 있는 각종 생체 색소의 경우도 흡수를 많이 한다. 헤모글로빈에 의한 흡광은 600nm를 경계로 하여 이 이하의 파장에서는 급격히 증대한다.

(4) 근적외선의 생체 작용

적외선 중 파장 780~1400nm까지를 근적외선이라고 한다. 이 영역에서는 헤모글로빈 및 수분의 광흡수가 가장 적기 때문에 빛이 조직 내에 잘 투과한다. 즉 조직 내에서의 흡수가 적으며, 이 영역에서 빛이 감소되는 주된 원인은 산란이라 할 수 있다.

(5) 원적외선의 생체 작용

파장 1400nm 이상을 원적외선이라고 한다(3000nm 이상으로 하는 경우도 있다). 생체 조직의 대부분을 구성하는 물의 원적외선을 잘 흡수한다. 원적외선에서는 자외선에 비하여 파장이 길어지기 때문에 광양자 에너지는 감소한다. 예를 들면 파장 1.06μm에서 광양자 에너지는 27kal/mol이고, 생체 분자 결합 해리 에너지보다 작아지기 때문에 작용으로서는 분자 결합의 진동, 회전, 신축 운동 등에 기여하는 열을 산생시킨다.

(6) 빛에 관한 안전

빛에 관한 안전에서 가장 주의해야 하는 것은 눈과 피부의 장해이다. 전술한 각 파장에 대하여 과도한 빛이 조사됐을 경우에 생기는 장해를 표 6에 정리하였다.

표 6. 각 파장에 대한 과도한 피폭이 생체에 미치는 영향

파장영역	눈	피부
자외C(200~280nm) 자외B(280~315nm)	안염	• 홍진(sunbur), 피부노화의 촉진 • 색소의 증가
자외A(315~400nm)	광학에 의한 백내장	색소의 흑화
가시(400~780nm)	광화학, 열에 의한 망막 손상	열상
적외A(780~1400nm)	백내장, 망막 열상	
적외B(1.4~3.0μm)	백내장, 각막 열상	
적외C(3.0~10.0μm)	각막 열상	

4. 생체의 방사선에 대한 특성

α선, **β선**, **γ선**, **X선**, **중성자선** 등의 방사선을 생체에 조사하면, 염색체 이상, 기관의 중량 저하, 치사 효과 등의 악영향이 생긴다. 그러나 X선 화상진단이나 방사선 치료와 같이 방사선의 현재에 이르러서는 의료분야에서 매우 중요한 수단이 되고 있어, 위험성만을 강조하여 이를 폐기할 수는 없다. 따라서 방사선의 위험성을 충분히 인식하여, 항상 안전하게 주의를 기울여 신중하게 사용하는 것이 중요하다.

(1) 방사선의 생체 작용

방사선의 생체에 대한 작용은 X선의 발견 후 바로 보고되었다. 자연 상태에서 사람이 받는 방사선 **조사선량**은 연간 0.1R이며, 일생 중에 7R 정도라 한다. 그러나 생체가 100R을 넘는 전리 방사선을 받으면, 먼저 생식 세포계의 돌연변이, 계속하여 체세포계의 돌연변이, 염색체의 절단, 형태 이상이나 수명의 단축 등이 생기기 시작하여 200R씩 늘어날 때마다 돌연변이의 자연 발생률이 2배가 된다고 한다.

대량의 방사선을 받으면, 생물은 단시간에 사망한다. 반수가 사망하는 반수 치사량은 사람의 경우 400~500rem이라 한다. 죽음에 이르지 않는 양의 방사선에서도 염색체 레벨에서의 파괴나, 세포나 조직의 직접 파괴에 의해 여러 가지의 장해를 일으킨다. 피부에서는 탈모나 궤양 등이 200rem을 넘는 조사범위에서 일어나며, 골수에서는 25rem 이상에서 백혈구의 생산이 감소한다. 방사선에 의한 장해는 생체 조직의 신생 능력이 큰 경우나 분화의 정도가 낮은 경우에 현저하며, 태아는 성

표 7. 방사선량의 한계치

구분	방사선 취급자	일반인
생식선, 골수	5 rem/year	0.5 rem/year
피부, 뼈, 갑상선	30	3
수족	75	7.5
기타	15	1.5

인보다 큰 영향을 받는다. 표 7은 국제적으로 이용되고 있는 방사선량의 한계치를 나타낸다.

α선, β선, γ선 등의 생물적 작용의 중심은 방사선의 **전리 작용**에 의한 것이라고 생각할 수 있어 방사선의 생체 작용에 관해서는 전리 방사선의 작용으로서 논해지고 있다.

방사선은 광양자 또는 전자, 양자 등의 입자지만 개개의 에너지가 높아 X선은 가시광선의 $10^3 \sim 10^5$배, γ선은 10^6배 정도가 된다. 표 8에 α선, β선, γ선의 특성을 나타내었다.

표 8. α선, β선, γ선의 특성

구분	전하	전리능력	물질투과력
α선	+2	대(직접)	소(공기중에서 3.5cm/5.0MeV)
β선	-1 또는 +1	중(직접)	중(Al을 1.2MeV β선으로 1.9mm 투과
γ선	0	소(간접)	대(Al에서 4.2cm 투과 후 반감)

방사선이 생체를 구성하는 원자·분자와 충돌하면 통로상의 원자의 전자에 에너지를 준다. 에너지가 크면 원자에 가장 느슨하게 결합된 전자는 자유전자가 되고, 이와 함께 정이온이 생성된다. 이것을 전리(ionization)라고 한다. 전리된 전자는 다시 다른 원자를 전리시키는(2차 전리) 일도 있다. 즉, 방사선은 그 통로에 이온 및 여기전자(1차 생성물)를 생성한다. 1차 생성물에 주어진 에너지는 열 에너지나 활성화 에너지로서 작용하여, 이들이 생물 작용을 한다. 방사선이 생물에 대하여 미치는 효과는 표 9와 같이 분류할 수 있다.

표 9. 방사선이 생물에 미치는 작용

물리적 작용	방사선 에너지의 흡수
화학적 작용	1차 생성물 및 중간 생성물의 작용
생화학적 작용	효소 화학반응
생물학적 작용	세포의 장해 • 체세포의 장해 : 신체적 영향 • 생식세포의 장해 : 유전적 영향

일반적으로 세포 분열이 왕성한 조직일수록 방사선 감수성이 높고, 이것이 암의 방사선 치료에 대한 하나의 근거가 된다. 인체에 허용되고 있는 방사선량의 한도는 직업상의 피복에 관해서는 안구의 수정체 15rem/년, 이외에는 50rem/년, 전신균등 조사 5rem/년이고, 일반인의 경우는 이것의 1/10 정도로 되어 있다. 통상, 자연상태에 있는 사람의 피폭량은 약 200rem/년으로 이 정도면 유전적으로 유해한 영향은 없는 것으로 되어 있다.

(2) 방사선량을 나타내는 단위(표 10)

방사선의 생체에 대한 효과는 약간의 예외를 제외하면 전리 작용이 중개한다. 이 때문에 방사선량을 다루는 경우 측정하기 쉬운 **조사선량**, 물리적 의미가 명확한 **흡수선량**, 생체 효과를 나타내는 데 편리한 **선량당량** 등이 사용된다.

표 10. 방사선량의 단위

조사선량 (Exposure)	전리된 단위질량으로 하여 구한다. 단위는 C/kg-air로 공기의 전리량으로 측정한다. 1R(뢴트겐) = 2.58×10^{-4}C/kg-air
흡수선량 (Absorbed Dose)	물질 중에 흡수된 에너지를 단위 질량당으로 구한다. 단위 Gy(그레이) : 1Gy=1J/kg 1rad=0.1Gy도 사용된다. [1R=0.93~0.96rad]
선량당량 (Dose Equivalent)	생체에 대한 작용의 크기를 고려한 것으로 흡수선량 방사선의 종류에 따른다. 단위 Sv(시벨트) : 1Sv=Q×Gy 단, Q는 생체에 대한 에너지 침착의 비율을 나타내고, X선, γ선 및 전자에서는 1, 기타의 방사선에서는 2~20의 값을 취한다. 단위 1Sv=1J/kg=100rem(렘)

3.3 생체의 열 · 기계적 특성

1. 생체의 기계적 특성

(1) 생체 조직의 역학적 성질

생체 조직은 기계적(역학적) 부하에 대하여 신장·압축 등의 변형이나 진동이 발생한다. 하중과 변형과의 관계나 기계적 진동, 음파, 초음파 등의 전파 특성은 생체 조직의 탄성특성, 점성특성에 의존한다. 생체의 구조는 역학적으로도 복잡하지만 일반적인 조직에는 탄성섬유, 교원섬유(콜라겐) 및 점성을 갖는 조직액 등의 복합적인 성질로 되어있다.

(2) 기계적 성질을 표현하는 기초 사항

① **응력과 변형** : 조직에 정적인 하중(일정의 힘이나 압력에 의한 **인장**, **압출**, **비틀림**, **굽힘** 등)이 더해지면 조직은 그것을 구성하는 재질이나 구조에 의존하는 변형이 생긴다. 하중 P의 인장 또는 압출력이 단면적 S의 재료에 작용하면, 이것에 의해서 재료에는 단위 단면적당 P/S의 응력이 발생한다. 한편, 신장이나 압축 △1을 원래의 길이 1로 기준화하여 △1/1로 하면 탄성체에서는 응력과 변형의 관계를 $E=(P/S)/(\Delta l/l)$로 표현하는 것이 가능하다. E는 영률(신장 탄성률)이라고 한다.

탄성체란 용수철에 추를 매달면 늘어나고, 떼면 원래의 상태로 돌아오는 성질을 말한다. 외력에 의해 발생한 응력과 변형률은 비례(선형)관계를 나타낸다.

② 점성 : 점성은 체액 등 유동성을 나타내는 물질의 성질을 표현하는 데 중요한 요소이다. 점성의 정의는 하중에 의해 생긴 미끌림 응력에 의해 변형이 생겼을 때 유체 내부에서의 물질의 미끌림 속도와 응력고의 관계로 나타낼 수 있다. 유체의 흐름에 의존하지 않고 응력과 미끌림 속도가 선형이 되는 경우, 이와 같은 유체를 뉴턴유체라고 한다. 점성이 클수록 미끌림 응력에 대하여 미끌림 속도가 작게 되어 유체는 이동하기 어렵게 된다. 혈액은 적혈구의 행동에 따라 뉴턴유체라고 할 수 없지만, 혈장은 거의 **뉴턴유체**로서 다룰 수 있다.

표 11은 재료의 기계적 성질을 기술할 때 이용되는 정수의 정의를 정리한 것이다. 포와송비는 재료에 대한 종 방향의 변형과 횡 방향의 변형비를 의미하고, 하중에 대한 체적의 변화에 관계한다. 생체 조직에서는 하중에 대한 체적의 변화(체적 탄성률)는 물과 거의 같고, 미끌림 탄성률에 비하여 현저히 크기 때문에 정적인 변형에 대해서는 **비압축성**이라 할 수 있다. 이 경우, **포와송비**는 0.5가 된다.

표 11. 생체에서의 기계적 상수

상수명	정의	비고
영률	$E=\frac{\text{법선응력}}{\text{신장변형}}=\frac{P/S}{\Delta l/l}$	힘 P l ⇒ $l+\Delta l$ 반경 r 단면적 S 반경 $r-\Delta r$
포와송비	$\sigma=\frac{\text{횡방향의수축변형}}{\text{신장변형}}=\frac{\Delta r/r}{\Delta l/l}$	
미끌림 탄성률	$G=\frac{\text{미끌림응력}}{\text{미끌림변형}}=\frac{P/S}{u/h}$	면적 S u 힘 P h
체적 탄성률	$K=\frac{\text{응력}}{\text{체적변형}}=\frac{\Delta P}{\Delta V/V}$	정수압 P ⇒ P + ΔP 체적 V 체적 V − ΔV
미끌림 점성률	$\eta=\frac{\text{미끌림응력}}{\text{미끌림속도}}=\frac{P/S}{v/V}$ CGS계의 단위 dyn · s/cm^2을 포와즈(poise), 이것의 1/100을 센티포와즈라 부른다.	면적 S의 판 힘 P (속도 V) 유체 h (속도 0)

등방 탄성체에서의 (E, σ)와 (G, K)의 상호 관계

$$E=\frac{9KG}{3K+G},\quad \sigma=\frac{3K-2G}{2(3K+G)},\quad G=\frac{E}{2(1+\sigma)},\quad K=\frac{E}{3(1-2\sigma)}$$

표 12. 생체조직과 인공재료의 기계특성

	최대하중[N/m^2]	최대변형[%]	영률[N/m^2]
뼈(압축)	1.5×10^8	2	0.8×10^8
힘줄(인장)	0.8×10^8	8	1×10^9
동맥혈관(횡방향, 인장)	2×10^8	100	2×10^6
근(인장)	2×10^5	60	3×10^5
연철	2×10^8	0.1	2×10^{11}
목재	1×10^8	1	1×10^{10}
플라스틱	0.5×10^8	5	1×10^9

표 13. 생체조직의 점도(c P)

물질	점도(c P)
물	0.67(37℃)
혈액	1~6
연조직	0.7×10^8
뼈	$(3\sim4)\times10^{10}$

생체 조직 및 인공재료의 역학적 특성에 대하여 표 12에 나타내었다. 일반적으로 어느 한계 내에서는 하중과 변형의 관계는 선형성을 나타내어 거의 일정한 영률을 구할 수 있으나, 과대한 하중에서는 영률이 하중과 함께 증가하거나, 조직이나 재료가 판단되기도 한다. 또한, 표 13에는 생체 조직의 점성을 나타내고 있으며, 혈액에서는 거의 점성만으로 표현할 수 있지만 고체적인 연조직이나 뼈에서는 점성과 탄성이 동시에 존재하나, 여기에서는 점성만을 추출하여 나타낸 것이다.

이와 같이 현실의 물체는 완전한 탄성체도 완전한 점성체도 아니고, 탄성체이며 점성을 가지고, 점성체이며 탄성을 가지고 있다. 이와 같은 물체를 일반적으로 **점탄성체**라 하며, 크게 나누어 액체적 점탄성과 고체적 점탄성이 있다.

③ 생체의 역학 모델 : 생체 조직의 대부분은 역학적으로 점성과 탄성이 동시에 존재하는 구조를 갖는다. 또 혈관벽이나 근 등 역학적인 특성이 방향에 따라 다른 이방성을 나타내는 것도 많다. 혈관벽의 장축 방향은 원주 방향의 2배

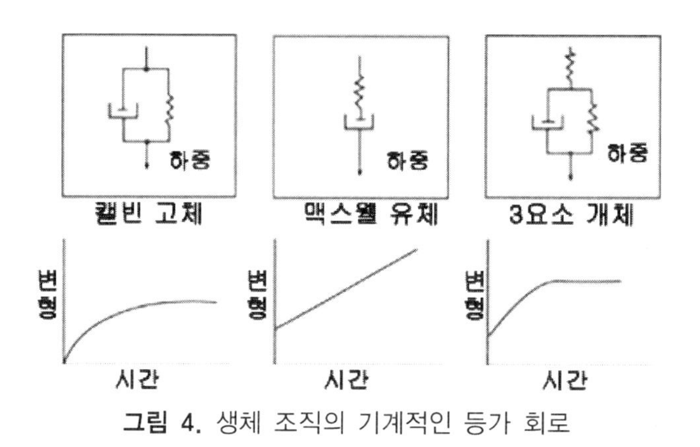

그림 4. 생체 조직의 기계적인 등가 회로

정도 늘어나기 쉽다. 그림 4는 생체 조직의 기계적인 등가 모델의 기본적인 것이다. 댐퍼(damper)는 조직의 점성 요소에 의해 작용하나 하중의 충격을 약하게 하는 작용을 나타낸다.

(3) 생체의 유체역학적 특성

여기에서는 생체의 유체역학적 특징 중, 혈관 내의 혈액의 흐름에 기반 하여 설명한다.

① 혈관 내의 흐름과 레이놀즈수 : 혈액과 같이 점성이 있는 유체를 관내에 흘리려면 관의 출입구 간에 압력 차이를 부여하여야 한다. 점성이 유속에 의존하지 않는 뉴턴 유체에서는 포와즈유(Poiseuille)의 법칙이 성립되어, 유량은 관내경의 4승에 비례한다. 따라서 얼마 안 되는 혈관 지름의 변화에 의해 혈류량이 크게 조정된다. 소동맥의 관벽에서는 중막의 근섬유가 특히 발달되어 있어, 교감신경의 지배에 의해 능동적으로 내경을 변화시켜 혈류 조절을 실시하므로 저항 혈관으로 불린다. 포와즈유의 법칙은 흐름이 층류일 때 밖에 성립하지 않는다. 흐름이 빨라지면 유선이 혼란스러운 난류가 된다. 관내의 흐름이 층류인가 난류인가는 흐름의 관성력과 점성력의 비의 무차원수인 레이놀즈(Reynolds) 수에 의해서 알 수 있다. 레이놀즈수가 2,000 이하에서는 층류라고 생각할 수 있으며, 2,000이상이 되면 난류로 판단할 수 있다. 표 14에 개의 경우에 대한 예를 나타내는 바와 같이 혈관 내의 레이놀즈수는 사람이나 개의 경우 최대 2,000 정도이기는 하지만, 자주 난류가 발생한다고 한다.

표 14. 혈관계의 수치, 혈류속도, 레이놀즈수

(개의 경우)

혈관	직경(cm)	전용적(cm^3)	혈류속도(cm/s)	레이놀즈수
대동맥	1.0	30	50	1700
동맥	0.1	50	10	30
소동맥	0.002	25	0.3	0.02
모세관	0.0008	60	0.07	0.002
소정맥	0.003	110	0.07	0.007
정맥	0.25	300	1.5	10
대정맥	1.25	50	30	1400

② 혈관 벽의 전단 응력 : 관내에서의 유속 분포는 중심일수록 빠르며, 관벽에서는 점성에 의해 유속이 0이 된다. 층류의 경우에는 유속 분포가 포물선이 되며, 난류의 경우에는 관벽의 근처를 제외하고는 거의 일정하다. 층류의 경우에는 혈액의 점성에 의해서 흐름의 방향으로 전단응력이 작용하여 관벽에서도 혈류를 멈추도록 하려는 응력이 작용한다.

혈액은 이미 서술한 바와 같이 여러 가지 원인에 의해서 비선형적인 점성을 나타낸다. 전단속도의 증가에 따라서 점성 계수는 감소하여 전단속도 $100s^{-1}$이하에서는 일정한 값이 된다. 이 값은 특히 관경이 클 때에는 적혈구의 체적분율(헤마토크릿)에 강하게 의존하며, 정상인의 혈액에서는 3~5cP($=3 \sim 5 \times 10^{-3}$ Pa·s)정도이다. 관경이 $10\mu m$ 이하인 모세관 영역에서는 헤마토크릿에 의한 점성 변화가 적다.

2. 생체의 열적 특성

(1) 서론

대부분의 물리 에너지가 생체 조직에 인가되면 열 에너지로 변환되어 생체 조직에 대한 직접 작용으로 열이 주체가 되는 경우가 적지 않다. 또, 의학에 있어서는 온도는 중요한 생체 정보이고, 오래 전부터 열적 특성이 주목되어 왔다.

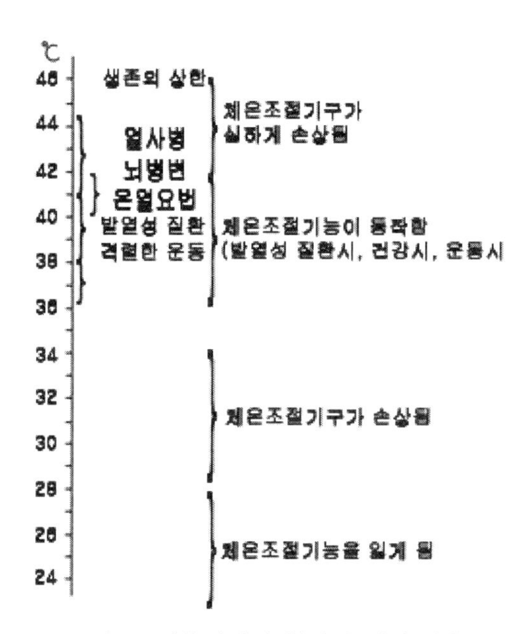

그림 5. 체온변화의 원인과 생체 반응

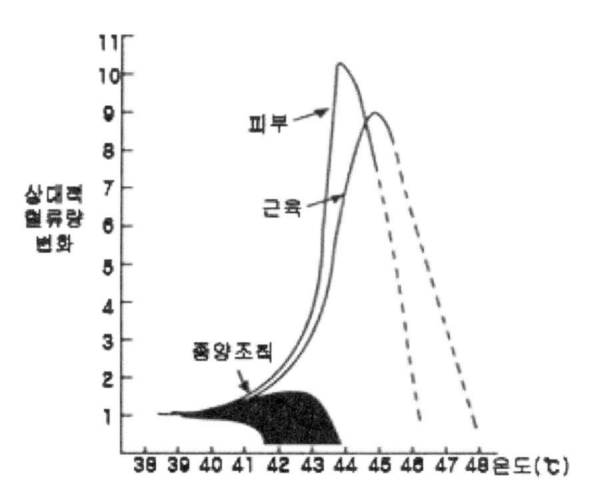

그림 6. 가온시 토끼의 근육 · 피부 및 각종 종양의 혈류변화

인체는 원래 열 산생과 방산을 하고 있으며, 대개 37℃ 정도의 비교적 좁은 범위로 유지되고 있다. 그렇지만, 외부로부터 전시적 또는 국부적으로 가온(또는 냉각)되면 그 항상성이 무너지게 되고 이것이 전신적 장해에 연결된다. 그림 5는 체온과 인체의 반응을 간단히 정리한 것으로, 39~40℃에서 백혈구의 활동 항진, 50℃ 정도에서 원형질의 강직, 백혈구의 사멸, 적혈구의 변형, 60℃에서 용혈현상, 70℃에

서 혈구 응고가 생긴다. 전신적으로 고온 상태가 악화되면 맥박과 호흡의 증가, 발한 등의 순응 현상이 먼저 생기지만 결국은 산소 소비량이 증가함에도 불구하고 혈액의 산소 결합능이 저하하기 때문에 조직 호흡 부전, 물질 대사 부전이 되어 산성혈증(아시도시스)에 빠진다. 더욱 진행하면 뇌 기능 장해를 일으켜 혼수상태가 되고 결국은 죽음에 이르게 된다. 국부적으로 열이 가해지면 생체 조직은 국소 반응을 일으킨다. 가장 전형적인 것으로서 말초혈류의 증가가 있고, 국부에 축적된 열은 혈류에 의해 운반된다. 그림 6은 정상 및 종양 조직을 가온하였을 때의 혈류량 증가를 나타낸 것으로 혈관계의 자기 조절 기능이 미숙한 종양 조직에서는 충분하게 혈류량이 증가하지 않기 때문에 "울혈"이 일어나기 쉽다. 조직 레벨에서 더욱 고온에 노출되면, 그림 7과 같은 조직 변화가 생긴다.

한편, 저온에서는 피부에 동상이 생겨 붉은 반점, 수포 형성, 괴저성 조직 결손이 생긴다. 전신이 저온에 노출되면 몸의 표면 온도가 저하하여 교감신경 긴장 상태가 되고, 피로감, 무욕감, 기면성이 되어 운동 실조, 혈뇨가 생긴다.

(2) 작용 에너지량과 발열량

그림 7에 나타낸 반응과정에는, 온도와 함께 열의 작용 시간이 중요한 인자가 된다. 생리적인 열생산 외에 일반적으로는 환경 온도 또는 전자파나 초음파 등의 물리 에너지가 외부로부터 인가되어 열로 변환되는 경우가 많다. 따라서 이때의 온도 상승 T는 물리 에너지가 인가된 시간 t에 비례하여 $T = Pt/\sigma CJ$가 된다. 단, T=상승온도(℃), P=흡수된 물리 에너지의 흡수 파워 밀도(W = cm^3), t : 인가 시간(s),

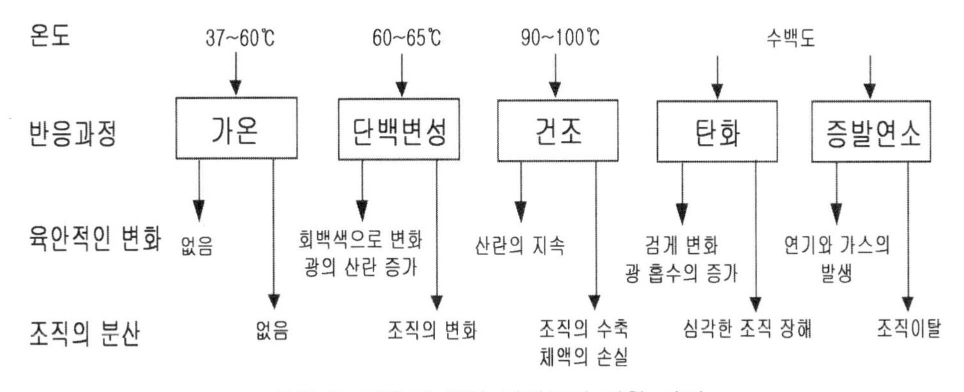

그림 7. 가온에 의한 생체조직 변환 과정

ρ : 조직의 밀도(g/cm^3), C : 조직의 비열(cal/g・℃), J : 열의 일당량(4.18J/cal) 이다.

예를 들면 0.2(W/cm^3)의 초음파가 생체 조직에 흡수됐다고 하면 조직의 밀도를 1.0(g/cm^3), 비열을 1.0(cal/g・℃)로 하면 1초간에 T=0.048(℃), 1분간에 T=2.87(℃)의 온도가 상승하게 된다.

(3) 생체 조직에서의 열의 전파

생체 조직에서 발생한 열은 조직의 열전도와 순환 혈액에 의해 운반된다. 생체 조직의 열전도율은 비교적 작아 0.005(J/cm・s・℃)정도이다. 열전도율은 cal/cm・s・℃로 나타내는 경우도 많으며, 이 경우에는 1(cal) ≒ 4.186(J)로 환산한다. 혈류가 없는 근육에서는 대략 100×10^{-5}(cal/cm・s・℃), 지방은 50×10^{-5}(cal/cm・s・℃)이며 36℃에서 물의 열전도율은 1.5×10^{-3}(cal/cm・s・℃) 정도이다.

따라서 생체 조직에서의 열 수송은 이하의 미분 방정식(열 수송 방정식)에 의해 나타낼 수 있다.

$$\rho_t C_t \frac{dT}{dt} = k\frac{d^2T}{dx^2} + Q - F\rho_t\rho_b C_b(T - T_b)$$

여기에서, ρ_t : 조직의 밀도(kg/m^3), C_t : 조직의 비열(J/kg・TK = 0.239×10^{-5} cal/g℃), 즉 $\rho_t C_t$는 조직 1m^3당의 열용량(J/cm・m^3), F : 조직 1kg당 혈류량(m^3/s・kg), ρ_b : 혈액의 밀도, C_b : 혈액의 비열, $T-T_b$: 혈액 온도 온도상승(℃)이다. 표 15에는 이들에 관한 생체 조직의 정수에 대한 일례를 나타낸다.

표 15. 생체 조직의 비열・밀도 및 열 전도율

(433~2,450MHz대)

조직	비열(cal/g℃)	열전도율(cal/cm・s・℃)
지방・뼈	0.24	0.46×10^{-3}
근육	0.86	1.3×10^{-3}

한편, 열의 방산에 관해서는 복사나 대류(단, 생체 조직에서는 기체나 액체와 같은 대류는 없다. 이 경우에는 체표면에서의 대류에 의한 열방산을 의미하고, 거의 표면이 거친 평판의 특성에 가깝다)가 있지만, 가장 중요한 작용은 발한에 의한 체열방산이다.

(4) 열에 의한 효과와 상해

그림 7에 가열에 수반하는 생체 조직 변화의 과정을 나타내었으나, 60℃ 이사ㅇ에서는 단백 변성이 생기기 때문에 불가역적인 변화가 된다. 이 이하의 온도에서는 온도와 시간에 따라 그 작용이 변하다. 그림 8은 실험용 쥐 하지의 정상 조직과 종양 조직을 온수 중에 두고 온도와 시간을 변화시킨 결과를 나타내었으나, 정상 조직에 있어서도 45℃ 이상의 온도에서는 비교적 짧은 시간(수 10분)에 열 괴사에 의한 하지의 탈락이 보인다. 종양 조직에서는 전술한 것처럼 혈관 조절계가 미숙하여 혈류가 증가하지 않기 때문에 열이 쌓이기 쉬워 정상 조직보다도 훨씬 짧은 시간에 열손상이 일어난다.

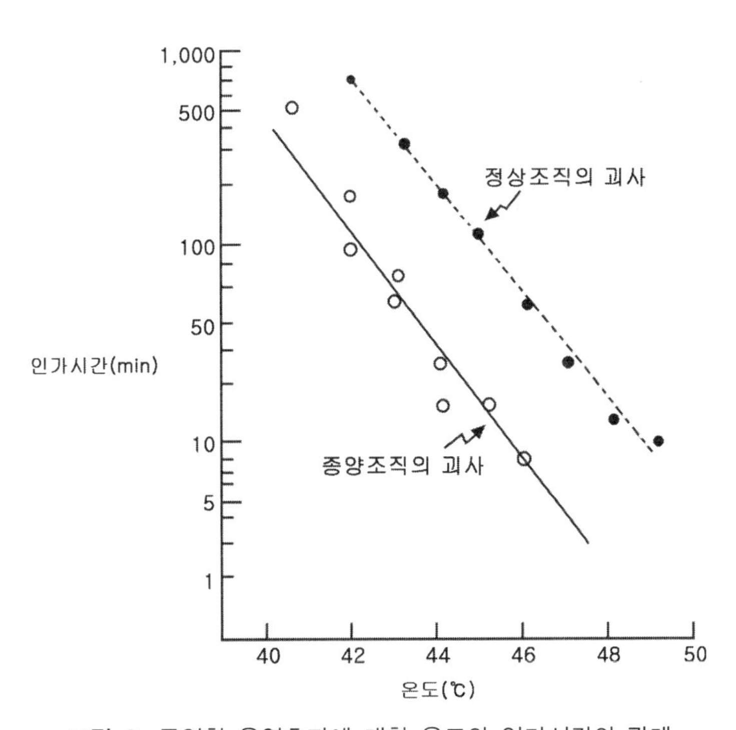

그림 8. 동일한 온열효과에 대한 온도와 인가시간의 관계

이들 결과에서 세포 레벨에서는 42.5℃를 경계로 하여 이것보다 높은 온도에서는 비교적 열 손상을 받기 쉬운 것을 알 수 있다. 따라서 단백질의 변성이 생기지 않는 저온 영역에서도 장시간 열이 더해지면 이른바 저온 열상을 발생하기 때문에 주의를 필요로 한다.

덧붙여 암세포는 정상세포에 비해 열에 약하여 암세포를 고온에 노출했을 경우 약 43℃를 경계로 하여 생존율이 급격하게 저하하는 사실이 알려져 있어 온열요법(Hyperthermia)에 의한 치료의 근거가 되고 있다.

한편, 가온에 대한 생체 작용 중에는 의학적 효과도 있다. 일반적으로는 말초 순환의 촉진 효과가 있기 때문에 조직 대사 상태의 개선이나 진통 효과 등을 기대할 수 있다.

3. 생체의 진동과 초음파 특성

일반적으로 매질 내에서의 파동전반특성은 전반상수 γ로 표현되며, γ는 실수항의 감쇠상수 α와 허수항의 위상상수 β로 이루어지는 복소수이지만, 파동의 위상관계 까지는 보지 않는다. 체내에서의 강도 변화나 전반의 모습을 알고 싶은 경우에는 파동의 진폭 변화만을 알면 되고, 감쇠상수 α만을 이용해 입사진폭을 A_0로 하고, 매질 깊이를 x로 하면 진폭 $A = A_0 \cdot e^{-ax}$로 표현된다. 음파와 초음파는 물리적으로 동일한 성질을 나타내는 파동으로 취급하며, 약 20kHz이상의 음파를 편의상 초음파라고 한다.

초음파의 강도는 다음과 같이 나타낸다.

$$I = \frac{1}{2} \cdot \frac{P^2}{\rho C} \times 10^{-7} (\mathrm{W/cm^2})$$

P : 음압 ($\mu = \mathrm{dyn/cm^2}$)

ρ : 매질의 밀도($\mathrm{g/cm^3}$)

C : 매질 중의 전파 속도(cm/s)

ρC를 고유 음향 임피던스라고 한다. 음파나 초음파는 고유 음향임피던스가 다른

조직의 경계면에서 반사된다. 초음파 진단장치는 이 성질을 이용하여 생체 내부를 이미징(imaging)하는 장치이다. 표 16에 주요한 생체 조직의 초음파 특성을 정리하여 나타내었다. 음속은 공기 중에서 약 340m/s, 생체 연조직에서는 물에 가까워 1,500m/s 정도이다.

표 16. 생체 조직의 초음파 감쇠상수(α)

$\alpha = k \cdot f^m$[dB/cm]

조직	k	m
뇌	0.61	1.14
간장	0.69	1.13
심근	1.13	1.07
신장	0.87	1.09
건	4.86	0.76

(1) 생체 조직 내에서의 감쇠 특성

감쇠의 원인으로는 예로부터 점성이라고 생각하였지만 실제로는 점성에 기인하는 것보다 훨씬 큰 감쇠를 일으킨다. 이 원인에 대해서는 아직도 충분히는 해명되어 있지 않지만, 파동 에너지가 화학반응을 개입시켜 열에너지로 변환되기 때문이라고 생각되고 있다. 초음파가 관계하는 화학반응을 개입시켜 열에너지로 변환되기 때문이라고 생각되고 있다. 초음파가 관계하는 화학반응에는 물 분자의 흡착, 전하의 이동, 거대 분자의 구조 변화 등이 있고, 가역반응으로의 평형 상태가 변화한다고 생각할 수 있는 것이 많다. 물과 같은 초음파의 흡수가 점성에만 의존하는 경우에는 감쇠상수 α가 음파 주파수 f의 2승에 비례해 증가하지만, 생체 연조직의 경우와 같이 화학반응이 관여한다고 생각할 수 있는 경우에는 주파수 1MHz 부근에서 α가 거의 f에 비례한다. 이 비례상수 α/f[dB/(cm • MHz)]의 값은 연조직에서 0.5~2 정도로 여겨져 조직의 종류나 병변에 의해서도 의미가 있게 변화한다.

(2) 장기 · 조직 표면에서의 반사와 음향임피던스

생체 조직 안에서의 파동전반에서는 조직의 강성률이 관계하며, 예를 들어 2개의 서로 다른 생체 조직의 경계면에 파동이 비스듬하게 입사하면, 종파로부터 전단파로 변환되고, 일시적으로 횡파가 발생하여, 엄밀하게는 반사나 투과의 모습이 유체의 경우와는 달라진다. 이것을 무시해 종파만에 주목하면, 일정한 매질의 초음파에 대한 특성은 매질의 고유 음향임피던스, 음속, 흡수계수(감쇠상수)로 완전하게 기술된다. 점성이 없는 이상 유체에 대해서는 음속의 주파수에 관계없이 일정하게 된다. 고유 음향임피던스는 평면 진행파로의 음압과 입자속도의 비로, 조직 경계면에서의 반사나 투과를 생각할 때 전기전송선로서의 특성임피던스와 같이 취급할 수 있어 경계의 양면의 고유 음향임피던스의 차이에 따라 도래한 파동의 일부는 반사되어 경계의 양면의 고유 음향임피던스의 차이에 따라 도래한 파동의 일부는 반사되고, 일부는 투과한다. 생체 내에 뼈나 공기를 제외한 연조직에서는 일반적으로 조직의 차이에 의한 음향임피던스의 차이는 수% 정도이다. 초음파 진단 장치에서는 미소한 음향 임피던스의 차이로부터 윤곽상을 재구성하고 있다. 표 17에 생체 조직의 초음파 전파 속도, 고유 음향임피던스 및 흡수계수를 정리하였다.

표 17. 생체 조직의 초음파 전파 속도, 고유 음향임피던스 및 흡수계수

물질	전파속도 (m/s)	고유 음향임피던스 ($\times 10^{-6} kg\ m^{-2}\ s^{-1}$)	흡수계수 α(1MHz에서)(dB cm^{-1})
공기(0℃, 1기압에서)	331	0.0004	12
혈액	1,570	1.61	0.18
뇌	1,541	1.58	0.85
지방	1,450	1.38	0.63
신장	1,561	1.62	1.0
간장	1,549	1.65	0.94
근육	1,585	1.70	1.3(섬유방향) 3.3(섬유와 교차방향)
두개골	4,080	7.80	13
물	1,480	1.48	0.0022

생체 내에서는 미세한 불균일성이 있어 경계면도 결코 매끄럽지 않다. 전반 속도가 장소에 의해서 다르면, 초음파는 직진하지 않고 굴절한다. 또 3차원상에서 미세한 반사가 반복되면 초음파는 다양한 방향으로 무질서하게 반사되어 퍼져 간다. 이 상태를 산란이라고 한다. 본래 반사 계수는 주파수에 무관하지만, 실제로는 주파수

의 2승에 비례하는 정도로 주파수와 함께 증대하며, 또 산란의 정도도 한층 더 급격하게 증대한다고 한다.

(3) 초음파의 전반 속도와 그 주파수 의존성

생체 연조직의 초음파 전반 속도(음속)는 거의 물과 같아 약 1,500m/s이지만, 조직의 종류에 따라 다소 달라서 지방에서 −5%, 근에서 +2~+6% 정도의 차이가 있다. 수분이나 지방의 함유율의 차이에 의해 전반 속도가 변화하므로 조직의 성질과 상태 진단에 이용할 수 있는 가능성도 있어 지방간에서는 음속이 정상보다 늦으며, 또 간경변에서는 섬유화에 의해 음속이 상승한다는 보고도 있다. 현실적으로 생체 연조직의 초음파 감쇠상수 α에는 특이한 주파수 의존성이 있었지만 이것에 응하여 엄밀하게는 위상상수 β에도 주파수 의존성이 있어 음속도 주파수 특성을 가지게 되며, 이것을 속도분산이라고 한다. 이 때문에 엄밀하게는 생체 조직 내에서 초음파의 진동 파형이 전반과 함께 변형한다.

(4) 초음파의 생체 작용과 안전성

초음파의 에너지 밀도가 거의 100mW/cm^{2}에 이를 때까지는 생체 조직을 단순한 전반매질이라고 생각할 수 있다. 즉, 감쇠에 따른 열발생이 있지만, 이 열은 순환계 등에 의해서 이동하여 없어지기 때문에 조직이 비가역적인 변화를 받을 일은 없다. 그러나 이 값을 넘으면 조직에 직접적인 기계력이 작용한다고 한다. 여러 가지 힘이 작용하여 조직이 변형하면 매질의 특성이 선형은 아니게 되어, 고조파가 발생하게 된다. 자주 이 값이 열작용에 대한 안전기준의 근거로 여겨져 각종의 의료용 초음파 기기에 대해서, 예를 들어 10mW/cm^{2}이하로 해야 하는 등의 규제가 이루어진다. 한층 더 에너지 밀도가 높아져 1mW/cm^2 정도가 되면 기계력에 의해서 진공의 기포가 직접적으로 발생하는 **캐비테이션**이라는 현상이 발생한다. 정확하게는 transient cavitation이라고 하는 현상은 강력한 초음파의 음압에 의해서 생긴 기포가 그 직후에 양압기의 조직에 대해 큰 충격력을 주어 조직을 파괴한다. 초음파 메스는 이 현상을 이용하고 있다. 이 밖에도 stable cavitation이라고 하여 혈액 등 액체 중의 작은 공기의 기포에 초음파가 조사되면 이 기포가 점차 성장하여 커지는 현상이 있지만, 순간적인 발생 소멸이 없고 그 자체에는 큰 작용을 볼 수 없다. 이 외에 초음파의 생체 작용에 근거하는 의료용 기기에는 강력한 펄스 형태의 초음파에 의해 병변조직이나 결석의 파괴, 초음파의 열작용을 **하이퍼서미아**에 응용하려는 생각도 있다.

3.4 생체재료

1. 생체재료의 정의

(1) 생체재료의 역사

생체재료는 살아있는 생체에 직접 또는 간접적으로 접촉하여 생체의 조직이나 장기 또는 생체기능의 일부 혹은 전체를 대신하거나 보완해주는데 사용되는 모든 재료로 정의된다. 생체재료로 사용될 수 있는 재료는 인공적인 재료와 자연적인 재료가 모두 포함된다. 이러한 생체재료가 성공적으로 목적을 달성하기 위해서는 두 가지 특성, 즉 생체적합성과 생체기능성이 필요하다.

생체재료는 1860년 J. Lister이 개발한 무균 외과 기술이 출현되기 전까지는 실용화가 되지 못했다. 초기 외과 수술은 생체재료와는 관계없이 대부분 감염의 문제로 성공하지 못했다. 생체재료의 출현으로 감염문제는 더욱 악화되는 경향이 있었다.

현재의 보편적인 이식수술과 초기의 성공적인 이식은 뼈대에 대한 것으로, 골절된 긴 뼈를 고정시키는 뼈대(Bone plate)는 1900년 초에 소개되었다. 초기에 사용된 뼈대는 정교하지 못하고 생체에 대한 이해의 부족으로 기술적인 설계가 미숙하여 자주 부서졌다. 플레이트가 너무 얇고 생체역학이 적용되지 않아 힘의 분산이 되지 않는 문제를 안고 있었다. 또한 뼈대의 좋은 기술적인 특성으로 생체재료로 사용된 바나듐강(Vanadium steel)은 몸에 삽입된 후 빠르게 부식되었고 치료과정 중 역효과 등이 나타났다.

1930년대 들어 스테인레스강(Stainless steel)과 코발트크로미엄(Cobalt chronium) 합금의 도입은 골절치료에 획기적인 변화를 가져왔고, 첫 번째 관절교체 수술이 이루어졌다.

2차세계대전 중 한 비행기 조정사가 전투중 비행기의 플라스틱 덮개 파편으로 부상을 당하였으나, 몸에 박힌 파편은 PMMA(Polymethyl Methacrylate) 재질로 조종사는 고통을 받지 않았다. 이 사건을 계기로 PMMA는 생체재료로 이용되기 시작하여 각막교체와, 손상된 골격 부분교체에 널리 사용되었다.

생체재료의 발전과 외과기술의 도약으로, 1950년대에는 혈관교체와 심장밸브교체가 이루어졌으며, 1960년대 들어서는 접합체 관절 교체가 시도되었다.

(2) 생체적합성

생체 내부에서 사용되는 생체재료가 생체조직이나 장기와 생명현상을 조화롭게 유지할 수 있어야 되는 특성이다. 예를 들면 생체 재료로 사용되기 위해서는 생체 내부에서 독성을 나타내지 말아야 되며, 생물학적 기능을 저해하지 말아야 된다. 뿐만 아니라 생체재료 주변의 조직에 염증이나 알레르기를 유발하여서는 않되며 종양을 유발시켜서도 않된다. 혈액 성분이나 구성요소를 변화시켜서도 안 된다. 화학적으로도 안정한 불활성 상태를 유지하여야 되는 특성들이다.

① 생체안정성(Biostability)

생체재료는 기능성과 함께 생체내에서 독성이 없이 안정성을 유지해야 하는 것이 절대적인 조건이다.

무독성이란 재료가 생체와 접촉했을 때 발열, 용혈, 만성염증, 알러지반응 등이 생체에서 발생하지 않는 성질을 말하여, 이를 위해서는 재료로부터 용해성 물질의 용출이나 분산입자의 발생, 재료표면이 염기성일 때 주위조직이나 생리적 물질과 물리적, 화학반응을 하여 조직세포에 손상을 주게 되는 세포위해성 및 발열반응, 항원성, 발암성 등이 없어야 한다.

② 생체친화성(Biocompatibility)

인공장기의 개발에서 가장 어려운 과제는 재료의 생체안정성, 기계적 강도, 기능 등에 문제가 아니라 재료의 생체친화성이 결여된 것이 원인이다.

생체의 친화성은 다음과 같이 두 가지로 나누어진다.

ⓐ **용적 생체친화성**(Bulk biocompatibility)

생체재료 전체의 형태와 역학적 성질에 관계하는 것으로 특히 인공관절, 인공치근, 인공혈관, 인공기관지 등과 같이 생체조직과 강하게 결합된 상태로 사용되는 경우에 중요하며, 인공재료와 접촉하고 있는 생체조직의 역학적 탄성률과 형태가 다른 경우에는 생체조직에 역학적인 스트레스를 주게되어 그 결과 조직이 흡수되거나 역으로 증식비대화하게 된다.

ⓑ **계면 생체친화성**(Interfacial Biocompatibility)

생체재료와 생체조직간의 계면에 대한 관계로서 이물질인 재료를 생체내에 삽입하면 일반적으로 생체는 이를 배제하기 위하여 결합조직이 이물질을 둘러싸고, 특히 재료가 표피에 부착된 경우에는 표피가 하방성장(Down-growth)하여 조직과 재료사이에는 전혀 접촉이 이루어지지 않는다. 재료의 표면이 혈액과 접촉하는 경우에는 보체(Complement)가 활성화하여 혈전을 생성하게 된다.

(3) 생체기능성

목표로 설계된 기능을 생체 내에서 적절하게 수행하기 위해 필요한 특성이다. 예를 들면 생체재료의 성능을 발휘할 수 있도록 기계적인 강도가 충분하여야 되며, 장치의 목표 수명을 보장할 수 있도록 기계적인 피로특성이 충분하여야 되며, 광학적 특성이 적절하게 유지될 수 있어야 되며, 주변의 생체조직과 기계적인 조화를 이룰 수 있도록 물리적인 밀도가 적절하여야 되며, 제조를 위한 기계적인 가공이 가능하여야 되며, 공학적으로 적절한 형태를 유지하여야 되며, 생체적용을 위한 멸균 소독이 가능하여야 되며, 그 밖에 목표기능의 수행을 위한 물리적・기계적 필요조건들이 생체 기능성에 포함된다.

(4) 생체재료의 특징

생체재료나 의용기구는 일반 의약품과는 달리, 고분자재료, 세라믹재료, 금속재료 등 재료에 대한 기초공학을 바탕으로 생체공학, 화학공학, 기계공학, 전자공학 등 응용공학분야에 의해 의용기구로서 개발되며, 독성학, 병리학, 생리학 등과 같은 기초 의학적인 검증과정을 통해 생체에 대한 안전성이 확인되면 임상적으로 실제 사용상의 생체적합성이 확인된 다음에야 비로서 제조, 판매될 수가 있는 특성이 있다.

(5) 생체재료 개발의 필요성

지금까지 의용기구에 이용된 재료들은 특별한 연구없이 기존의 공업용 재료를 단순히 응용하는 기능 위주의 수준이었다. 현재 사용중인 주사기나, 수액세트, 콘택트렌즈, 인공관질, 인조유방, 인공혈관 등은 기존의 합금, 세라믹, 실리곤, 폴리에스텔, 아크릴수지 등을 이용하여 의료용으로 성형, 가공, 조립한 것들이 대부분인 것이다.

그러나 최근 의료기술의 가속적인 발달과, 기초 과학 들의 발전은 인간의 삶의 질 향상을 위한, 의료분야의 욕구를 충족시킬 수 있게 되었다. 즉 생체재료도 인간수명의 연장을 위한 인공장기의 개발을 위해 새롭게 하나의 분야로서 나타나게 된 것이다.

앞으로 의용기구는 기능보다 생체적합성을 부여하는 것이 더욱 더 중요하며, 따라서 생체적합성이 없는 재료로는 고도의 생체기능을 부여할 수 없으므로, 재료에 대한 연구 더욱 발달될 것이다.

표 18. 기관에 사용되는 생체재료

기 관	예
심장(Heart)	심장 페이스메이커, 인공심장밸브
폐(Lung)	산소발생 장치
눈(Eye)	콘택트 렌즈, 내부 렌즈
귀(Ear)	인공 Stapes, 와우각 임플란트
뼈(Bone)	뼈대, Intramedullary rod
신장(Kidney)	신장 투석 기계
방광(Bladder)	카테터 및 스텐트

표 19. 인체 조직에서 사용되는 생체재료

조 직	예
골격(Skeletal)	전체 골절 교체
근육(Muscular)	봉합사, 근육 자극기
순환계(Circulatory)	인공심장밸브, 좌심방 혈관보조장치
호흡계(Respiratory)	산소발생장치
피부표면(Integumentary)	봉합사, 화상 처치, 인공피부
비뇨계(Urinary)	카테터, 스텐트, 신장투석장치
신경계	뇌수종 드레인, 심장 페이스메이커, 신경 자극기
내분비계	미세 캡슐에 내장된 췌장세포

2. 생체재료의 분류

생체재료는 생체 조직에 이식 후에 일어나는 반응에 따라서 **생체 불활성 재료**(Bio inert material), **생체 활성 재료**(Bioactive material)와 **생체 재흡수 재료**(Bioresorbable material)로 분류된다.

(1) 생체 불활성 재료

생체 조직에 이식 후 재료가 전혀 반응을 하지 않거나 매우 조금 반응하여 재료의 표면에 신생 섬유조직이 형성되기도 하는 생체재료이다.

(2) 생체 활성 재료

생체 조직에 재료가 이식되면 표면이 활성화되어 세포가 부착되는 반응이 일어나거나 재료 내부로 생체조직이 융합되는 생체재료이다.

(3) 생체 재흡수 재료

생체 조직에 이식된 재료가 시간이 경과함에 따라서 점차 분해되거나 생체 조직에 흡수되어 소멸되는 생체재료이다.

3. 생체재료의 조건

생체재료가 목표를 안전하고 성공적으로 달성하려면 기계적, 물리·화학적 조건인 **생체기능성**이 보증되어야 하며 생체유사모형(In vitro)시험과 생체시험(In vivo)을 통한 **생체적합성**이 보증되어야 한다.

(1) 생체기능성을 유지하기 위한 조건

① 생체재료가 기능을 발휘할 수 있도록 충분한 기계적 강도를 유지할 것
② 기계적인 피로특성이 충분할 것
③ 생체재료의 목표 수명이 보장될 것
④ 주변 생체조직과 기계적인 조화를 이룰 것
⑤ 기계적으로 가공이 가능할 것
⑥ 공학적으로 적절한 형태를 유지할 것
⑦ 멸균 소독이 가능할 것

(2) 생체적합성을 유지하기 위한 조건

① 생체 내부에서 독성을 나타내지 말 것
② 생물학적 기능을 저해하지 말 것
③ 생체재료 주변의 조직에 염증을 유발하지 말 것
④ 알레르기를 유발하지 말 것
⑤ 종양을 유발시키지 말 것
⑥ 생체재료는 화학적으로도 안정한 불활성 상태를 유지할 것

4. 생체재료의 품질 보증

생체재료가 안전한 의료용 소재로 기능을 다 하면서 인체에 사용될 수 있기 위해서는 원소재로부터 제조 과정, 유통과 보관 및 최종 사용 단계에 이르기까지 각 단계별로 문서화된 기준에 의거하여 관리하여 화학적 조성, 기계적인 균질성과 안전성에 관한 품질이 유지됨을 보증하여야 한다.

(1) 국내 규격

대한민국에서는 생체재료에 관한 한국산업규격(Korean Industrial Standards : KS)을 제정하여 적용범위, 인용규격, 정의, 요구사항, 시료채취, 시험방법, 포장 표시 및 사용설명서에 관한 표준을 제시하고 있다.

(2) 국제 규격

국제표준기구(The International Organization for Standardization : ISO)에서는 생체재료의 표준 규격, 용어의 정의, 각종 요구 조건(일반, 화학조성, 생체적합성, 이물질, 오염도, 순도, 기계적 특성), 시료 채취, 시험방법, 포장 및 표시방법에 관한 기준을 제시하고 있다.

(3) 규격 관리 및 운용

국산업자원부 기술표준원 산하 기술위원회(T/C)에서 이러한 규격들을 관리하여 생산자와 사용자 그리고 보편적인 대표집단의 요구에 의하여 지속적으로 개정하여 관리하고 있다.

식품의약품안전청(KFDA)에서는 생체재료의 안전성과 유효성을 확보하기 위하여 적용 범위 및 분류, 시험규격, 시료의 준비, 시험방법, 표시사항에 관한 내용을 고시하여 운영하고 있다.

5. 생체기능성 평가

(1) 생체재료가 이식되어 목표한 기능을 수행하기 위해서는 기계적으로 안정되어야하며 물리적 화학적 조건을 만족하여야야 한다.

(2) **기계적 특성**을 평가하는 방법으로는 인장-압축시험(Tensile-com pression test), 경도시험(Hardness test), 마모시험(Wear test), 피로시험(Fatigue test), 파괴 인성시험(Fracture toughness test), 크립시험(Creep test)과 같은 시험법들이 사용된다. 생체재료의 기계적 특성들은 시험조건에 따라서 매우 민감하게 달라지므로 목적에 맞는 시험조건을 선정하여 실시하여야 한다.

(3) 생체재료의 **표면 특성**은 광학현미경이나 전자현미경을 사용하여 형태와 구조를 평가할 수 있으며 X- 선이나 적외선, 표면전위, 회절 특성을 분석하여 생체재료의 구조적 특성과 전기 화학적 특성을 평가할 수 있다.

(4) **생체기능성**을 평가하기 위해서는 생체와 동일한 온도와 습도를 유지하면서 실험 실적으로 실시하는 **생체 유사 모형(In vitro)시험**과 **동물시험** 또는 **임상시험**에 해당하는 **생체(In vivo)시험**으로 구분된다.

6. 생체재료의 기계적 특성 평가

(1) 인장특성 평가(Tensile property evaluation)

① 인장시험방법 : 인장시험 장치에 일정한 규격으로 가공한 시편을 그림 9와 같이 그립에 고정시키고 미리 설정한 인장속도로 인장을 실시하여 로드 셀로부터 얻어진 **하중(Load)**의 변화와 인장시험 축의 **길이변화** 또는 시편에 부착된 스트레인 게이지(strain gage)로부터 얻어진 데이터를 사용하여 **하중-길이변화 곡선**(Load-displacement curve)을 얻는다. 시험편에 걸리는 하중은 압전소자(Load cell)에 의하여 측정되며, 압력 단위(Pa, N/mm^2, psi)로 표시한다. 시편의 길이 변화는 스트레인 게이지(Strain gage)나 전위차계(Potentiometer)와 같은 기기를 사용하여 측정하며 변위는 단위가 없는 숫자나 백분율로 표시한다.

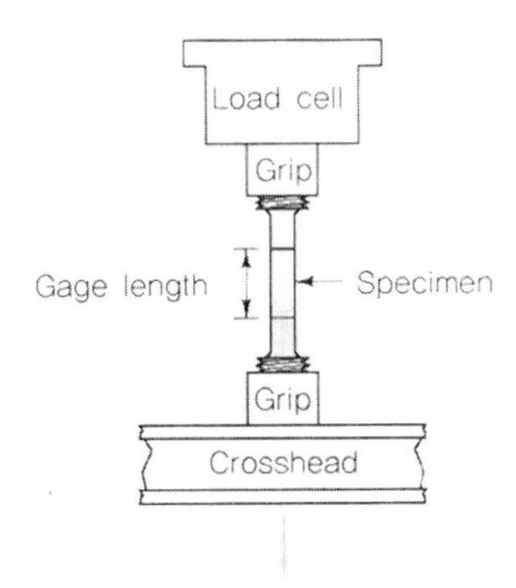

그림 9. 인장시험편 조립도

② 하중-길이변화 곡선 : 그림 10의 왼쪽 그래프와 같이 인장시험에서 실험적으로 얻어진 곡선으로 직선적인 탄성구간과 영구적으로 변형되는 소성변형과 시편이 판단되는 형태를 나타낸다.

③ 응력-변위 곡선 : 그림 10의 오른쪽 그래프와 같이 인장시험으로부터 얻어지는 하중-길이변화 곡선으로부터 하중은 시편의 단위 단면적당 받게 되는 응력(Stress; F/A; N/m^2or Pascal)으로 환산하고 시편의 길이변화를 표준 길이(Gage length)에 대한 길이변화(Displacement)인 변위(Strain; ϵ ; $\Delta L/L_0$; %)로 환산하여 얻어진다. 응력-변위 곡선(Stress-strain curve)은 시험편의 크기에 따라서 변화되지 않는 재료의 고유한 기계적 특성이다.

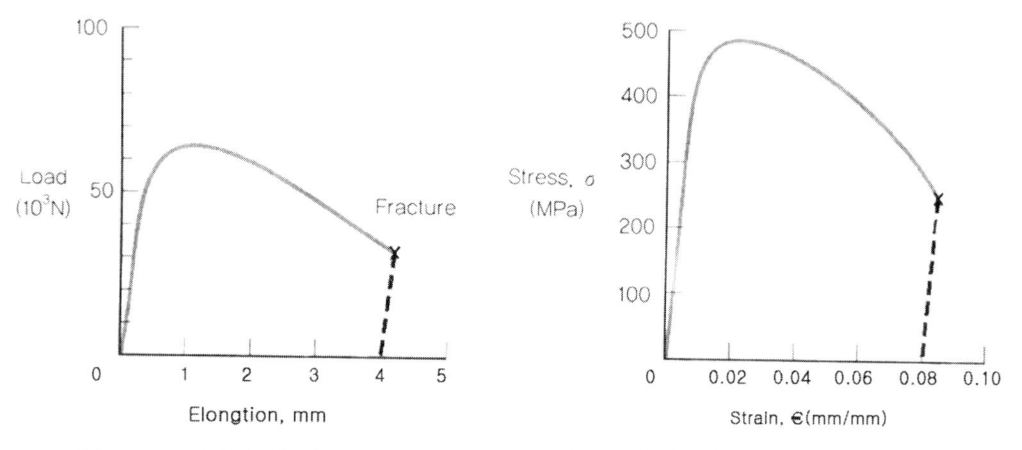

그림 10. 하중-길이변화(Load-displacement) 곡선과 응력-변위(Stress-strain)곡선

④ **탄성한계점**은 응력-변위 곡선상에 인장응력을 제거할 때 시험편이 원래의 길이로 되돌아갈 수 있는 한계점이다. 그림 11의 응력 ⓑ와 같이 소성변형율이 0.2%가 되는 지점이 그래프와 만나는 지점을 탄성한계점 또는 항복지점으로 규정한다. 일반적으로 소재의 항복지점은 0.2% 오프셋이 주로 사용되지만 플라스틱 소재와 같이 잘 늘어나는 경우에는 2% 오프셋을 사용하는 경우도 있다.

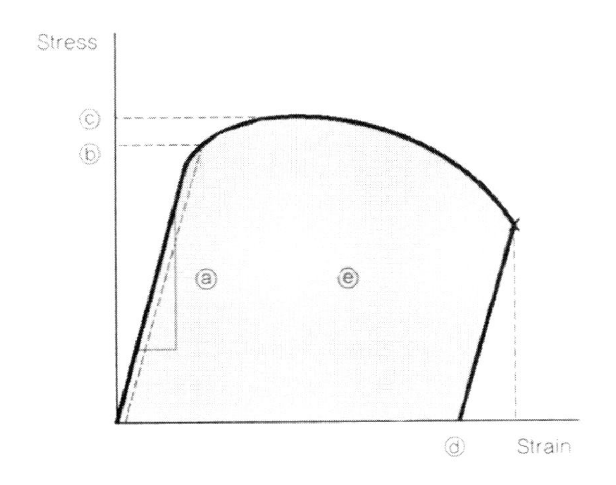

ⓐ 강성률(Stiffness) 또는 탄성계수(Elastic modulus or Young's modulus)
ⓑ 항복강도(Yield strength)
ⓒ 인장강도(Tensile strength or Ultimate tensile strength)
ⓓ 연성(Ductility, 延性)
ⓔ 인성(Toughness, 靭性)

그림 11. 응력-변위 곡선의 명칭

⑤ 항복강도(Yield strength; Pa, psi)는 탄성한계점에서의 응력 값이다. 시편이 소성변형을 일으키지 않고 견딜 수 있는 최대 응력으로서 응력-변위 곡선의 ⓑ에 해당한다.

⑥ 탄성계수(E : Elastic modulus or Young's modulus)는 탄성구간에서 시편에 응력이 가해지면 변위가 일정한 비율로 증가되어 $\sigma = E\epsilon$의 관계를 나타내는 소재 고유의 강성도(stiffness)이며 탄성구간에서 응력-변위 곡선의 기술기 값 ⓐ이다. 탄성계수는 재료의 기계적인 특성을 나타내는 대표적인 성질이다.

⑦ 인장강도(Tensile strength or Ultimate tensile strength)는 응력-변위 곡선에서 ⓒ로 표시되는 최대 인장 응력으로서 시편이 파괴되지 않고 견딜 수 있는 최대 강도이다.

⑧ 연성(Ductility)은 그림에서 ⓓ로 표시된 변위로서 시편이 파단되기 직전까지 늘어날 수 있는 능력이다.

⑨ 인성(Toughness)은 그림에서 ⓔ로 표시된 응력-변위 곡선의 하부 면적으로

시편이 파괴될 때까지 흡수한 총 에너지이다. 질긴 재료는 응력-변위 곡선의 내부 면적이 커져서 파단 될 때까지 많은 에너지가 소모된다. 따라서 응력-변위 곡선의 내부 면적은 재료가 얼마나 질긴지를 나타내는 특성이다. 일반적으로 재료의 인성이 높게 되면 외부의 충격에 잘 견딜 수 있으므로 기계적인 신뢰도를 높여준다.

⑩ 생체조직의 인장특성은 고분자 소재와 같은 비탄성적인 재료의 인장 특성을 따른다. 생체조직으로 인장시험을 실시하게 되면 시험편의 길이가 늘어남에 따라서 그림 12와 같이 응력-변위 곡선의 기울기가 급속하게 증가되어 고유한 탄성계수를 나타내게 된다. 이와 같이 대부분의 생체조직이나 고분자 재료들은 분자의 구조적 특징 때문에 변위가 증가함에 따라서 응력이 비선형적으로 증가한다.

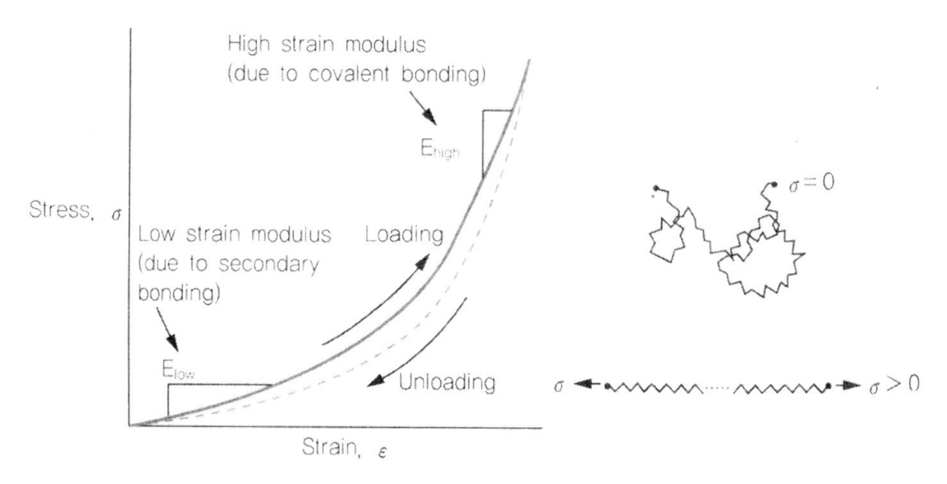

그림 12. 고분자 소재의 비선형적인 응력-변위 곡선

⑪ 연성 취성 재료의 응력-변위 곡선 : 세라믹 생체재료와 같은 취성을 나타내는 소재는 작은 변위에서 갑작스럽게 파단이 발생되기 때문에 인성이 작아서 파단에 소모되는 에너지가 작게 되며 파단면은 대부분 평탄하다. 금속 생체재료와 같은 연성재료는 파단이 일어날 때까지 에너지를 많이 흡수하며 파단면은 원뿔과 컵의 형태를 나타낸다. 그러나 연성을 나타내는 금속 생체재료일지라도 연성-취성 천이온도(Ductile-Brittle Transition Temperature) 이하에서

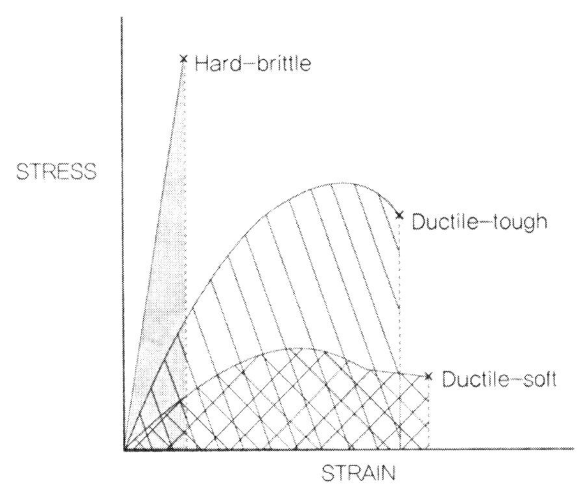

그림 13. 연성과 취성을 나타내는 생체재료의 응력-변위 곡선
(Hard-brittle, Ductile-tough, Ductile-soft)

는 깨어지기 쉬운 취성으로 변화되므로 사용온도를 잘 관리하여야 한다. 연성이 큰 생체재료는 일반적으로 낮은 응력에서 잘 늘어나서 변형이 용이하다.

(2) 굽힘 특성 평가(Bending property evaluation)

유리와 뼈같이 깨어지기 쉬운 세라믹 재료나 인장시험이 어려운 재료들은 굽힘시험(Bending test)법으로 기계적인 성질을 조사할 수가 있다. 굽힘 시험은 3점이나 4점에 하중을 가하여 휘어짐 정도를 측정한다. 시험편에 가해지는 하중을 응력과 모멘트로 변환시키고 휘어지는 높이로부터 변위를 계산하여 응력-변위 곡선을 그리고 탄성구간에 응력-변위 값과 시험편의 단면적을 수식에 대입하여 시험편의 굽힘 모멘트와 탄성계수를 계산할 수 있다.

(3) 피로 특성 평가(Fatigue property test)

재료가 인장강도보다 낮은 조건에서 일정한 기간 동안 반복적으로 하중을 받게 되더라도 일정한 시간이 지나면 파괴가 발생된다. 이와 같이 인장강도보다 낮은 조건에서 반복하중에 의하여 파괴되는 기계적 현상을 피로파괴라고 한다. 피로파괴가 일어나는 이유는 낮은 외부 응력이라 할지라도 재료의 국소 부분이 소성변형 될 수가 있기 때문이다. 시험편에서 반복하중을 가하여 파단이 일어날 때까지 걸어준 하

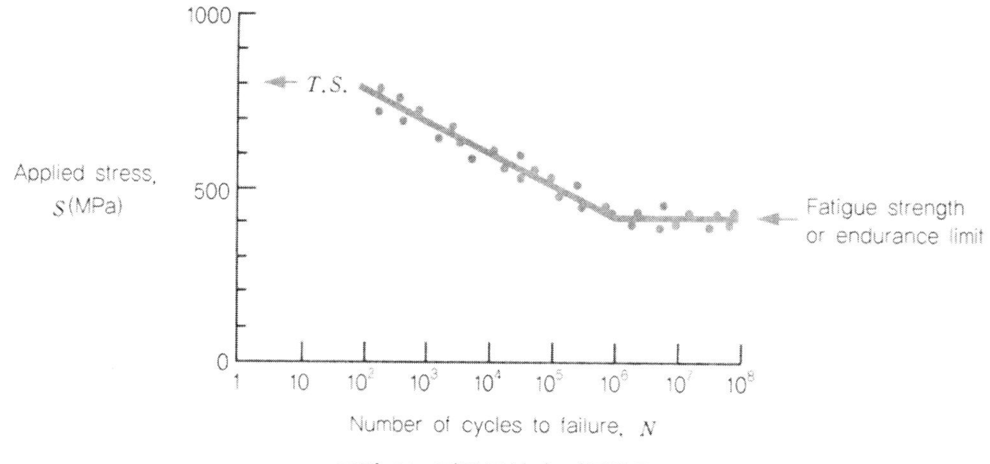

그림 14. 피로곡선과 피로강도

중과 반복 횟수를 도시고하하면 그림 14와 같은 피로곡선이 얻어진다. 특정한 응력 이하에서는 무한히 반복해서응력을 가하더라도 파괴가 일어나지 않는 응력의 한계를 피로강도(Fatigue strength) 또는 피로한도(Endurance limit)라 한다. 인체에 시술되는 재료는 대부분 계속해서 반복하중이 걸리게 되므로 피로특성의 확인이 필수적이다.

(4) 기타 기계적 특성 평가

생체재료의 기계적인 성질을 측정하는 방법으로는 경도시험(Hardness test), 크립시험(Creep test), 파괴인성시험(Fracture toughness test), 마모시험(Wear test)과 같은 시험법들도 사용된다.

7. 생체재료의 표면 특성 평가

(1) 표면형태학적 분석

생체재료는 생체조직과 직접 접촉하여 사용되는 경우가 빈번하기 때문에 표면 특성의 관리가 매우 중요하다. 표면의 특성을 평가하는 방법으로는 표면이나 재료 내부 형태를 관찰하는 광학현미경적 평가(Optical Microscopic Evaluation)와 전자현미경(Electron Microscope)적 평가를 할 수 있다. 전자현미경을 사용하면 고배

율의 이미지를 얻을 수 있으며 전자빔의 회절 이미지를 분석하면 시편의 결정상태도 확인할 수가 있다. 또한 전자빔이 시편의 표면이나 내부의 분자와 충돌하여 생성된 특성 X선(Characteristic X-ray)을 분석하여 화학적 조성을 반 정량적으로 분석할 수도 있다. 또한 원소별 특성 X선을 종합하여 이미지화할 수도 있다. 이러한 분석법을 Energy Dispersive X-ray Analysis(EDX)라 한다.

(2) 결정학적 분석

금속이나 세라믹과 같이 결정이 포함된 생체재료에 대하여 특정한 파장의 X선을 조사하면 결정의 특정 면에서 회절 X선끼리 간섭무늬가 형성되어 $n\lambda = 2dsin\theta$ 인 Bragg's law를 만족하게 된다. 여기서 λ는 X선의 파장이며 θ는 X선의 입사각이고 d는 결정의 면간거리이다. 생체재료가 온도 변화에 따라서 상변태나 화학적 반응에 의하여 결정(Crystal)이 생성되면 회절 그래프에 X선 피크가 나타나기 때문에 결정 유무와 결정의 구조와 화학적 조성을 유추할 수 있다. 뿐만 아니라 결정화된 단백질을 사용하여 X선 회절분석(X-ray Diffractomerter)을 실시하면 단백질의 구조도 파악할 수가 있다.

(3) 표면화학적 분석

생체재료를 구성하는 유기물이나 무기물의 표면 화학적 특성을 분석할 수 있는 방법은 적외선 스펙트럼 분석(Fourier Transform Infrared Spectroscopy : FTIR)이나 계면 전위 분석(Surface potential/Zeta potential determination)법이 사용된다. FTIR은 적외선의 파장을 변화시켜 주면서 시편에 조사하면 표면 분자의 화학결합 상태에 따라서 적외선의 투과도가 달라진다. 적외선 스펙트럼 분석(FTIR) 결과를 표준 스펙트럼과 비교하여 미지의 혼합물이나 불순물을 분석하는 데 사용할 수 있다. 적외선 스펙트럼 분석(FTIR)에 사용될 수 있는 시료는 고체, 액체 및 기체 상태에서 모두 사용될 수 있다. 유기물의 적외선 스펙트럼은 매우 복잡하고 흡수량도 많으나 무기물은 비교적 단순한 형태를 나타낸다. 계면 전위 분석법은 생체 재료나 임플란트의 표면이 접촉이나 마찰과 같은 이유에 의하여 정전기적으로 대전 될 경우 표면에 잔류하는 표면 전기를 분석하는 방법으로 생체재료의 표면에 세포부착, 단백질이 흡착되는 정도를 판단할 수 있다. 이 외에도 접촉각 분석(Contact angle Analysis)법으로 생체재료의 계면 특성을 판단할 수 있다. 새로운 표면이 형성되거나 새로운 상이 생성되는 과정에서 나타나는 생체재료 표면의 자유에너지 변화는 생체재료의 생체기능성과 생체적합성을 평가함에 있어서 중요한 지표로 사용된다.

(4) 기타 표면 분석

생체재료의 표면을 분석하기 위해서 앞에서 설명한 방법 이외에도 이온 질량 분석법(SIMS : secondary ion mass spectroscopy), X선 광전자 분석법(XPS : x-ray photoelectron spectroscopy or ESCA), 원자력 현미경(AFM : Atomic Force Microscopy), X선 단층촬영법(Micro-CT), 핵자기 공명장치(NMR) 등도 사용된다.

3.5 생체적합성

1. 생체적합성 평가

(1) 생체재료나 임플란트가 인체에 삽입되면 생체조직에 영향을 미칠 수 있다. 반대로 생체조직도 생체재료에 영향을 주어서 생체재료의 수명을 단축시킬 수도 있다. 따라서 생체재료가 인체에 이식되기 전에 양쪽 측면에서 품질이 평가되고 보증될 수 있는 생체적합성과 생체안전성의 평가가 필요하다.

(2) 생체적합성을 평가하기 이전에 생체재료의 화학적 조성과 제조공정 그리고 소독 및 포장 공정에서 불순물이 포함되지 않아야 된다. 생체적합성 및 생체안전성 평가는 세포와 조직을 이용한 시험관적(In vitro) 평가와, 동물 모델 평가와 인체를 대상으로 임상 평가를 실시하는 생체(In vivo) 평가로 분류된다.

(3) 생체적합성 평가방법과 생체안정성 평가방법은 ASTM F-748과 ISO 10993에 게시되어 있으며 생산자들은 이 기준에 맞추어 생산하여야 한다. 생체적합성을 평가하기 위한 기본적인 검사에는 세포독성, 민감성, 염증 반응 또는

피부 반응, 급성 전신 독성, 아급성 전신 독성, 만성적인 독성, 유전자 독성, 혈액적합성 그리고 발암성에 관한 것들이 포함된다. 생체적합성과 생체안정성 시험은 최종 사용자용 제품을 임의로 선택하여 평가하며 필요에 따라 최종 제품의 용해질 추출물 혹은 이식재료의 분해 성분으로 세포독성을 평가하며 민감성과 전신독성 검사의 예비 시험에 사용되기도 한다.

(4) 시험관적 평가와 생체 평가의 결과가 반드시 일치하지는 않는다. 예를 들면 세포배양 검사는 생체 시험에 비해 더 잘 비교될 수 있다. 즉 시험관적 평가에서 세포독성이 나타났다고 해서 반드시 생체 내에 사용할 수 없음을 의미하는 것은 아니다. 세포배양 실험을 통해서 부정오류와 긍정오류 모두 얻어질 수 있으므로 동물 시험법으로 생체안전성과 생체적합성을 확인하여야 한다. 그러나 동물의 종에 따라서, 두 사람 간에도 생체재료나 약물에 대한 반응이 다른 경우가 있다. 따라서 생체적합성과 생체안전성에 관한 효능 검사는 체계적인 방법이 적용되어야 하며, 임상시험에 통계적으로 의미가 있는 수의 환자가 필요하다.

2. 생체재료에 대한 생체조직의 반응

(1) 생체재료가 생체조직과 접촉할 경우 나타나는 생리학적인 반응은 다음과 같다.

① 생체재료와 접촉한 단백질의 형상이 변화된다.
② 생체재료의 표면에 생체고분자들이 부착하거나 이탈하게 된다.
③ 세포와 접촉하여 생리화학적 신호를 유발한다.
④ 혈액과 반응하여 응집되거나 혈관을 새로이 혈성한다.
⑤ 염증 반응과 면역 반응이 일어나고 상처회복 반응이 진행되어 조직이 재형성된다.
⑥ 그 외에도 생체재료와 혈액과의 반응, 단백질과의 반응, 표면화학적 반응, 표면 형태학적 반응이 일어난다.

(2) 생체의 조직의 형성 과정에서 세포는 단백질, 다당류(Polysaccharide), 당단백질(Glycoprotein), 지방을 합성하며 생체조직의 성장을 보조하는 세포외기

질을 생성한다. 세포들은 적정한 수를 유지하기 위해서 단백질 신호나 외부에서 주어지는 기계적, 물리적, 화학적 신호에 따라서 세포를 증식하거나 자살을 유도한다. 생체조직이 상호 반응하는 과정에서 세포는 세포끼리 화학적 신호를 주고받으며 세포의 수를 조절하고 필요한 산소와 영양분을 공급받기 위해서 혈관을 생성한다. 뿐만 아니라 세포의 기능을 통합하고 조절하기 위해서 새로운 신경을 생성하기도 한다.

(3) 세포와 세포 간의 신호(Cell0cell signaling)는 세포 반응을 조절하기 위한 세포간의 복잡한 분자단위의 신호이다. 세포 신호 분자는 일반적으로 세포 밖으로 분비하는 사이토킨(cytokine)과 특정한 세포를 불러 모으는 키모킨(chemokine)으로 알려진 단백질에 의하여 이루어진다.

① 사이토킨(cytokine)은 성장인자라고도 알려져 있으며 세포 내막으로 신호를 전달하여 세포의 분화와 증식을 유발하며 면역기능의 일부를 담당한다.

② 키모킨(chemokine)은 세포의 이동을 지시하여 키모킨과 반응하는 세포들이 키모킨이 발현된 세포쪽으로 이동하도록 한다. 신호에 의하여 이동된 세포들은 여러 단계의 과정을 통해 서로 결합하여 조직을 이루며 기계적인 강도를 지닌 구조가 되어 체액이나 이온 물질과 단백질의 이동을 조절하는 반투과성 막을 구축하게 된다.

(4) 세포자살 또는 세포예정사(Apoptosis)는 세포가 유전자에 의해 제어되어 사멸되는 방식의 한 형태이며 재형성에 필수적인 과정으로서 성체에서는 정상적인 세포를 갱신하거나 이상이 생긴 세포를 제거하는 일을 담당하고 있다. 즉, 필요없는 세포들을 압축하거나 응축시켜서 세포막 안에서 입자로 분해시켜 대식세포에 의해 소화된다.

(5) 세포의 괴사(Necrosis)는 세포조직이 붕괴되거나 기능이 정지되어 죽게 되는 과정이다. 괴사의 원인에는 물리적 작용과 화학적 중독작용, 국소혈행장애, 신경성장애 등이 있으며, 병리조직학적으로는 세포핵이 소실되거나 원형질이 변화될 경우와 세포간질(Inter cellular matrix)의 변화에 의하여 괴사가 일어날 수 있다. 괴사의 직접적인 원인으로는 ① 생체조직에 혈액공급이 부족

함으로 인한 빈혈성 경색, ② 세균의 독소에 의하여 세포의 호흡효소 장애, ③ 산과 같이 강한 약품에 의한 세포의 단백질 응고, ④ 강한 알칼리는 세포체를 융해시켜 액체상태로 괴사를 일으킨다. ⑤ 물리적 원인으로 45℃ ⑥ 신경장애로 인한 세포의 영양 상태가 나빠지거나 방어반사가 상실될 경우에는 괴사를 일으키기가 쉽다.

(6) 혈관신생(Angiogenesis)은 혈관성장(Vasculogenesis)과 가지치기가 일어나서 새로운 혈관이 조직을 침투하는 과정이 있다. 혈관은 영양분을 공급하며 노폐물을 제거하고 성장을 촉진하며 추가로 세포를 공급함으로써 조직의 성장에 관여한다. 혈관신생 인자는 인접한 대식세포나 혈소판 또는 세포외기질에 의해서 분비된다.

(7) 신경발생(Neurogenesis)은 대부분 출생이전에 형성되지만 신경자극이 많이 주어질 경우에 신경 발생이 촉진되며 노화나 만성적인 스트레스에 의해서는 퇴화하기도 한다. 신생 신경세포가 기능을 수행할 수 있기 위해서는 반드시 신경계와 연결되어 있어야만 신체의 모든 기능을 수집하고 조절하는 명령을 전달할 수가 있다. 신경계는 전기적 신호를 전달하는 뉴런으로 구성되어 있으며 뉴런은 핵이 있는 신경세포체와 다른 세포에서 신호를 받는 수상돌기(dendrite)와 다른 세포에 신호를 전달하는 축색돌기(Axon)로 구성되어 있다. 신경아교세포(Glial cells)는 뉴런을 보호하고 지지하며 영양분을 공급한다. 미엘린(Myelin)수초는 축삭의 겉을 여러 겹으로 싸고 있는 인지질 막으로서 뉴런을 통해 전달되는 전기신호가 누출되거나 흩어지지 않게 보호하는 역할을 담당한다.

3. 생체재료 표면의 개질

(1) 생체재료가 이식되면 주변조직에 상처를 주며 혈액과 접촉하게 되어 표면의 pH가 달라져서 단백질의 형태와 기능이 달라지고 생물학적 활성도가 달라진다.

(2) 생체재료의 표면에서 방출된 금속 이온은 생체고분자를 임플란트에 부착시켜

혈전이나 염증세포의 수를 증가시킨다. 반응을 상쇄하기 위한 방법으로 생체를 모방한 단백질을 코팅하는 방법이 사용되기도 한다. Arg-Gly-Asp(RGD) 함유 펩티드를 생체 재료 표면에 코팅하면 세포의 부착을 쉽게 유도할 수도 있다. 임플란트 표면에 헤파린이나 헤파린 황으로 펩티드를 고정시켜서 세포작용과 세포분화를 개선할 수 있다.

(3) 적절한 결합체(Coupling agent)를 사용하거나 정전기나 고 에너지의 플라스마와 같은 물리적 방법으로 세포가 잘 부착할 수 있도록 생체재료의 표면을 개질할 수 있으며, 혈액이 접촉하는 인공혈관 같은 생체재료의 표면에 항혈전성 물질을 코팅하거나 표면에 음전기를 띄게 해서 표면을 개질하면 혈소판이나 혈전과 같이 불필요한 세포의 부착을 감소시킬 수 있다. 칼슘이온을 생체재료 표면에 코팅하게 되면 골세포의 부착력이 높아진다. 수산화인회석이 코팅된 고관절 임플란트에서는 섬유조직의 형성이 감소되고 골의 직접적인 결합이 증가된다.

4. 염증 반응(Inflammatory Reaction)

(1) 염증 반응(Inflammation)

손상된 조직에 대한 불특정한 생리학적 반응이다. 염증 반응은 상처(Trauma)에 의해서 나타나며 감염, 이물질 침투의 방어, 세포의 사멸, 면역이나 신생 반응을 보조하는 역할을 담당한다. 또한 염증에 의하여 혈관이 손상되면 개시제에 의하여 혈액이 응고된다. 염증이 발생하게 되면 크게 4가지 증상이 나타난다. 즉, ① 조직이 붉어짐(redness), ② 부풀어 오름(swelling), ③ 통증(pain) ④ 열(heat)을 수반하게 된다. 이러한 증상들의 강도는 염증반응의 진행정도에 따라서 달라지며 생체재료의 유무에 의하여 새로운 증상이 추가되지는 않지만 염증의 강도나 기간을 변화시킬 수 있다.

(2) 염증자극에 의한 반응

① 투과도 증가 : 염증자극은 킨닌(Kinnin)과 같은 중재자에 의하여 모세혈관이

팽창되어 혈관 내피세포의 투과도가 증가된다.

② 충혈 : 몸의 일정한 부분에 동맥혈이 비정상적으로 많이 모이거나, 또는 그런 증상. 염증이나 외부 자극으로 일어난다.

③ 부풀어 오름 : 모세혈관의 투과도가 증가되기 때문에 혈관 내피세포를 통하여 주변 조직으로 유체의 이동량을 증가시킨다. 유체 유입량의 불균형에 의하여 조직이 부풀게 된다. 염증조직에 혈장 성분들이 추가되면 삼투압이 높아지기 때문에 평형을 유지하기 위하여 유체를 저장하여 부풀게 된다.

④ 통증 : 통증은 적어도 두 가지 이유에 의하여 나타난다. 첫째 부종에 의하여 예리한 통증수용체가 활성화된다. 다음으로 킨닌(Kinnin)이 통증을 유발하는 말초 신경에 직접 작용하여 통증을 느끼게 한다.

⑤ 열 발생 : 통증에 의한 열 발생은 명확하지 않지만 염증 주변에 유체가 증가하고 세포들의 대사 활성도가 증가하여 열이 발생된다고 판단된다. 국부적인 세포의 괴사나 감염된 박테리아나 독성물질에 의하여 생성된 파이로젠(Pyrogenes)에 의하여 체온이 상승되기도 한다. 깨끗하게 처리되지 못한 생체재료를 멸균 소독하는 과정에서 생성된 초미세 입자나 박테리아 파편들도 파이로젠(Pyrogenes)이 될 수 있다.

(3) 세포침투(Cellular Invasion)

① 손상을 입은 조직은 초기 염증 반응에 의해서 호중구들의 부착력이 증가되어 모세혈관의 내피세포에 달라붙게 된다. 달라붙은 호중구는 혈관내피세포 사이를 뚫고 손상된 주변조직으로 이동하게 된다. 호중구의 이동 개시는 수 분 또는 수 시간 이내에 시작된다. 호중구의 주된 임무는 식작용(phagoctytosis)이다.

② 식작용에 관여하는 호중구는 이물질을 만나기 전에는 활성화되지 않으며 접촉이 이루어진 다음에 화학조성(chemotaxis)과 pH 차이, 전기화학적인 차이를 감지해서 활성화된다. 백혈구와 호산구(Eosinophile)는 유사한 식작용 기능을 담당하고 있으며 생체 조직에 침투한 이물질에 대한 최초의 방어선 기능을

담당한다. 단핵구(Monocyte)는 자유로이 움직일 수 있는 혈구 중 최대 세포로서 지름이 15μm 내외이고 원형질은 미세한 붉은색의 과립을 많이 포함하고 있으며, 염색성이 낮고 강한 식작용을 한다.

③ 활성화된 대식세포는 세포 내에서 이물질을 소화시키는 효소를 분비한다. 식작용을 하기에 적합하지 않은 이물질이라도 세포를 자극하여 화학적 활성도를 유발시켜서 간접적으로 퇴화를 유도한다. 식작용은 성공을 못할지라도 이물질의 이식위치를 이동시키는 운반기구로 작용하기도 한다.

(4) 재형성(Remodeling)

① 염증 반응에 성공적으로 반응을 하면 조직의 크기가 감소된다. 죽은 세포들이 호중구나 대식세포들의 식작용으로 제거되며 초생의 전구체 세포가 성숙되거나 기존 세포의 분열에 의하여 증식된다. 이와 같이 상처가 아물어가는 과정에서 새로이 형성된 과립상의 혈관 돌기는 모세혈관과 소동맥을 연결하는 고리고, 유연하며 선홍색의 육아조직(Granilation tissue)으로서 새로운 계면에 출현하고 세포 활성도를 자극하여 빠르게 성장하게 된다.

② 점질 다당과 콜라겐이 합성되면 섬유증식으로 조직이 팽창된다. 이처럼 새로이 증식된 섬유조직 때문에 상처 부위가 재형성되면 흉터가 남게 된다.

③ 육아조직의 재형성은 생체조직 종류와 위치에 따라서 다르게 나타난다. 피부는 모닝을 제외하고는 거의 완벽하게 재형성이 가능하며, 골 조직은 재생과정에서 완벽하게 재형성될 수 있다. 그러나 연골조직은 온전하게 재형성될 수 없다. 왜냐하면 연골은 단지 화학적 조성과 구조가 연골과 다르고 반복적인 기계적 응력에 의해서 퇴화될 수 있는 느슨한 형태의 섬유성 연골(Fibrocartilage)로만 회복되기 때문이다. 이러한 재형성과정은 생체조직의 초기 적응과정이라고 볼 수 있다.

(5) 피로형성(Capsule Formation)

① 상처조직이 성숙되는 과정은 염증 반응의 종료과정이다. 생체재료가 조직에

계속하여 남아 있게 되면 상처조직 주변의 피복조직이 줄어들지 않게 된다. 흉터나 피복형성정도는 초기 손상정도와 후속되는 세포의 괴사정도에 따라서 달라지며 생체조직의 위치에 따라서도 달라진다.

② 임플란트 위치에서 이물 반응의 정도는 상처에 대한 염증 반응(Intrinsic inflammation)의 고유한 특성과 이물 반응(host response)에 따라서 달라진다.

③ 외상에 의한 이물 반응(Host response)은 손상으로부터 세포증식과 재편되기까지 약 1~2주 정도 소요되어 빠른 진행을 보인다. 활성도가 낮은 임플란트에 의하여 손상된 조직은 약 3~4주에 거쳐 안정화되며 활성도가 높은 임플란트의 경우에는 안정화에 약 6~8주가 소요된다.

④ 섬유상 피복의 두께는 여러 가지 인자에 의하여 달라진다. 화학적으로 활성화된 재료(부식성이 높은 재료나 용출이 잘되는 고분자)에서는 중간정도의 두께를 나타내며, 용출되는 비율에 따라서 피복의 두께가 변화된다.

⑤ 생체재료의 표면 특성은 독성(Cytotoxic), 억제(inhibitory) 또는 중성(neutral)과 같이 3종류로 구분된다. 이 외에도 기계적인 자극에 의하여 피복두께가 달라질 수 있다. 예리한 부분이 무딘 부분보다 더 두꺼운 피복이 형성된다. 또한 표면의 전기적인 특성에 따라서도 달라질 수 있다.

(6) 소멸(Resolution)

① 염증 반응의 최종단계는 소멸(Resolution)이다. 상처가 발생되면서 나타나는 모든 과정들의 목표는 항상성을 유지할 수 있도록 원래의 상태로 회복함에 있다.

② 임플란트 주위에서 나타나는 이물 반응(Host response)의 발달 과정을 손상단계에서부터 소멸 단계까지 급성(acute) 반응, 만성(chronic) 반응, 면역성(immune) 반응과 신생(neoplastic) 반응 등 4단계로 구분된다. 급성이나 만성 반응은 대부분 소멸단계까지 도달하지만, 면역성 반응은 육아종(granuloma)으로 인도되기도 한다. 반면에 신생 반응이 계속 진행되면 염증 반응은 소멸단

계까지 이르지 못하기 때문에 임플란트 시술은 실패로 끝난다.

③ 생체재료에 의하여 손상된 생체조직이 더 이상 생물학적인 변화가 없는 최종 소멸단계까지 도달하면 생체재료는 추출(Extrusion), 재흡수(Resorption), 통합(Intergration), 피복(Incapsulation) 중 하나의 형태로 마무리된다.

㉠ 추출(Extrusion) : 이물반응에 의하여 국소적인 주머니가 상피막 근처에서 형성되어 이물질이 추출되는 현상

㉡ 재흡수(Resorption) : 붕괴된 상처조직이나 뼈조직에 흡수 가능한 생체재료가 완전하게 재흡수되어 소멸되는 현상

㉢ 통합(Integration) : 염증세포가 미미하게 존재할지라도 피복형성이 거의 나타나지 않고 정상적인 조직처럼 대부분 결합되는 현상

㉣ 피복(Incapsulation) : 가장 흔한 반응으로서 통합이 이루어지지 않으면 잔류하는 캡슐이 광물화되어 단단해지는 현상

5. 면역학적 반응(Immunogenecity)

(1) 인체에 생체재료가 이식되면, 면역물질은 단백질과 연합하여 즉시 재료 표면에 부착되며 재료 표면에 부착된 단백질과 인접한 세포 사이에서 다양한 신호의 교환이 이루어진다. 그리고 생체재료를 향한 세포 반응이 진행되도록 지시한다. 조직-생체재료 계면에서 상호작용이 이루어지면 모든 종류의 단백질이 생체재료 표면에 부착되기 위해서 서로 경쟁하게 된다. 생체재료 표면은 조성과 구조에 따라서 표면에 부착되는 단백질의 종류와 범위가 결정된다. 생체의 면역체계는 기본적으로 3가지 방어벽으로 분류된다. 즉, 피부와 같은 ① 물리적 방벽과 효소와 항체 같은 ② 화학적 방벽 그리고 표적 지향성을 지닌 세포독성 T림프구(T세포)와 같은 ③ 세포적 방벽이다.

(2) 동종이식 재료가 다른 사람에게 이식될 경우에 공급된 이식 세포의 주 조직적합 복합기(MHC : Major Histocompatibility Complex)가 공여자의 MHC와 종류가 다를 경우에 급성 거부반응이 발생할 수 있다. MHC는 세포독성 T세포에 의해 과거에 이물질로 인식되었던 물질의 정보를 제공하는 세포 표면

분자의 한 종류이다. MHC 그룹이 일치하지 않으면 T세포는 어떤 것이 이물질인지에 대한 판별 지시를 받고 왕성한 면역반응을 유발한다. 조직-적합검사법을 통하여서 이러한 거부반응을 완화시켜줄 수 있지만 장기간의 면역체계 활성억제 치료가 필요하다. 거부반응은 생체조직과 이식된 세포 사이에서도 일어날 수가 있다. 이식된 세포가 이물질로 인식되면 대식세포와 같은 면역세포의 공격에 의하여 직접적인 손상을 입을 수 있으며 염증반응 과정에서 생성된 두꺼운 섬유성 피복 때문에 영양소 공급이 부족하게 되어 아사할 수도 있다.

(3) 금속 임플란트의 경우에는 표면 부식에 의하여 방출된 금속 이온 때문에 예민증(sensitivity)이나 알레르기 반응이 나타나기도 한다.

6. 혈액 반응(Blood coagulation and Hemolysis)

(1) 혈관이 손상되어서 혈액이 혈관 밖으로 유출되면 젤리형태로 굳어지는 현상을 혈액응고라 한다. 혈액응고가 일어나는 기본적인 메커니즘은 다음과 같다.

① 혈액이 혈관 밖으로 나오면 혈액 내의 혈소판이 파괴되어 트롬보플라스틴이 생긴다.

② 트롬보플라스틴은 혈액 속의 칼슘이온(Ca^{+2})과 함께 작용하여 혈장단백질의 하나인 프로트롬빈을 트롬빈으로 변화시킨다.

③ 트롬빈은 피브리노겐에 작용하여 피브린이라고 하는 실 모양의 물질이 된다.

④ 피브린은 그물모양으로 얽히고 그 속에 혈구를 가둔 채, 시간이 지날수록 점점 작아진다. 혈구의 덩어리를 혈병이라 하고, 스며나온 투명한 액체를 혈청이라 한다. 혈액응고는 생명을 유지하는 데 필수 불가결한 것으로, 만일 혈액에 이 작용이 없으면 개체는 작은 출혈에도 혈액이 응고가 되지 못하여 결국 과다출혈에 의해 죽게 된다.

(2) 만약 인체 내 조직에서 혈액이 응고된다면 혈액 순환이 이루어지지 않게 된다. 이와 같은 현상을 방지하기 위해서 인체는 간에서 합성된 헤파린이 출현

하여 트롬빈의 생성을 억제하거나, 혈액이나 혈관내피세포에 존재하는 다양한 형태의 항 응고인자들에 의하여 혈액의 응고를 방지하고 있다. 이외에도 채혈된 혈액의 응고를 방지하기 위하여 저온보관을 실시하며 동시에 구연산나트륨, ACD액(acid citrate dextrose), CPD액(citrate phosphate dextrose), CPDA-1액(CPD adenone-1) 등을 첨가하기도 한다. 모기나 거머리에서 분비되는 히루딘도 트롬빈의 활성을 억제하여 혈액 응고를 방지한다.

(3) 용혈현상이란 적혈구가 붕괴되어 헤모글로빈이 혈구 밖으로 용출하는 현상이다. 보통은 용혈소의 작용에 의한 항원항체반응에 의하여 일어난다. 용혈현상은 정상적인 혈관 내에서도 일어날 수 있다. 적혈구의 수명은 약 120일 정도이며 수명이 지난 적혈구는 지라에서 파괴된 후 재활용된다. 그러나 적혈구가 지나치게 많이 파괴될 경우에 지라에 저장되지 못한 헤모글로빈이 혈액으로 방출될 경우에는 방출된 헤모글로빈이 파괴되어 황달이 발생하기도 한다. 적혈구가 지나치게 많이 파괴되는 경우 혈액의 산소 운반 능력이 떨어져 빈혈현상이 발생한다. 이와 같이 적혈구의 파괴 현상을 유발하는 원인은 면역 반응이나 독소 반응에 의하여 나타난다. 그 중 겸상형 적혈구빈혈(sickle cell anemia)은 유전적 원인에 의하여 생성된 낫 모양의 적혈구가 쉽게 파괴되어 나타나는 빈혈이다. 용혈현상은 정상적 생리 현상으로 나타나기도 하지만 생체 밖에서도 일어난다. 혈액을 장기 저장하는 경우나 저장 상태가 좋지 않을 경우에 적혈구가 파괴되는 용혈현상이 발생한다. 또한 혈액에 물을 넣는 경우 적혈구의 삼투압이 높아져 적혈구가 터지거나, 주사기로 혈액을 강제로 흡입하거나 밀어낼 경우 물리적인 힘에 의하여 적혈구가 파괴되어 용혈현상이 일어나기도 한다. 수술 시 적혈구만 모아서 환자의 혈액에 투여하는 경우가 있다. 이러한 경우 혈액을 원심분리하여 적혈구만 모으는 데 지나치게 높은 속도로 원심분리를 할 경우에 적혈구가 용혈되기도 한다.

7. 상처 회복 반응(Wound healing response)

(1) 생체재료를 이식하는 과정에서 생체조직은 상처를 입게 된다. 상처가 발생하면 즉시 그림 15에 표시한 4단계의 상처회복반응이 시작된다.

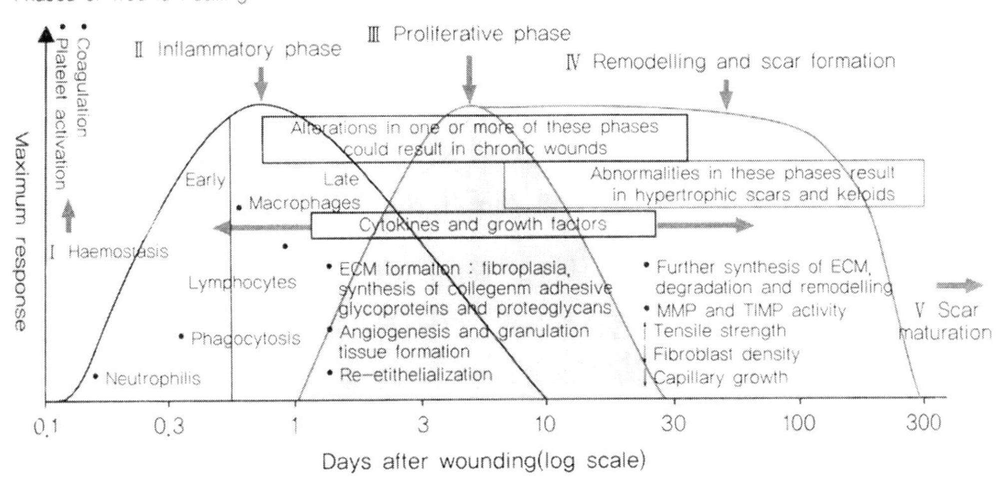

그림 15. 상처회복의 단계별 반응 그래프

(2) 상처회복의 첫 번째 과정은 지혈(Hemostasis)이다. 이 경우에는 혈소판 세포가 생체재료 표면에 부착되어 응고- 생성 단백질을 방출하는 단백질에 달라붙어 응고하여 출혈을 조절한다. 이렇게 생성된 응고물은 조직을 치유하고 이식된 생체재료 사이와의 공간을 메우는 일시적인 구조물이 된다.

(3) 두 번째는 염증(Inflammation)이 나타나는 과정이다. 형성된 응고물은 세포 신호 분자(사이토킨)를 생성하고 인접한 혈류로부터 염증세포를 동원한다. 이러한 세포들(호중구, 단핵구, 림프구, 그리고 대식세포)이 도착하여 조직의 파편과 생체재료를 소화화기 시작하는 식작용(phagocytosis)을 하게 된다. 상처의 염증세포를 방출하는 성장인자는 상처 부위에 정착한 결합세포의 유사분열(세포증식)을 일으킨다.

(4) 세 번째는 세포들이 증식(Proliferation)되어 초기 재생(Initial repair) 상태가 된다. 염증세포에 의해 모든 성장인자가 신호를 발생시키면 그 결과로, 생체재료와 인접한 세포들이 증식되고 결집이 되어 손실되거나 손상된 조직을 재건하게 된다. 상처의 중앙에 위치한 비분해성 생체재료는 밀집된 섬유조직에 의하여 둘러싸이게 된다. 이 섬유성 캡슐 피복은 생체재료를 생리적 환경으로부터 격리시켜서 인체를 보호한다. 섬유성 피복의 두께는 염증성 이

물질의 크기와 형상에 따라서 달라진다. 화학적 특성, 생체재료의 형상과 물리적 특성, 생체재료로부터 방출되는 화학물질과 부식 부산물의 방출량과 누적량 그리고 생체활성도 차이도 섬유 캡슐 피복의 두께에 영향을 미친다. 생체재료가 존재하는 동안에는 뼈 조직을 제외하고는 생체재료 주위의 모든 조직에 얇은 두께의 피복층이라도 계속해서 남아있게 된다.

(5) 네 번째 단계는 재형성(Remodeling) 과정이다. 본래의 조직 형태로 회복되기 위하여 신생조직이 빠르게 형성되며 세포가 조직으로 전환되는 과정으로서 대부분 상처부위에 흉터가 남게 된다.

8. 재료의 생체 내 분해 현상

(1) 생체재료의 분해현상

생체재료가 생체조직에 이식되면 유동하는 생리적 유체와 접촉하게 되어 재료의 성질이 변화되거나 분해된다. 뿐만 아니라 분해된 생체재료에 의해서 생체조직도 변성되거나 퇴화된다. 생체재료의 분해물은 상처 치유 단계를 저지시켜서 만성적으로 치유되지 않는 상처를 만들 수도 있다. 이는 생체재료가 너무 빠르게 분해되면 재료의 미립자가 방출되어 염증 단계가 확장되기 때문이다. 만성적인 염증은 이물질을 제거하기 위하여 거대한 다핵 세포를 지속적으로 생성하는 대표적인 이물반응이다. 만약 치유과정에서 섬유성 피복이 형성되고 두꺼워지게 되면 약물 방출형 임플란트는 주위 조직의 두꺼운 피복 때문에 조직으로 약물을 전달하기가 힘들어 진다. 결과적으로 약물전달 생체재료는 더 이상 기능을 하지 못하게 된다. 생체용 금속재료는 부식 현상에 의하여 생성되는 이온과 산화물로 분해되며 세라믹이나 고분자 재료는 주변 생체조직의 환경에 따라서 퇴화되거나 분해되며 재흡수가 일어난다.

(2) 금속재료의 분해 현상(Metallic Degradation)

생리적 환경은 pH 7.3, 온도 37℃의 수용액에 산소기체와 전해질, 세포와 단백질이 용해된 상태이다. 금속 생체재료가 생체에 잠기게 되면 많은 이온이 포함된 생리적 용액과 접촉되어 이온화되거나 산화물을 형성하여 화학작용에 의하여 금속을 제거하거나 저하하는 부식반응이 시작된다. 금속이 부식되면 생체적합성이 저하되며 배출된 이온이나 산화물에 의하여 세포의 기능이 변화된다. 이러한 현상은 금속 임플란트를 시술받은 고령의 환자에게 자주 나타나는 현상이다. 금속재료는 이식되기 이전에도 대부분 공기 중에서나 산성용액에서 산화막이 형성되어 있다. 이러한 산화피막은 세라믹이기 때문에 전기와 열을 차단하는 역할을 담당한다. 따라서 산화막은 부식이 일어나기 위해 필요한 전기화학적 반응을 억제하는 효과를 나타낸다.

금속 생체재료의 분해 형태는 서로 다른 금속이 이온화 경향 차이에 의하여 나타나는 ① 이종금속부식(Galvanic corrosion)과 용존 산소 농도 차이에 의하여 나타나는 ② 틈새부식(Crevice corrosion)과 ③ 미생물에 의한 부식 ④ 화학적 침식에 의한 분해 등 여러 종류가 있다. 임플란트를 제조할 경우에 서로 다른 종류의 금속 생체재료를 사용하여 서로 접촉하게 되면 이종 금속부식이 발생되어 생체적합성을 저하한다.

금속의 부식반응은 주위 환경의 pH에 따라서도 좌우된다. 틈새부식의 주요 원인은 산소농도차이에 의해 나타난다. 틈새부식은 인공고관절 장치, 골절고정용판과 나사, 그리고 여러 정형외과용 고정장치 처럼 같은 금속이 접촉하는 이식장치에서 자주 발견된다. 현재 외과적으로 사용되는 모든 합금들은 안정적이고, 비활성의 산화막을 형성하여 내부식성을 유지하고 있다.

(3) 세라믹재료의 분해 현상(Ceramic Degradation)

① 세라믹재료는 금속재료와 달리 부식이 나타나지 않지만 세라믹이나 유리재료는 생리적 환경에서 퇴화될 수 있다. 세라믹의 퇴화 기구와 퇴화율은 세라믹 종류에 따라서 달라진다. 세라믹 생체재료를 생물학적인 활성도로 구분하면 생체비활성, 생체활성, 생체재흡수성의 3가지로 구분한다. 생체비활성 소재는 알루미나(Al_2O_3), 지르코니아(ZrO_2), 고밀도 고결정화 수산화인회수석이 있으며 생체활성인 소재는 바이오글라스, 저밀도 수산화인회석이 있고 생체흡수성 소재는 TCP, CMP, CaO, 석고 등이 있다. 표 20에 나타난 것처럼 칼슘과 인의 비율(Ca/P)에 따라서 기계적인 특성과 생체활성도가 달라진다. 생체비활성인 알루미나 재료일지라도 식염수에 잠기거나 생체에 이식되면 바로 그

표 20. Various Calcium Phosphates with Ca/P ratio

Ca/P	Formular	Name	Abbreviation
0.50	$Ca(H_2PO_4)_2H_2O$	mono-Ca-P monohydrate	MCPM
1.00	$CaHPO_4$	dicalcium phosphate(monetite)	DCP
1.00	$CaHPO_4{\cdot}2H_2O$	di-Ca-P dihydrate(brushite)	TDHP
1.33	$Ca_8H_2(PO_4)_6{\cdot}5H_2O$	tetracalcium dihydrogen phosphate	TCP
1.50	$Ca_3(PO_4)_2$	tricalcium phosphate(α, β, γ)	HA
1.67	$Ca10(PO_4)_6(OH)_2$	hydroxypatite	TTCP
2.00	$Ca_4O(PO_4)_2$	tetracalcium phosphate	CMP
0.50	$Ca(PO_3)_2$	calcium metaphosphate(α, β, γ, δ)	CPP
1.00	$Ca_2P_2O_7$	calcium pyrophosphate(α, β, γ)	

순간부터 기계적 강도가 줄어들기 시작한다. 그 이유는 크랙이 전파되는 과정에서 불순물이 선택적으로 용출되기 때문이다.

② 생체세라믹 재료의 표면에 물 분자가 존재할 경우에 기계적 강도나 피로특성이 달라지는 이유는 물 분자가 크랙의 전파를 억제하여 피로강도를 높여주기 때문이다. 세라믹 재료의 표면에 미량원소가 존재하면 물분자 투과도를 증가시켜서 기계적인 강도가 낮아진다.

(4) 고분자재료의 분해 현상(Polymeric Degradation)

① 고분자재료를 분해할 수 있는 요소에는 열, 화학약품, 기계적인 요소 등이 있다. 분해과정에서 이 요소들이 함께 나타나서 공동으로 작용하게 된다면 퇴화과정은 더욱 가속화된다.

② 고분자가 분해되는 경우에 고분자의 backbone chain이나 side group, cross-link와 같은 원자배열구조에 영향을 미친다. 선형고분자에 교차결합이 발생하게 되면 재료의 특성이 열화될 수 있다. 예를 들면 저밀도 폴리에틸렌에 교차결합이 발생하면 일정하게 배열된 고분자 사슬이 흐트러져 결정화 비율을 낮추고 기계적 특성도 나빠지게 된다. 반면에 고무분자에 산소나 오존이 침입해서 교차결합이 일어나면 고무는 깨지기 쉬운 상태(Brittle)가 된다. 생체용 PVC 고분자의 단일 결합상태가 깨어져서 이중결합으로 변화되는 과정에서 산

성인 염산(HCl)이 생성되어 생체조직을 자극하게 된다.

③ 소독은 임플란트용 생체재료가 사용되기 전에 필수적으로 실시해야 하는 과정이다. 어떤 소독과정은 고분자를 퇴화하기도 한다. 건식 열 소독법은 160~190℃로 가열하여 실시한다. 선형고분자인 PMMA나 Polyethylene의 융점과 연화온도가 소독온도보다 높기 때문에 사용할 수 없다. 나일론(Polyamide)의 융점온도는 건식소독온도보다 높지만 소독을 실시하게 되면 산화가 일어난다. 건식소독이 가능한 고분자는 테프론(PTFE)과 실리콘고무가 있다. 습식소독(autoclaving)은 고압에서 비교적 낮은 온도(120~135℃)로 실시되지만 고분자가 수증기의 공격을 받기 때문에 생체PVC나 저밀도 폴리에틸렌, Polyacetals, Polyamide에는 사용될 수 없다. 화학적 소독법의 예를 들면 ethylene oxide gas나, propyleneoxide gas, 페놀이나 아염산(Hypochloride) 용액을 사용하는 소독법은 온도가 낮기 때문에 고분자재료 소독에 많이 사용된다. 화학약품으로 소독을 하게 되면 시간이 더 많이 필요하며 비용도 많이 든다. 어떤 종류의 고분자는 소독온도가 상온이라도 화학약품에 의하여 분해되는 경우도 있다. 그러나 노출되는 소독시간이 짧기 때문에 대부분의 고분자 생체재료는 이 방법을 사용한다. 방사선 소독방법은 Co_{60}과 같은 방사선 동위원소를 사용하기 때문에 높은 선량에서는 고분자 사슬구조가 깨어지기도 하고 재결합도 된다. Polyethylene의 경우에 약 10^6Gy 이상의 고 선량에서는 고분자 사슬이 무작위로 절단되거나 교차결합이 나타나서 고분자가 단단해지거나 깨어지기 쉽게 된다.

④ 고분자에 반복하중이나 연속하중을 가하면 퇴화하게 된다. 또한 고분자에 기계적인 하중이 가해진 상태에서 화학반응이 진행된다면 이러한 효과는 더 증대된다. 따라서 고분자 재료가 물이나 식염수에 저장된다면 기계적인 강도는 떨어지게 된다. 다른 이유로는 물분자가 고분자의 가소제(Plasticizer) 역할을 해서 강도를 떨어뜨리게 된다. 그러나 가소제 효과는 반복하중 상태에서 염수용액에 의한 퇴화 효과를 상쇄하기 때문에 공기 중에 보관한 시편과 염수용액에 보관한 시편 사이에 차이가 없다.

⑤ 인체 내부에 이식된 임플란트 소재가 빛이나, 방사선, 산소, 오존과 온도변화에 영향을 받지 않을지라도 생체 환경에 고분자가 이식되면 바로 퇴화가 시작된다. 가장 가능성이 높은 퇴화의 원인은 이온(수산기 OH^-)의 공격이나 용존산소 때문이다. 천연 고분자 소재일 경우에는 효소적 퇴화도 중대한 영향을 미친다. 대부분의 친수성 고분자 소재는 체액에 의하여 빠르게 퇴화된다. 반면에 소수성 고분자는 생체 내에서 느리게 퇴화된다. 고분자 물질이 분해되면서 생성된 분해물질들도 생체조직 반응을 유발하기도 한다.

9. 생체적합성 평가 방법

(1) 세포독성시험(Cyroroxicity)

① 생체재료가 인체에 안전하기 위해서 생체적합성을 평가하는 방법 중에 가장 많이 사용하는 방법이 세포독성시험(체외시험)이다.

② 세포독성에 관한 시험 규격은 KSP ISO 10993-5에서 규정한 의료기기의 생물안전성평가-제5부(세포독성시험-체외시험)에 명시되어 있다. 이 규격에 의하면 세포독성시험은 생체재료의 용출물, 그리고/또는 재료(Material itself) 중 하나를 선택하여 직접 또는 확산을 통한 세포배양으로 생체재료와 세포의 생물반응을 파악하기 위해서 실시함이 규정되어 있다. 세포독성 시험을 위한 용출물의 내인성 물질 또는 외인성 물질의 농와 시험세포의 노출의 정도는 접촉면적, 용출량, pH, 화학적 용해도, 확산속도, 삼투 농도, 교반, 온도 및 기타 요인들에 좌우된다. 용출물에 대한 세포독성검사는 최소한 24시간 이상 세포를 배양 후 측정한다.

③ 직접접촉시험법에서는 시료를 위치시킬 때 불필요한 움직임을 최소화하여 최소 24시간 이상 배양하여 검사한다. 간접접촉시험법으로는 한천확산시험법(Agar diffusion test)과 필터 확산시험법(filter diffusion test)이 있다.

④ 세포독성 평가를 위한 세포의 관찰은 시료를 제거하기 전과 후에 실시하며 뉴트럴레드(neutral red)와 같은 생체 염색체를 사용하면 세포독성을 검출하는

데 도움이 될 수 있다. 세포독성을 결정하는 방법으로는 현미경 관찰에 의하여 일반적인 형태학, 공포 형성, 박리, 세포 용해 및 세포막에 흠결 등에 있어서의 변화를 평가한다.

⑤ 정량적 평가는 세포의 사망과 세포 성장, 증식 및 군락 형성 등의 저해 정도를 측정하며 세포의 수, 단백질의 양, 효소 분비, 생체 염색제 분비, 생체 염색제의 감소 또는 기타 측정항목 등을 객관적인 방법을 통하여 정량적으로 측정한다.

⑥ 세포독성을 결정하는 특수한 방법으로, 영시간(zero time) 또는 기본적인 (baseine) 배양 세포 대조군이 필요한 경우도 있다.

(2) 과민반응(Hypersensitivity)

① 면역반응은 1차 방어기작과 2차 방어기작으로 나누어진다. 1차 방어기작은 외부와 접촉하는 신체의 부분으로 물리적인 장벽으로 몸을 보호하는 피부 그리고 피부에 있는 땀샘 지방샘, 호흡기관에서 코털, 기관지 섬모, 위의 위산, 눈물, 대장의 대장균과 공생으로 면역방어가 이루어진다. 2차 방어기작은 순환계를 통해 일어나며 비특이적 방어기작과 특이적 방어기작이 있다.

② 비특이적 방어기작은 선천적인 면역 방어기작으로서 화학방어와 세포방어를 통하여 이루어지며 손상받은 세포는 키닌(통증유발), 히스타민(염증, 충혈)을 분비하는 화학방어와 호중구 단핵구 식작용, 암세포를 죽이는 세포방어를 한다. 이외에도 보체, 인터페론과 같은 화학적 방어도 있다. 특이적 방어기작은 후천적(환경적 요인)으로 획득된 면역작용으로 사람마다 다르며, 특정 항원에 대해서 작용한다. 항원-항체 반응은 체액성 면역으로서 특이적 방어기작에 B세포가 관여하며 바이러스 파괴 피부염증과 같은 과민반응, 그리고 암세포나 이식조직에 대한 거부반응 등에 관여하는 세포성 면역에는 T세포가 관여한다. 세포성 면역이나 체액성 면역은 독립적으로 일어나지 않고 상호 협력하여 방어기능을 수행한다.

③ 생체 내에서 호중구나 대식세포에 의해서 나타나는 이물질에 대한 염증반응은 이물질의 구조나 종류에 상관없이 나타나는 비특이적 면역반응이다. 그러나

특정 물질에 대해서만 반응하는 특이적 면역반응은 이물질의 화학적 조성과 형태에 따라서 달라진다. 알레르기 반응도 특정한 물질에 대해서만 예민하게 반응한다. 생체이식, 감염, 임플란트, 재감염에 의하여 나타나느 반응은 적응 면역반응에 의한 자가면역(autoimmunity)과 거부반응(rejection)과 과민반응(Hypersensitivity)의 세 가지 형태로 구분된다.

④ 이와 같이 임플란트 생체재료에 대하여 특이적 기억에 의한 역행 반응을 과민반응(Hypersensitivity)이라 한다. 항원항체반응이 생체에 미치는 영향중에서 병적인 과정을 나타내는 것을 알레르기라 한다. 임상적으로는 반응성의 항진(과민성)이 표면에 강하게 나타나기 때문에 알레르기는 과민성과 거의 같은 뜻으로 이해된다.

(3) 혈액적합성(Blood compatibility Evaluation)

① 혈액적합성의 평가기준은 혈전의 형성 여부와 혈액을 구성하는 단백질이나 효소의 변성 유무와 적혈구, 백혈구, 혈소판과 같은 혈구 성분의 파괴나 변성 여부가 평가 기준이 된다.

② 혈액적합성에 영향을 주는 인자들은 생체재료의 표면 거칠기, 표면 젖음성(wettability), 표면 전하 분포와 같은 표면특성들이 있다. 생체재료의 표면이 거칠게 되면 더 많은 면적이 혈액에 노출되고 불균일한 표면 전하가 나타날 수 있기 때문에 혈전이 더 빨리 형성된다. 따라서 PMMA, Polyethylene, Stainless steel의 표면을 매끈하게 연마하면 거친 표면보다 혈전이 생성되는 속도를 늦출 수가 있다. 액체에 대한 접촉각을 측정한 결과 접촉각이 크면 표면 젖음성 수가 있다. 액체에 대한 접촉각을 측정한 결과 접촉각이 크면 표면 젖음성(Surfacewettability)이 낮고 접촉각이 작이면 젖음성이 좋다. 혈관의 내피세포는 대부분 음전하(1-5mV)를 띄고 있어서 내피세포로부터 혈액속의 물질들이 반발되어 나오기 때문에 혈전이 잘 일어나지 않거나(Nonthrombogenic) 생성되기 어려운(Thromboresistant) 상태가 된다. 이외에도 표면장력과 수화물층의 특성에 따라서도 항혈전특성(Thromboresistant)이 달라진다.

③ 생체재료의 표면에 대한 항혈전특성을 평가하는 요소들에 대한 설명을 그림 16에 나타내었다.

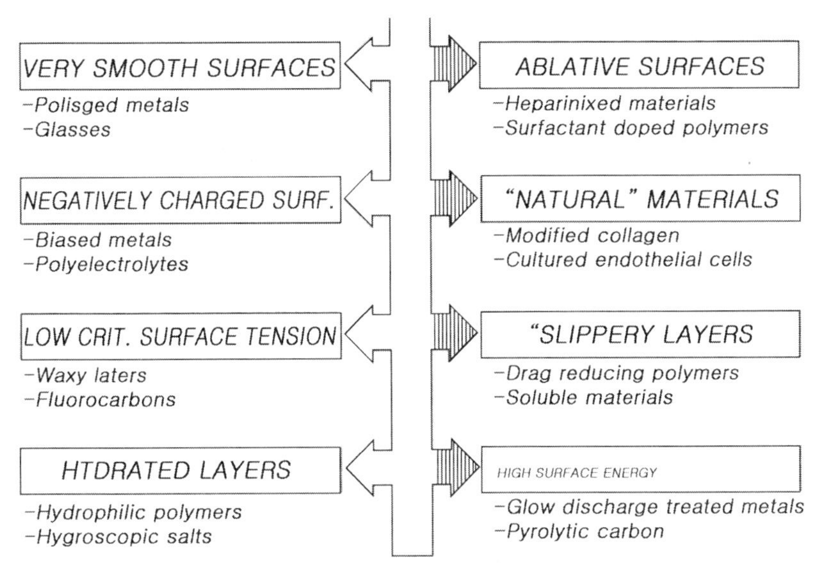

그림 16. 항혈전 표면특성 평가요소 설명도

10. 생체적합재료

(1) 천연 생체재료(Natural biomaterials)

① 천연재료는 유기물 혹은 식물에서 합성되며 주로 인공재료에 비해 화학적 구조가 복잡하다. 생체재료로 사용되는 천연재료는 성형수술이나 상처 치료, 조직공학, 세포 지지체로 사용되는 교원질(Collagen)과 젤라틴이 있으며, 약물전달체로 사용되는 섬유소(Cellulose)가 있다. 또 상처 치료, 세포 지지체, 약물전달체로 사용되는 키틴(Chitin)과 골 대체물로 사용되는 세라믹, 무기물이나 유기물이 제거된 골조직(Bone tissue), 약물 전달체나 세포 피복을 위한 알지네이트(Alginate)와 수술 후 협착 방지용 또는 정형외과용 윤활제로 사용되는 히알루론산(Hyaluronic acid) 등이 있다. 천연 세라믹은 주로 골조직의 무기물인 수산화인회석과 산호 또는 조개껍질에 포함되어 있는 탄산칼슘을 예로 들 수 있다. 천연 세라믹은 균열이 확산되는 것을 방지하기 위하여 일렬로 나란히 배열된 미세구조 때문에 합성 세라믹에 비해 매우 단단하다.

② 생체조직은 채취된 위치에 따라서 3가지로 분류한다. 자가이식(Autograft)은 환자 자신으로부터 얻어진 생체조직이며, 동종이식(Allograft)은 같은 종(사람–사람, 동물–동물)으로부터 얻어진 조직이고, 이종이식(Xenograft)은 다른 종(돼지–사람)으로부터 얻어진 생체조직이다.

③ 천연 생체재료는 인공소재에 비해 독성이나 염증 위험이 낮은 장점이 있다. 그러나 시료 확보비용과 제작비용이 높은 단점도 있다. 천연 생체재료들은 다양한 특성을 나타내므로 일정한 성질을 유지하기가 어렵다. 따라서 여러 용도로 활용하기가 힘들다. 천연 고분자들은 생체내에서 생산되지 않았다 하더라도 생체적 합성을 나타내며, 독성이 없고, 생분해성을 나타내기 때문에 의료용 재료로 잘 활용되고 있다. 젖산(Lactic acid)을 기반으로 하는 고분자들은 생분해성 봉합사로부터 조직공학용 지지체에 이르기까지 폭넓게 사용되고 있다.

(2) 근골격 생체재료(Musculoskeletal biomaterials)

① 근골격 생체재료의 주된 목적은 장기를 지지하는 뼈대를 제공하고 운동력을 전달함에 있다. 뼈, 연골, 인대와 근육은 모두 근골격 조직을 구성하는 요소들이다. 이들은 각기 다른 기능과 생리적 특성을 가진다.

② 뼈(골)는 자발적으로 재생이 가능한 조직이다. 골조직은 항시 재형성(Remodeling)되어가는 상태에 있기 때문에 신체의 필요에 따라서 가장 적합하도록 구조와 밀도가 재형성되고 있다.

③ 연골(Cartilage) 조직은 비세포성이며 재생 능력이 매우 제한적이기 때문에 연골의 손상은 영구적으로 회복불능한 상태가 되거나 지속적으로 퇴화되기도 한다. 연골은 관절의 마찰력을 감소시키는 역할을 담당한다.

④ 인대(Ligament)는 뼈와 뼈를 연결하는 수동적인 생체조직으로서 관절 근육을 수축하게 하는 전기적 신호를 내보내는 역할을 담당하기도 한다.

⑤ 생체를 모방한 인공 골의 재료는 수산화인회석(Hydroxyapatite)이 주로 사용되며 교원질이나 다른 고분자재료를 혼합하여 골 이식재로 사용하기도 한다.

인공골이 생체 조직과 유사한 특성을 나타낼 수 있도록 다양한 조직 공학적 연구가 추진되고 있으며 최근에는 환자 자신에게서 얻어진 연골세포를 조직공학적으로 시험관에서 증식한 생체재료를 결함부에 주입하여 치료하기도 한다.

⑥ 조직 공학적 연골 재건술의 성공률을 높이기 위한 많은 연구가 진행되고 있다. 연골세포를 교원질이나 피브린 또는 polyactic acid와 같은 지지체에 이식하고 성장인자를 투입한 바이오리액터에서 배양하여 신생연골을 형성하기도 한다.

⑦ 수산화인회석은 줄기세포가 골세포로 분화하도록 촉진하며 초기상태의 세포외 기질에서 발견되는 히알루론산은 연골의 반응을 유도하고 혈관신생을 억제할 수가 있어서 연골 조직의 재생을 위한 지지체로서의 가능성을 보여주고 있다.

(3) 피부 재생 생체재료(Skin regeneration biomaterials)

화상에 의하여 피부조직이 손상되면 피부기능들을 유지할 수가 없어서 탈수와 감염이 되어 생명을 위협할 수가 있다. 치료법으로는 피부의 자가이식이나 피부 대용 생체재료가 사용된다. 기저막은 인공 피부조직의 성패를 가늠하는 방법 중 하나로서 세포가 성장할 수 있는 기질을 제공하여야 하며 충분한 기계적 강도를 유지하여야 된다.

(4) 심혈관 생체재료(Cardiovascular biomaterials)

① 심장 판막, 인조혈관, 스턴트와 같이 혈액과 접촉하는 순환계에 사용되는 심혈관 생체재료는 혈소판 부착에 의한 혈전이 발생되지 않아야 하며 혈류 역학적으로도 충분한 강도와 내구성을 유지하여야 되고 생체적합성이 우수하여야 된다. 혈관조직 대체물은 자가이식이 가장 많이 사용되고 있으며 화자의 약 30%정도가 인공혈관을 이식받는다. 혈액 적합성을 개선하기 위하여 표면을 매우 매끄럽게 하거나 음전기로 대전되는 표면을 유지하거나 친수성을 높이기 위해 항응고제인 헤파린을 포함하는 생체재료를 사용하기도 한다. 현재 상용화된 인공혈관은 Dacron(Polyethylene terephthalate)과 고어텍스 [Polytetrafluoroethylene(PTFE)]가 사용되고 있으며 직경이 6mm 이하에서는 이식 성공률이 낮게 나타난다.

② 인공 심장 판막은 피로강도와 내마모성이 필요하며 혈액 적합성이 필수적이다. 혈액적합성을 높이기 위하여 금속재료의 표면에 결정화 탄소(Pyrolytic carbon)를 코팅하여 사용하기도 한다. 인공 심장 판막에 사용되는 생물학적 생체재료는 생후 7개월 내지 12개월의 돼지 판막을 채취하여 사용하기도 하지만 피로파괴가 발생되어 장기간 사용할 수는 없다.

(5) 약물전달 생체재료(Drug delivery biomaterials)

① 약물전달 생체재료는 체내에 약물을 유효한 농도로 지속시킬 수 있는 재료이다. 약물의 방출을 제어하는 방법으로 각종 고분자 화합물을 코팅하여 약물의 방출량을 일정하게 하고 방출 시간을 조절하여 주는 방법들이 개발되고 있다. 또한 방출된 약물이 특정 세포로만 선택적으로 전달되어 부작용을 최소화하고 치료효과를 극대화하는 연구가 많이 진행되고 있다. 약물이 부착된 자성 입자(magnetoliposomes)처럼 국부에만 약물 전달이 이루어진다면 약물의 혈중 독성 수준의 최고치가 감소될 수 있으며 장기간 일정한 수준의 약물이 방출되어 치료효과를 개선할 수가 있다.

② 이외에도 교원질이나 수산화인회석에 골 성장인자를 부착하여 골조직의 재생을 촉진하려는 연구와 혈당 농도에 반응하는 캡슐에 이종이식(xenograft)된 세포(pancreatic islet)를 삽입하여 인슐린 생성을 조절하여 혈당을 조절하고자 하는 연구가 시도되고 있다.

(6) 조직재생용 지지체(Scaffold)

① 큰 손상을 입은 조직의 치유에는 손상된 공간에 미세 환경을 조성하여 미성숙 세포외기질을 제공해 줄 수 있는 조직 재생용 지지체 구조를 채워 넣는 것이 가장 효과적이다. 지지체의 목적은 세포 미세 환경의 중요한 외형을 재건하여 세포의 증식, 분화, 그리고 세포외기질의 합성을 가능하게 함에 있다. 지지체가 지녀야 될 조건은 성장인자가 부착되고 세포의 이동과 부착이 일어나서 새로운 조직이 자리 잡을 수 있는 공간을 제공해야 한다. 천연 조직이 가장 이상적이지만 원료 공급이 제한적이기 때문에 인공 조직도 많이 사용된다.

② 지지체에서 기공의 크기는 매우 중요한 요소로서 세포에 적합한 기공은 적어도 5~10μm이어야 되며 골 조직 지지체는 일반적으로 100~250μm 크기의 기공이어야 된다. 혈관용 고분자 지지체는 약 0.8~8μm의 기공을 필요로 하며 고분자 내에 0.02μm보다 작은 기공이 있어서는 안 된다. 세라믹이나 금속에 비해 고분자의 허용 가능한 기공 크기가 작다. 기공의 크기가 커지면 체내에서 분해되거나 팽창이 일어날 수도 있다. 기공의 크기는 지지체의 기계적 강도 혹은 기체, 액체, 그리고 영양소, 투과성, 세포의 침투 특성을 결정한다.

③ 소재 내에 기공을 형성하는 방법으로는 고분자 용액에 수용성 분말과 혼합하여 고체로 굳힌 다음 물과 같은 용매로 분말을 씻어내며 기공을 생성하는 방법이 일반적으로 사용된다. 상 분리/유화 방법으로 다공성 고분자 지지체를 제작할 수도 있다. 이 방법은 높은 공극률(95%에 달하는)을 나타내지만 기공의 크기가 작은 (13~35μm) 단점이 있다. 이외에도 전기 방사법, 섬유 직조법 등 다양한 방법이 개발되어 사용되고 있다.

3.6 의용재료

1. 의용재료란?

의료용 기구로 개발되어 기초의학적인 검증과정을 통해 생체에 대한 안전성이 확인되고 임상적으로 생체적합성이 검증된 재료를 말한다. 의용재료는 금속용 의용재료, 세라믹 의용재료, 고분자 의용재료 및 복합재료로 분류한다.

2. 금속 의용재료

(1) 금속의 특징

금속은 광택을 나타내며, 연성과 전성이 우수하여 기계적 가공이 가능하고, 열과 전기를 잘 전달하고, 용액에서 이온화 될 수 있다.

(2) 합금(alloy)

합금이란 금속 원소에 한 가지 이상의 비금속이나 금속원소가 혼합된 금속이다.

(3) 금속의용재료의 장점과 단점

① 장점

㉠ 강도가 높고 내마모성이 양호하다.
㉡ 변형에너지를 많이 흡수할 수 있다.
㉢ 탄성에너지 대문에 힘의 전달하는 구조적인 용도로 사용된다.

② 단점

㉠ 생리적 환경하에서 부식된다.
㉡ 주변의 연결조직과의 기계적인 성질이 상이하므로 조화가 잘 안 된다.
㉢ 다른 재료에 비하여 무겁다.

3. 금속 의용재료 종류

(1) 스테인리스강(Stainless steel)

① 부식 저항성이 큰 금속으로 초기에는 302 스테인리스강(18%Cr 8%Ni Fe)을 의료용으로 사용하였다. 바나듐강보다 기계적인 강도가 강하고 부식에도 강한 장점을 가지고 있다.

② 302 스테인리스강의 염수 내식성을 개선하기 위하여 Mo을 첨가한 316 합금이 개발되었다.

③ 316 스테인리스강의 부식 특성을 개선하기 위하여 예민화의 주 원소인 탄소의 함량을 0.03wt% 이하로 줄인 316L 합금(ASTM F318, F139)이 개발되어 의료용으로 사용되고 있다.

④ 스테인리스강 구성원소의 역할

㉠ Cr(크롬) : 산화피막을 형성하여 금속의 부식을 억제한다.

㉡ Ni(니켈) : 기계적 가공성을 높여준다.

㉢ Mo(몰리브덴) : 내부식성을 향상시킨다.

㉣ C : 기계적 강도를 높여준다.

(2) Co-Cr 합금

Co-Cr합금은 가계적 강도와 내마모성이 우수하고, 생리적 환경에서 내부식성이 우수하다. 의료용으로는 주조용 CoCrMo 합금(ASTM F76)과 단조용 CoNiCrMo 합금(ASTM F562)이 주로 사용된다.

① 단조용(forging) CoNiCrMo 합금(Co35%Ni20%Cr10%Mo) : 열간 단조로 제조되는 CoNiCrMo 합금은 결정입자가 미세화되어 기계적 강도가 매우 우수하다. 따라서 매우 큰 하중을 전달하는 인공고관절이나 인공슬관절에 주로 사용된다.

② 주조용(casting) CoCrMo 합금(Co30%Cr5%Mo) : 주조용 CoCrMo 합금은 강도가 너무 높아서 가공이 매우 어렵다. 주로 치과용 임플란트나 인공관절에 주로 사용한다.

(3) 티타늄(Ti, Titanium) 및 티타늄 합금

① 티타늄은 1947년 J. Cotton에 의해서 의용재료로 사용되기 시작하였다. 티타늄의 제조는 스펀지(sponge) 상태의 티타늄을 진공이나 불활성기체 내에서 재용해법으로 정련하여 제조한다.

② 의료용으로는 순수 티타늄과 $Ti_6A_{14}V$ 합금이 주로 사용된다.

③ 의료용 임플란트로 사용되는 티타늄 합금의 등급에는 네 가지가 있다. 합금의 미량원소 조성에 따라 등급이 결정되며, 특히 산소의 농도는 기계적 강도를 크게 좌우한다.

④ 티타늄 합금의 장점

㉠ 티타늄이나 티타늄 합금은 비중과 탄성계수는 다른 생체금속재료에 비해 약 절반 수준인 $4.5g/cm^3$이다(비교 : 316 스테인리스 강 : $7.9g/cm^3$, 주

조용 CoCrMo 합금 8.3g/cm^3).

㉡ 비강도(강도/비중)가 우수하다.

㉢ 산화막을 형성하여 부식에 잘 견디며, 표면이 산화막으로 피복되면 금속이온이 유출되지 않아 우수한 내식성을 나타낸다.

⑤ 티타늄 합금의 단점

㉠ 티타늄은 전단강도가 낮아서 뼈 고정용 나사못에는 적당하지 않다.

㉡ 다른 합금과 비비면 벗겨지거나 달라붙는 경향이 있어서 기계가공이 용이하지 않다.

㉢ 생체적합성이 우수하지만 산화피막이 벗겨지면 급속히 침식되고 흑화현상(black staining)이 일어날 수 있다.

(4) NiTi 합금

① Ni(니켈)와 Ti(티타늄)의 조성비가 1:1인 합금으로 내식성이 우수하며 형상기억 특성을 나타내는 합금이다.

② NiTi 합금은 1967년 Andreason에 의하여 처음으로 의료용으로 소개되어 치열 교정용 와이어, 스텐트, 가이드와이어, 척추 교정용 로드, 용혈제거용 필터 등에 사용된다.

③ NiTi 합금은 상변태 온도 이하에서는 형상기억효과(Shape memory effect)를 나타내며 상변태 온도 이상에서는 초탄성효과(Super-elastic effect)를 나타낸다.

(5) 치과용 합금

① 치과용 아말감은 은(Ag) 함량이 65% 이상이고 주석(Sn) 함량이 29% 이하인 구리(2% Cu)의 합금이다.

② 분말상태의 아말감 합금에 수은을 첨가하면 은-주석-수은 합금을 형성하면서 형태가 굳어지고 강도가 높아지기 때문에 치아의 손상된 부분을 메워주는 충진제로 사용된다.

③ 치과 수복용 합금으로는 내식성과 기계적으로 안정한 금이나 금 합금이 사용

된다.

④ 치과용 임플란트로는 순수 티타늄, 티타늄 합금($Ti_6A_{14}V$). CoCr 합금 등이 사용된다.

4. 세라믹 의용재료

(1) 세라믹이란 금속과 비금속의 화합물로서 대부분의 금속 산화물이 세라믹이다.

(2) 세라믹 의용재료의 특성

① 장점

㉠ 일반적으로 단단(높은 경도)하며 내마모성이 우수하다.

㉡ 화학적으로 안정하여 생체적합성이 우수하다.

㉢ 전기적으로 부도체이며 단열 효과가 있다.

② 단점

㉠ 인장강도가 약하기 때문에 깨어지기 쉽다.

㉡ 일반적으로 가공하기가 어렵다.

㉢ 다른 재료에 비하여 무겁다.

5. 세라믹 의용재료의 종류

(1) 생체비활성 세라믹

① 알루미나 Alumina(Al_2O_3)

㉠ 알루미나는 다결정체 세라믹으로 생체적합성이 우수하여 운동성이 없는 골격 손상부위의 골 대체재로 사용된다.

㉡ 심미적 특성 때문에 치관수복제로 사용된다.

㉢ 단결정 알루미나는 경도와 강도가 우수하기 때문에 내마모성을 요구하는 인공관절이나 인공뼈, 인공치근에 사용되고 있다.

② 지르코니아 Zirconia(ZrO_2)

㉠ 응용점이 높고 화학적으로 안정적이며 인성(toughness)을 얻을 수 있고, 강도도 단결정 알루미나만큼 향상시킬 수가 있다.

㉡ 생체안정성이나 친화성을 나타낸다.

③ 파이로틱 카본(Pyrolytic carbon)

㉠ 생체적합성과 혈액적합성이 우수하여 심혈관계 임플란트 코팅에 사용된다.

㉡ 강도와 내마모성이 우수하다.

(2) 생체활성 및 흡수성 세라믹

① 수산화인회석(Hydroxyappatite)-[$Ca_{10}(PO_4)_6(OH)_2$]

㉠ 척추동물의 경조직에 다량으로 들어있는 성분으로서, 인공적으로 제조할 경우에도 뼈와 견고하게 결합하는 특성을 가지고 있다.

㉡ 주로 인공뼈의 재료로 많이 연구되는 수산화인회석은 뼈나 이의 무기질은 수산화인회석 결정과 비슷한 칼슘과 인산염의 인회석으로 만들어졌다.

㉢ 이 물질은 뼈에서 콜라겐이나 폴리사카라이드와 같은 유기질을 제거함으로써 얻을 수 있다.

㉣ 가장 넓게 사용되고 있는 수산화아파타이트는 골 유착성 세라믹제로, 생체 내 활성형, 높은 취성과 우수한 생체친화성으로 생리적 부하가 많은 부위에 사용하고 있다.

② 바이오 글라스(Bio Glass)

㉠ $Na_2O-CaO-SiO_2$ 유리에 산화인, 산화붕소, 산화마그네슘 등을 6~20% 함유시킨 유리를 바이오 글라스라고 한다.

㉡ 생체 내에 이식되면 서서히 녹이면서 자연골이 골세포의 이동 및 기질 분비에 의하여 임플란트나 자연골의 결합에 촉진된다.

③ 세라본(cerabone) : $CaO-SiO_2-P_2O_5$계 결정화 유리이다. 생체활성을 가지면서 굽힘강도, 피로수명, 파괴인성 등 기계적 강도가 크게 개선되어서 인공척추제, 인공장골 등으로 사용된다.

④ 생체 흡수성 세라믹스

㉠ 생체흡수성 세라믹스의 대표적인 것이 TCP(Tricalcium Phosphate)이다.

㉡ 칼슘과 인의 비율을 조절하여 인체 내에서 용해되어 흡수되는 속도를 조절할 수 있다.

㉢ 복합재료의 충진재로 사용되어 오랜 기간에 걸쳐 골 조직이 안정적으로 채워지게 된다.

6. 고분자 의용재료

(1) 고분자 의용재료의 특징

① 장점

㉠ 비중이 생체조직과 유사하다.

㉡ 가공이 용이하다.

㉢ 원상 회복력이 우수하다.

② 단점

㉠ 기계적 강도가 약하다.

㉡ 물성이 퇴화되기 쉽다.

㉢ 높은 온도에 취약하다.

7. 의용 합성고분자

의용 합성고분자는 무수히 많은 단위분자가 서로 화학적 결합으로 형성되는 유기물질이다. 결합하고 있는 분자의 수가 증가할수록 고체화되는 특성을 가지고 있다.

(1) 폴리에틸렌(PE, Poltethylene)

① 고밀도 폴리에틸렌은 탄소 체인이 서로 조밀하게 모여 있어서 밀도와 결정화도가 높아 기계적 특성과 내마모성이 우수하다.

② 인공과절의 마찰부위 삽입재료나 심장 격벽, 탈장 수술용 패치에 이용된다.

(2) 폴리메틸메타아크릴레이트(PMMA, Polymethylmethacrylate)

① 상온에서 쉽게 중합반응이 일어나며 골접착제(Bone cement)의 주원료가 된다.

② 치과용 임시치아, 치아 접착제, 골접착제, 하드 콘택트렌즈 등으로 사용된다.

③ 투명도가 뛰어나고 굴절률이 높고 화학반응에 강하며 생체적합성도 우수하다.

(3) 폴리아미드(Nylons, Polyamide)

① 체인내부의 수소결합과 높은 결정화도 때문에 길이방향으로 강한 특성이 있어서 좋은 섬유적 특성을 지니고 있다.

② 체내에서는 물흡수성 때문에 수소결합이 파괴되는 성질이 있어서 생물 분해성 응용, 즉 흡수성 봉합사 등에 이용된다.

(4) 폴리비닐크로라이드(PVC, Polyvinylchloride)

① 값이 저렴하고 강도가 크며 특히 가소제와 잘 혼합한다.

② 부드러운 필름으로부터 딱딱한 파이프, 시트, 튜브, 혈액백(수혈용 주머니)으로 가공된다.

③ PVC 시트(Sheet)나 필름은 혈액이나 각종 용액의 용기와 Surgical packing에 사용되며, PVC tubing은 주로 IV set, 투석장치, 카테터, 캐뉼러 등에 사용된다.

(5) 폴리테트라플루루올에틸렌(PTFE, Polytetrafluoroethylene)

① 반복단위는 폴리에틸렌과 비슷한 모양을 하고 있으며 수소원자가 불소원자로 대치되어 있다. 주로 인공혈관을 만드는데 이용한다.

② 결정화도(〉94%)가 높고, 밀도는 2.15~2.2g/ml를 나타내며, 인장강도와 탄성계수가 낮다.

③ PTFE는 용융점성계수가 높기 때문에 사출성형이나 압출성형을 할 수 없고 소성가공(Plasticized)이 안 된다.

(6) 폴리우레탄(Polyurethan)

① 일상에서 다양하게 사용되는 합성수지이며 분자골격으로 우레탄을 갖는 고분자이다.

② 원료 및 조성이 다양하고 합성고무 중에서 가장 탄성이 좋고 질긴 특성을 갖는다.

③ 혈액 및 신체에 대한 적합성이 우수하여 인공판막, 인공혈관, 인공심장 등에 사용되고 있다.

(7) 폴리에스터(Poly esters)

① 폴리에스터는 독특한 화학적, 자연적인 특성 때문에 의료용으로 사용한다.

② PET는 인공 Vascular graft, 봉합사, Mesh와 같은 높은 용융점(265℃)을 가진 결정체로 Luer filter, check valve 및 카테터 housing과 같은 제품으로 사용된다.

③ Polycaprolactone는 부드러운 모형이나 전통적인 폴리에스터 섬유를 코팅하는데 사용되며 결정체이고 낮은 용융온도(64℃)를 가진다.

④ Polyglydolide는 Melt-spun 섬유제로 사용되며 생체흡수성 봉합사, Mesh, 수술용품 등을 만드는 데 이용된다.

(8) 폴리아세탈(Polyacetal), 폴리설폰(Polysulfone), 폴리카보네이트(Polycarbonate)

① Polyacetal : 높은 분자량과 뛰어난 기계적 특성을 갖고 있어 특히 모든 화합물과 물에 강한 저항력이 있어서 인공 관절에도 이용된다.

② Polysulfone(PSF) : 높은 열적, 화학적 안정성을 가지고 있어 정형외과 이식물의 다공성피막용으로 연구되고 있다.

③ Polycarbonate : 강하고 투명한 장점이 있고 열적, 기계적 특성이 뛰어나서 심혈관계 보조장기에 널리 응용되고 있다.

(9) 실리콘(Silicone)

① Si(규소)계 합성고무로서 열적, 화학적으로 가장 안정한 상태이다.

② 우수한 내열성, 전기절연성, 발수성, 불휘발성, 내열화성의 특성이 있으며 생체에 대한 안정성이 우수하여 튜브 이외에도 인공 귀·코 등 정형·성형외과에서 쓰인다.
③ 특히 실리콘 고무(silicone rubber)는 바이물형 생체친화성과 더불어 뛰어난 점탄성으로 의료용 재료로 널리 사용된다.
④ 분자량이 높은 고무는 강도가 약해 대개 실리카를 충전시켜 강도를 높인다.
⑤ 기체투과성이 가장 큰 분자로 인공 심폐기용 고분자막으로도 실리콘이 상용되고 있다.
⑥ 젤리 형태는 분자량이 작아 인공유방으로 사용되었다가 발암성 등의 이유로 중지된 바 있고 오일은 고온용 특수 윤활유로도 쓰인다.

(10) 고무(Rubbers)

의용 생체재료로 사용되는 고무로는 일반적으로 실리콘, 천연고무, 합성고무가 있다.

① 천연고무는 고무나무에서 나온 액체 라텍스를 굳혀서 만든 것으로 성질이 비슷한 합성고무인 SBR과 함께 콘돔, 장갑, 카테터 등의 재료로 사용된다. 천연고무에서는 가교 결합정도에 따라서 고무의 신축성이 달라지는데, 2~3%의 유황을 첨가하면 신축성이 좋은 고무를 얻을 수 있다.
② 합성고무에는 여러 종류가 있으며 폴리소프렌, 부틸러버(이소부틸렌/이소프렌공중합체), SBR(스티렌/부타디엔 공중합체), 폴리크롤로프렌(네오프렌) 등이 있다.

(11) 기타 의료용 고분자 재료

① 폴리액틱에이시드(Polylacticacid, PLA) : 흡수형골고정판, 약물전달용 기재로 이용된다.
② 폴리글리콜릭에이시드(Polyglycolicacid, PGA) : 흡수형 봉합사에 이용된다.
③ 폴리스티렌(Polystylene, PS) : 세포배양용기

표 21. 고분자 생체재료의 의학적 적용

고 분 자	의 학 적 적 용
Polyvinylchloride(PVC)	혈액 및 용액의 Bag, Surgical packing, IV sets, 투석장치, 카테터 bottle, 콘넥터, Cannulae 등
Polyethlene(PE)	약제용 병, Nonwoven fabric, 카테터, Pouch, Flexible 용기, Orthopedic implants 등
Polyprepylene(PP)	일회용주사기, 혈액 Oxygenator Membrane, 봉합사, Nonwovenm fabric, 인공혈관 등
Polymethylmetacrylate (PMMA)	혈액 펌프 및 Reservoirs, 혈액투석 맴브레인, 뼈접착제 Implantable ocular lens 등
Polystyrene(PS)	Tissue culture 플라스크, Roller Bottle, Filterwares
Polyethylenterephthalate (PET)	이식용 봉합사, Mesh, 인공혈관, 심장판막밸스
Polytetrafluoroethylene (PTFE)	카테터, 인공혈관 등
Polyurethane(PU)	필름, 튜빙, 각종 부속물 등
Polyamide(Nylon)	포장필름, 카테터, 봉합사, Mold part 등

8. 생체고분자(Biological Polymers)

(1) 생체고분자의 특성

① 체액과 지속적인 접촉을 한다.

② 생장능(viability)이 있다.

③ 복합체로 존재한다.

④ 합성기능과 분해기능을 나타낸다.

(2) 생체고분자의 종류

① 콜라겐(collagen, 교원질)

㉠ 교원질은 동물조직의 기본단위로서 조직의 형태를 유지하는 구조체이다.

㉡ 열변성체인 젤라틴(gelatin)이나 경고한 cross-link(크로스-링크) 유도체

(chemical irradiation)에서도 세포접착능력을 유지하므로 세포배양기질, 인조혈관, 인조피부, 인공골 등 거의 모든 조직공학에서 기본물질로 사용한다.

② 다당질

㉠ 키틴(Chitin)은 셀룰로오스(Cellulose)를 구성하고 있는 d-glucose의 C-2자리에 있는 수산기를 아세트아미드(Acetamide)기로 치환한 것이다.

㉡ 급성독성이나 발열반응이 없음은 물론, 용혈시험에서 매우 안정된 반응을 보이는 등 생체친화성이 높다.

㉢ 물이나 열에 의해 녹지 않는 다당질

㉣ 세균의 세포막구성 성분 중의 하나

㉤ 동물의 체내에서 소화는 되지만 사람의 소화기 내에서는 거의 분해되지 않는다.

㉥ α형(역평행고리배열) 키틴은 안정성과 결정성이 높고 바닷게나 새우의 껍질에 많이 함유되어 있으며, 게에서 추출한 키틴으로 섬유성 창상피복제를 제조하는데 사용된다.

㉦ β형 키틴은 결정도가 낮고 소화성이 높으며, 수분을 흡수시키면 팽창되는 성질을 가지고 있고 오징어 껍질 등에서 발견되며 생체내 소화성이 높고, 고강도 부직포로 만들면 기체나 용질 등을 선택적으로 투과시키는 생체재료로 활용된다.

PART

04 의용생체 센서 및 전극

4.1 의료용 센서

생체에서 감지되는 정보를 센서로 측정하여 살아 있는 생체를 감지하여 질병의 진단이나 치료, 건강관리 등에 이용하는 센서를 의료용 센서라고 한다. 의료정보에 포함되는 내용과 정보는 생체조직의 형태를 반영하는 영상정보를 비롯해서 생리기능을 반영하는 물리량이나 화학량 등을 포함한다. 혈압, 혈류, 심전도, 혈액흡광도, 혈당치 등을 생체정보에 대한 구체적인 계측 대상량으로 하여 전기량, 기계량, 광학량, 물질량 등을 이용하여 계측한다.

인체의 상태를 진단하는데 필요한 체온이나 혈압 등 많은 생체의 정보들을 쉽게 다루고 관리하기 편하게 하기 위해서는 이 정보들을 전기적 신호로 바꿀 필요가 있다. 일단 전기신호로 바꾸면, 생체 정보의 특징인 미약한 신호를 증폭할 수 있고, 저장할 수 있게 된다. 이외에도 생체 정보를 전기신호로 변환하는 이유에는 전기신호는 전송이 쉽고 측정이 신속하게 이루어지며, 신호가 선형성을 가지기 때문에 결과를 다룸에 편리함이 있다. 또한 인체의 미약한 신호를 전기신호로 바꿈으로서 증폭시켜 미약한 신호를 측정한다는 장점이 있다.

인체의 상태를 전기신호로 바꾸어주는 장치를 센서라고 한다. 센서는 사용용도나 사용분야 및 특징에 따라 여러 가지로 분류되나, 여기서는 의료용으로 사용되는 센서인 의용생체센서에 대해서만 다루기로 한다. 의용생체센서라고 해서 특별한 센서가 아니라 일반적인 센서를 인체의 특징인 미세신호와 인체의 반응 등을 고려한 센서라고 생각하면 될 것이다. 의용생체센서는 인간의 오감과도 같아서 빛에 반응하는 눈의 역할을 하는 센서를 광센서라고 하며 소리에 반응하는 센서, 온도를 감지하는 센서 등 많은 것들이 있는데 이를 분류하는 방법은 센서의 종류만큼이나 많을 수 있다. 그 이유는 의료용 진단장치는 거의 센서라고 해도 과언이 아닐 만큼 그 종류가 많아서 분류법도 다양할 수 있기 때문이다. 각 분류법에 따라 각 센서가 속하는 부류가 달라지겠지만 여기서는 편의상 크게 물리적 센서와 화학적 센서로 나눈다. 다른 방법으로는 센서에 정보를 주기 위해 전극을 접촉시킬 때 전극이 생체내에 삽입되는지 아닌지에 따라 분류하기도 한다. 여기서는 일반적인 방법인 물리센서와 화학센서로 나누고 각각에는 어떤 센서가 있는지 그리고 각 센서들의 작용과 용도를 알아보기로 한다.

먼저 물리적 센서는 생체의 물리적 변화를 감지하는 센서로 변위나 속도, 온도, 압력 그리고 빛과 같은 물리량의 변화에 반응하는 센서이다. 이러한 물리적 센서에서는 주로 물리적 변화를 저항의 변화나 얇은 격막 등의 변위의 변화를 측정하는 방식을 택하는데, 저항센서나 유도성 센서, 용량성 센서, 압전센서, 온도센서, 광센서 등이 여기에 속한다.

화학적 센서는 주로 생체내의 어떤 화합물의 농도를 측정하는데 사용된다. 어떤 화학물질이 존재하는지 여부를 판단하는데 있어서도 화학적 센서는 유용하다. 화학적 센서는 기체를 이용하기도 하고 전기화학적 반응이나 광도를 측정하여 반응을 살핀다. 특히 기체를 이용한 화학적 센서는 폐질환 계통을 검사하는데 유용하다.

이제 몇 가지 의용생체센서를 알아보기로 한다. 먼저 전기유도 현상을 이용한 유도성센서에서부터 용량성센서, 압전센서, 온도센서, 광센서를 살펴보고, 이외의 의용생체 센서들을 살펴보고자 한다.

1. 생체의 전기신호

(1) 생체전기현상

생체의 모든 기관은 세포로 이루어져 있으며 활동전위라고 하는 세포막 내외의 전위차가 각 세포가 생체의 활동으로 인해 흥분상태가 될 때 생체활동이 변하게 되

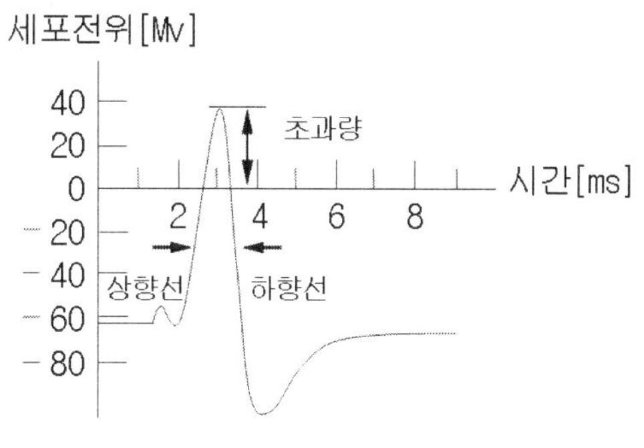

그림 1. 생체의 활동전위

며 세포막 내외의 전위차가 생체전기현상의 기본이 된다.

신경세포에 전기자극을 가한 경우에 있어서 생체의 활동전위는 그림 1과 같은데 -65[mV]인 **안정상태**에서 전기자극을 가하면 전위차가 작아져서 일시적으로 +20~+30[mV] 정도가 되었다가 하향하여 안정상태 이하까지 벗어나게 되었다가 시간이 지나면 다시 원상태로 복귀한다.

단일 세포에 대해 미소전극을 사용하여 측정한 신경세포의 예이며 임상 시에는 생체 각 기관의 활동상태에 대한 복잡한 파형을 검출해야 하므로 매우 복잡하다.

그림 2는 생체조직의 임피던스를 나타낸 것으로 이것은 통상적으로 Z로 표시하며 식 (1)로 나타낼 수 있다.

$$Z = \frac{v}{I} = \frac{1}{\left(\frac{1}{\rho + j2\pi f \epsilon}\right)} \cdot \frac{l}{S} \tag{1}$$

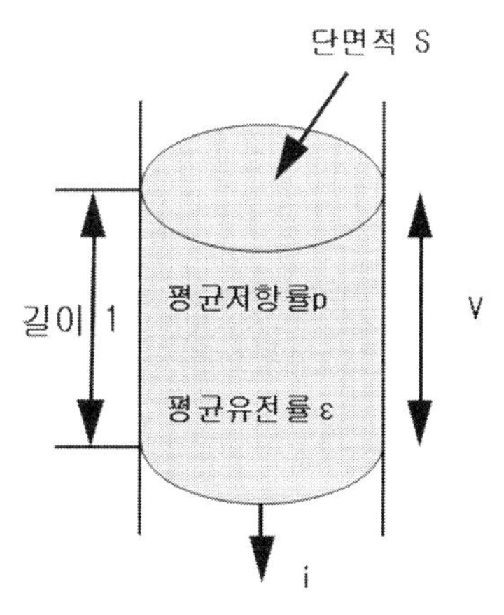

그림 2. 생체조직의 임피던스

여기서, S는 단면적, l는 길이, ρ는 평균 저항률, ϵ는 생체조직의 평균 유전율, f는 주파수이다. 즉, 생체조직의 임피던스 특성이 생체가 활동함에 따라 변화하는 특성을 이용하여 계측하는 능동적 방법이다.

생체 전기현상의 특성은 표 1과 같이 생체전기신호의 종류에 따라서 신호에 포함된 주파수 범위와 신호의 크기가 다르기 때문에 전극의 종류와 장착 방법, 전위 증폭기의 방식 등을 각각의 신호에 맞게 계측 방법을 선택해야한다.

표 1. 생체전기현상의 특성

종 류	주파수 범위	전 압
뇌파(EEG)	수10[μV]	0.5~200[Hz]
망막전도(ERG)	수100[μV]	DC~수100[Hz]
심전도(ECG)	수[mV]	0.1~200[Hz]
근전도(EMG)	수[mV]	수십~수[kHz]
뇌유발전위	수0.1[μV]	0.5~수[kHz]
신경활동전위	수10[μV]	수십~수[kHz]
세포 내 활동전위	수10[mV]	DC~수[kHz]

(2) 생체-전극계면 효과

전자기술이 발달함에 따라 생체전기현상을 용이하게 감지할 수 있는 고성능의 계측기기들이 개발되고 있다. 유도전극의 성질은 생체와 전극계면의 결합 때문에 생체 전기현상의 계측에 있어서 매우 중요하다.

그림 3은 전극물질을 사용하여 신체의 표면으로부터 생체전기신호를 유도하는 신호의 흐름과정을 나타낸 것이다. 여기에서 e_0는 생체 내에서 발생된 기전력으로 생체 내에서 방사선 모양으로 퍼져 나가 체표면의 특정점 간에 e전위차를 만들게 되는데 e는 이때 생체전기신호의 근원파로 작용하게 된다. e는 생체 내의 표피 중 임피던스가 매우 높은 것을 경유하여 전극을 거쳐 증폭기에 접속되어 있다. 이때 신호가 용이하게 흐르게 하기 위해서 페이스트(계면물질)가 표피와 전극 사이에 도포되어 있다.

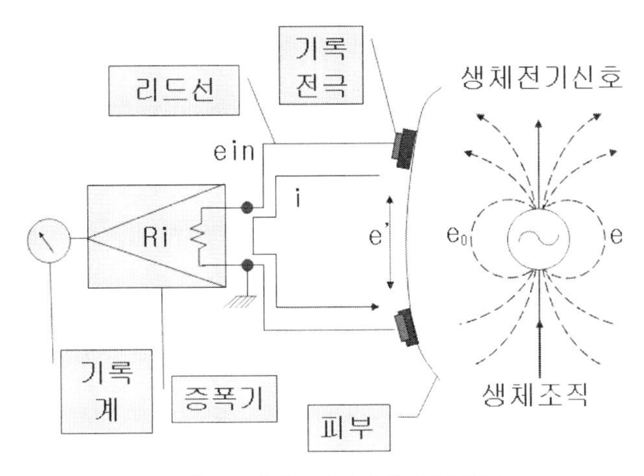

그림 3. 생체-전기계의 연결구조

이 폐회로를 흐르는 전류 I는 각각의 임피던스로 인해 각 부분에 전압강하를 만든다. 이때 증폭기의 입력 저항 e_i는 다른 부분의 임피던스보다 충분히 커야 하지만 증폭기 입력측의 전압 e_{in}을 e_i와 같게 할 수 있다.

전극의 임피던스는 피부의 임피던스에 비해 매우 낮은 것이 임피던스 면에서 문제가 된다. 생체전기현상을 검출할 때 저항과 정전용량의 병렬회로로 피부의 임피던스는 그림 4와 같이 나타낸다. 전기적 특성은 표피와 전극을 접속하는 페이스트와 전극재료에 따라 달라진다.

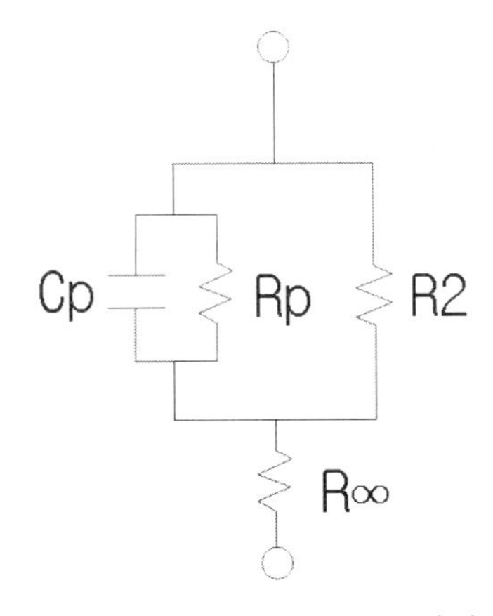

그림 4. 피부 임피던스의 등가회로

그림 5는 의료용으로 사용되는 생리식염수 내에서 백금전극과 텅스텐 전극의 등가회로를 나타낸 것으로 *Rp*는 전극저항, Eres는 정지전위, *Cp*는 전기이중층용량이다.

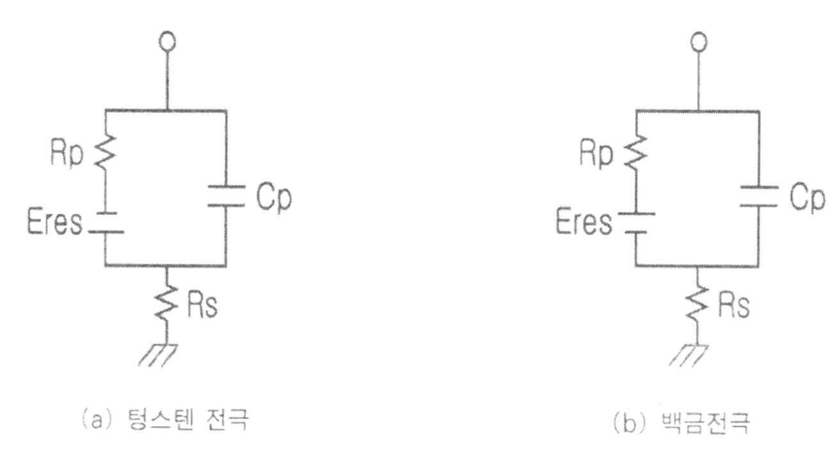

그림 5. 생리 식염수 내에서 전극 임피던스의 등가회로

2. 순환기능용 센서

압력, 유량, 유속, 전위 등의 물리화학적인 정보 등을 바탕으로 순환생리기능에 대한 정보가 이루어진다. 순환생리정보 중에서 압력, 유량, 기계량에 관련된 센서와 계측기술에 관한 내용을 알아본다.

(1) 심 · 혈관 내압용 센서

심 · 혈관계와 관련된 압력의 변동 범위는 일반 공업계측에 비해 −10~40[kPa]로서 저압계를 이용하여 측정해야 되며 표 2는 심 · 혈관 내압의 측정에 사용되는 센서를 나타낸 것이다. **소동정맥이상의 혈관측정**에 한해서만 내압센서가 이용된다.

세동정맥이나 모세관 내압의 동적 계측을 할 경우에는 세관을 삽입하여 압력계를 접속해야 하므로 압력계의 가동용적이 크면 정확한 측정을 할 수 없다. 이 경우에는 그림 6과 같이 액의 이동에 의한 내압 센서계의 용적변화를 보상하는 **영위법**이 사용된다.

표 2. 심 · 혈관 내압용 센서의 종류

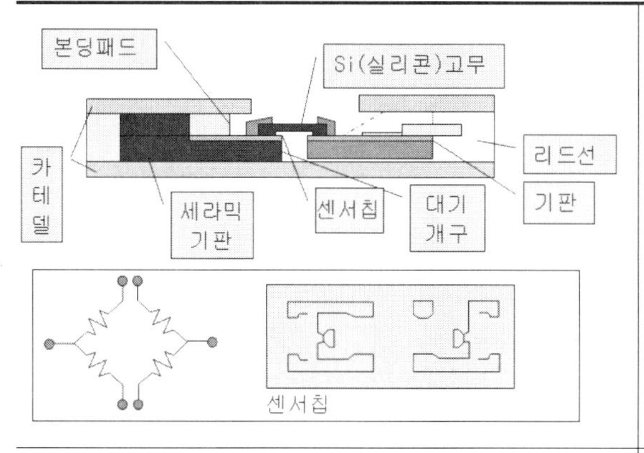	카테텔 끝에 소형의 압전소자를 내장한 카테텔형 혈압센서(직접법)에 의한 방법 (주파수 특성이 양호하기 때문에 내압파형을 매우 정확하게 측정할 수 있고 내압전달 라인에 의한 파형의 변형도 생기지 않는다.)
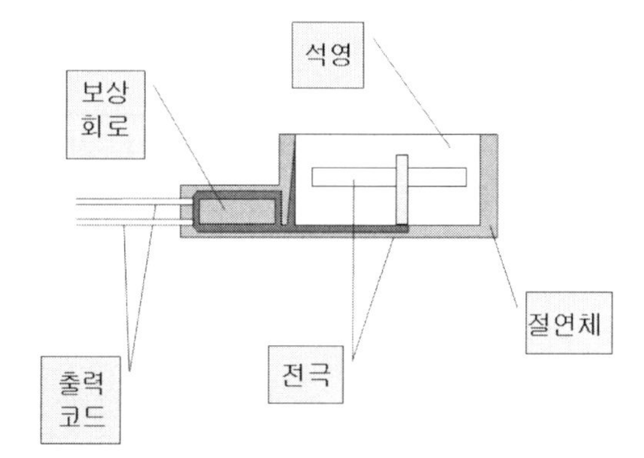	생리식염수를 넣은 도압관을 해당부에 삽입하여 체외에 설치한 전기혈압계와 연결하는 용량형 압력 센서 (카테텔이나 수압 돔 내에 기포가 혼입되거나 카테텔과 수압부 콤프라이언스에 의해 내압전달 라인에 기계적 공진이 생겨 내압파형의 변형이 생길 수 있다.

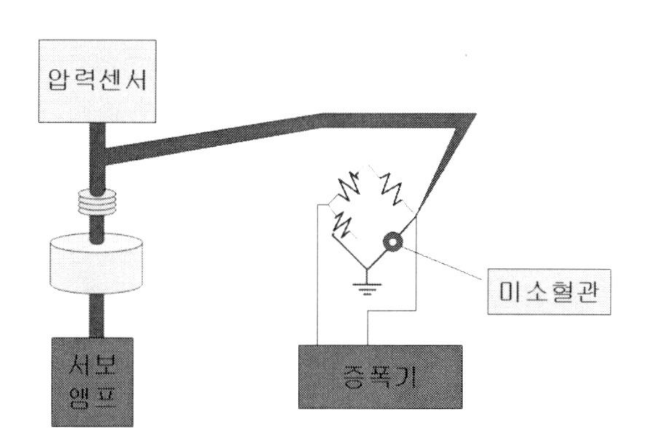

그림 6. 미소혈관 내압측정

염용액을 채운 마이크로피펫의 저항이 피펫 내 · 외압 차에 따라 변화하는 특성을 이용하여 이 압력차를 상쇄하는 서보 제어를 하여 미소혈관의 내압을 측정한다.

(2) 혈류측정용 센서

국소조직 또는 전체 조직(장기)을 대상으로 하는 혈류의 계측이나 단일혈관을 대상으로 하는 혈류의 계측 등이 있다. 조직을 대상으로 하는 경우 단위조직 중량당의 평균 유량으로 측정하며 **단일혈관**을 대상으로 하는 경우 유속이나 유량 측정으로 측정하게 된다.

대표적인 침습법인 혈류측정법을 그림 7에 나타내었다. 전자 혈류계법, 열선 유속계법, 레이저 혈류계법 등이 단일혈관을 대상으로 하는 측정법으로 사용된다. 이 중 전자 혈류계법, 초음파 혈류계법이 노출된 혈관에 센서(프로브)를 직접 장착하는 방식이다.

① **전자 혈류계법**은 혈관 벽두께, 혈관과 기전력이 큰 센서와의 밀착성 등이 영향을 주기 때문에 측정을 정확히 하기 위해서는 혈관 장벽두께의 보정, 최적화된 프로브 직경의 선정 등이 필요하다. 하지만 자계를 이용하기 때문에 크기가 커지므로 생체에 내장해서 장기간 관측하는 데는 어려운 단점이 있다.([그림 7(a)]).

② **초음파 혈류계법**에서 펄스파가 송신파로 사용되고 있으며 교대로 초음파 진동자 2개를 송수신으로 사용하여 혈류에 의한 전파시간차를 구하는 **트랜션 타임 방식**과 일정 거리의 혈류성분만을 초음파 진동자에서 거리분해능을 높인 **펄스 도플러 방식**이 있다.

㉮ **초음파 혈류계**는 순간혈류량을 측정할 수 있고 혈관에 초음파를 조사하여 측정하게 된다.

㉯ **초음파 혈류계**는 전자혈류계와는 달리 진동자를 작게 할 수 있어 생체에 내장해 장기 간 관측하는데에 있어 용이하고 수[MHz]의 고주파를 사용하기 때문에 텔레미팅이 좋고 SNR이 좋다는 이점이 있다(그림 7(b)).

③ **카테텔형 전자혈류계**(그림 7(c))로서 검출전극과 여자 코일을 카테텔 끝에 매입하는 방식과 **열선유속계**(그림 7(d))로서 박막이나 미세한 금속선에서 전류의 흘림으로 인해 발열현상이 일어나 전기저항 온도계수에 의한 온도를 검출하여 온도와 발열량으로부터 유속을 계측하는 방식이 혈관 내에 삽입하여 검출하는 방식으로 개발되어 있다.

④ 레이저광의 도플러 시프트와 광섬유를 이용하여 계측하는 **광섬유 혈류계**가 개발되어 모세관이나 세동정맥과 같은 미소혈관 내의 유속분포 및 유속계측이 가능하게 되었다.

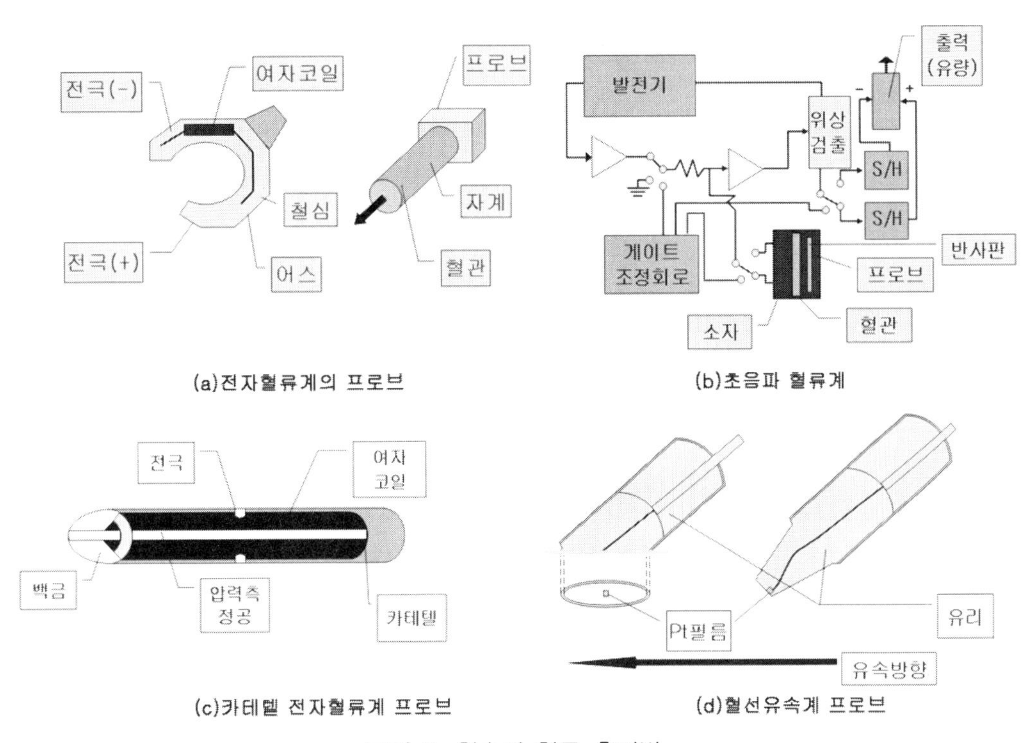

(a)전자혈류계의 프로브　(b)초음파 혈류계

(c)카테텔 전자혈류계 프로브　(d)혈선유속계 프로브

그림 7. 침습법 혈류 측정법

⑤ 표 3은 혈류 측정법을 나타낸 것으로 핵자기 공명 혈류계는 혈류를 검출할 때 NMR(자기공명) 신호의 시간변화성이나 강도가 혈류의 흐름에 의존하는 성질을 이용하는 것이다. NMR(자기공명) 혈류계는 자화 벡터가 세차 운동할 경우 크로스 코일 방식을 이용하여 송신 코일에서 발생되는 고주파 자장과 이 신호가 직교하는 코일에 나타나게 되는 자기공명신호를 관측하는 것으로 이때 변조 코일을 이용하여 저주파 변조를 인가하여 싱글사이드밴드에 신호를 검파하여 송신파의 리크를 최소화한다.

표 3. 무침습법 혈류 측정법

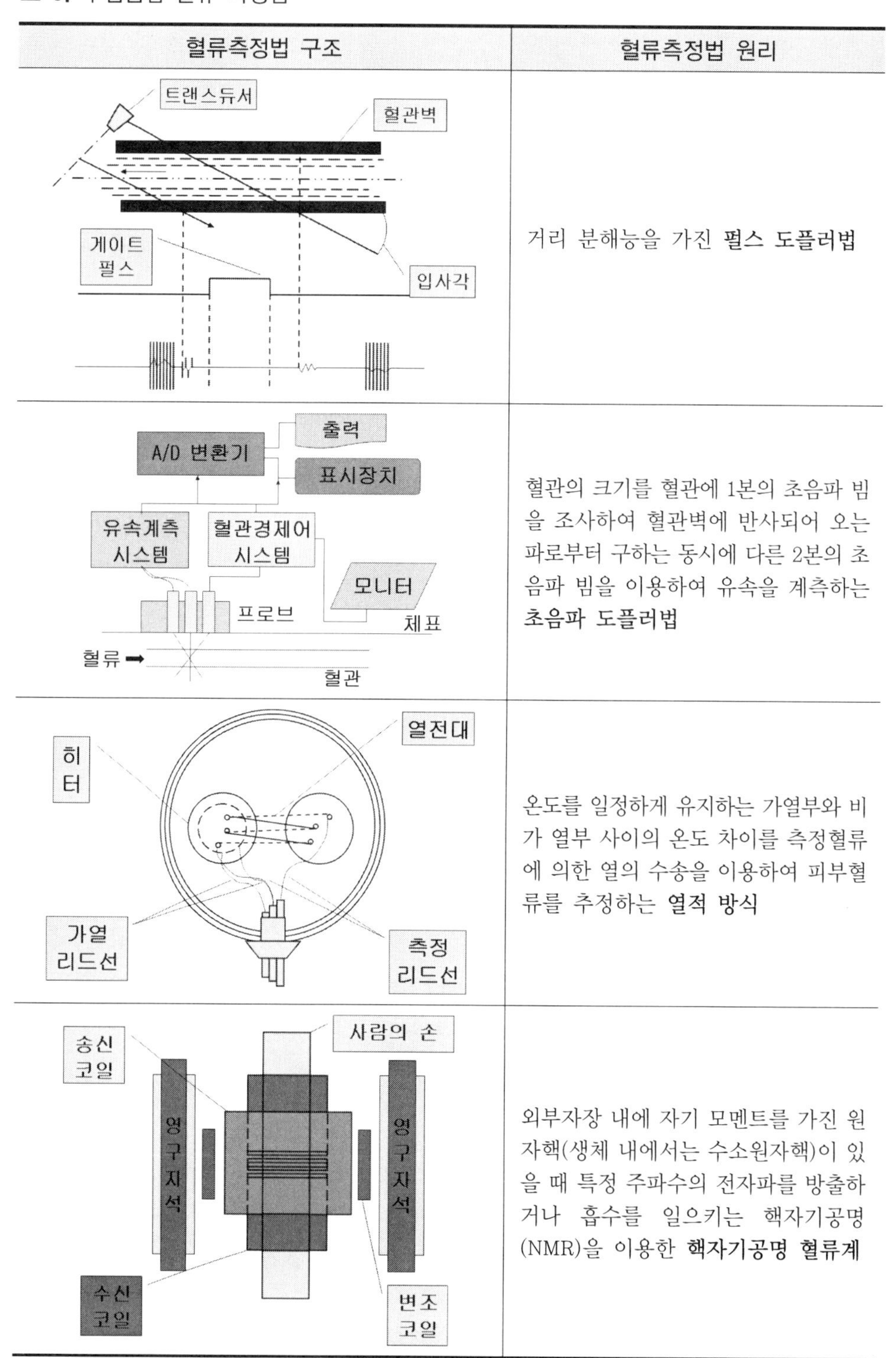

혈류측정법 구조	혈류측정법 원리
	거리 분해능을 가진 **펄스 도플러법**
	혈관의 크기를 혈관에 1본의 초음파 빔을 조사하여 혈관벽에 반사되어 오는 파로부터 구하는 동시에 다른 2본의 초음파 빔을 이용하여 유속을 계측하는 **초음파 도플러법**
	온도를 일정하게 유지하는 가열부와 비가 열부 사이의 온도 차이를 측정혈류에 의한 열의 수송을 이용하여 피부혈류를 추정하는 **열적 방식**
	외부자장 내에 자기 모멘트를 가진 원자핵(생체 내에서는 수소원자핵)이 있을 때 특정 주파수의 전자파를 방출하거나 흡수를 일으키는 핵자기공명(NMR)을 이용한 **핵자기공명 혈류계**

(3) 순환계용 센서

심근의 축력이나 변위, 혈관운동, 심장변운동, 심음, 심장의 박동운동 등이 순환계를 대상으로 한 기계량에 포함된다. 표 4에 심장과 혈관의 기계적 활동을 직접 감지하는 침습적 방법을 나타내었다.

표 4. 침습적 검지방법

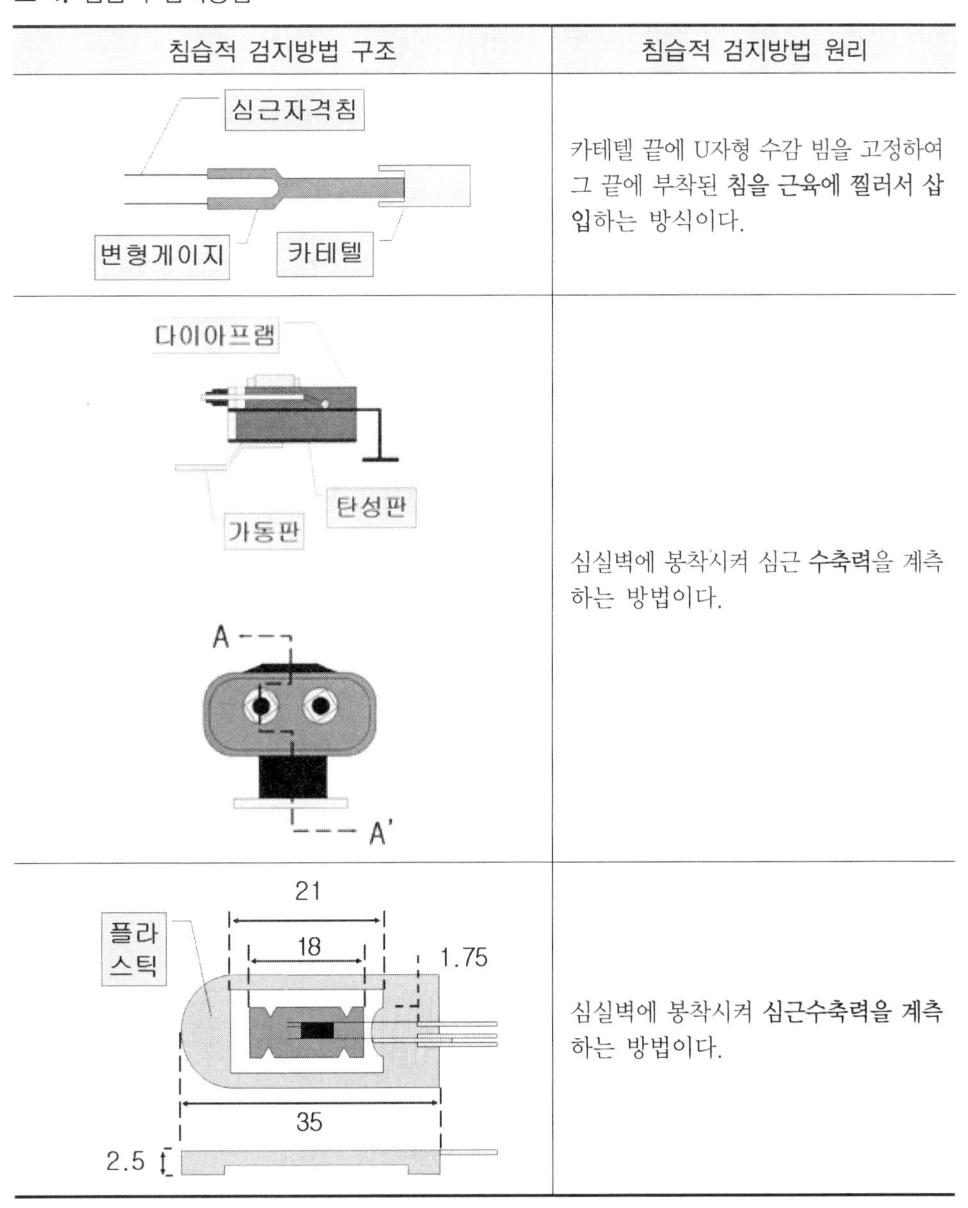

침습적 검지방법 구조	침습적 검지방법 원리
	카테텔 끝에 U자형 수감 빔을 고정하여 그 끝에 부착된 **침을 근육에 찔러서 삽입**하는 방식이다.
	심실벽에 봉착시켜 심근 **수축력**을 계측하는 방법이다.
	심실벽에 봉착시켜 **심근수축력을 계측**하는 방법이다.

표 4. 침습적 검지방법(계속)

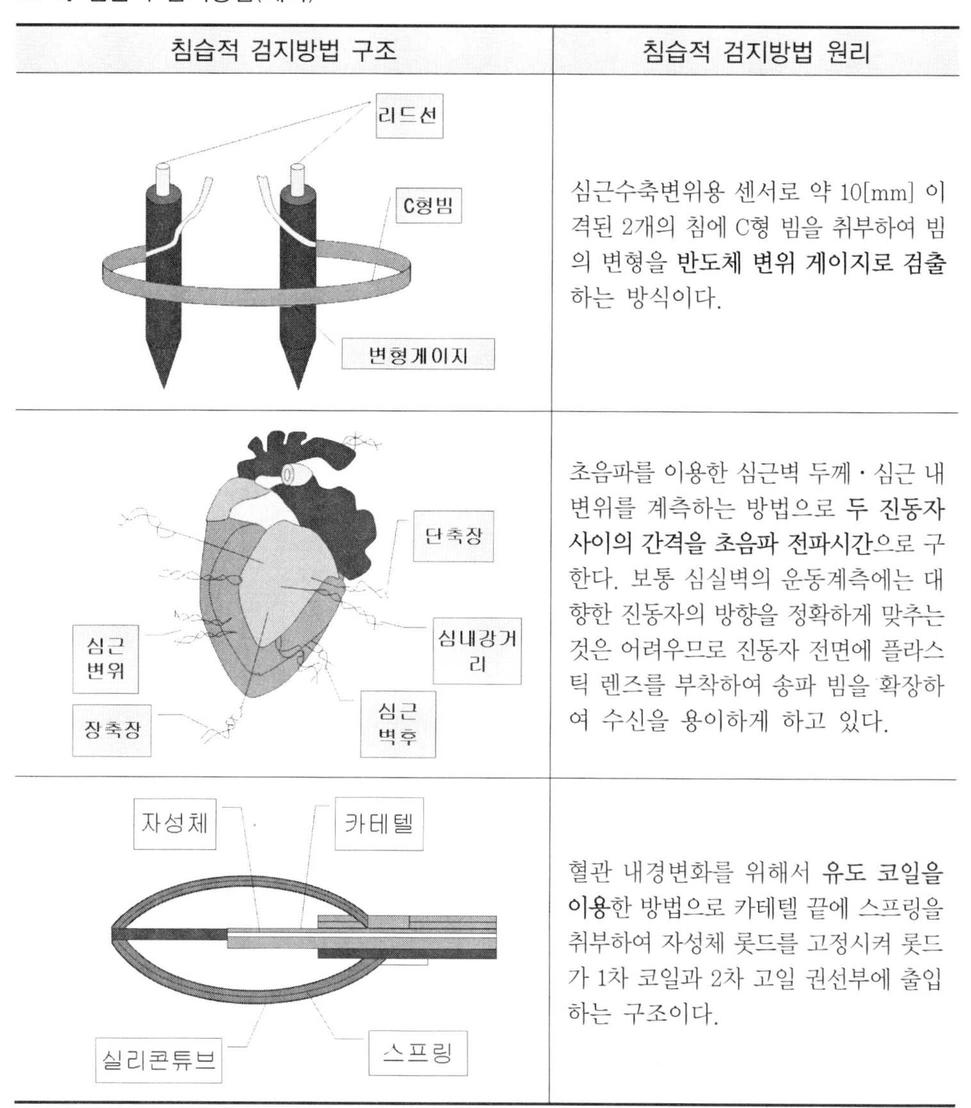

침습적 검지방법 구조	침습적 검지방법 원리
리드선 C형빔 변형게이지	심근수축변위용 센서로 약 10[mm] 이격된 2개의 침에 C형 빔을 취부하여 빔의 변형을 **반도체 변위 게이지로 검출**하는 방식이다.
단축장 심근 변위 심내강거리 장축장 심근 벽후	초음파를 이용한 심근벽 두께 · 심근 내 변위를 계측하는 방법으로 **두 진동자 사이의 간격을 초음파 전파시간**으로 구한다. 보통 심실벽의 운동계측에는 대향한 진동자의 방향을 정확하게 맞추는 것은 어려우므로 진동자 전면에 플라스틱 렌즈를 부착하여 송파 빔을 확장하여 수신을 용이하게 하고 있다.
자성체 카테텔 실리콘튜브 스프링	혈관 내경변화를 위해서 **유도 코일을 이용**한 방법으로 카테텔 끝에 스프링을 취부하여 자성체 롯드를 고정시켜 롯드가 1차 코일과 2차 고일 권선부에 출입하는 구조이다.

마이크로 폰이나 가속도 센서는 체표의 진동이나 혈관음, 심음의 계측에 이용된다.

① **심음**은 혈류 속에서 나타나는 유지성의 진동과 심장의 수축함에 따른 밸브막의 개폐 시에 나타나는 유지시간이 짧은 진동이 포함된다.

② 심음 마이크로폰의 종류를 표 5에 나타내었다.

표 5. 심음 마이크로폰 종류

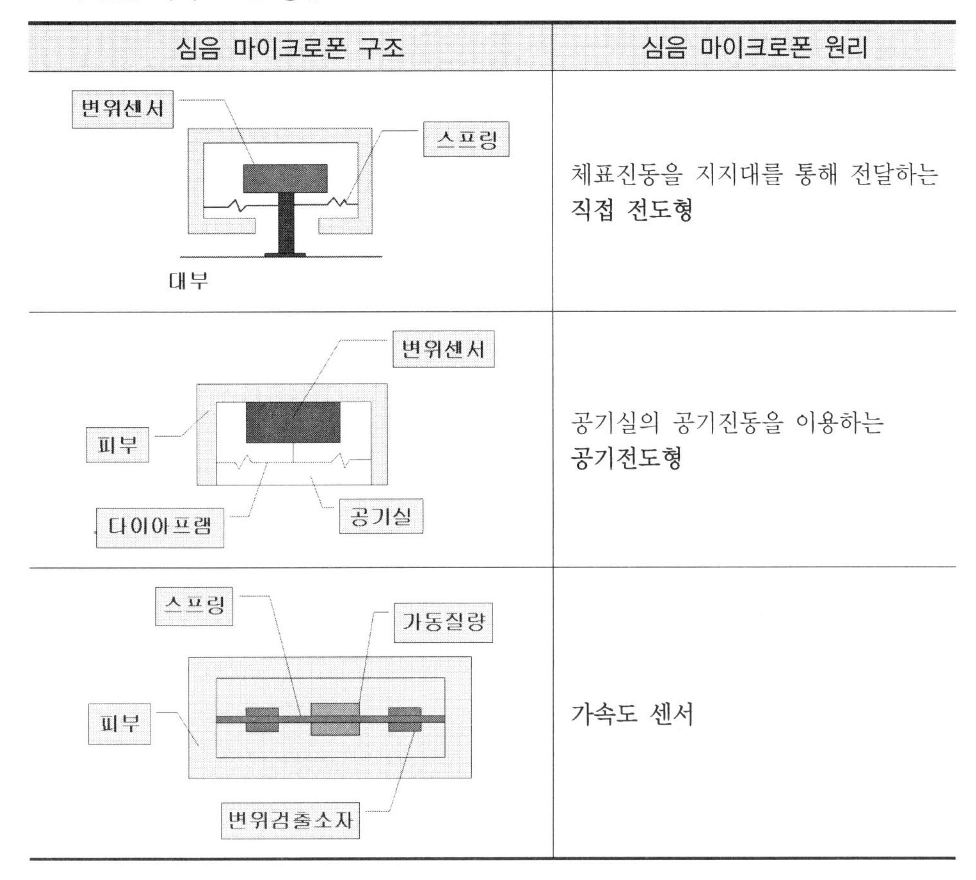

심음 마이크로폰 구조	심음 마이크로폰 원리
변위센서 스프링 대부	체표진동을 지지대를 통해 전달하는 **직접 전도형**
변위센서 피부 다이아프램 공기실	공기실의 공기진동을 이용하는 **공기전도형**
스프링 가동질량 피부 변위검출소자	가속도 센서

3. 호흡, 대사기능용 센서

(1) 호흡형 센서

호흡측정 시에 연속적으로 호흡기능을 측정하는 방법은 중병의 호흡관리에 중점을 두고 있고, 병의 상태파악을 주기적으로 진단, 호흡기 질환을 진단하는 방법은 호흡의 제 지표를 스파이로미터로 대표되는 폐기능의 각종 검사가 주가 되어 반복 측정하게 된다. 흡기측정이 일반측정과 다른 것은 호기와 흡기의 서로 방향이 틀리다는 것, 흡출종기의 저유량에서 대유량까지 측정이 가능한 것, 그리고 일정치 않은 가스성분 등이다.

① 스파이로미터

예비호기량, 폐활량, 최대 환기량 등을 측정대상으로 환기용량을 직접 측정하는 센서를 스파이로미터(sporometer)라 한다. 스파이로그램은 입으로 출입하는 가스량의 변화를 시간 축으로 기록한 곡선이다.

표 6은 대표적인 스파이로미터를 나타내었다.

스파이로미터는 폐의 고기순환에 대한 검사이기 때문에 폐질환 중에 환기장애를 수반하지 않는 질환은 검출이 되지 않는다.

표 6. 기계식 스파이로미터의 구조

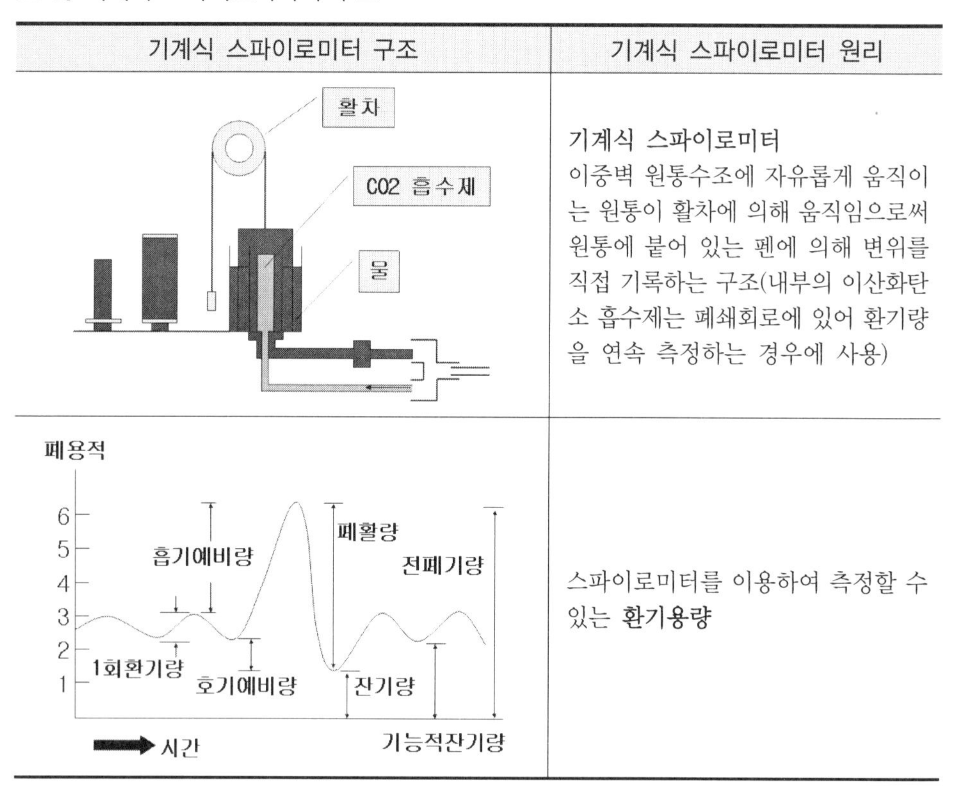

기계식 스파이로미터 구조	기계식 스파이로미터 원리
	기계식 스파이로미터 이중벽 원통수조에 자유롭게 움직이는 원통이 활차에 의해 움직임으로써 원통에 붙어 있는 펜에 의해 변위를 직접 기록하는 구조(내부의 이산화탄소 흡수제는 폐쇄회로에 있어 환기량을 연속 측정하는 경우에 사용)
	스파이로미터를 이용하여 측정할 수 있는 **환기용량**

② 날개차형 호기유량계

이 유량계는 호기에 의해 회전하는 날개차의 회전속도가 유량에 비례하는 특성을 이용한 센서이다. 표 7에 폐기능 검사에 사용되는 날개차형 유량계를 나타내었다.

표 7. 날개차형 유량계의 구조

차압형 호기유량계 구조	차압형 호기유량계 원리
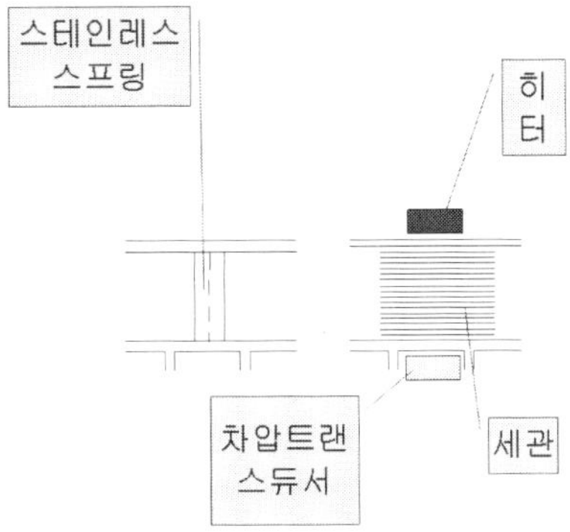 스테인레스 스프링 히터 차압트랜스듀서 세관	저항에 의한 차압 검출법에 사용되는 스테인리스 미세관을 이용한 브리지형과 금속망을 저항으로 하는 리리형 **브리지형** : 압력차가 미소하므로 안정된 차압 트랜스듀서가 필요하다. **점성계수** : 기체의 조성이나 온도에 따라 변화하므로 점도를 요하는 측정 시는 보정이 필요하다. 사용 중에 수증기나 분비물에 의해 세관에 결로가 생길 수 있기 때문에 결로를 방지하기 위해 열선을 설치한다.
날개차형 유량계 구조	**날개차형 유량계 원리**
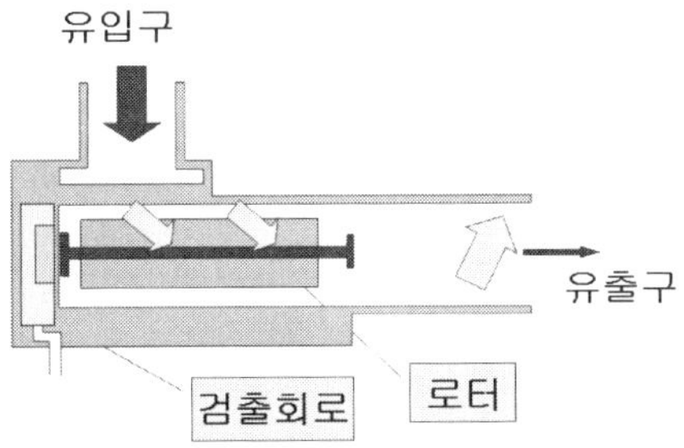 유입구 유출구 검출회로 로터	**폐기능 검사에 사용되는 날개차형 유량계** 고정날개에 의한 기류로 회전하여 로터를 회전시키므로 역방향으로는 회전하지 않는다(최저 회전감응유량은 2.5[L/m]).

③ 차압형 호기유량계

차압을 이용하는 유량계로는 기체에 장애물을 설치하여 동압을 검출하는 것과 기체의 점성저항에 의해 검출하는 것이 있다. 표 8에 브리지형과 리리형, 차압형 호기유량계를 설명하였다.

표 8. 차압형 호기유량계의 구조 및 원리

차압형 호기유량계 구조	차압형 호기유량계 원리
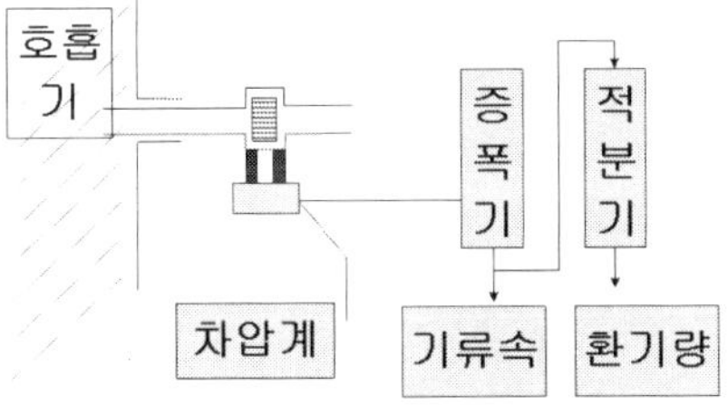 호흡기 증폭기 적분기 차압계 기류속 환기량	검사자는 마우스피스를 물고 코호흡을 멈추고 호흡하면 세관에 차압이 생겨 기류속도가 검출된다. 기류속도를 적분하여 환기량을 구한다.

표 8. 차압형 호기유량계의 구조 및 원리(계속)

차압형 호기유량계 구조	차압형 호기유량계 원리
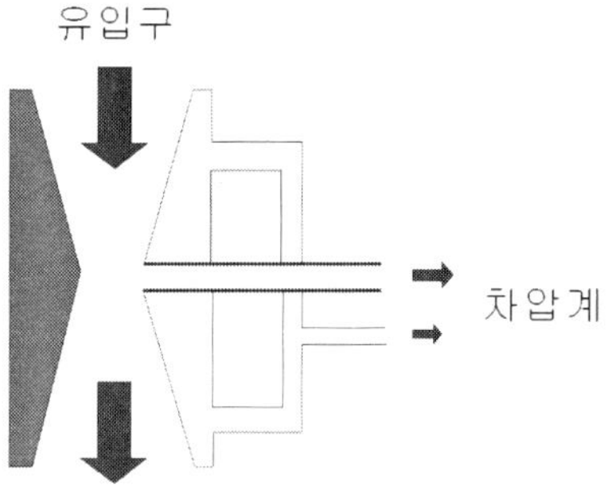 유입구 차압계	동압을 구하기 위해 사용하는 밴추리관
$\frac{1}{2}\rho V^2+p=$일정	유체의 압력이 속도 V^2에 비례하는 식의 **베르누이 정리**를 이용하여 동압을 구한다.

④ 열선형 호기유량계

유속을 열선이 기체 중에 빼앗기는 열량의 변화로부터 측정하는 방법이다. 표 9는 열선형 호기유량계의 설명이다.

표 9. 열선형 기류측정기의 구조 및 원리

열선형 기류측정기 구조	열선형 기류측정기 원리
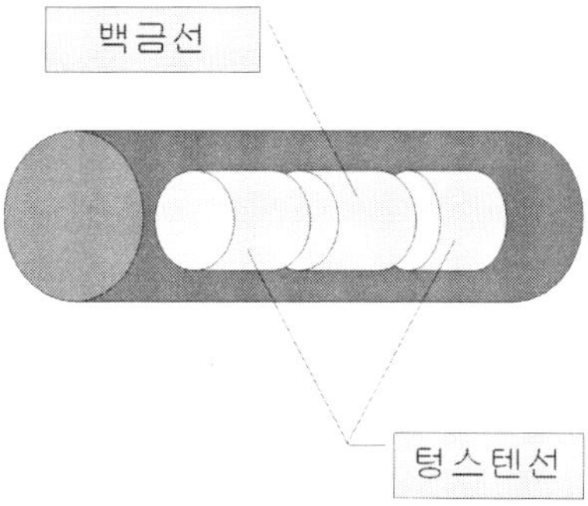 백금선 텅스텐선	기류의 방향검출은 3본의 검출선을 사용하여 열선으로부터 열의 이동을 검출하여 흐름의 방향을 판별한다.
$H=kl(T_w-T_g)(1+2\pi\frac{\rho C_p d}{k}v)$	**열선이 빼앗기는 열량** v는 기체속도, ρ는 기체밀도, C_p는 정압비열, k는 열전도율, l는 열선의 길이, d는 직경, T_w는 열선의 온도, T_g는 기체온도

표 9. 열선형 기류측정기의 구조 및 원리(계속)

열선형 기류측정기 구조	열선형 기류측정기 원리
$H=I^2 \cdot R[T]$	**열선에서 방출되는 에너지** I는 열선을 흐르는 전류, $R[T]$는 온도 T에서의 저항값
열선유량계의 특징	㉠ 기류저항이 작음. ㉡ 응답이 빠름. ㉢ 저유량에서 고유량까지 광범위한 응답성 ㉣ 가스 조정의 영향 무시하지 못함. ㉤ 열선이 미세해 단선, 오연 등으로 감도저하될 수 있음.

⑤ 초음파 호기유량계

유체 내의 초음파 전파속도를 측정하는 방법이 초음파를 사용한 유량 센서로 사용된다. 초음파 호기유량계의 설명을 표 10에 설명하였다.

표 10. 초음파 유량계의 원리

초음파 유량계 구조	초음파 유량계의 원리
V, T1, 초음파 진동자, θ, L, T2	기체의 흐름에 대해 경사로 1쌍의 대향한 초음파 소자를 취부하는 경우
$t_1 = \dfrac{L}{c+V\cos\theta}$	기체가 좌에서 우로 흐르고 있을 때, T_1에서 송신하고 T_2에서 수신되는 초음파의 전파시간(t_1)이고, L은 소자 간의 거리, θ는 관축과 초음파 빔이 이루는 각도, c는 음속, V는 유속이다.
$t_2 = \dfrac{L}{c-V\cos\theta}$	T_2에서 송신하고 T_1에서 수신되는 초음파의 전파시간(t_2)이다.
$\Delta t = t_1 - t_2 = \dfrac{2LV\cos\theta}{c^2 - V^2\cos^2\theta}$	**초음파의 전파속도**는 흐름방향으로는 빨라지고 역방향으로는 늦어진다. 이때 전파시간의 차를 구하는 식이다.
$V = \dfrac{c^2}{2L\cos\theta}\Delta t$	기체의 유속이 음속에 비해 충분히 작으므로 유속은 다음 식으로 구한다.
초음파 호기유량계의 특징	㉠ 유속이 전파시간에 비례 ㉡ 음속에 2승에 비례하므로 음속이 기체의 조성, 습도, 온도에 변하기 때문에 유속도의 영향을 받아 측정 정확도가 낮아지는 결점이 있으므로 리얼타임으로 음속을 보정해야 한다.

⑥ 와류형 호기유량계

유량을 기류 중에 와류발생체를 넣어 발생하는 와류의 주파수로부터 감지하는 방법이다. 표 11에 와류형 호기유량계를 설명하였다.

표 11. 와류형 호기유량계의 구조 및 원리

와류형 호기유량계 구조	와류형 호기유량계 원리
초음파 송신기 갈만와류 초음파 수신기 유로관 d 와류발생체	유체 중에 삼각주 모양의 물체를 놓으면 와류로 유속에 비례한 주파수의 와류가 발생한다. 삼각주의 안정된 와류를 발생시킬 수 있으므로 호기, 흡기에 대해서도 와류가 발생된다.
$t = S\frac{V}{d}$	㉠ 와류발생 주파수 f를 구하는 식 ㉡ V는 속도, d는 와류발생체의 폭, S는 펄스 와류발생 주파수는 온도, 습도, 기체조성뿐만 아니라 **유속과 와류발생체**의 크기로 결정된다.

4. 초음파 탐상기

초음파 탐상기는 초음파를 사용하여 동재나 파이프 등의 각종 기계부품의 내부적인 결함들을 검출해내는 장치이다. 물체 내부의 조성이 변화되거나 부식 등의 결함이 있을 때 초음파의 반사파를 이용하여 검출한다.

표 12는 초음파 탐상기의 구조와 원리를 나타내었다. 실시간으로 검출할 수 있기 때문에 인체의 각종 질병 진단용으로 사용되고 있다. 다른 인체계측보다 초음파를 이용한 계측이 인체에 영향을 주는 부분이 적고 소형화된 제품을 만들 수 있기 때문에 의료용으로 널리 사용되고 있다.

표 12. 초음파 탐상기의 원리 및 구조

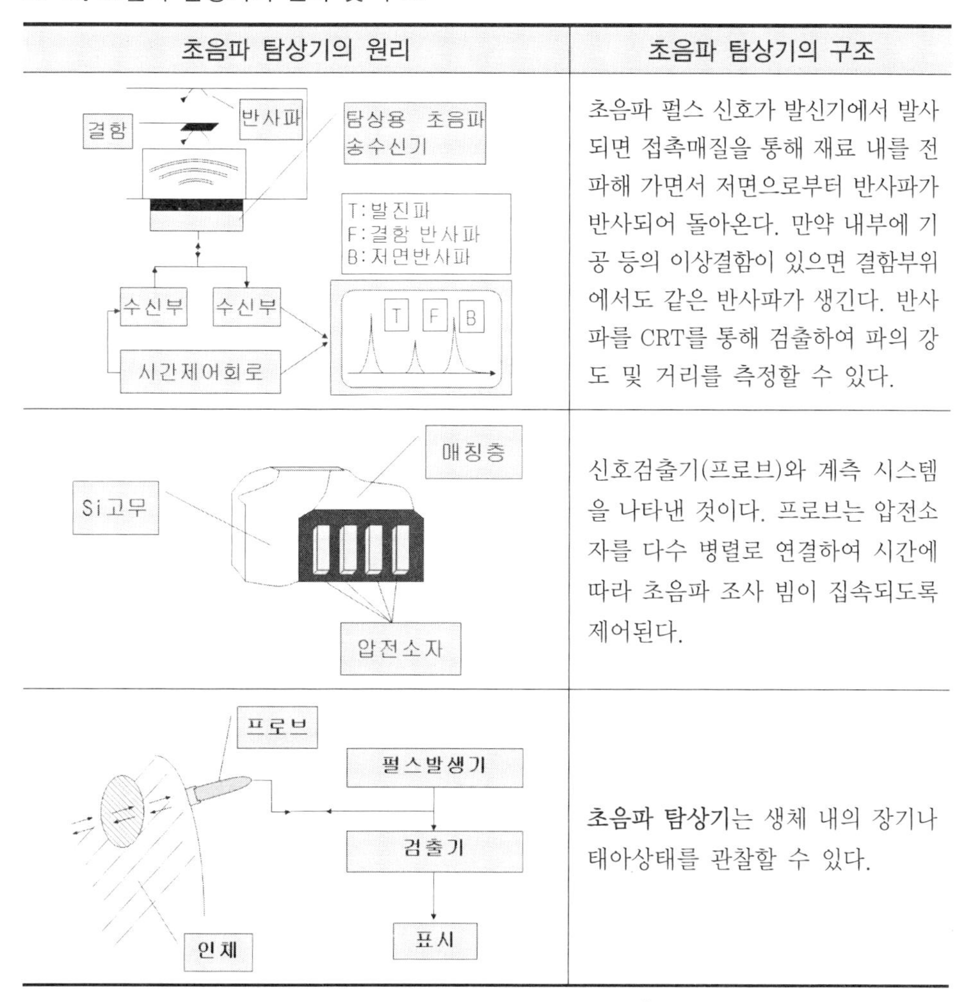

초음파 탐상기의 원리	초음파 탐상기의 구조
결함 반사파 탐상용 초음파 송수신기 T:발진파 F:결함 반사파 B:저면반사파 수신부 수신부 시간제어회로 T F B	초음파 펄스 신호가 발신기에서 발사되면 접촉매질을 통해 재료 내를 전파해 가면서 저면으로부터 반사파가 반사되어 돌아온다. 만약 내부에 기공 등의 이상결함이 있으면 결함부위에서도 같은 반사파가 생긴다. 반사파를 CRT를 통해 검출하여 파의 강도 및 거리를 측정할 수 있다.
매칭층 Si고무 압전소자	신호검출기(프로브)와 계측 시스템을 나타낸 것이다. 프로브는 압전소자를 다수 병렬로 연결하여 시간에 따라 초음파 조사 빔이 집속되도록 제어된다.
프로브 펄스발생기 검출기 인체 표시	**초음파 탐상기**는 생체 내의 장기나 태아상태를 관찰할 수 있다.

4.2 생체 센서

생체 센서(바이오센서)는 효소, 항체 등의 생물체의 기능물질 또는 미생물 등 여러 가지 물질에 예민하게 반응하는 **감지기능**을 직접 이용하는 센서로 주로 시료(시험, 검사, 분석 등에 쓰이는 물지 또는 생물)에 함유되어 있는 화학물질을 검출, 계측하는 곳에 이용되고 있다. 생체는 생명을 지속하기 위해 정보를 화학물질의 운반에 의해 전달한다. 표 13에는 생체의 화학반응기관들의 위치를 나타내었다.

표 13. 생체화학기관의 위치

위 치	생체기관	물 질	특정물질에 대한반응
체표면	미각세포 후각세포	단백질 및 지방질	선택적으로 반응하지 않음
체내면	호르몬, 시냅스 각 기관	단백질 효소, 항체(단백질)	민감하게 반응

① 체표면에 있는 기관들은 식별능력이 뛰어나지만 감각세포의 단계에서는 그 특성이 떨어지게 된다.

예) 단맛, 매운맛, 신맛, 짠맛, 쓴맛의 미각이 있는데 이들 미각세포와 미각신경회로가 이어지지 않아서 뇌 신경회로망으로 전달이 되지 않기 때문이다.

② 우리 인체 내에는 화학 생체기관이 수많이 존재한다. 시냅스에는 신경전달물질의 감응기관이 있으며, 감각세포의 생체막에는 감응체로 단백질이 매입되어 전달물질이나 호르몬이 특수하게 달라붙는다.

③ **호르몬 감응기관**은 체액 중에 특별히 지정되어 있는 호르몬 사이에서만 정해져 있는 생리적 반응을 일으키며 단백질이 검출물질의 분자구조를 인지하는 입체화학구조를 가지고 있기 때문이다.

④ 생체 센서의 기본원리를 그림 8에 나타내었다. 특정한 화학물질에 의해서만 반응을 일으키는 생체기구를 기능성 막에 고정시킨다. 그 다음에 활용하는 것

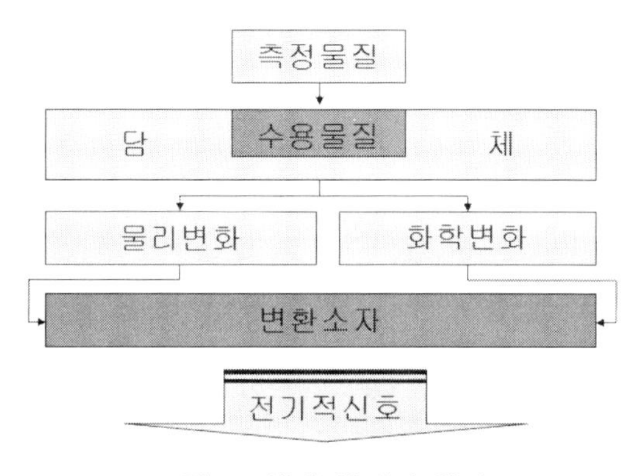

그림 8. 생체 센서의 원리

으로 화학반응을 전기적 신호로 출력하며 생체에 관련된 물질에는 세포 내 소기관, 효소, 미생물, 항체 또는 항원 등이 있다. 이런 것들을 이용하여 특정하게 검출하는 대상들을 식별할 수 있는 감응물질이 된다.

⑤ **생체 센서**는 단백질이나 효소 같은 감응물질들을 고정화한 생체촉매와 물리화학 디바이스(변환장치)로 구성되고 용액 속에 포함되어 있는 측정할 물질은 감응물질들의 단체에 붙여 특수한 반응을 일으켜 복합체를 이루게 된다. 이런 현상이 이루어지게 될 때 열, 색, 산화-환원 전류 같은 화학적 · 물리적 작용이 일어나며 이러한 화학적 변화를 반응기나 서미스터 같은 변환소자를 이용하여 전기적 신호로 변환시키게 된다.

1. 효소 센서

효소란 생체 안에서 만들어지는 생체 내의 반응을 촉매하는 단백질을 중심으로 한 고분자 화합물질로서 생체에 있는 특정한 화학물질과 반응함에 따라 다른 화학물질을 생성 또는 분해하는 기능을 갖고 있고 체내에 수없이 많이 존재하고 있다.

① **효소**는 특정한 기질만을 식별하여 반응하며 높은 압력이나 높은 온도에서 특정한 반응을 촉매하기 때문에 막에 측정할 물질에 반응하는 효소를 고정화하여 효소반응에 의하여 전극활성물질들이 생성, 소비되는데 이것을 전극으로 측정하면 이로부터 본래의 화학물질 농도를 계산할 수 있다. 이러한 작용으로 기질을 특이적으로 선택할 수 있는 센서로의 기능을 갖는다.

② 센서에 가장 대표적으로 이용되고 있는 효소는 **글루코오스옥시타제**(glucose oxidase)이다. 이 글로코오스옥시타제 효소는 액체 속에 포함되어 있는 글루코오스란 물질을 산화시켜 글루코노랙톤(gluconolactone)과 과산화수소수를 만들어내게 된다. 이 현상이 일어나게 될 때 산소가 소비되게 되는데 이 산소의 소비량을 산소전극을 이용 검출하게 되면 글루코오스의 농도를 알 수 있게 된다.

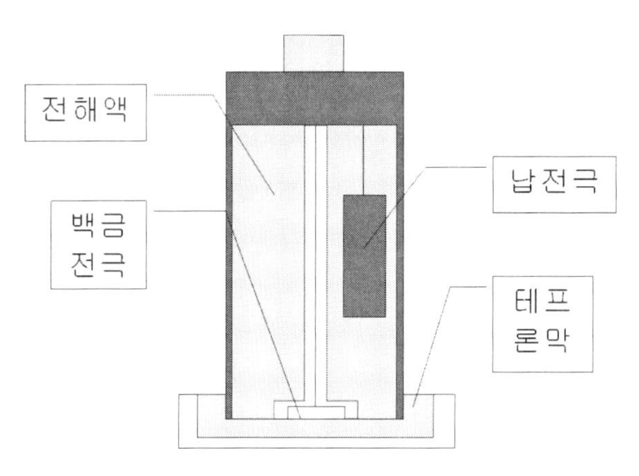

그림 9. 효소 센서의 구조

③ 그림 9에 **효소 센서**의 구조를 나타내었다. 이 효소는 고분자막 위에 고정화되어 효소전극 위에 배치되어 있다. 이렇게 효소를 고정화시키는 방법에는 여러 가지가 있지만 크게 화학적 방법과 물리적 방법의 두 부류로 나눌 수 있다.

㉮ **화학적 방법** : 효소와 공유결합을 형성시키는 것이다.

㉯ **물리적 방법** : 약한 상호작용을 이용하거나 가두어 두는 것이다. 그리고 다른 방법으로는 공유결합법, 가교화법, 포괄법, 흡착법 등이 있다.

④ 단백질 분자의 검출과정을 효소분자를 이용하여 사용하고 있다.

예1) 단백질은 수많은 아미노산의 연결체로 동식물 세포의 원형질의 주성분이며, 많은 화학반응의 촉매 역할 및 항체 형성 따위에 중요한 구실을 하는 생명체를 구성하는 고분자 물질이다.

예2) 단백질의 분자량은 입체구조가 수천에서 수억에 달하는 화학구조가 복잡하게 구성되어 있다.

예3) 효소는 높은 온도나 높은 압력에서 선택적으로 분자를 식별하여 반응을 촉매하게 되며 **효소가 선택적으로 식별하는 분자를 기질**이라 부른다.

⑤ 기질은 효소분자에 붙게 되어 복합체를 형성하게 되는데 효소분자만이 만드는 입체구조 및 특유의 아미노산 배열에 의하여 효소가 선택적으로 식별할 수 있는 분자구조를 가진 기질만이 선택되어 효소분자에 붙게 된다. 그리고 어떤 부분이 활성중심이 되어 기질분자의 특정 부분이 반응을 일으키게 된다. 이런

반응이 효소의 특이성이 일어나게 되는 원인인 것이다.

⑥ 효소를 측정대상으로 이용하는 경우 전기화학전극 반응으로 인해 생성된 물질을 검출하는 경우가 많이 있다. 효소를 이용하는 센서로는 **글루코오스 센서**, **알코올 센서**, **유기산 센서**, **아미노산 센서**, **지질 센서**, **요소 센서** 등이 있다.

㉮ **글루코오스 센서** : 글루코오스 산화효소를 폴리아크릴아미드 겔 막에 고정화시키고 포도당을 산화시켜, 이것을 전극 위에 붙여 제작한 센서를 시료 용액 안에 넣으면 용액 중의 포도당이 퍼져 고분자막에 고정화되어 있는 글루코오스 산화효소에 미치고, 효소반응에 의하여 글루코노랙톤이 만들어지면서 산소가 소비된다. 이때 소비되는 산소량은 산소전극 위에 전류변화로 나타나게 되며, 이 값의 변화를 이용하여 포도당의 농도를 계산할 수 있다.

㉯ **알코올 센서** : 산화효소가 저급 1가 알코올을 산화하여 알데히드를 만들어낸다. 이 효소를 고정화막과 과산화수소 전극을 조합하여 센서를 만들면 알코올의 산화에 의해 만들어지는 과산화수소를 측정함으로써 알코올 농도를 계산할 수 있다. 이렇게 제작한 알코올 센서를 이용하여 에탄올 농도를 상대오차 3.2% 이내로 재현성 있게 측정할 수 있다.

㉰ **요소 · 요산 센서** : 임상화학분석용 센서로 사용되고 있다. 미생물로부터 효소는 압축정제 되므로 직접 유기막에 미생물을 고정화하여 생물 센서로서 이용된다. 효소를 단독으로 사용하는 것이 아니라 복합 효소계나 미생물의 전 생리기능을 미생물과 함께 사용한다.

과산화수소전극을 이용한 효소 센서를 그림 10에 나타내었다.

유리기판 위에 크롬으로 금속막 전극을 증착시킨 후에 양전극을 애노드, 중앙전극을 캐소드로 하여 약 0.8[V]의 전압을 걸면 과산화수소수가 식 (2)와 같이 산화되어 전류가 흐르게 되는데 이 전류값으로부터 농도를 측정할 수 있게 된다.

$$H_2O_2 \rightarrow 2H^+ + O_2 + 2e^-$$

H_2O_2 : 과산화수소수, H : 수소, O_2 : 산소 (2)

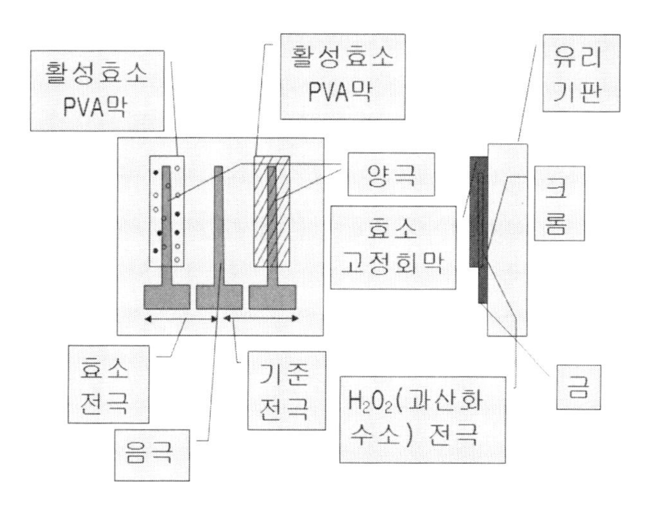

그림 10. 과산화수소전극을 이용한 효소 센서의 구조

글루코오스 산화효소를 고정화시켜도 글루코오스 산화효소는 식 (3)과 같이 산화반응을 촉매하게 되어 유기산과 과산화수소를 생성하게 된다.

$$C_6H_{12}O_6 \rightarrow C_6H_{10}H_6 + H_2O_2 \qquad (3)$$

$C_6H_{12}O_6$: 포도당

위의 식 (3)에서 농도, 글루코오스를 애노드 전류값을 이용하여 측정하게 된다. 미생물을 이용하는 센서는 오수처리용으로 이용하고 있다.

2. 미각 센서

미각을 구성하는 4가지 기본요소인 **단맛**(sweet taste : 스위트 테이스트), **신맛**(sour taste : 사우어 테이스트), **짠맛**(saline taste : 세일린 테이스트), **쓴맛**(bitter taste : 비터 테이스트)에 대응 각각 NaCl(염화나트륨), 당, 아미노산과 알카로이드, 핵산 등이 맛 성분을 가지고 있고 **미각을 수용하는 기관은 미뢰**인데 혀의 점막을 유두 속에 다수가 존재하고 있다.

① 미뢰 속에는 20~30개 정도의 미세포가 있으며 미뢰의 상단에는 미공이 있고 미세포는 미공을 통해 돌기가 혀 표면에 나와 있으며 이 돌기가 미각물질에 처음으로 반응하게 된다. 사람은 이런 기관을 이용하여 맛을 느끼게 되는데

미각 센서는 이런 기관의 세포막과 비슷하게 만든 지방질 고분자막을 이용하여 개개의 물질과 미세포와의 상호작용을 분류하여 사람이 느끼는 맛과 높은 상관관계를 얻을 수 있다. 하지만 아직 사람만큼 민감한 맛을 검출하지는 못한다.

② 맛 센서 중 복수전극을 이용한 센서 두께 2[mm] 정도의 아크릴판에 직경 1.5[mm]의 Ag(은)선을 통하여 리드선과 같이 에폭시계 접착제로 고정시킨다. 생체와 흡사한 단백질이나 지질 등을 수용기구를 이용하여 맛 물질이 생체막에 수용될 있게 되며 각종의 지질막에 피복을 입힌 전극군을 높은 선택성을 갖지 못하는 단백질 대신 사용한 맛 센서가 검토되고 있다.

복수전극을 이용한 미각센서의 구조를 그림 11에 나타내었다.

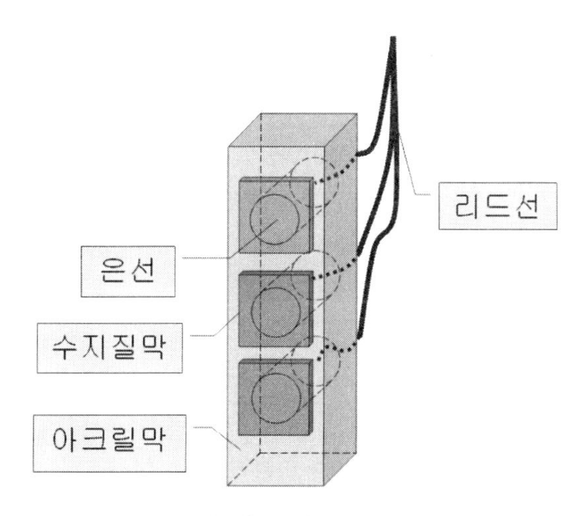

그림 11. 복수전극을 이용한 미각 센서의 구조

3. 냄새 센서

인간은 순간적으로 냄새를 함유한 가스를 코로 흡입하여 냄새를 식별해 낼 수 있는 능력을 가지고 있다. 냄새분석에 주로 이용하는 가스 크로매트그래피로 어떤 냄새를 분석해 보아도, 각기 다른 400종류 이상의 분자 피크가 나타나게 된다. 탄소수가 1~10까지인 휘발성의 유기분자가 포함되어 있고 알코올, 게톤, 에스텔, 알데히트등의 원자단 또한 포함하고 있다.

① 가스에 포함되어 있는 물질성분을 검출해 내는 센서

㉮ 밀폐된 공간에서의 산소농도 검출

㉯ LPG나 도시가스 등의 누설 가스 검출

㉰ 자동차의 배기가스의 질소산화물 등을 검출해 내는 것

② 가스 성분에 따라 그 검출 방식은 매우 다르다.

㉮ 냄새 가스를 검출하는 것은 수정진동자의 진동수 변화를 이용하는 검출법이 있다.

㉯ 환원성 가스나 산소는 산화와 환원반응을 이용한 도전성 변화를 검출하는 방법이 있다.

㉰ 가연성 가스에 연소열을 이용하는 검출방법이 있다.

③ 그림 12는 수정진동자를 이용한 가스 센서의 구조이다.

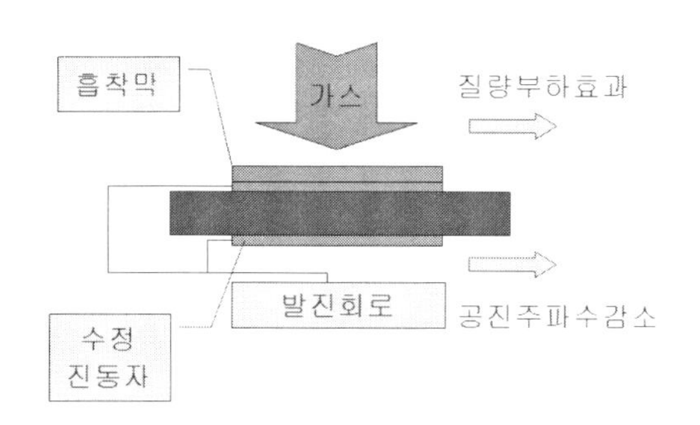

그림 12. 수정진동자를 이용한 가스 센서의 구조

수정진동자는 가스 센서에서 안정된 발진 주파수를 얻기 위해서 이용되는데 온도 특성이 우수한 수정결정의 AT컷을 주로 이용하게 되며 대상 가스를 흡착시키는 감응막을 진동자의 양전극 위에 형성시키면 특정한 성질의 가스가 흡착하게 되어 질량이 변화하게 된다. 이 변화로 인해 진동자의 공진 주파수가 낮아지게 된다. 이 공진 주파수는 질량증가분에 비례하여 낮아지기 때문에 가스 농도를 발진회로의 출력을 이용하여 가스 농도를 검출해 내게 된다.

질량증가에 따른 공진주파수의 변화분을 나타낸 식 (4)이다.

$$\Delta F = -2.3 \times 10^{6} \cdot F^{2} \Delta M \tag{4}$$

진동자의 주파수를 10[MHz]에 맞추고 수[Hz]마다 주파수 변화량을 측정하여 가스 흡착 및 탈착에 따른 질량변화(10[mg] 정도)를 검출해 내게 된다.

④ 가스 센서에는 그림 12와 같이 유기막을 수정진동자에 코팅하여 사용하게 되는데 8가지 정도의 유기막을 각각 수정진동자의 전극 위에 도포하여 냄새를 흡착시키게 되면 질량부하 효과로 인해 공진 주파수가 낮아져 수정진동자에 주파수 변화가 나타나게 된다. 이 유기막 종류에 의존한 패턴 정보에 따른 변화를 컴퓨터를 이용하여 해석하게 되면 암모니아, 유화메틸 등의 냄새를 포함하고 있는 가스를 검출해 낼 수 있는 것이다. 그림 13은 냄새를 감지해 내는 시스템의 개념을 나타내었다.

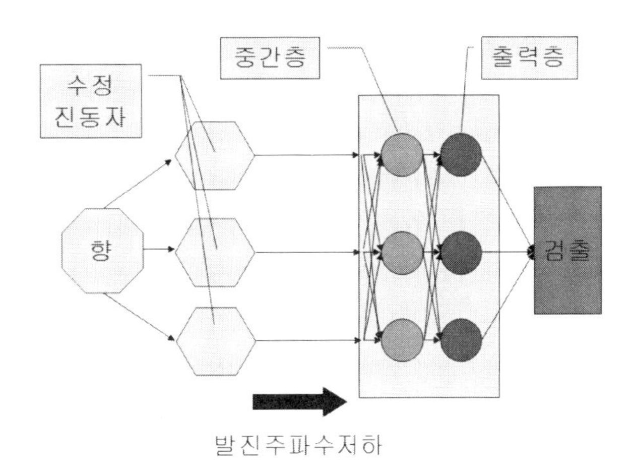

그림 13. 냄새 감지 시스템의 개념

4. 면역 센서

항원체 반응을 이용하여 체내에 잠입하고 있는 병원체나 다른 혈액형 물질 등의 **항체 또는 항원을 인식**하게 되어 특정한 반응을 보이는 센서를 면역 센서라 한다.

예) 혈액형을 검출하는 센서는 혈액형을 나타내는 물질을 적혈구로부터 추출하여 고분자막 위에 고정화하여 항원막을 형성시킨다. 이 막에 성질이 다른 혈액형을 나타내는 물질의 항체가 부착되면 특정한 반응을 일으키게 되어 막의 전위가 변동되어 기준전극의 전위와 비교 분석하여 혈액형의 상태를 검출하게 된다. 면역기능을 이용하는 센서에는 면역 센서 외에도 호르몬 센서, 병원체 센서, 혈처알부민 센서 등이 있다.

① **면역 센서**의 구조는 효소 및 미생물 센서에서 사용하는 유기화합물 같은 저분자화합물 대신 고분자물질인 단백질이나 다당류 같은 물질을 대상으로 한다.

② 면역 센서의 구조를 그림 14에 나타내었다. 동물의 체내에 고분자물질이 유입되게 되면 임파구에 의한 항원으로 인식되게 되어 항체가 생성되게 된다.

㉮ 항체는 면역 그로그린이라는 혈청 중에 포함되어 있는 단백질이다.

㉯ 항체와 항원이 결합하여 안정된 복합체가 형성되는데 이 복합체의 응집이 혈청 중에 생성된다.

㉰ 항원이나 항체를 막에다 고정화시키게 되면 면역반응이 높은 분자식별기능을 가지게 되는 기능성 막이 만들어진다.

예) 아세틸셀룰로오스에 항체를 고정화시키면 단백질이 pH에 의해 하전극성이 정·부로 변화하는 양성전해질이 되고 항체를 고정화시킨 막은 표면전하를 가지게 된다. 이 전하에 대응하는 막전위를 갖게 되는데 항체와 항원은 서로 전하상태가 매우 다른 경우가 많이 있기 때문에 서로 흡착하게 되는 복합체를 형성하게 되는데 이때 막전위가 변화하게 된다. 따라서 이 막전위의 변화량에 의해 항원의 흡착량을 알 수 있는 것이다.

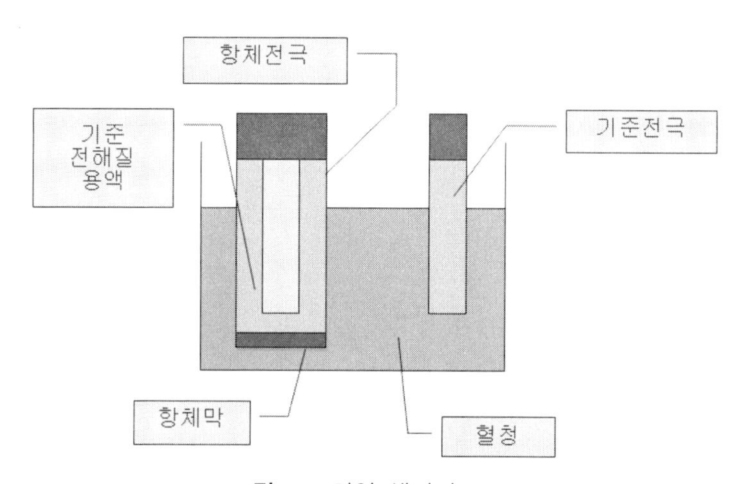

그림 14. 면역 센서의 구조

5. 미생물 센서

특정한 물질이나 환경에서 살아가는 미생물들의 활동상황을 감지해 내는 센서가 미생물 센서이다. 염기성 미생물 같은 경우는 이산화탄소 등의 특정 물질을 소비하거나 생성물질을 합성하기도 하기 때문에 특정 물질의 존재를 검출할 수 있다. 영양소가 공급되어 활성화되면 산소를 소비하는 호기성 미생물 같은 경우는 산소전극을 이용하여 검출해 낼 수 있다.

① **미생물 센서** 중 글루코오스나 글루타민산 등을 검출하는 센서의 구조는 특정한 종류의 미생물 속에 존재하고 있는 효모를 아세틸셀룰로오스막에 고정화시켜 산소전극 상에 취부하여 산소가 용해되어 있는 완충용액 속에 넣고 영양소를 집어넣으면 활성화된 효모가 산소를 소비하여 산소량이 변화하게 되는데 이 변화량을 측정하여 영양물질의 농도를 측정하게 되다. 그림 15에 미생물 센서의 구조를 나타내었다.

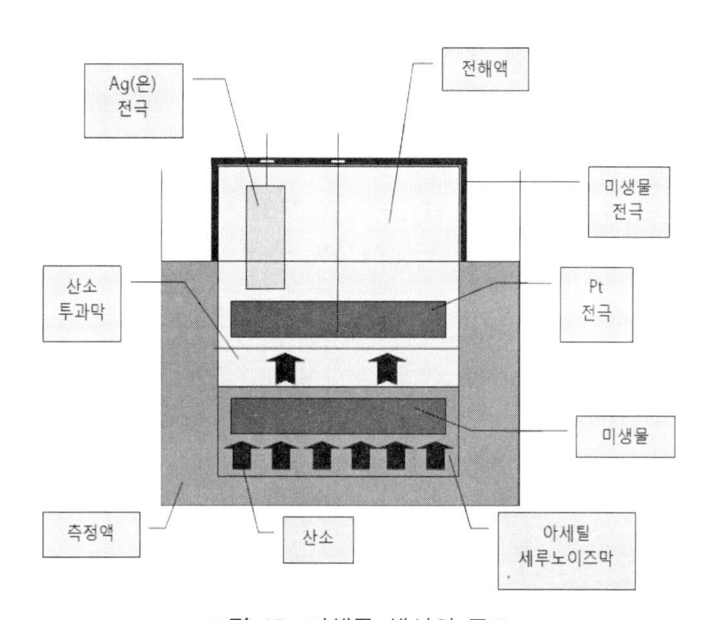

그림 15. 미생물 센서의 구조

② **호흡활성측정형 미생물 센서**는 미생물이 검지대상물과의 반응으로 인해 호흡기능이 촉진되거나 억제되는 것을 이용하는 방법인데 이 방법은 검지대상물을

미생물이 취식 소화시켜 특정의 물질을 생성하게 한다. 이렇게 생성된 물질이 저극반응을 일으키거나 전극에 감응될 수 있는 전극활성물질이 되면 전극과 미생물 고정화막을 조합하여 전극활성물질측정형의 센서로 사용하게 되는 것이다.

③ 호흡활성측정형 센서의 원리는 효소를 흡수하여 유기성을 취식 산화시키는 호기성 미생물을 아세틸셀룰로오스막이나 코라겐막 등에 고정화시켜 크라크형 Pt캐소드와 Pb애노드를 농알칼리액에 붙여 캐소드 표면을 산소투과형 테프론막으로 피복한 산소전극에 씌운다. 이때 산소는 캐소드 표면에서 환원될 때 흐르는 캐소드 전류와 테프론막을 환산하는 O_2(산소)량은 비례관계가 된다.

④ 센서를 측정계의 pH를 일정하게 유지시키는 용액인 완형액에다 담근후 산소를 포화시키면 고정화막으로 산소가 확산하게 되면서 미생물의 호흡으로 일부가 소비된다. 그리고 소비되고 남은 산소는 테프론막을 통하여 산소전극으로 가 캐소드 전류가 정상적으로 흐르게 된 후에 측정을 할 유기물이 완형액 중에 들어가게 되면 미생물은 유기물을 흡수하게 되어 산화반응이 일어나므로 미생물 등의 호흡이 활발해져 전극으로 도달하게 되는 산소량이 줄어들고 그래서

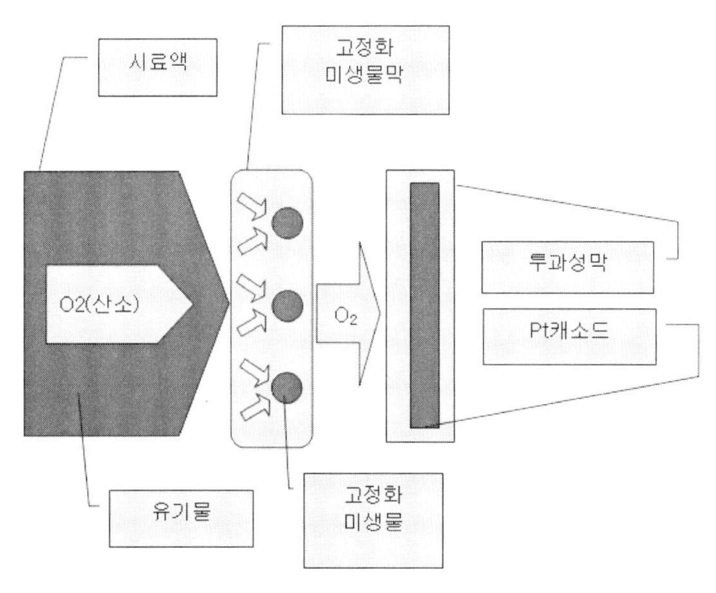

그림 16. 호흡활성측정형 센서의 원리

캐소드 전류량 또한 감소하게 된다. 이 감소하는 전류량을 측정하여 유기물의 농도를 알 수 있다.

호흡활성측정형 센서의 원리를 그림 16에 나타내었다.

이런 미생물 센서들은 글루코오스 센서, 아미노산 센서, 유산 센서와 알코올 센서 또는 하천이나 배수의 오염의 지표인 청정도를 표시하는 생물학적 산소 소비량 BOD 센서 등에 주로 이용된다.

4.3 유도성 센서

1. 유도성 센서 개요

표 14에 표시한 센서들은 각 분류법에 따른 다양한 센서들의 예를 나타낸다. 전기 회로의 코일에서의 인덕턴스는 코일의 감은 수와 기하학적 배열에 따라 다른 값을 나타낸다. 따라서 생체에서의 변화로 인해 생기는 기하학적 변화나 코일의 이동, 또는 코일 안의 철심을 넣어 철심의 이동에 의한 인덕턴스 변화를 측정할 수 있다. 회로에서 인덕턴스의 성분을 L이라 하면, $L=\mu n^2 G$로 표현되는데, 여기서 μ는 투자율을 나타내며 n은 코일의 감은 수이고 G는 기하학적 상태를 나타내는데 주로 코일의 단면적이나 코일이 감긴 길이 등을 변수로 갖는 상수이다. 이 3가지 값들은 장치의 변수, 즉 코일의 배열이나 코일 안에 넣는 철심과 같은 물질의 이동 등을 변화시키면 값이 변할 수 있어서 그 변화를 이용하여 생체현상을 표현할 수 있다.

특히 상호인덕턴스를 이용하면 멀리 떨어진 곳의 변화도 알 수 있어서 얼마간 떨어진 공간에 대한 측정에서 유용한 센서이다.

일반적으로 유도성 센서는 외부 환경의 영향을 거의 받지 않지만 외부 자장에 의한 영향은 받기 때문에 주변에 자장이 있는 경우는 주의하여야 한다.

표 14. 여러 가지 의료생체센서

센서에서의 측정량	생체신호	장치
변위	• 맥파 • 근변위	• 맥파전파속도계 • 근변위계
압력	• 맥파 • 심음 • 혈압 • 장기내압	• 심기능도 • 태아심음 • 관혈식혈압계 • 뇌압계
온도	• 혈류 • 체온(서미스터) • 체온(열전대)	• 열희석식 심박출량계 • 체온계 • 심부체온계
전류 또는 전압	• 생체기전력 • 생체성분	• 뇌파계, 심전계, 근전계, 망막전위계 등 • 피부를 통한 pO_2, pCO_2 측정장치
소리	혈압	비관혈식혈압계
빛	• 맥파 • 혈류 • 생체성분 • 온도분포(적외선) • 생체성분(적외선)	• 광전용적맥파 • 광도플러혈류계 • 펄스형 산소측정기 • Thermograph • 호기시 이산화탄소 농도측정
초음파	• 체내 물질분포 • 혈류 • 호흡유량	• 초음파 영상진단장치 • 초음파도플러혈류계 • 호흡모니터
방사선	• 체내 물질분포 • 장기의 형상	• RI Imaging • X-선 TV
전자파	• 체내 물질분포 • 혈류	• MRI • 전자혈류계

2. 유도성 센서의 원리와 특성

유도성 센서를 크게 상호 인덕턴스의 변화를 이용한 센서와 자기저항의 변화를 이용한 센서 그리고 **선형 가변 차동변환기**(Linear Variable Differential Transformer : LVDT)로 나누어 그 원리와 특성을 살펴보자.

다음 그림 17은 다양한 유도성센서의 간단한 원리를 나타내는 그림이다.

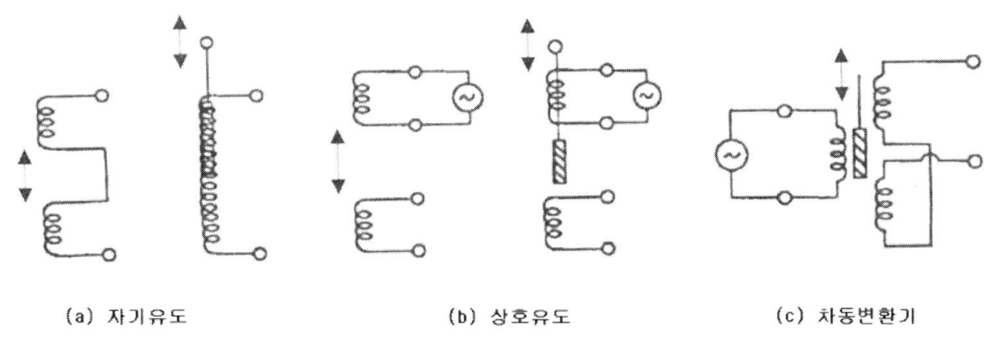

그림 17. 여러 가지 유도성 센서의 기본 원리들

① 상호인덕턴스 변화를 이용한 센서

㉠ 원리 : 두 개의 코일을 같은 축 방향으로 배열하여 위치 변화를 시키면 상호 인덕턴스가 변하게 된다. 이 원리를 이용하면 간단한 변위를 측정할 수 있다. 한 개의 코일에 교류전류를 흘려주고 다른 코일에서 유도되는 전압을 측정하면 두 코일이 서로 얼마나 떨어져 있는지 그 거리를 알 수 있다. 상호 인덕턴스는 두 코일이 가까워질수록 그 값이 커진다. 따라서 두 코일이 가까워질 때 전압이 유도되는 코일의 유도전압은 높아지게 되고 반대로 코일이 멀어지면 전압이 낮아진다.

㉡ 장·단점 : 이 센서의 단점은 코일이 움직인 거리와 유도되는 전압이 반드시 비례하지 않는다는 것이다. 비례관계가 성립하는 경우는 움직인 거리가 아주 작을 경우이다. 상호인덕턴스를 이용한 센서의 경우 두 코일이 같은 축 방향으로 배열되어 축 방향으로 움직일 때 그 변위를 측정하는 데는 간단하면서도 유용하지만 그 변위가 축 방향에 수직하게 움직이면 그 변화를 정확히 추측하기가 어렵다.

② 자기저항의 변화를 이용한 센서

㉠ 원리 : 한 개 또는 두 개의 코일 모두에서 코일은 고정시켜 놓고 코일 안에 자기저항이 큰 물질을 넣거나 빼내면 그 움직임에 따라 자기저항이 변하게 된다. 이때 자기저항이 큰 물질에 연결된 부분의 위치 변화가 일어나면, 이 물질의 이동으로 인해 코일내의 자기선속의 변화가 유발되고 이로 인한 유도현상이 일어나서 자기인덕턴스나 상호인덕턴스가 변할 것이다. 이 전

기적 변화를 이용하여 실제 일어난 변위를 알아낼 수 있는 것이 바로 자기저항의 변화를 이용한 센서이다.

상호인덕턴스의 변화는 한 코일에 교류전류를 흘려주고 다른 코일에 유도되는 전압을 측정하면 되지만 자기인덕턴스의 경우는 일반적으로 인덕턴스를 측정하는 다양한 기구를 이용하면 인덕턴스의 변화를 측정할 수 있다.

㉡ 장·단점 : 자기저항의 변화를 이용하여 만든 유도성 센서도 상호인덕턴스를 이용한 것과 마찬가지로 변위를 측정하는데 간단하면서 유용한 센서이다. 그러나 이 센서도 일반적으로 변위에 대한 전압의 변화가 선형적이지 못해서 정밀도가 그다지 높지는 않다.

③ 선형 가변 차동변환기(LVDT) : 유도성을 이용한 센서 중에서 가장 자주 사용되는 것이 바로 선형 가변 차동변환기이다. 임상에서는 주로 압력이나 변위 또는 힘을 측정하는데 쓰이고 있다.

㉠ 원리 : 이 센서는 기본적으로 3개의 코일로 구성되는데, 그림 17(c)에서 보는 바와 같이 한 개의 코일이 두 개의 코일과 대칭이 되도록 위치하며, 그 사이에 철심을 위치시키고 있다. 연결된 두 개의 코일은 서로 반대의 전류가 흐르도록 연결되어 있다. 따라서 철심을 두 개 코일의 한 가운데에 위치시키면 두 코일에 유도되는 전압이 크기는 같고 방향이 반대가 되어 서로 상쇄된다. 한편 한 방향으로 이동시키면 전압의 변화가 생기는데 결국 두 코일에 유도되는 전압의 차이가 나타날 것이다. 두 개의 코일을 대칭적으로 배열했기 때문에 철심을 이동시킬 때 유도되는 전압은 변위에 비례하게 된다. 이 센서의 특징은 유도현상에 의한 유도전압의 변화뿐만 아니라 철심의 이동으로 인해 전압의 위상도 변한다는 것이다. 철심이 두 코일의 정가운데를 통과해 지나갈 때 180°의 위상변화가 일어난다. 따라서 유도전압과 함께 위상을 측정하면 현재 철심의 위치를 알 수 있어서 측정하고자 하는 부위의 변위를 알 수 있는 것이다.

㉡ 장·단점 : 이 센서는 주로 1차 코일로 사용되는 한 개의 코일에 20~60 *Hz*의 정현파를 가하여 작동되는데 넓은 주파수 대역에서 선형성을 나타내며 위상변화를 갖는 특성이 있고, 크기와 모양을 다양하게 만들 수 있어서 상

업용으로 널리 이용된다. 또한 민감도가 높고 위상변화가 있기 때문에 방향 인식이 가능하다. 코일의 구조를 조정하면 이 센서를 이용하여 수십 μm에서 수 cm까지 변위를 측정할 수 있다. 하지만 원하는 결과를 얻기 위해서 위상감지 복조와 같은 복잡한 신호처리 과정을 거쳐야 한다는 단점이 있다.

4.4 용량성 센서

용량성 센서도 유도성 센서와 마찬가지로 변위에 의한 양의 변화를 측정하는 센서이다. 유도성 센서가 인덕턴스 변화를 측정하는 것이라면 용량성 센서는 캐패시터의 정전용량(Capacitance)을 측정하는 것이다.

판의 면적이 S이고, 판 사이 간격이 d인 평행판 축전기의 정전용량(C)은 $C=\epsilon\frac{S}{d}$이다. 여기서 ϵ은 축전기의 유전율이다.

평행판 축전기를 예로 들면 이 축전기의 정전용량을 변화시킬 수 있는 방법은 기본적으로 3가지가 있다.

① 두 평행판 사이의 간격 d를 변화시키면 정전용량이 변할 것이다.

② 간격은 일정하게 유지하고 한 평행판을 움직여서 두 판이 마주하고 겹치는 면적을 변화시키는 것이다. 정전용량에 영향을 주는 면적 S는 실제로 마주하는 면의 면적이기 때문이다.

③ 평행판 사이에 유전체를 삽입하는 것이다. 이 방법은 서로 다른 유전체를 바꾸어 가면서 측정하는 방법이 있을 것이고 또는 유도성 센서에서 철심을 움직이듯이 유전체를 판 사이에 넣어 움직이도록 하여 유효면적을 다르게 함으로써 용량의 변화를 얻을 수 있을 것이다.

4.5 압전센서

1. 압전센서의 원리

압전 물질은 물리적 압력이 가해지면 전위가 발생하고, 전압을 가하면 변형이 생기는 물질이다. 따라서 압전물질을 이용하면 어떤 부위에서 일어난 변위나 압력 변화에 의한 전위를 측정할 수 있다. 이런 현상을 이용한 센서가 바로 압전센서이다.

압전 물질에 변형이 일어나면 내부 전하의 이동으로 물질에 표면전하가 유도되어 표면에 전극을 붙이고 측정하면 전위차가 나타나는데 이때 유도되는 전하량 Q는 물질에 가해진 힘 F에 비례한다. 즉, Q=kF이다. 여기서 k는 압전상수라 불리는 상수로 석영의 경우 약 $2.3pC/N$의 값을 갖는다.

2. 압전센서의 활용

압전센서는 생체에서 일어나는 변위측정 뿐만 아니라 심음을 기록하는 심음도에 이용되어 생체 내부 또는 피부에 부착하여 측정이 가능하다. 그 외에도 혈압측정이나 혈류를 측정하는데도 사용되며, 초음파 영상장치에 사용되는 것은 잘 알려진 사실이다.

3. 압전센서의 개략도

다음 그림 18은 압전센서를 이용한 회로의 간략도이다. 그림에서 결정에 화살표로 표시한 만큼의 변형이 일어나면 이때 발생한 기전력이 전선을 통해 증폭기로 전

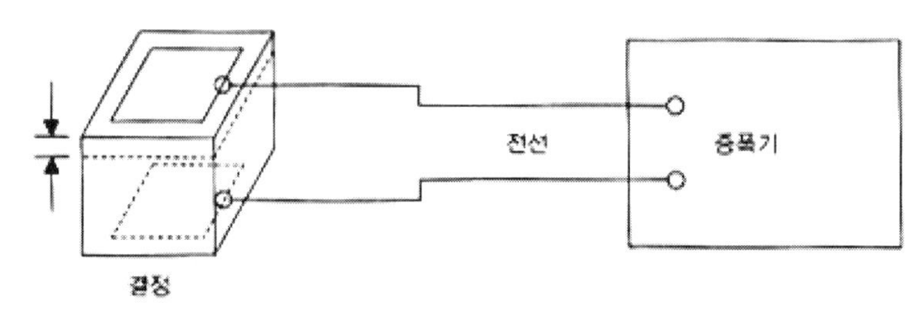

그림 18. 압전센서의 개략도

달되어 전기신호로 감지되는 것이다. 이때 사용되는 결정에 따라 그 비율이 다르게 나타난다.

4.6 온도센서

온도를 측정하는 센서는 많이 있지만, 의료용으로 이용되는 센서는 대략 3가지로 분류되는데 이는 금속저항 온도계, **서미스터**, **열전쌍**을 말한다. 아래 표 15는 이 세 가지 센서의 특별성을 정리한 것이다.

표 15. 여러 가지 온도센서

센서	작동온도 범위	안정성	민감도
금속저항 온도계	-100℃ ~ 700℃	고	저
서미스터	-50℃ ~ 100℃	보통	고
열전쌍	-100℃ ~ 1000℃	고	저

1. 금속저항 온도계

① 금속판이나 철사는 온도가 올라감에 따라 다음 식에 따라 비저항이 증가하여 저항이 증가한다.

$$\rho = \rho_0(1+\alpha(T-T_0))$$

이때 ρ는 절대온도 T에서의 비저항이고 ρ_0는 절대온도 T_0에서의 온도이며, α는 저항의 온도계수이다. 대부분 금속에서 저항의 온도계수 α는 온도가 1℃ 올라갈 때마다 약 0.1~0.4% 변한다. 금속저항을 이용한 온도계로 유용한 금속들은 주로 귀금속들인데, 그 이유는 금이나 백금과 같은 귀금속들은 변형이 적고 부식이 덜 되기 때문에 장기적으로 사용하기에 적당하다. 특히 이들 금속들은 보통의 금속에 비해 온도계수가 더 크다.

표 16은 온도계에 이용되는 몇 가지 금속과 합금의 비저항과 온도계수를 보여준다. 이표에서 보면 귀금속이 온도계로 적당한 이유가 설명된다.

표 16. 여러 가지 온도계 물질들의 특성

물질	온도계수(% / ℃)	저항율(Ω · cm, 20℃)
백금	0.3	9.83
금	0.368	2.22
은	0.38	1.629
구리	0.393	1.724
콘스탄탄	0.0002	49.0
니크롬	0.013	108.0

② 금속저항 온도계의 형태 : 금속저항 온도계는 보통 선이나 호일 또는 금속판의 형태로 제작된다. 특히 선의 형태로 제작된 것이 많은데, 이때는 온도에 의한 변형 외에도 외부 변화에 반응을 할 수 있기 때문에 절연에 신경을 써야 한다.

③ 이 온도계를 이용하는 전기회로는 보통의 스트레인 게이지의 경우와 같다. 저항을 측정하는 회로를 이용하기도 하지만 브리지 회로가 가장 바람직한 회로다.

④ 금속저항 온도계는 회로에 큰 전류를 흘려서는 안 된다. 그 이유는 많은 전류가 흐르면 줄열의 발생으로 인해 회로가 가열되기 때문이다.

2. 서미스터(Thermistor)

① 반도체 물질은 온도와 저항의 관계에서 금속과 반대로 온도가 증가함에 따라 저항값이 감소하고 온도가 감소하면 저항값이 증가하는 성질을 나타낸다. 이것을 NTC(negative temperature coefficient thermistor, 부특성 서미스터)라 한다. 구조적으로 직열형, 방열형, 지연형으로 구분되는데 크기가 작으면

서도 깨알 크기부터 동전 크기까지 다양하다. 특히 이 성질은 아주 비선형적이어서 금속의 경우와는 전혀 다른 관계식으로 표현된다. 측정하고자 하는 부위의 온도 T에서의 저항 R은 다음과 같이 표현된다.

$$R = R_0 e^{\beta(\frac{1}{T} - \frac{1}{T_0})}$$

이때 β는 반도체 물질의 상수이며 대략 2,000에서 4,000 정도의 값을 갖는다. T_0와 R_0는 각각 기준이 되는 점의 온도와 저항이다.
온도가 높아지면 저항값이 높아지는 특수한 정특성 서미스터(PTC, positive temperature thermistor)도 있다. 이것은 티탄산바륨계의 반도체에 주석이나 세륨 등을 0.1%정도 혼합하여 만든다. 그 외에도 CTR(critical temperature thermistor)가 있는데 이 서미스터는 특정 온도에서 저항값이 급격히 변화한다.

② 서미스터의 활용 : 서미스터는 매우 소형으로 만들 수 있어서 생체 내의 온도나 국부 온도 측정를 할 수 있다. 보통은 유리나 주사침에 봉입하여 사용하는데, 응답속도가 빠르고 감도가 높다. 또한 저항이 아주 높아서 유도 전극선의 저항을 무시할 수 있다. 따라서 장시간 체온을 측정할 때 적합한 센서이다. 그림 19는 서미스터로 온도를 측정하는 회로의 기본 개략도이다.

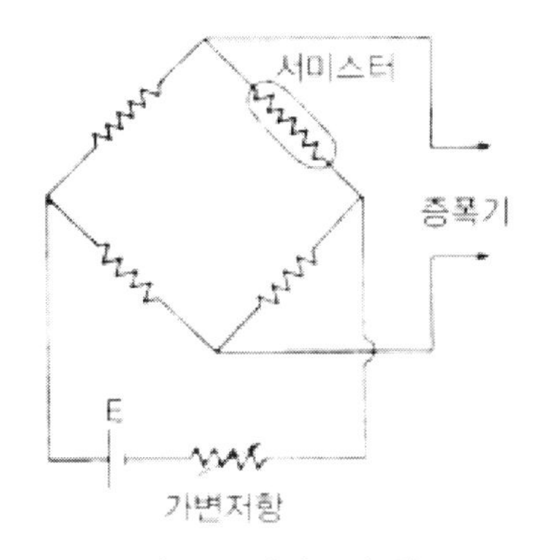

그림 19. 서미스터 회로

③ 서미스터의 형태 : 서미스터는 여러 가지 모양으로 만들 수 있다. 또한 측정할 수 있는 저항의 범위도 아주 넓다. 의료생체용으로 제작되는 서미스터의 모양은 크게 3가지가 있다. 디스크 형태의 판 모양과 구슬 모양 그리고 막대 모양이 있다. 이 각각의 모양의 서미스터를 간단한 원소나 반도체 화합물로 만들고 온도를 측정하고자 하는 곳에 접촉시킬 전극을 두 개 붙인 모양으로 만든다. 온도에 민감하면서도 높은 안정성을 요구하기 때문에 서미스터의 물질로는 보통 니켈, 코발트, 망간, 구리, 티탄 등의 산화물을 적당한 저항률과 온도계수를 가지도록 2~3종류 혼합하여 소결한 반도체를 이용한다.

3. 열전쌍(Termocouple)

① 서로 다른 두 금속의 접합부 양단에 온도를 다르게 하면 두 접합부 사이에 기전력이 유도된다는 것을 독일의 Seebeck이라는 사람이 1821년 발견하였다. 이 현상을 **제벡효과**라 부르는데, 이 원리를 이용하여 서로 다른 두 금속이나 반도체를 연결하여 온도를 측정하는 센서를 열전쌍이라 부른다. 서미스터가 온도에 따라 저항이 변한다면 열전쌍의 온도를 기전력으로 바꾸어서 전류가 흐른다는 차이가 있다.

그림 20은 온도가 T_1, T_E로 서로 다른 두 접점을 갖는 열전쌍이다. 전압계를 연결하면 기전력 E를 직접 측정할 수 있다. 한 쪽의 온도를 알면 기전력을 측정하여 다른 접점의 온도를 알 수 있는 원리이다. 온도가 T_1인 접점의 온도를 알고 다른 접점의 온도 T_E를 알고자 한다면 유도되는 기전력은 두 접점의

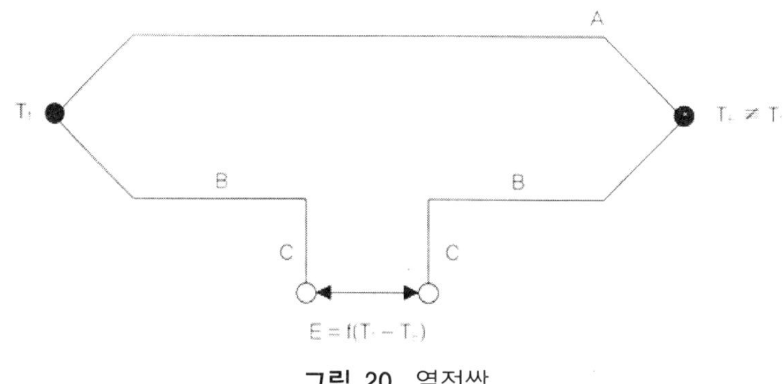

그림 20. 열전쌍

표 17. 열전쌍 재료의 특성

형태	금속	제벡상수(μV/℃)	사용온도범위
S	백금/백금로듐	6	0 ~1700℃
T	구리/콘스탄탄	50	-190 ~ 400℃
J	철/콘스탄탄	53	-200 ~ 760℃
K	크로멜/알루멜	41	-200 ~ 1370℃

온도차 $(T_1 - T_E)$에 비례하므로, $E = f(T_1 - T_E)$이다. 이때 f는 두 금속 A와 B로 이루어진 열전쌍의 **제벡상수**이다.
열전쌍에 이용되는 몇 가지 주요 물질들의 결합에 의한 제벡상수와 사용온도 범위를 표 17에 정리해 두었다.
제벡상수가 클수록 온도변화에 대한 기전력의 기울기가 커서 작은 온도 변화도 쉽게 감지할 수 있다. 표에서는 철과 콘스탄탄으로 이루어진 열전쌍의 제벡상수가 가장 크다. 그러나 열전쌍에서 측정되는 기전력은 온도가 1도 상승할 때 수 십μV로 작다. 따라서 두 측정점 사이의 온도차가 미미한 생체에서 온도를 감지하기 위해서는 아주 예민한 증폭기로 증폭을 시켜야 한다.

② 열전쌍의 활용 : 열전쌍은 사용 목적에 따라 여러 가지 방법으로 가공하는데, 특성상 온도를 감지하는 접점이 2개가 존재하므로 두 구조물 또는 두 점 사이의 온도차를 감지하는데 적당하다. 또한 열전쌍을 여러 개 직렬로 연결하여 더 높은 출력을 얻을 수도 있다. 열전쌍은 아주 가는 선으로 말들 수 있어서 생체 조직에 이식하여 내부 온도를 측정할 수 있다. 또한 아주 가는 선으로 만들어 피하주사용 바늘 내에 위치시켜서 조직 내에서 짧은 시간 동안 온도를 측정할 수 있다.

③ 열전쌍의 장·단점 : 장점으로는 접점이 작으므로 열용량이 작고, 열의 빠른 변화를 쉽게 감지해 낼 수 있으며, 응답시간이 빠르고 크기가 작고 제작이용이하고 안정성이 높다는 것이다. 한편 단점으로는 열기전력이 아주 작아서 안정한 고감도 증폭기를 필요로 한다는 것과 비교를 위한 기준 온도가 필요하다는 것을 들 수 있다.

4. 화학적 온도 측정

이외에도 온도센서로 화학적 온도 측정법이 있는데 아래 그림 5에 보이는 온도계는 온도 단위를 화씨로 표시하는 1회용 온도계이다. 녹는점이 화씨로 96~104.8도 사이인 물질을 표시점 마다 따로 묻혀 두어서 온도가 0.2°F 변할 때마다 액정을 채우도록 만든 것이다. 45개의 표시점을 두어서 마치 온도를 디지털로 측정하는 효과를 나타낸다. 그림 21에서 (a)는 아직 온도가 낮은 상태에 있는 것이며 (b)는 온도가 98.8°F인 상태에 있음을 알 수 있다.

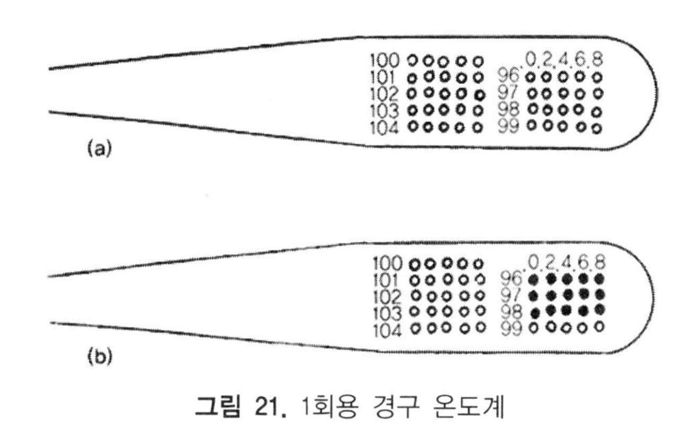

그림 21. 1회용 경구 온도계

5. 다이오드 센서

p-n 접합 다이오드를 이용한 센서도 온도 측정에 사용되는데 이 온도계는 온도가 1℃ 상승할 때마다 2mV 감소하는 성질이 있다.

6. 심부체온계

환자의 심부체온을 장시간 모니터링 할 필요가 있을 때 사용하는 **심부체온계**는 서미스터 한 쌍을 단열재로 분리한 다음 한 서미스터는 인체 표피 위에 두고 다른 하나는 히터에 접하도록 해서 히터를 가열하여 두 서미스터 사이에 온도차가 없어질 때의 히터 전류로 온도를 측정하는 것이다. 이 체온계를 장착하고 충분한 시간이 지나면 두 서미스터 사이에 열평형이 이루어질 것이다. 따라서 히터의 온도가 바로 생체의 온도가 되는 것이다.

이 체온계는 심부의 순환장애나 염증의 발견에 이용되고 있다.

4.7 광센서

1. 광센서의 구성

광센서는 의료생체용 센서 중에서 가장 잘 알려져 있고 또한 가장 오래된 기술에 속한다. 광센서는 일반적으로 **광원**과 목적에 부합되는 광선을 발생시키는 **광학 요소**들과 빛을 원하는 곳으로 보내는 요소들 그리고 광학적 신호를 처리하기 위한 **광 검출기**로 구성된다.

광학적 방식을 이용한 센서의 장점

① 크기가 작다.
② 하나의 카테터에 여러 개의 센서를 장착할 수 있다.
③ 전기적 위험이 없다.
④ 외부 전기적 방해에 영향을 받지 않는다.
⑤ 비교를 위한 기준 전극이 필요 없다.
⑥ 유연성이 높다.
⑦ 열적으로 안전하다.
⑧ 저비용으로 만들 수 있다.
⑨ 일회용으로 만들 수 있다.

광학적 방식을 이용한 센서의 단점

① 주변의 빛에 예민하여 잡음이 발생할 수 있다.
② 계속 조정을 해야 한다.
③ 동적 신호를 처리하는 데 제한이 있다.
④ 안정화되는 네 시산이 많이 걸린다.
⑤ 반응이 반응물의 양과 위상 그리고 광원의 강도에 비례한다.

광학적 방법을 이용한 선서는 "동일한 두께의 흡수 물질은 광학 에너지의 일정한 비율을 흡수한다"는 **Beer의 법칙**을 이용한다. 이 법칙에 따르면 샘플의 광 흡수도가 α이고, I_0이면, 통과한 후의 세기 I는 $I = I_0 10^{-alc}$가 된다.

한편 흡수도 A는 $A = \log(\frac{I_0}{I}) = alc$로 정의된다.

이때 농도를 모르는 시료의 물질농도가 c이고, 농도를 아는 기준 시료의 물질농도가 c_o라고 하면, 두 시료의 두께가 동일하다면 Beer의 법칙에 따르면, $c = c_o \frac{A}{A_o}$가 된다. 물론 여기서 A는 농도를 모르는 시료의 흡수도이며, A_o는 농도를 아는 기준시료의 흡수도이다.

광학적 방식의 센서를 이용하면 산소포화도를 비롯하여 이산화탄소 농도 등 다양한생체적 검사를 할 수 있다. 헤모글로빈에 포함된 산소 또는 일산화탄소의 농도에 따른 빛의 흡수 스펙트럼을 관찰하면 그 특성이 달라진다. 이 스펙트럼의 비교를 통해 그 농도를 짐작할 수 있는 것이다.

광학센서는 대개 광섬유나 평면형의 도파관을 사용한다. 일반적으로 표면에서 정량적으로 빛을 측정하는 방식은 다음 3가지가 있다.

① 분석 대상물이 빛을 반사하여 소산파(evanescent)와 같은 도파관의 광학적 특성에 직접 영향을 미치는 방법

② 광섬유를 통해 대상물에 빛을 보내고 대상물에서 나오는 빛을 광섬유를 통해서 검출기로 돌려보내는 방법

③ 광섬유 끝단의 지지 물질 위나 내부에 있는 표시장치나 시약을 두어 반응을 살피는 방법

2. 기구

광센서를 어떻게 구성하는가는 광학센서의 형태나 목적에 따라 달라진다. 일반적인 광센서의 기구는 크게 광원과 여러 가지 광학적 요소들 그리고 광 검출기와 신호처리 부분으로 생각할 수 있다. 그림 22는 일반적인 광센서의 개략도이다.

① 광원

광센서에서 사용할 수 있는 광원은 선택의 폭이 아주 넓다. 간섭성이 뛰어난 레이저에서부터 다양한 빛을 포함하고 있는 램프 등 그리고 단색의 고체인 LED(light emitting diode) 등 아주 종류가 많다. 광원으로서 가장 중요한 요건은 안정성일 것이다. 휴대를 요하는 경우는 LED가 가장 유용할 것이다. 그 이유는 LED가 작고, 비싸지 않으며, 적은 전원으로 작동되며 LED의 선택에 따라 빛을 선택할 수 있으며 다루기 쉽기 때문이다. 반대로 텅스텐 램프 같은 종류는 나오는 빛의 파장이 여러 가지이고 강도도 높고 더 안정적이지만 상당히 큰 전원을 필요로 하며 많은 열로 인해 장치가 가열될 수 있는 단점을 가지고 있다.

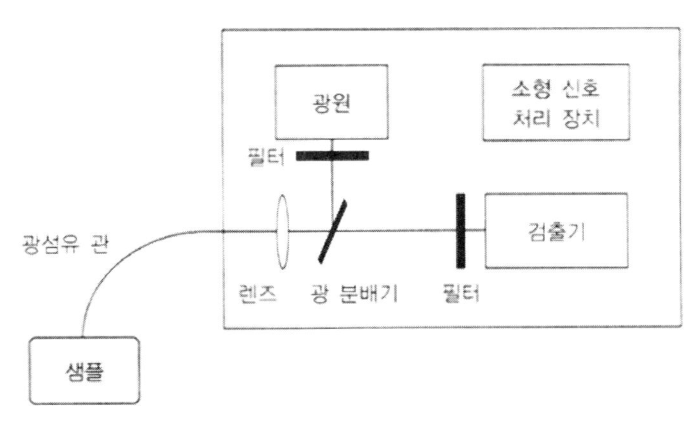

그림 22. 광센서의 개략도

② 광학적 요소들

광학기기에서 빛을 조절하기 위해서 사용되는 광학적 요소들에는 렌즈, 거울, 빛을 차단하는 장치, 광선 분배기 그리고 빛을 **광섬유**와 같이 좁은 센서나 다른 어떤 원하는 영역으로 방향을 바꾸어 주는 기기 등이 있다. 이 요소들을 통해서 센서에 들어 온 빛은 광 검출기에 검출되고 신호처리 단계로 들어가게 된다. 이때 들어오는 빛을 원하는 파장을 골라내기 위해서 광학적 **필터**나 **프리즘** 또는 회절격자 같은 요소들이 이용되기도 한다.

③ 광 검출기

㉠ 광센서에서 사용할 검출기는 많은 조건들을 고려하여 선택한다. 먼저 검출

효율과 민감도, 그리고 신호 대 잡음비(S/N), 반응시간, 또 파장별 반응도 등을 고려해서 선택한다.

㉡ **광전도체**(photoconductor)나 **광다이오드**(photodiode) 같은 검출기가 광학 센서에서 많이 사용된다. 광전도체는 광전도성을 나타내는 물체로 빛을 검출하는 소자로, 광증배관에 비해 주파수나 온도에 따른 특성은 떨어지지만 넓은 파장영역을 검출할 수 있고, 소형화와 경량화가 가능하다는 장점이 있다. 일반적으로 가시광선용인 황화카드뮴박막을 사용한다. 광 다이오드는 p-n 접합 또는 정류성(整流性)을 나타내는 금속과 반도체와의 접촉의 역방향 전류가 빛의 조사에 의한 광기전력효과로 증가하는 것을 이용한 광전변환장치이다. 어느 검출기를 사용할 것인가는 원하는 파장영역에 따라 다르겠지만, 기능면에서는 거의 대등하다. 그러나 광다이오드는 소형으로 만들 수 있고 연결하는 회로 또한 간단해서 더 선호하는 편이다.

㉢ 보통은 빛을 검출할 때 검출기가 2개씩 사용된다. 한 검출기를 기준 측정용으로 사용하여 온도나 강도의 변화를 측정하고자 할 때 쓰는 방법이다.

④ 신호처리

검출기에서 검출된 신호는 대부분 전기적 신호로 전압이나 전류의 형태로 검출된다. 이 신호는 측정된 빛의 강도에 비례할 것이다. 이렇게 측정된 신호는 보통 바로 신호처리 하기에 부적합하다. 따라서 전치증폭기와 증폭기를 거쳐서 신호를 고르고 충분히 증폭시킨다. 증폭된 신호는 아직 아날로그 신호이기 때문에 ADC(analog to digital converter, 아날로그 신호를 디지털 신호로 바꾸어 주는 장치로 아날로그 신호의 펄스 높이에 비례하는 구간별 신호로 계수하는 형식을 취한다)를 거쳐 컴퓨터에서 다룰 수 있는 디지털 신호로 바꾸어 준다.

디지털로 변환된 신호는 컴퓨터에서 원하는 방향으로 분석하고 다룰 수 있다.

3. 광학센서의 일반적인 원리

광센서에 이용되는 기술에는 크게 두 가지가 있는데 그 중 하나는 **소산파**(evanescent wave)를 이용하는 것이고 다른 하나는 **표면 플라즈몬 공명**(surface plasmon resonance)원리를 이용하는 것이다.

① 소산파 분광학

㉠ 빛이 광섬유를 통해 지나갈 때 빛이 반드시 광섬유의 가운데만을 지나가지는 않는다. 이때 표면을 지나는 빛은 광섬유 벽에서 전반사를 하는데, 반드시 모든 빛이 반사되지는 않고 일부가 벽을 통해 바깥으로 빠져나가게 된다. 이렇게 빠져 나간 빛은 **굴절률**이 다른 외부에서 그 강도가 지수 함수적으로 감소하게 된다. 외부로 나갔던 빛은 내부로 반사될 때 그만큼 감쇄되어 있는 것이다. 이는 프리즘을 통해서 살펴 볼 수도 있는데 프리즘에 들어온 빛이 일부 굴절률이 더 낮은 쪽으로 반사되었다 들어오게 되는 경우와 같다. 이 경우 반사된 빛은 감쇄하게 된다.

㉡ 소산파는 벽에 입사하는 입사각과 빛의 파장에 따라 달라진다. 이 현상을 이용한 의료생체용 검출기가 다양한 형태로 널리 개발되어 왔다. 이 파는 투과되는 층이 짧고 강도의 감쇄가 지수 함수적이기 때문에 실재로 이 현상이 일어나는 것은 물질 표면에서 아주 가까운 영역의 물질에서만 일어난다. 광섬유가 접촉하는 외부 물질이 흡수가 약하게 되는 물질이라면 외부물질에 접촉하지 않는 광섬유 부분에서의전반사를 여러 차례 일으키면 민감도를 증가시킬 수 있다.

㉢ 광섬유에서 나오는 빛을 흡수하는 물질로 섬광체를 이용하면 섬광체에 들어온 빛은 파장이 더 긴 빛을 방출하게 되어 측정이 가능하게 된다. 소산파를 이용한 센서는 pH 측정이나 면역학적인 진단에서 잘 활용되고 있다.

② 표면 플라즈몬 공명

㉠ 소산파를 이용한 센서에서는 광섬유와 주변 물질이 사실 모두 유전체로 생각할 수 있다. 한편, 표면 플라즈몬 공명 방법은 빛이 굴절되는 면이 3가지로 유전체와 유전체사이에 금속물질이 들어간다. 따라서 유전체/금속/유전체로 유전체 사이에 끼인 금속이 광학적 특성을 나타내는 역할을 한다. 세 물질로 결합된 층에 레이저와 같은 단색광이 입사하면 금속면에서 금속의 전도 전자에 의해 형성된 플라즈마(plasma, 이온 상태의 물질)에 빛이 흡수

된다. 이런 현상을 표면 플라즈몬 공명(SPR : surface plasmon resonance)라 한다. 표면 플라즈몬 공명이 일어나면 금속면에서 반사되는 빛의 강도는 최소화되는 것을 볼 수 있다.

㉡ 소산파를 이용한 경우와 마찬가지로 표면 플라즈몬 공명 또한 지수 함수적으로 감소하는데 그 침투 깊이는 약 $20nm$정도 된다. 입사하는 빛과 플라즈마 사이의 공명은 입사각과 입사파의 파장, 입사광의 편광 상태 그리고 금속 필름 양단의 물질들과 금속의 굴절률에 따라 달라진다. 빛이 반사되는 표면에서의 유전율 또는 굴절률에 변화가 생기면 공명이 일어나는 각도가 이동하게 되고 따라서 표면에서 일어나는 반응을 아주 정밀하게 측정할 수 있다.

㉢ 표면 플라즈몬 공명의 방법은 금속으로 된 필름에 접한 물질들의 굴절률의 변화를 정밀하게 측정할 때 사용된다. 다음 그림 23에서 보는 바와 같이 항체가 금속 표면에 결합하거나 흡수되면 다른 모든 요소들이 변화가 없다고 가정하면 표면의 굴절률에 변화가 생겨서 공명각이 크게 변하는 것을 관찰할 수 있다. 이 방법을 이용하면 항원과 항체 사이의 직접적인 상호작용을 알아낼 수 있다.

㉣ 표면 플라즈몬 공명은 **면역 화학물**을 분석하거나 기체를 검출할 때 이용한다. 그러나 표면 플라즈몬 공명은 감도가 흡수층의 광학적 두께에 따라 달라진다는 한계를 가지고 있다. 따라서 작은 분자들은 농도가 낮은 경우 측정이 되지 않는다.

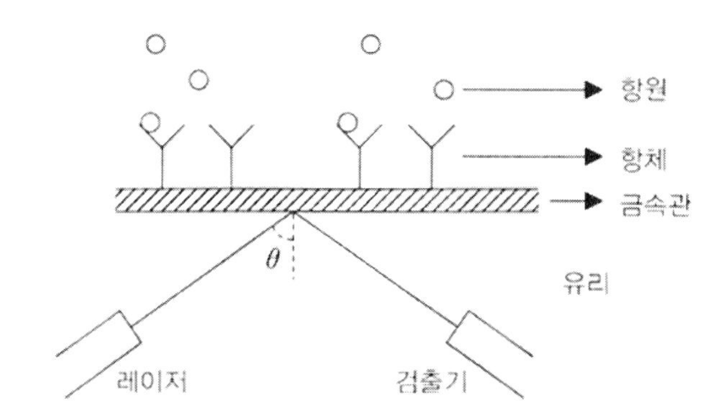

그림 23. 얇은 금속 필름과 액체 사이의 표면 플라즈몬 공명

4. 광센서의 응용

① 산소측정법

㉠ 산소 포화도를 측정하는 착색측정 검사법으로 적혈구내 헤모글로빈에 포함된 산소의 상대적인 양을 측정한다.

㉡ 옥시헤모글로빈(oxyhejoglobin : HbO_2)과 디옥시헤모글로빈(deoxyhemoglobin : Hb)의 색 변화를 기록하여 측정한다.

㉢ 동맥의 산소포화도(SaO_2)와 복합 정맥의 산소포화도(SvO_2)를 측정하는 광학적 방법은 많이 개발되어 있는데, 그 기본은 모두 빛의 투과 또는 피부와 혈액에서의 반사를 이용하는 것이다.

㉣ 측정은 파장 두 가지를 이용하여 행한다.
한 파장(λ_1)은 Hb와 HbO_2에서 흡수도 차이가 많은 파장(660nm의 적색)이고, 다른 한 파장(λ_2)은 헤모글로빈의 산소 화합 정도와 무관하게 빛을 흡수하는 적외선 영역의 빛(805nm 이상의 빛)이나, Hb이 HbO_2보다 흡수도가 조금 작은 자외선 영역의 빛(805nm 이상의 빛)을 이용한다. 혈액이 Hb와 HbO_2 둘 만의 균일한 혼합물이고 두 성분의 결합으로 인해 흡수도가 증가한다고 가정하면, 각 파장의 혈액에서의 흡수도를 각각 $A(\lambda_1)$, $A(\lambda_2)$라 한다면, 산소 포화도는

$$\text{산소포화도} = \alpha - \beta\left(\frac{A(\lambda_1)}{A(\lambda_2)}\right)$$

가 된다. 이때 α와 β는 각각 Hb와 HbO_2의 빛의 흡수에 대한 계수에 해당한다.

㉤ 혈관에 삽입하는 광섬유 카테터 : 두 개의 광섬유로 구성되는데, 하나는 빛을 혈액으로 보내는 역할을 하고 다른 하나는 반사된 빛을 광검출기로 보내는 역할을 한다.
이 센서는 폐동맥의 산소포화도를 감시하는데 유용하다.
또한 집중치료실(ICU : intensive care unit)에서나 심장 수술을 하는 동

안 심혈관계가 정상인지 여부를 살피는데 사용된다.

이 센서의 몇 가지 문제점으로 인해 의료 분야에 널리 사용되지는 않는다. 카테터의 끝이 혈관 벽을 찌르는 행위나 혈액의 온도 그리고 pH에 따라 적색과 적외선의 빛 각각의 후방 산란 광이 달라지고, 또한 정맥산소포화도가 80% 미만인 상태에서 헤모토크리트에서 두 색의 비도 달라지고, 혈류와 운동에도 영향을 미친다.

ⓑ 비관혈성 광전식 혈량 측정법 : 혈관에 카테터를 삽입하지 않고 측정하는 광전센서로 광전식 혈량 측정 장치가 있다. 아래 그림 24에서 보는 바와 같이 손가락 끝에 작은 램프를 그 반대쪽에 광전 변환소자(CdS)를 설치한다. 심박동에 따라 말초혈관으로 혈액이 박출되면 이 부분의 빛의 투과성에 변화가 생긴다. 투과광량의 변화가 아래의 센서인 변환소자에 의해 기전력의 변화로 바뀌어 쉽게 맥파를 그릴 수 있다.

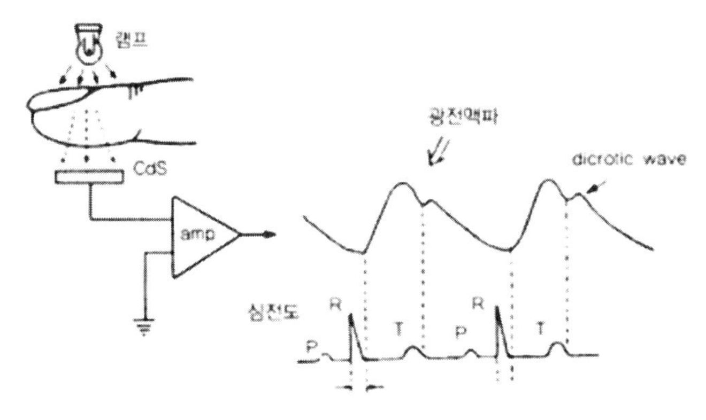

그림 24. 광전식 혈량 측정 장치

이와 같이 외부에서 빛을 쪼여서 내부를 진단할 수 있는 비 관혈성 광학센서를 만든다.

광전식 혈량 측정 장치에서는 Moens-Korteweg의 이론에 따라 맥파의 전파속도 v를 다음과 같이 정의한다.

$$v = \left(\frac{Ed}{2\rho R(1-\sigma^2)}\right)^{\frac{1}{2}}$$

여기서 E는 Young의 탄성계수로 단위가 g/cm^2이며, d는 혈관벽의 두께를 cm로 나타내며, σ는 Poisson비를 나타낸다.

여기서 각각의 값을 정수라 하면, $v \propto E^{\frac{1}{2}}$로 맥파 전파속도가 Young의 탄성계수의 제곱근에 비례함을 알 수 있다.

② 혈액내 기체 검출법 : 수술실과 집중치료실에서 환자의 대사 문제나 임상적 진단 그리고 호흡을 다루는데 있어서 산소분압이나 이산화탄소 분압 그리고 pH의 지속적인 측정은 필수적이다. 광섬유 등을 이용하여 생체의 산소분압이나 이산화탄소 분압 및 pH 등을 측정하는 것을 말한다.
여기에는 체외에서 세포와 연결된 용액을 이용하여 측정하는 방법과 혈관 내에 카테터를 연결하여 혈액 내의 상태를 측정하는 방법이 있다.

③ 이외에도 두 개의 광섬유를 이용하여 한 섬유에서 빛을 보내어 반사되어 나오는 빛을 다른 광섬유로 받아서 대상 물질내의 글루코스(glucose)를 검출하는 광센서, 항체와 항원의 상호작용을 이용하여 면역 체계가 외부 물질을 감지하여 특정 물질을 찾아내는 센서 등 광학적 방법을 이용한 많은 센서가 개발되어 이용되고 있다.

4.8 기타 의용생체센서

의용생체센서의 가장 기본은 변위와 압력의 측정일 것이다. 앞에서 센서를 물리적 센서와 화학적 센서로 크게 나누었지만 대부분의 센서는 결국 변위나 압력의 변화를 측정하는 것이 대부분이다. 변위나 압력의 변화를 전기용량의 변화로 바꾸느냐, 압전을 이용하여 측정하느냐의 차이일 뿐일 것이다. 그 외에 물론 온도나 빛을 이용한 센서가 있었지만 대부분은 변위의 측정이다.

앞에서 다루지 못한 일부 변위센서와 화학적 센서, 그리고 최근 많이 이용되는 바이오센서에 대해 살펴보자.

1. 저항센서

(1) 가변저항 센서

가장 간단하다고 할 수 있는 센서로 특정 부위의 변위나 압력의 변화를 접점의 위치 변화로 바꾸면 고정된 점과 이동하는 점 사이의 저항의 변화가 생겨 저항 측정을 하면(또는 저항 변화로 인한 전류의 변화 측정) 측정하고자 하는 부위의 변위를 알 수 있다.

① 재료 : 코일형의 전선, 탄소필름, 전도성 플라스틱, 세라믹 등

② 특징 : 교류나 직류를 공통적으로 사용할 수 있으며, 선형성이 좋고 직선뿐만 아니라 회전 변위도 측정이 가능하다. 또한 측정 범위가 넓다는 장점을 갖고 있다.

(2) 탄성게이지

저항체가 탄성 한계 내에서 변형될 때 직경, 길이 그리고 고유저항이 변하면 저항값이 변한다. 따라서 미세한 길이 변화를 측정하기 위해 탄성을 가진 저항체를 이용한다. 보통 길이가 l이고 비저항이 ρ이고 단면적이 S인 저항체의 저항 R은 $R=\rho\frac{l}{S}$이다. 길이변화가 Δl만큼 일어났을 때의 저항의 변화 비를 게이지 계수라 하는데, 이 계수 G는 $G=\frac{\Delta R/R}{\Delta l/l}=(1+2\mu)+\frac{\Delta\rho/\rho}{\Delta l/l}$로 정의되며, 이때 μ는 Poisson 비로서 길이 변화에 대한 직경의 변화율을 말한다.

저항체 마다 게이지 계수와 비저항의 온도계수 등이 다르기 때문에 사용하는 저항체에 따라 길이 변화에 의한 저항의 변화 즉, 그 결과 나타나는 전류의 변화로 변위를 측정할 수 있는 것이 탄성게이지이다.

① 재료 : 금속이나 반도체가 사용되는데, 금속은 일반적으로 $\mu=0.3$정도이며, G는 적어도 1.6은 되는 저항체를 사용한다. 반도체의 경우는 G가 금속보다 50배 이상 큰 반면 열에 의한 비저항계수와 압전효과가 크고 비선형적이다.

② 특징 : 미소한 변위와 압력을 측정할 수 있다.

③ 활용 : 게이지 센서를 이용하여 혈압과 같은 유체의 압력을 측정한다.

㉠ 혈압 측정을 위한 일반적인 게이지 센서는 공동 안에 격막을 두고 격막에 연결된 판이 압력을 받아서 움직이면 이 판에 연결된 4개의 스트레인 게이지가 두 개는 수축하고 두 개는 이완되면서 저항값이 변하게 된다. 이 저항값의 변화는 휘이스톤 브리지 회로를 연결하여 저항값을 읽는다.

이 저항값은 압력과 관계가 있기 때문에 약간의 계산으로 압력 또는 혈압을 알 수 있는 것이다.

㉡ 최근에는 반도체 소자의 발달과 더불어 반도체를 이용한 센서가 개발되고 있다.

다음의 그림 25에서 보는 바와 같이 길이가 변하는 스트레인 게이지 대신에 반도체 스트레인 게이지를 설치하여 압력에 반응하도록 하고 그 변화가 진동판에 전달되면 전기신호로 바뀌어 리드선을 통해 외부로 전해지는 형태를 지닌다.

이 센서에서 사용된 실리콘 스트레인 게이지는 보통의 저항선 스트레인 게이지보다 훨씬 더 예민하다.

센서의 전체적인 시스템은 유연한 플라스틱 구조물에 장착된다. 이러한 센서는 가공하기가 쉽고 한 번 사용하고 버릴 수 있도록 저렴하게 만들 수 있다. 따라서 여러 환자에게 사용하지 않고 개개인이 다른 센서를 사용할 수 있어 혈액을 통한 감염의 위험이 없어서 좋다.

또한 진동판의 아주 작은 변화도 감지할 수 있어서 민감도가 좋고 크기가 작고 진동판도 아주 조금 변형되기 때문에 넓은 주파수 대역에 대해 반응하고 신호가 깨끗하다.

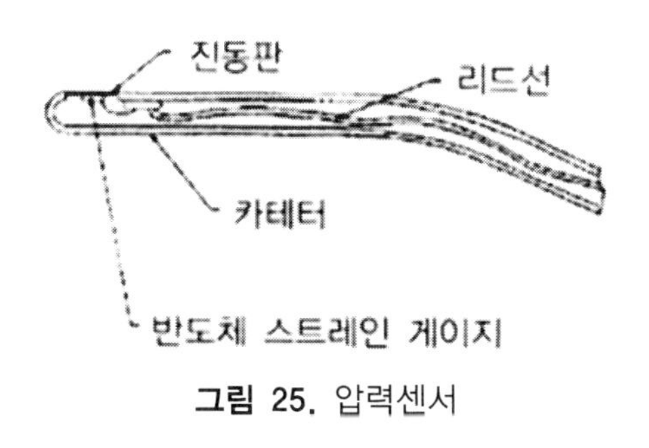

그림 25. 압력센서

(3) 브리지 회로

대표적인 브리지 회로인 **휘스톤 브리지** 회로는 저항의 미세한 변화에 대해 출력신호가 안정하기 때문에 계측회로로 많이 사용된다. 스트레인 게이지를 2개 내지 4개 사용하여 브리지 회로를 만들면 저항의 미세한 변화를 측정할 수 있어서 센서로 훌륭한 역할을 할 것이다. 평형성 또는 비평형성 회로를 이용할 수 있다.

2. 화학센서

물리적 센서가 물질의 물리적 변화 즉, 변위나 압력 등의 변화를 측정한다면 화학센서는 생화학적 분석물질의 농도에 비례하는 전기신호를 제공하는 센서이다. 인체는 살아있는 세포로 구성되어 있기 때문에 인체 장기의 기능적 상태를 분석하기 위해서는 세포에 들어오고 나가는 물질들을 분석하면 현재의 상태를 알 수 있을 것이다. 이러한 측정 방법을 in vivo 측정법이라고 한다. 직접 생체에 침을 찔러 넣어 샘플을 얻을 수도 있고 침 없이 외부에서 샘플을 얻을 수도 있다. 그러나 침을 이용하는 경우가 더 많다.

(1) 화학센서를 이용하여 측정하는 대상 물질

① 수소이온 농도(pH)

② 산소분압(PO_2)

③ 이산화탄소 분압(PCO_2)

④ 산소포화도(SO_2)

⑤ **헤마토크리트**(Hematocrit, 혈액 샘플내의 고형체 체적을 전체 혈액 샘플의 체적으로 나눈 값)

⑥ 대사산물(glucose, lactate, creatinine, urea 등)

⑦ 전해질

(2) 측정방법

이 물질들을 측정하는 방법은 각각에 대해 다양하게 개발되어 있다. 또한 화학적 센서 또한 다양한 분류방법으로 분류하고 있다.

일반적으로 전기화학적 방법, 광학적 방법, 열적방법 그리고 핵자기 공명법으로 나누는데, 전기화학적 방법에는 전압을 측정하는 방식, 전류를 측정하는 방식 등으로 나뉜다.

이미 앞에서 다룬 광학센서에는 화학센서가 포함되어 있으며, 열적 방법을 이용한 센서에는 열량 측정계를 비롯하여 열전도도 측정기 등이 있다.

화학센서 중 일부는 광학센서 등에서 소개된 바 있기 때문에 여기서는 나머지 몇 가지에 대해 살펴보기로 한다.

수소이온 농도나 이산화탄소 분압 등을 측정할 때 측정 원리에 따라 **전압측정 방식**, **전류측정 방식**, **광학측정 방식** 그리고 **이온 선택적 FET**이 있다.

① 전압측정 방식

전기화학적 센서 중 의공학 실험실에서 자주 이용되는 센서 중에 유리질 pH 전극을 이용하는 센서가 그림 26에 있다.

어떤 용액이 산성인지 알칼리성인지는 pH에 의해 판단된다.

pH 값은 $pH = -\log_{10}[H^{+}]$로 정의되는데, 여기서 $[H^{+}]$는 용액에서 수소이온의 활성도를 나타내는 양으로 용액의 수소이온 농도와 관계가 있다.

이 센서는 오로지 수용액 상태에서만 작동한다.

그림 26에서 보는 바와 같이 안쪽의 유리관에는 pH를 아는 전해질 용액이 담겨 있고, 큰 용기에는 pH를 모르는 용액이 담겨 있다.

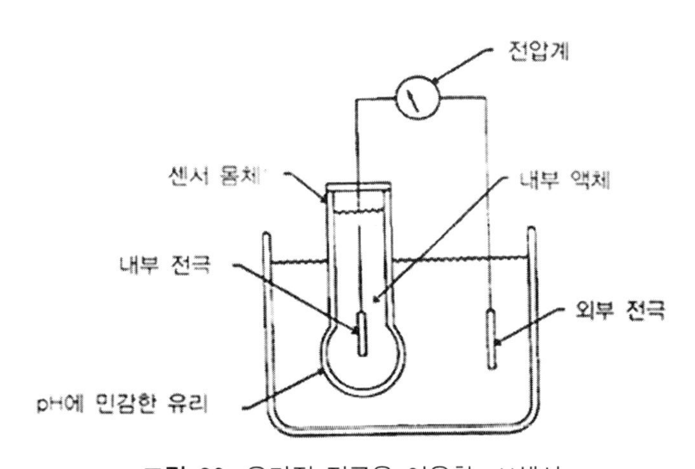

그림 26. 유리질 전극을 이용한 pH센서

유리질로 된 안쪽 유리관은 특수 물질 막으로 수소이온은 안으로나 바깥으로나 모두 통과시키지만 다른 물질은 통과시키지 않는다. 따라서 유리관 외부의 수소이온 농도가 더 높다면 수소이온은 내부로 흘러 들어갈 것이고 그 반대의 경우는 외부로 흘러 나갈 것이다.

만일 외부의 농도가 더 커서 수소이온이 내부로 흘러 들어온다면 내부의 양전하의 양이 증가하여 전위가 생길 것이고 그 결과로 막을 경계로 전기장이 형성된다.

전기장은 수소이온 농도 차에 의한 확산을 방해하여 결국에는 어떤 평셩상태에 도달하게 된다. 평형상태에서의 막을 경계로 한 전위는 유리관의 안과 밖의 수소이온 농도차와 관계가 있다. Nernst 방정식에 의하면, 수소이온 농도 차에 따른 유리관 내부와 외부의 두 전극 사이의 전압은

$$V = -\frac{kT}{q}\ln[\mathrm{H}^{+}] = 58.5\times 10^{-3}\log[H^{+}] \approx 60(mV)\times pH$$

이다. 이때 V는 측정된 전위이며, k는 Boltzmann 상수 그리고 T는 측정 용액의 절대온도이며, q는 전하량을 나타낸다.

식의 두 번째 줄은 보통의 실내 온도에서의 전위를 나타내는데, 전극의 민감도가 pH당 $60mV$임을 보여준다.

따라서 산소이온 농도를 알고자 하는 샘플을 유리관 내에 넣고 외부에 농도를 아는 기준 샘플과 기준 전극을 두고 두 전극 사이의 전압을 측정하면 수소이온 농도를 알아 낼 수 있다.

이때 전극 하나 만으로는 막 사이의 전위차를 잴 수 없으므로 외부에 반드시 기준 전극을 두어야 한다.

한편 이산화탄소의 양은 다음 화학반응 과정에서 보면 생성된 산소이온의 양에 비례하므로 pH 전극이 이산화탄소 분압을 측정하기 위한 PCO_2 전극의 구성품으로 사용될 수 있다.

$$H_2O + CO_2 \Leftrightarrow H_2CO_3 \rightarrow H^{+} + HCO_3^{-}$$

② 전류측정방식

산소분압을 측정하기 위한 전극을 설치하여 양극에서의 산화반응, 음극에서의 환원반응 그리고 전해 용액의 작용을 이용하여 혈액 내의 산소 분압에 비례하는 전류를 전극을 통해 측정하는 원리이다. 양극과 음극에서 일어나는 산화, 환원반응으로 인해 생긴 전자들이 전류를 형성하는데 다음 식에서 보는 바와 같이 산소의 양에 따라 생성되는 전자의 수가 달라지므로 전류를 측정하여 산소 분압을 측정할 수 있는 것이다.

음극(-) : $O_2 + 2H_2O + 4e^- \rightarrow 2H_2O_2 + 4e^- \rightarrow 4OH^-$ (환원반응)
전해용액 : $4OH^- + 4KCl \rightarrow 4KOH + 4Cl^-$
양극(+) : $4Ag + 4Cl^- \rightarrow 4AgCl + 4e^-$ (산화반응)

이 방식을 이용한 Clark 전극에서는 0.4 V와 0.8 V의 분극전압을 필요로 한다.

③ 이온 선택적 FET(ISFET : ion sensitive FET)

ISFET이라는 것은 이온 선택적 전극을 MOSFET의 gate 상에 올려놓은 것을 말한다. 작동원리는 이온 선택 프로세스에 의해 **MOSFET**의 gate 전위가 결정되므로, 이온 선택적 막을 관통한 이온에 source와 drain 사이의 전류를 조절한다.

장점으로는 값이 싼 소형의 센서를 만들 수 있다는 것과 단일 칩에 많은 센서를 넣을 수 있다는 사실을 들 수 있다.

앞으로 ISFET의 전기적 특성을 보호하기 위한 보호막 구성이 과제로 남아 있다.

이외에 화학적 센서 중 광학적 방법을 이용한 센서의 경우 앞의 광학센서에서 다루었다.

3. 바이오 센서

① 생체물질이 특정 물질에 대해서만 강하게 반응하여 뛰어난 물질 선택성과 고감도의 특성을 갖는다는 것을 이용하여 활성물질을 주입하거나 접촉시켜 알고자 하는 생리물질을 감지하고 그 결과를 일반 센서를 사용하여 전기신호로 변

환하는 센서가 바로 **바이오 센서**이다.

② 이때 생체활성 물질로는 효소, 미생물, 항체, 세포, 조직, 기관 및 각종 수용기(receptor)를 사용할 수 있다. 가장 대표적인 바이오센서로 당산화효소를 사용한 혈당센서를 들 수 있다.

③ 그림 27은 바이오센서의 원리를 그림으로 나타낸 것이다. 수용기와 결합 가능한 물질이 들어오면 결합하여 화학물질을 생성하거나 물리적 변화를 일으키게 된다. 이 변화가 무엇인가에 따라 적당한 센서를 결합해 주면 이 변화를 전기신호로 바꾸어 정량적인 양으로 표시할 수 있다.

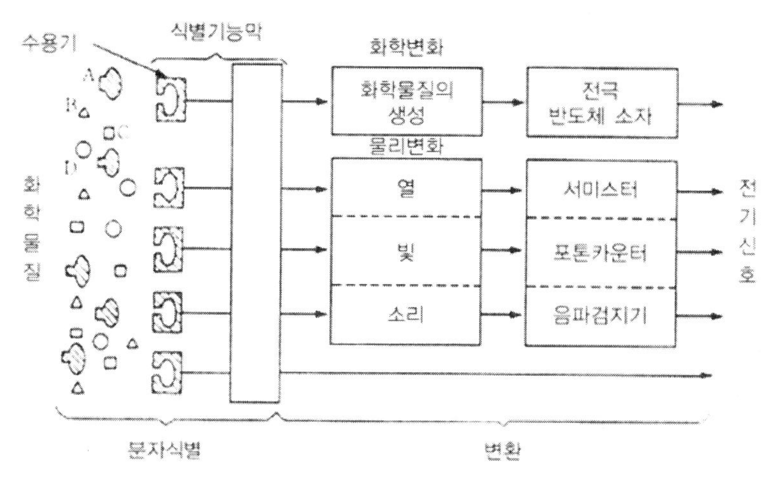

그림 27. 바이오센서의 원리

예를 들어, 포도당 바이오센서는 포도당을 산화시키는 효소를 사용하므로 산화시 발생하는 산소의 농도를 측정할 수 있을 것이다. 따라서 산소농도를 측정할 센서를 사용하면 된다. 이 밖에도 형광물질을 사용하여 변화량을 빛의 세기로 변화시키거나, 아주 얇은 금 입자 표면에 항체를 부착시켜 전기적 신호를 얻어내는 방법도 있다.

④ 기술의 발달과 더불어 바이오센서도 발전하여 실험실에서 행하던 분석시험을 실리콘 칩 위에서 해결하도록 만든 바이오센서도 개발되어 있다. lab-on-a-chip이라 불리는 이 센서는 반도체와 미세가공 기술이 바이오센서에 접목되어

개발된 것이다.

이 센서는 실리콘 칩 위에 극미량의 액체가 이동할 수 있는 통로를 만들고 바이오센서와 기존의 센서를 직접 연결시켜 극미량의 시료만으로 분석이 가능하도록 만든 것이다. 이 칩은 반도체처럼 대량 생산이 가능하고 부피도 작기 때문에 저렴하게 만들어 일회용으로 사용할 수 있다는 장점이 있다.

4. 그 외의 의표생체센서

이상에서 언급한 센서 외에도 의료생체용 센서는 아주 많은 종류가 있다. 다만 분류하는 방법에 따라 중복되어 언급될 수도 있고, 그 원리상 거의 동등할 수도 있을 따름이다.

예를 들어 맥파를 측정하는 경우, 옛날에는 직접 손으로 맥을 짚어서 맥박수, 리듬, 크기, 긴장도, 빠르고 느림, 좌우 균형 및 혈관의 상태를 알 수 있었다. 그러나 지금은 센서의 발달로 혈액의 흐름에 따라 나타나는 현상을 광학적 방법으로 빛을 쪼여서 알아보거나 용적변화를 측정하거나, 또는 용적변화를 임피던스 변화로 변환하여 측정하기도 한다. 즉, 한 가지 변화량을 측정할 수 있는 센서가 다양하게 발달해 있다.

① 그림 28은 **교류저항혈량측정법**(Impedance Plethysmography)의 개략도이다. 이 측정법은 생체조직의 전기전도도가 조직량에 비례한다는 원리를 이용한 것이다.

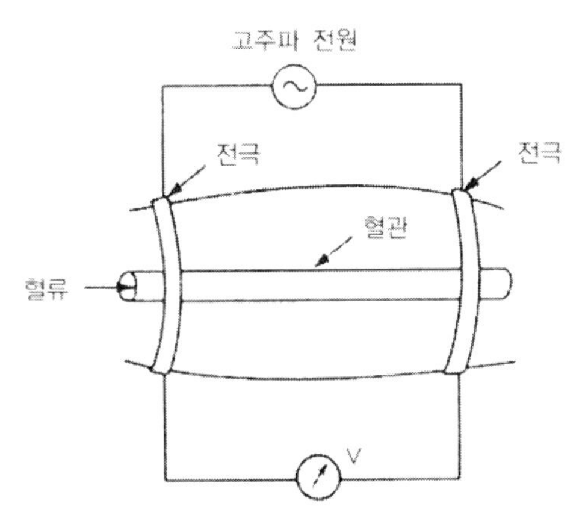

그림 28. 임피던스 측정의 원리

교류회로의 임피던스 변화를 측정하면 회로내의 조직에 체적변화가 일어난 것이다.

그림에서와 같이 팔이나 다리에 한 쌍의 전극을 감고서 고주파 정전류를 가하면, 팔이나 다리의 임피던스가 Z라 하고 회로에 흐르는 전류를 I라 하면, 전극간에 발생하는 전압 V는 $V=IZ$rk 될 것이다. 이때 전류를 일정하게 하였으므로 전압을 재면 임피던스를 알 수 있다. 이와 같이 생체에 전류를 흘려서 임피던스를 측정하면 용적변화를 구하여 생체정보를 얻을 수 있다. 생체에 전류를 흘려 보내더라도 고주파인 경우 $1mA$ 정도면 위험성이 전혀 없다.

② 아래의 그림 29는 심음을 측정할 수 있는 장치들을 보여준다. 심장의 수축, 확장시 판막의 개폐나 혈액의 흐름 그리고 근육의 긴장에 따라 내는 심음을 측정하는 장치를 심음계라 한다. 귀를 대고 듣거나 청진기를 이용하지만 센서를 활용하면 심음을 기록 관리할 수 있어 편리할 것이다. 심음계의 기본은 소리를 받아들이는 마이크와 이 소리를 증폭시키는 증폭기 그리고 증폭된 소리를 전기신호로 바꾸어 주는 3단계가 필요할 것이다. 아래 그림의 장치들은 이러한 역할을 하도록 고안된 **마이크로폰**의 원리들과 그에 따른 구조를 보여준다.

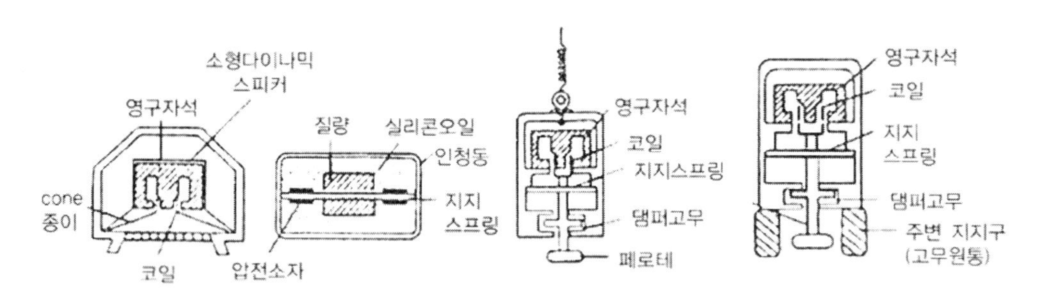

그림 29. 여러 가지 심음계의 마이크로폰과 구조

심음계가 다른 센서들과 다른 특징은 **필터**가 구비되어 있다는 것이다. 필터는 4가지로 구성되는데 L, M, H, E라 불린다. L은 저주파(30~100Hz)에 사용하고, M은 중간주파수(75~300Hz)에, H는 고주파(150~600Hz)에 사용하며, E는 인간의 청각에 유사한 주파수 특성을 나타내도록 고안되었다. 필터가 필요한 이유는 심음을 흉벽의 진동성분을 증폭해서 얻는데, 그대로 증폭하여서

는 고주파성분을 기록할 수 없기 때문에 필터를 사용하여 필요한 선분만 통과 시켜 증폭 시키고 나머지는 감쇠시킨다.

4.9 의용생체센서와 작용

의용생체센서와 그에 따른 기구들은 의용생체학적 연구나 환자를 돌보는데 이용된다. 환자관리에 있어서 센서는 자동화된 측정 기구를 통해 혈압과 같은 환자의 상태를 조사하는 기구의 한 부분으로 작용한다.

또한 검체를 채취하여 검사할 때도 센서는 중요한 역할을 한다. 여기에는 가정에서 환자가 직접 혈당을 측정하는 것과 같이 환자 스스로 하는 검사도 포함된다.

의사가 직접하는 혈청 포도당 검사나 전해질 검사와 같은 검뇨 및 혈액 검사에도 센서는 활용된다.

또한 종합병원과 같은 곳에서 행하는 종합검사에서 사용되는 복합적인 혈액검사 장치에서도 센서는 그 역할을 담당한다.

환자 모니터링에도 사용되며, 집중치료실뿐만 아니라 수술실과 회복실에서 환자의 상태를 바로 알려주는 역할도 담당한다.

연속적인 혈압의 측정에서부터 피부를 통한 혈액내 이산화탄소의 부분압 측정과 같은검사에 이르기 까지 그 영역이 아주 넓다.

의료기구의 작용은 사용하는 의용생체센서에 아주 많이 의존한다.

기본적으로 센서는 **감도(sensitivity)**가 좋아야 하고, **안정도(stability)**, **선택도(selectivity)**, **복귀도(reversibility)**가 모두 우수해야 한다. 그러나 실재로 의용생체센서는 측정대상이 살아있는 인체이기 때문에 이 외에도 높은 **안정성**과 생리학적 심리학적 문제를 포함해서 인간에 대한 배려가 함께해야 한다.

따라서 의용생체센서는 종합적으로 볼 때 선택성이 좋아야하며, 변환효율이 높아야 하고, 잡음이 적고, 재현성이 좋아야 한다.

특히 생체에 장착했을 때 안전성이 높고 **생체의 생리 상태**에 변화를 주지 않아야 한나.

실용적인 면에서 볼 때 소형, 경량, 높은 내구성과 방수성을 필요로 한다.

1. 의용생체센서의 특성

① 주파수 특성 : 생체현상은 모두 고유한 주파수 성분을 가지고 있다. 따라서 측정하고자 하는 생체현상에 맞는 주파수 특성을 가진 센서를 사용해야 한다. 주파수 특성을 고려하지 않고 센서를 선택하면 파형왜곡 등으로 정확한 측정을 할 수 없게 된다.
센서를 선택할 때는 보통 생체현상의 기본 주파수의 최소 10배 이상의 높은 영역특성을 가지는 센서를 사용하는 것이 좋다.
또한 센서뿐 만아니라 같이 장착되는 증폭기와 같은 측정 시스템 중 어느 하나라도 주파수 특성을 떨어뜨리는 것이 있으면 정확한 측정을 할 수 없게 된다.
결론적으로 측정시스템의 전체 주파수 특성이 생체현상을 충분히 포함시킬 수 있어야 한다.

② 직선성과 동작범위 : 센서의 입력과 출력의 관계가 서로 직선성(linearity)을 가져야 한다. 그렇지 않으면 출력신호를 분석할 때 비교가 힘들어 진다.
모든 센서는 직선성을 나타내는 한계가 존재하는데 그 한계 범위 안에서 작동시켜야 한다.
센서에서 직선성이 나타나는 범위를 **동작범위**라 한다.
센서는 이 범위 내에서 사용하는 것이 바람직하다.

③ 오차와 잡음 : 센서와 생체 사이의 연결이 원활하지 못하면 아무리 좋은 센서를 선택한다고 해도 정확한 측정을 할 수 없다.
센서와 생체 사이의 결합이 불완전해서 일어나는 출력의 오차를 **반응성 오차**라고 한다.
좋은 센서는 원하는 현상에만 민감하고 다른 현상에는 전혀 반응을 하지 않아야 한다.
실제로는 그럴 수 없으므로 약간의 오차는 피할 수 없다. 예를 들어 광전소자나 저항은 온도에 따라 특성이 달라지고, 이온전극들도 서로 감도가 틀리다.
센서 선택에 못지않게 오차를 최소화하는 측정을 실시해야 한다.

2. 의용생체센서의 설계

생체신호는 미약하고 다양한 주파수의 신호들이 있으므로 어느 특정 신호만 꼬집어 측정하기가 어렵다.

삽입하지 않고 외부에서 측정하는 경우 신호의 질이 떨어진다. 따라서 센서의 설계에서 신경 써야 할 부분이 많음을 알 수 있다.

먼저 심장의 운동에 의한 흉벽의 미소진동을 측정하는 센서를 보면, 측정대상의 변위는 수십 μm인데 반해 흉벽 자체는 수 mm로 큰 변위를 일으킨다. 이와 같은 경우 적당한 센서를 설계하기는 어렵다. 따라서 신호를 측정한 후 신호처리를 통해 필요 없는 신호는 제거하는 방법을 택해야 한다. 이때 또 한 가지 문제는 동작범위가 넓은 센서를 만들어야 하는데 이것이 설계를 곤란하게 만든다.

생체의 물성을 고려해야 하며, 체내에 삽입하는 센서의 경우 멸균처리나 안전성을 위해 절연을 하거나 저전압 회로를 이용해야 하며 소형화는 기본일 것이다.

특히 누설전류로 인해 심장에 위해를 가하지 않도록 충분히 배려해야 한다.

4.10 전극의 정의

1. 전극의 정의

(1) 전기적 신호의 전달과 전압의 측정은 대부분 전류의 흐름을 수반하기 마련이다. 전류는 매질내의 전하의 이동에 의해 이루어진다. 그런데 매질의 종류에 따라 전하의 이동 방법이 다르다. 금속 내에서는 자유전자의 이동에 의해 전하가 이동하며 전해질 내에서는 이온에 의해 전하가 이동한다. 만일 금속에서 전해질로 또는 그 반대의 방향으로 전류가 흐르는 경우는 두 물질을 만나는 부분(계면, interface)에서는 복잡한 전기화학적 반응이 발생하게 된다.
금속과 전해질 사이에서 자유전자에 의한 전류와 이온에 의한 전류 사이의 변환을 하는 변환기를 전극(electrode)이라 한다.

(2) 생체 내에서의 각종 전기 현상은 생체라는 전해질 내에서 발생하고 전해질을 통해 전달된다. 따라서 각종 전기적 계측, 진단기로 인체 내의 전기적 현상을 계측하기 위해서는 용도에 따른 적절한 전극의 사용이 반드시 필요하다.

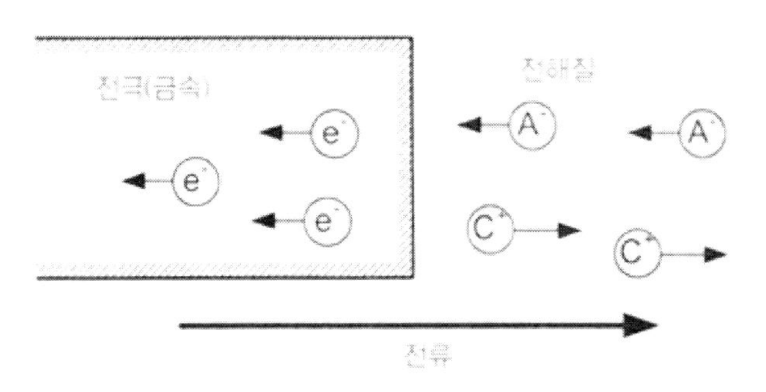

그림 30. 전극과 전해질에서의 전류 전달 매체 및 흐름

2. 전극의 종류

(1) 전극은 측정대상, 측정 환경에 따라 다양한 전극이 개발되어 사용되고 있다. 이러한 전극을 몇가지 기준으로 분류해 보면 다음과 같다.

① 전기적 특성

㉠ 분극 전극

㉡ 비분극 전극

② 사용 부위에 따라

㉠ 표면전극(body surface electrode)

㉡ 두피용 전극(scalp surface electrode)

㉢ 바늘형 전극(needle electrode)

㉣ 미세전극(microelectrode)

㉤ 이식형 전극(implantable electrode)

③ 젤 사용 유무에 따라

㉠ 습윤전극(wet electrode)

㉡ 건성전극(dry electrode)

④ 측정용 전극과 전기자극용 전극

(2) 그 외에 측정대상에 따라, 심전도 전극, 뇌전도 전극, pH 측정용 전극 등으로 다양한 용도로 분류할 수 있다.
본서에서 수많은 전극 중에 의료용으로 많이 쓰이는 몇 가지 전극에 대해 살펴보기로 한다.

4.11 분극 및 비분극 전극

1. 전기 화학적 용어

(1) 반전지 전위(half-cell potential)

① 전극은 일반적으로 전해질에 둘러싸인 금속으로 볼 수 있다. 이때 전해질과 금속의 경계면(interface)에서는 금속이 이온의 형태로 전해질 속으로 녹아 나오거나, 전해질에 있던 일부 이온들은 금속과 결합하기도 한다. 이러한 전기화학적 반응은 금속과 전해질 간의 전하의 이동을 수반한다. 그 결과로 금속과 전해질간의 전하 불균형이 발생하며, 이는 전기적으로는 금속과 전해질 간에 전위차가 발생함을 의미한다. 전위차가 증가하면 전하의 이동을 어렵게 하고 반대 방향의 반응을 촉진시켜, 결국 최종적으로는 전위가 어느 값에서 더 이상 증가하지 않는 평형 상태에 도달한다. 이러한 화학적 반응과 전기적 힘의 평형 상태에서의 전극과 전해질의 전위차를 반전지 전위라 한다.

② 다음 그림에서, 금속 M으로 이루어진 전극과 전해질의 경계면에서 $M \rightleftarrows M^+ + e^-$의 화학반응이 이루어진다고 가정하면, 금속이 양이온으로 전해질로 나오면 금속 전극에 전자를 남겨놓게 되어 금속에는 음전하가 축적되고, 반대로 전해질에는 양이온이 잉여상태로 된다. 이는 금속과 전해질 간의 전위차를 발생시키며, 이 전위차에 의해 금속이 양이온으로 되기 위해서는 더 많은 에너지가 필요하게 되어 금속의 이온화를 억제하는 작용을 하게 된다.

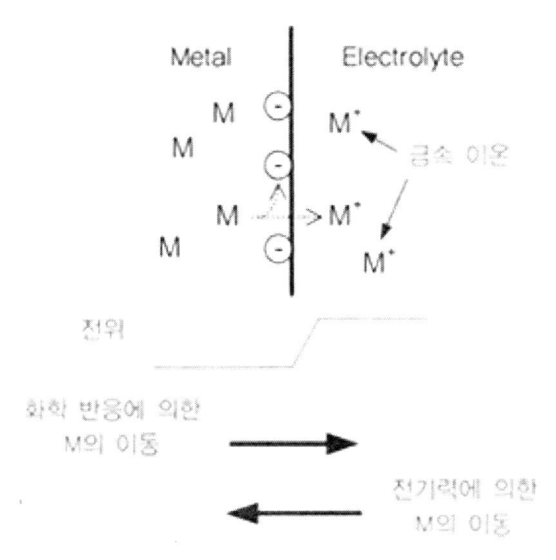

그림 31. 금속과 전해질 경계면에서 화학반응

(2) 수소 기준 전극

반전지 전위의 절대치를 측정하는 것은 불가능하다. 왜냐하면 전위차를 측정하기 위해서는 또 다른 금속을 전해질 액에 넣어야 하는데, 이 때 전해질과 또 다른 금속 간에도 반전지 전위가 발생하기 때문에 결국 측정되는 것은 두 금속간의 반전지 전위차이다. 따라서 국제 협약에 의해 1기압의 수소기체를 기준전극으로 하여 상대적인 반전지 전위를 측정한다.

(3) 분극(polarization)

외부의 전압에 의해, 금속과 전해질의 경계면을 통해서 전하가 이동하기 위해서는, 경계면에서 전기화학적 반응이 발생하여야 한다. 그런데, 금속이 화학적으로 매우 안정된 귀금속류(금, 은, 백금 등)의 경우에는 경계면에서 전기화학적 반응이 발생하지 않아서, 경계면을 통한 전하의 이동은 매우 힘들어진다. 결국 귀금속 전극의 경우에는, 외부의 전압에 의해 경계면에 전하가 충전되는 용량성(capacitance) 특성을 보인다. 이와 같이 전극과 전해질의 경계면에서 전하가 축적되는 현상을 분극이라 한다.

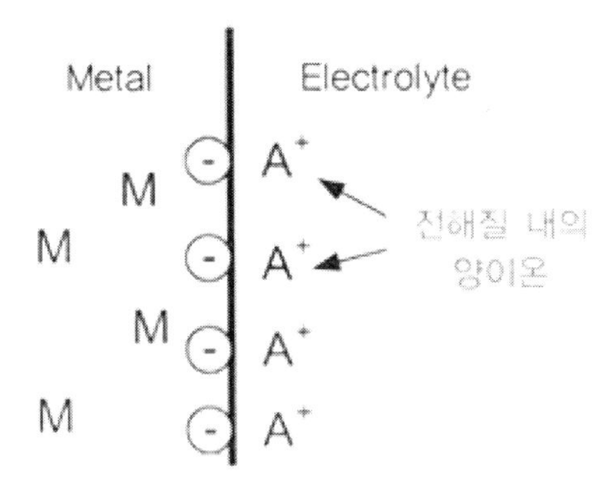

그림 32. 금속과 전해질 간의 분극. 금속에 음전하가 충전된 상태

2. 분극 전극과 비분극 전극

(1) 분극 전극

전극과 전해질의 경계면에서 전하 실제적 이동이 없고, 전극과 전해질의 경계면에 형성되는 용량성(capacitance)에 의한 변위전류만이 흐르는 전극을 분극 전극이라 한다. 커패시터만으로 설명되는 이론적인 완전분극 전극은 실제로는 존재하지 않는다. 그렇지만, 전기화학적으로 매우 안정적인 귀금속으로 만든 전극이 완전 분극 전극에 가까운 특성을 나타낸다.

(2) 비분극 전극

전극과 전해질의 경계면에서 전하의 이동에 의한 전류가 흐르는 전극을 비분극형 전극이라 부른다. 완전 비분극 전극은 경계면의 전하이동에 에너지를 필요하지 않는 이론적으로 가정된 전극이다. 실제로는 전하이동에 어느 정도의 에너지를 필요로 하며 전기적으로는 저항성의 특성을 나타낸다.

(3) 은-염화은 전극(Ag-AgCl electrode)

의료 및 생체실험용으로 많이 쓰이는 대표적인 비분극형 전극이다. 은 금속판의 표면에 염화은(AgCl)을 입힌 형태이다. 은-염화은 전극은 염소 이온(Cl^-)이 충분히 있는 전해질 내에서 사용되어야 비분극 특성이 나타난다.

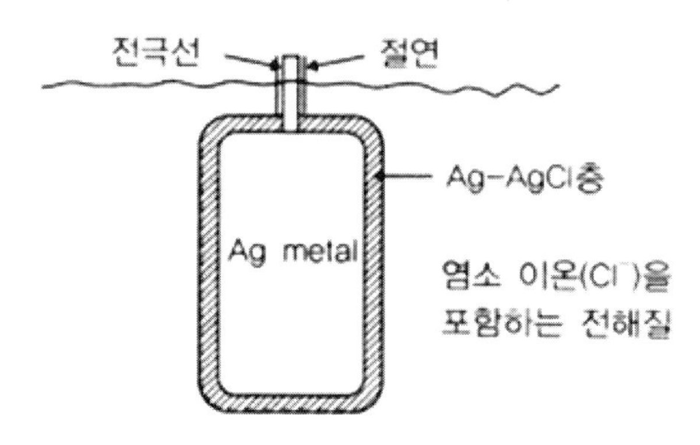

그림 33. Ag-AgCl 전극의 단면

표 18. 대표적인 두 가지 종류 전극의 비교

	귀금속(noble metal) 전극	Ag-AgCl 전극
전기적 특성	용량성(capacitive)	저항성
전극 구성	금, 은, 백금 등의 전기화학적으로 안정된 금속	AgCl이 입혀진 은 금속
주파수	고주파 신호 측정에 적합	저주파 신호 측정에 적합
수명	수명이 길다	수명이 짧다
생체내의 사용	장기간 사용 가능	단기간 사용
전해질 조건	전해질의 구성 성분에 무관	염소 이온이 있어야 함
동잡음(motion artifact)	크다	작다

4.12 의료용 표면 전극(body- surface electrode)

인체의 피부 표면에 접촉하여 피부의 전위를 측정하는 용도로 사용되는 전극

1. 금속판 전극(metal plate electrode)

금속판 형태로 피부에 부착되어 피부표면의 전위를 측정 기록하는데 사용한다.

① 특징 : 금속판과 피부간에는 임피던스가 높고 금속과 피부간의 접촉상태에 따

라 임피던스 값의 변화도 크다. 이러한 단점을 개선하기 위해서 금속판과 피부 사이에 전해질 겔을 바르고 측정한다.

② 형태 : 부착하려는 부위에 맞추어 다양한 형태로 제작된다. 팔과 다리의 사지에 붙이는 전극용으로는 원통의 일부 형태의 전극을 사용하며, 가슴부위에서 붙여 심전도를 측정하는 용도로는 원판형이 전극을 사용한다.

③ 재질 : 금속판의 재질로는 화학적으로 반응성이 적은 스테인레스 스틸이나 백금 또는 금도금 금속이 사용되며, Ag-AgCl 전극도 많이 사용된다.

④ 고정방법 : 사지에 붙이는 원통형의 전극은 고무 밴드로 고정하는 것이 일반적이고, 원판형의 전극은 의료용 접착테이프로 고정한다. 뇌전도를 측정하는 전극은 전극고정용 벨트나 캡으로 고정하거나 전도성 페이스트만을 사용하여 고정한다.

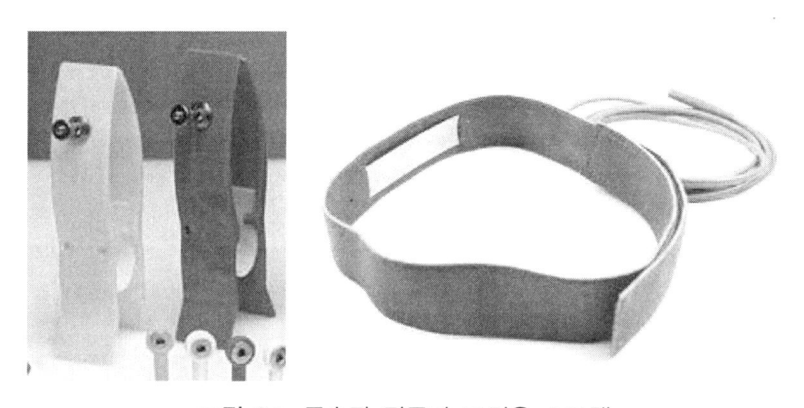

그림 34. 금속판 전극과 고정용 스트랩

2. 일회용 금속판 전극(Disposable elevtrode)

피부에 부착사여 피부 표면의 전위를 측정하는 용도에 사용되는 금속판 전극의 일종이다.

① 형태 : 원판형의 접착판의 중심에 전해질 젤로 덮인 금속판이 배치된다. 피부와 접촉하지 않는 바깥 면에는 스냅 커넥터가 있어서, 전선(lead wire)의 탈부착을 쉽게 할 수 있도록 했다. 중심의 금속판은 은도금되이 있는데, 비분극 특성을 나타내도록 AgCl로 코팅되는 것이 일반적이다.

② 특징 : 전해질 젤이 제작과정에서 전극에 도포되고, 전극고정용 접착패드와 일체형으로 제작되어 공급되므로, 전극을 사용할 때에, 전해질을 바르는 과정이 생략되고, 전극을 고정하는 과정이 간단해지는 이점이 있다.

③ 측정대상 : 주로 심전도와 근전도 측정에 이용되며, 측정대상과 조건에 따라 다양한 전극이 개발되고 있다.

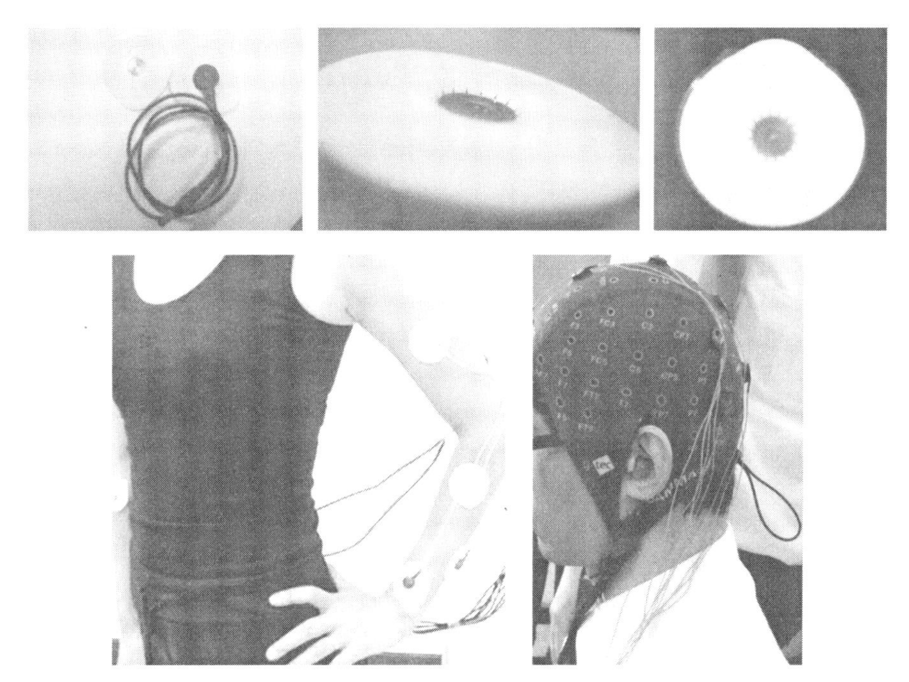

그림 35. 마이크로 니들형 일회용 전극(Tok-Tok, UBioMed Inc.)과 그 응용

3. 흡착 전극(Suction electrode)

금속판 전극의 일종으로 흡인에 의한 음압으로 피부에 고정되는 전극이다.

① 형태 : 흡인용 고무공이 달린 반구형 금속 전극이다.

② 특징 : 전극을 인체의 피부에 탈부착하는 작업이 쉽고 빠르다. 반면, 장시간 사용에 부적합하고, 굴곡이 심한 신체부위에는 부착할 수 없으며, 움직임에 의한 잡음(동잡음, motion artifact)이 큰 단점이 있다. 주로 단시간의 심전도 기록에 사용된다.

그림 36. 흡착 전극

4. 부유 전극(floating electrode)

금속판과 피부가 집적 접촉하지 않고 그 사이에 전해질이 채워진 전극으로, 동잡음을 줄이기 위해 개발되었다.

① 형태 : 캡 형태의 플라스틱 케이스 내부의 상단에 Ag-AgCl로 코팅된 금속판이 있고, 금속판과 피부는 직접 접촉하지 않는다. 금속판과 피부 사이의 케이스 내부는 전해질 젤로 채워진다.

② 특징 : 이 전극은 금속과 피부가 접촉하지 않고, 둘 사이에 채워진 전해질을 통해 전기적으로 연결된다. 피부와 전극이 상대적으로 움직이더라도 금속과 전해질의 경계면에서는 금속과 전해질간의 상대적 움직임은 없다. 따라서 동작음의 가장 큰 요인인 이중층의 교란이 줄어들어서, 결국 동잡음을 크게 줄일 수 있게 된다. 사용상의 불편함을 줄이기 위해 일회용 전극으로도 만들어지는데, 금속과 피부사이에 전해질 젤이 채워진 스펀지가 있는 것을 제외하면, 외양과 구조는 일회용 금속판전극과 유사하다.

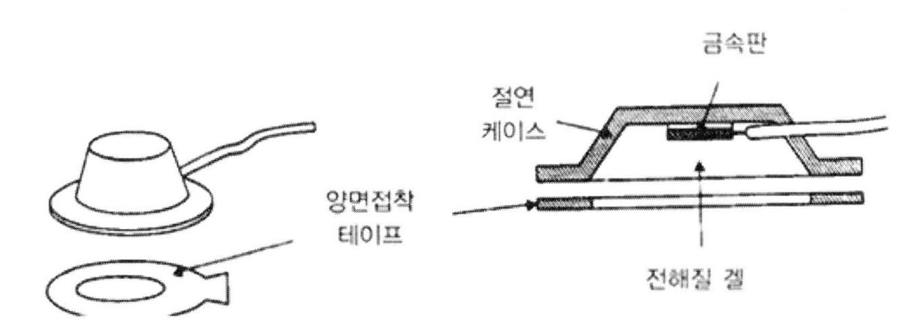

그림 37. 부유전극의 구조

4.13 내부 전극(needle electrode)

1. 바늘형 전극(needle electrode)

바늘형의 전극으로 경피적(經皮的)인 측정에 사용된다.

① 형태 : 측정하고자 하는 부분에 바늘의 끝이 도달하도록 바늘 형태로 된 전극을 피부를 통해 찔러 넣는다. 바늘 끝부분만의 전위를 측정하기 위해 대부분의 바늘 전극은 바늘 끝부분을 제외한 나머지 부분은 절연되어 있다. 한 바늘 내에 절연된 가는 두 금속선을 넣어서 아주 가까운 두 지점 간의 전위를 측정하는 용도로 제작된 쌍극성 전극도 있다. 또한 바늘의 몸체 자체를 전기적으로 접지하고, 바늘 내에 전위 감지용 금속선을 삽입하여, 외부 잡음의 혼입을 방지하고 높은 주파수의 특성을 개선한 동축형 바늘전극도 개발 되었다. 형태상 다르지만, 바늘이 없이 가는 금속선 자체로만 이루어진 전극(wire electrode)도 있다.

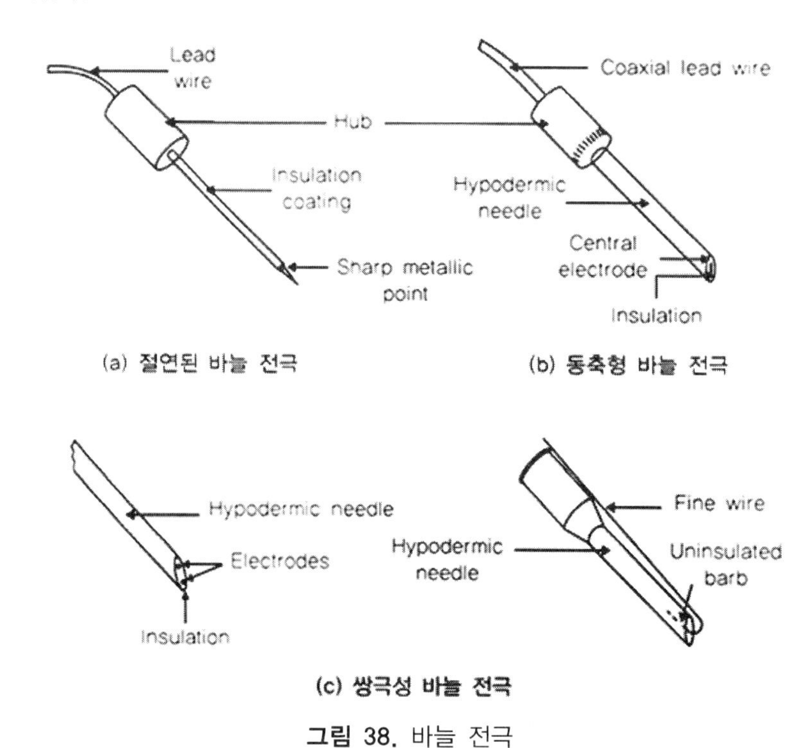

그림 38. 바늘 전극

② 특징 및 용도 : 이름 그대로, 바늘형의 전극으로 피부를 통해 꽂아서 피하의 특정부위의 전위를 측정하는 용도로 사용되며, 경피적 방법의 특성상 피부로부터 수 센티미터 이내 깊이의 측정에 사용된다. 바늘전극의 대표적 용도로는 근전도 측정이다. 피부 표면에서의 근전도를 측정과 달리 바늘전극을 사용한다면 특정 단일 근섬유의 신호를 분리 측정할 수 있게 된다. 이 경우에 쌍극성 바늘전극을 사용한다면 분리 성능이 더 개선된다.

2. 이식형 전극(implantable electrode)

인공장기의 일부분으로 또는 인체 내부 장기의 측정, 자극의 목적으로 외과적 수술을 통해 인체 내에 삽입되는 전극. 비교적 장기간 측정의 용도로 사용되며, 전극의 신호는 피부를 통해 연결된 전선으로 인체 외부로 전달되는 방식과, 심박동기처럼 인체 내에 이식된 장치로 전달되어 인체 외부로는 무선 방식으로 전달되는 방식이 있다.

4.14 미세전극(microelectrode)

끝을 매우 가늘게 만들어서 단일 세포 수준에서의 전위를 측정하기 위해 사용되는 전극

1. 미세전극의 형태

구조상 크게 두 가지로 분류할 수 있는데, 하나는 금속이 직접 측정 대상에 접촉하는 방식(metal microelectrode)이고, 다른 하나는 금속과 측정대상이 직접 접촉하지 않고, 유리 피펫속의 전해질을 통해 전기적으로 연결되는 방식(micropipet electrode)이다.

두 방식 모두 끝부분을 제외한 나머지 부분은 모두 전기적으로 절연된 형태를 갖는다.

금속마이크로 전극은금속의 심이유리 등의 절연체로 둘러싸이고 끝 부분만이 금

속이 노출된 구조로 되어있다. 마이크로 피펫 전극의 경우는 유리피펫의 전해질이 피펫 끝의 작은개구부를 통해 외부와 연결된다.

2. 미세전극의 특성 및 용도

마이크로 전극은 약한 기계적 강도를 고려한다면 인체의 침습적 사용에는 부적합하다. 주로 시험관에서 세포 수준의 생리학적 측정에 사용되고 있다. 마이크로 전극은 일반적으로, 절연되지 않은 전기 전도 부분이 매우 적어서 전기적으로는 다른 전극에 비해 매우 높은 전극 임피던스를 갖는다. 따라서 마이크로 전극을 이용한 측정에서는 높은 전극 임피던스가 유발하는 신호왜곡과 잡음을 고려하여야 한다.

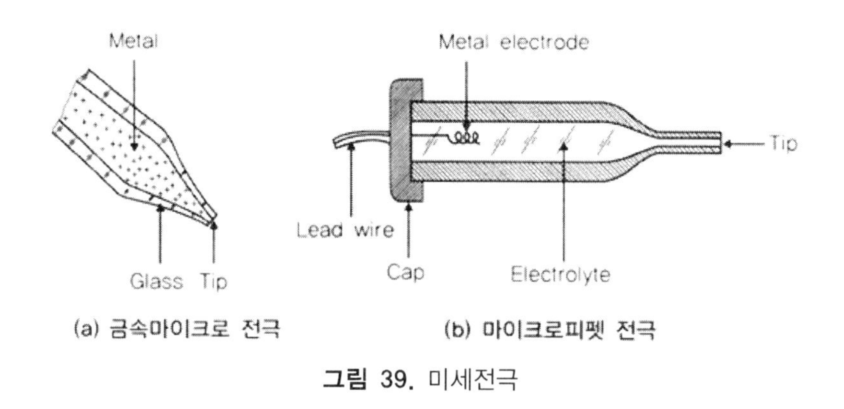

(a) 금속마이크로 전극 (b) 마이크로피펫 전극

그림 39. 미세전극

4.15 기타 의용 생체 전극

앞 절에서 설명된 전극 외에 의료용으로 사용되는 다른 전극들에 대하여 알아본다.

1. 가요성 전극(flexible electrode)

인체의 곤면에 접촉성을 높이고, 움직임의 영향을 줄이기 위해, 휘어지기 쉽도록 얇은 판 또는 막 형태로 제작된 전극

① 형태 : 아래 그림에서 (a)는 재질 자체가 유연한 전도성 고무를 이용하여 만든

전극이고, (b)는 얇은 플라스틱 필름에 Ag-AgCl을 코팅하여 제작한 전극이다.

② 특징 및 용도 : 굴곡이 심한 신체 부위의 측정에 적합하다. 또한 전극을 크게 만들어도 피부 접촉을 좋게 유지할 수 있어서, 생체내의 임피던스 측정(bio impedance)과 같이 비교적 넓은 범위에 전류를 인가하는 측정에서, 십여 센티미터 정도의 긴 전극으로 만들어서 사용하기도 한다.

③ 고정방법 : 접착 밴드에 의해 고정하는 것이 일반적이지만 전도성 페이스트를 이용해서 고정할 수도 있다.

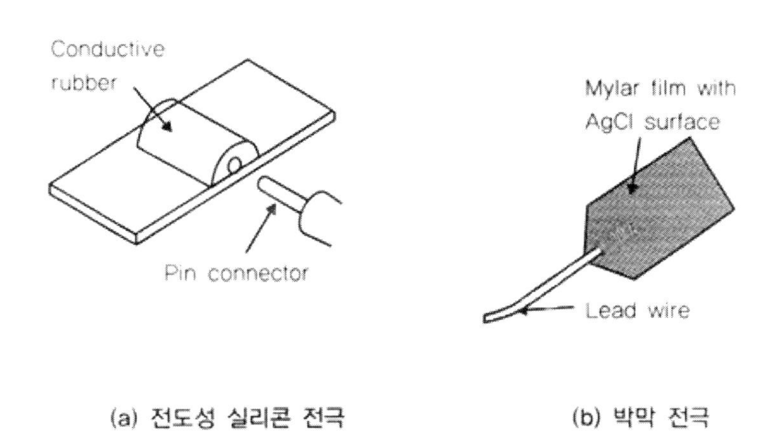

(a) 전도성 실리콘 전극 (b) 박막 전극

그림 40. 가요성 전극

2. 드라이 전극

전해질 젤을 필요로 하지 않는 전극

① 형태 : 일반적으로 원판형의 금속판 전극

② 특성 : 전해질을 사용하는 전극에 비해서 피부와 전극간의 임피던스가 훨씬 크다. 특히 피부 각질층의 높은 임피던스는 드라이 전극과 인체의 피부가 전기적으로 용량성(capacitive) 특성을 나타내도록 한다. 이러한 전극의 특성에 의해, 드라이 전극은 일반전극에 비해서 동작음이 크게 나타나고, 외부의 잡음에 대한 영향도 크다. 또한 용량성의 특성에 의해 낮은 주파수의 이득이 감소하여 신호를 왜곡시킬 수 있다. 이러한 높은 잡음도와 신호 왜곡을 개선하기 위해, 드라이 전극은 전극 내에 고입력 임피던스의 초단 증폭기를 내장하는

것이 일반적이다.

3. 전기 자극용 전극

두 전극 간에 외부에서 전위차를 만들어서 생체 조직에 전기 자극을 주기 위한 용도로 사용되는 전극

(1) 전기 자극용 전극의 동작 원리

전극의 동작원리는 측정용 전극과 같지만, 일반적으로 측정용 전극에 비해 전류가 많이 흐른다. 전류의 크기 측면에서의 이 두 가지 전극 사이의 큰 차이가 전극의 설계상의 차이를 가져온다.

일반적으로 전극을 통해 흐르는 전류의 시간에 따른 총 합이 영이 되도록 전기 자극이 주어지지만, 자극 중의 매 시각에서는 큰 전류가 한 쪽으로 흐르는 상황이 만들어진다. 이 전류에 의해 전극과 전해질의 경계면에서는 전기화학적 반응이 발생하게 된다.

(2) 전기 자극용 전극의 재질

전기화학적 반응이 잘 일어나지 않는 물질, 예를 들면 금, 백금과 같은 귀금속을 사용해야 한다.

4. 감홍 전극(calomel electrode)

수은(Hg)과 염화제일수은(Hg_2Cl_2)로 구성된 전극으로 비분극 특성이 매우 양호한 전극

① 형태 : 수은을 염화칼륨 용액속에 넣어서 전극으로 만든 것이다. 이때, 수은과 염화칼륨 사이에는 염화제일수은을 배치하여 수은과 염화칼륨이 직접 접촉하지 않도록 만들어 졌다.

② 특징 및 용도 : 포화 KCl 용액을 사용하므로 반전지 전위가 일정하여, 각종 화학 측정의 기준 전극으로 사용된다. 구조상 인체에 직접 사용할 수는 없다.

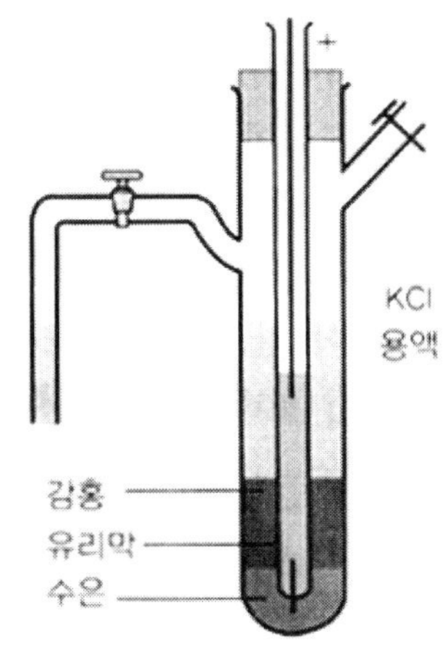

그림 41. 감홍 전극

4.16 의용 생체 전극의 사용의 실제

1. 전극의 사용상의 주의점

① 같은 종류의 전극을 사용한다.

② 전극면 이외에 전극의 다른 금속 부분이 신체에 접촉하거나 습기 등의 전해질에 노출되지 않도록 한다.

③ 전극과 전극선의 일부가 전해질에 노출될 가능성이 있다면, 그들은 같은 종류의 재질로 만들어야 한다.

④ 전극의 내부나 전극과 전극선의 연결부위는 용접, 납땜을 사용하지 않도록 한다.

⑤ 외부에서 전극선에 가해지는 장력에 의해서 전극이 움직이거나 심하면 떨어질 수 있다. 전극에 가까운 전극선 부분은 최대한 느슨하게 유지하도록 유의한다. 전극에서 약 10cm정도 떨어진 전극선 부분을 테이프나 집게 등으로 고정하면 좋다.

⑥ 전극에 연결되는 전극선 부위의 눈에 보이지 않는 단선 또는 연결 불량에 주의한다.

⑦ 전극과 전극선의 절연 부분의 절연 열화는 신호 크기의 감소 및 잡음의 증가를 유발한다. 사용 중에는 절연의 상태를 살피고, 절연이 나빠지지 않도록 주의 한다.
⑧ 표면 전극의 장시간 사용에서, 시간이 지남에 따라 전극 성능이 저하되므로, 적절한 시간마다 새로운 전극으로 교체해야 한다.
⑨ Ag-AgCl 전극을 사용할 때, AgCl 층이 기계적 마찰 등에 의해 벗겨지지 않도록 주의 한다.

2. 전극을 이용한 측정에서의 잡음의 원인 및 감소 대책

(1) 증폭기 출력의 포화(saturation) 현상에 대한 원인 및 조치

① 전극리드선의 단선 : 전극 리드선의 단선 유무 및 커넥터 연결 상태를 점검
② 서로 다른 전극 사용 : 같은 종류의 전극을 사용한다.
③ 전극 리드선의 절연 불량에 의한 단락 : 전극 리드선의 절연 상태를 점검
④ 전극의 피부 접촉 불량 : 전극의 부착 상태 확인
⑤ 전극의 전해질 건조 : 전해질 보충 또는 전극 교체

(2) 백색잡음 증가에 대한 원인

① 전극의 전해질 건조 : 전극 교체 또는 전해질 보충
② 전극 리드선, 커넥터 부분의 연결 불량 : 연결확인
③ 전극 리드선 또는 커넥터의 금속 부분이 외부 장치와 단락 : 리드선의 절연 확인 및 외부 장치와의 단락 차단
④ 증폭기 자체의 고장
※ 백색 잡음 : 불규칙한 형태로 지속적으로 나타나고, 넓은 주파수 대역을 포함하는 잡음

(3) 전원 잡음(60Hz 잡음)의 증가 원인 및 조치

① 공통 전극(common electrode)의 접촉 불량 또는 단선 : 접착 및 단선 유무 확인

② 전극 리드선의 외부 기기 접촉 : 접촉 차단

※ 전원 잡음 : 전원의 60Hz 또는 그의 고조파 성분이 신호에 나타나는 것

(4) 동잡음의 증가 원인 및 조치

① 전극의 증가 원인 및 조치

② 리드선의 움직임에 의한 전극의 움직임 : 리드선의 고정 확인 및 고정 강화

③ 전극 전해질 건조 : 전해질 보충 또는 전극 교체

3. 동잡음(motion artifact)

전극과 전해질의 경계면에는 전하의 이중층(double layer of charge)이라는 구조가 형성된다. 이 이중층은 전하가 충전된 일종의 커패시터처럼 이해할 수 있다. 그런데, 전극이 전해질에 대해서 상대적으로 움직이면 이 이중층에 교란이 발생한다. 이 교란은 전극의 반전지 전위의 변화를 유발하고, 결국 잡음으로 나타나게 되는데, 이러한 잡음을 동잡음(motion artifact)이라 한다. 비분극 전극의 경우는 전극과 전해질 간에 전하의 이동이 가능하므로 이중층의 교란에 의한 동잡음이 적다.

4.17 브릿지 회로

1. 휘트스톤 브릿지 회로

브릿지 회로는 저항 등의 수동소자 4개를 다음 그림과 같이 구성한 회로이다. 그 중에 4개의 수동소자가 모두 저항으로 구성된 회로를 특별히 휘트스톤 브릿지 회로라 부른다. 휘트스톤 브릿지 회로는 미지의 저항값을 측정하는 용도로 많이 사용되는데, 저항성 센서의 저항값의 변화를 검출하고 그 변화값을 측정하는 용도로 사용하기에 적합하다.

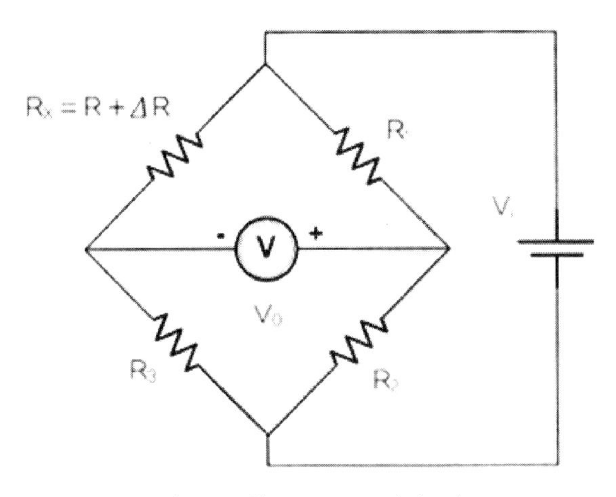

그림 42. 휘트스톤 브릿지 회로

위의 휘트스톤 브릿지 회로에서 저항 R_x와 측정전압 V_0간의 관계는 다음 식과 같다.

$$R_x = \frac{R_3(R_1 V_i + (R_1 + R_2) V_0)}{R_2 V_i - (R_1 + R_2) V_0}$$

2. 평형 휘트스톤 브릿지 회로

미지의 저항이 어떤 기준 저항값에서 얼마나 변화 했는가를 측정하는 목적으로 사용되는 회로는, 실제로는 나머지 3개 저항의 저항값을 기준 저항값과 같도록 만든 평형 휘트스톤 브릿지 회로를 많이 사용한다.

이 평형 휘트스톤 브릿지 회로에서 저항의 변화 ΔR과 측정 전압 관계는 다음 식과 같이 근사할 수 있다.

$$\Delta R \approx \frac{4RV_0}{V_i}$$

PART 05 의료 진단 및 치료기기

5.1 제세동기

1. 심정지와 제세동

(1) 심정지는 심장이 갑자기 정지하는 현상으로 빨리 응급처치를 하지 않으면 매우 위험하다. 외생이 없을 때 심정지 원인의 60~90%는 심실세동(Ventricular Fibrillation : VF)과 무맥박 심실성빈맥(pulseless ventricular tachycardia, 그림 1) 등이 있다.

(2) 심실세동은 심근실의 심근세포가 빠르고 불규칙한 수축에 의해 계속적으로 자극되어 가볍게 떨리는 현상이다. 1분에 대략 300~600회 수축하는 상태로, 혈압이 매우 낮으며 수분 내에 심정지로 이어진다. 심실성빈맥은 심실에서

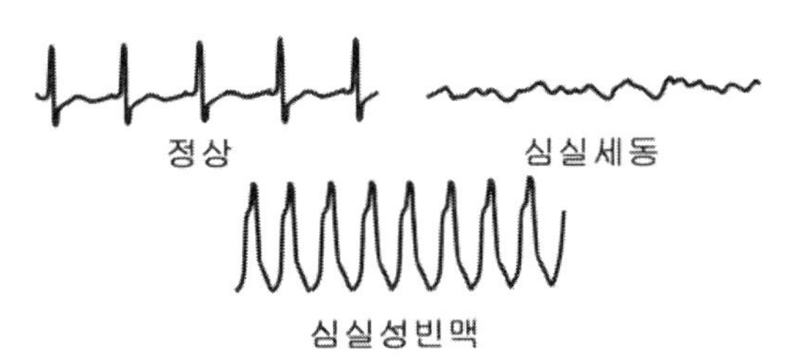

그림 1. 정상 및 비정상 심전도

비정상적인 전기신호가 발생해 1분에 100회 이상 수축하는 상태로, 무맥박 심실성빈맥 또한 심정지로 이어진다.

(3) 제세동은 세동을 종료시키는 방법으로 심장이 갑자기 정지했을 경우 취할 수 있는 응급처치법이다. 기본 심폐소생술(Cardiopulmonary resuscitation : CPR)보다 효과가 뛰어나다. 특히 성인의 심정지 형태 중 가장 흔한 심실세동(Ventricular Fibrillation : VF)을 치료할 수 있는 유일한 방법이기도 하다.

(4) 심정지 후 생존율은 제세동이 빨리 이루어질수록 높아진다. 시간에 따른 생존율 감소폭은 대략 1분에 7~10%이다. 따라서 응급상황 발생 시 제세동은 최대한 빠른 시간 내에, 늦어도 5분 이내에 시행하는 것이 좋다.

2. 제세동기의 원리

(1) 제세동기는 심장에 강한 전기충격을 가해 세동을 종료시키는 기기이다. 심실세동이나 심실성빈맥은 모두 심실의 수축이 비정상적이고 불규칙하게 일어나는 상태이다. 제세동기는 강한 전기 에너지를 이용해 불규칙적으로 움직이는 심긴의 세포들을 동시에 탈분극 시켜 절대적 불응기로 만들어진다. 그 후에 페이스메이커(pacemaker)인 동방결절(SA node)이 회복되어 정상적인 리듬으로 되돌아오게 유도한다. 이 때 심근의 80% 이상이 탈분극 되어야 심장 전체가 전기적으로 균일한 상태가 될 수 있고, 제세동의 성공률도 높아진다. 그래서 제세동기는 심장 전체를 탈분극 시킬 만큼 강한 전기충격을 가해야 할 것이다.

(2) 형태에 따라 조금씩 차이가 있지만, 심실세동 제거의 경우 체외에서는 보통 100J~400J 사이의 에너지를 사용한다. 심장에 직접 사용하는 경우 100J 이하로 한다. 심방세동일 경우 필요한 에너지는 좀 더 적어서 150J 정도이다. 심실성빈맥은 심장 율동의 형태나 빈맥의 빠르기에 따라 결정된다. 맥박이 있든 없든 보통 단상 사인 형태로 100J 정도면 된다. 심실성빈맥이 빠르거나 형태에 있어서 보다 불규칙적이면 심실세동과 비슷해지므로 200J 정도가 필요하다.

(3) 제세동기는 콘덴서에 수천 볼트의 고전압을 저장하고 짧은 시간에 신체에 높은 전류를 흐르게 하여 세동을 제거한다. 장비 구성 전류를 흐르게 하는 전원부, 신체와 접촉하는 전극, 심전도 모니터부, 레코더 등이 있다.

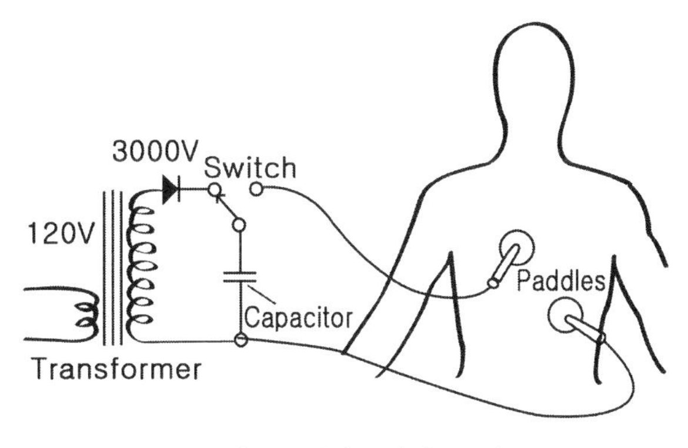

그림 2. 제세동기의 구성

(4) 제세동기는 전기충격으로 심장을 소생시키기도 하지만 전극을 통해 심전도를 분석하기도 한다. 심전도 파형의 주파수, 진폭, 기울기 등의 형태를 분석해 심실세동이나 부정맥 등의 현상을 알아낼 수 있다(그림 3). 제세동기를 사용할 때는 먼저 전극을 붙이고 심전도를 분석한 뒤 전기충격을 가해야 한다.

(5) 자동화 외부 제세동기(Automated external defibrillators : AED)는 심전도를 분석해 분석 결과를 시·청각적인 방법으로 표시해준다. 자동 제세동기의 심전도 분석 정확도는 매우 높아서 대략 90~92% 정도이다. 하지만 이식형 심조율기를 사용하는 환자는 측정의 정확도가 떨어진다.

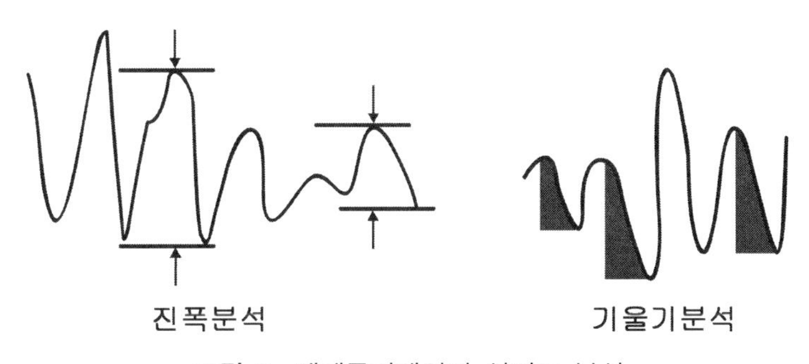

그림 3. 제세동기에서의 심전도 분석

(6) 제세동기의 에너지는 심장 전체를 탈분극 시킬 수 있는 최저 유효에너지로 설정된다. 만약 제세동기의 에너지가 너무 낮아 전류가 약하면 제세동에 실패하게 되고 너무 높아 지나치게 강한 전류가 발생하면 심근이 손상되어 심장 기능에 장애가 발생 될 수 있다.

(7) 성인의 기준에서, 체격과 요구 에너지는 크게 관계가 없다. 하지만 소아(1~8세)의 경우 성인보다 적은 에너지를 사용해야 한다(1세 미만의 영아에게는 제세동을 실시하지 않는다). 하지만 사정이 여의치 않은 경우 성인 기준의 에너지를 사용해도 무관하다.

(8) 제세동을 성공시키기 위한 최소한의 에너지를 제세동 역치라 한다. 제세동 역치는 크게 해부학적 인자와 전기적 인자에 의해 결정된다. 해부학적 인자는 심장의 크기, 폐의 용적 등 자극을 주는 부위의 해부학적 정보다. 전기적 인자는 심전도 파형, 신체의 대사상태, 체온, 산소분압, 조직의 산성도, 세포외 칼슘 농도, 심장의 허혈 등 심장의 움직임에 관련된 인자이다. 이러한 두 가지 인자 외에도 제세동 역치는 심실세동의 지속시간과도 관계가 있다. 지속시간이 길어질수록 역치는 최대 5배 정도까지 높아질 수 있다.

(9) 제세동의 성공에 관여하는 요인 중 다른 하나는 경흉저항이다. 경흉저항은 전류의 효과적인 전달에 관여한다. 경흉저항이 크면 전류가 잘 전달되지 못해서 치료 효과에 영향을 준다. 성인의 평균 경흉저항은 70~80Ω 정도이다. 경흉저항에 관여하는 인자들은 크게 5가지 정도가 있다.

① 전극 크기 : 작을수록 경흉저항이 크다. 하지만 너무 크면 전류가 효과적으로 전달되지 못한다. 성인의 경우 직경이 최소 13cm, 소아의 경우 최소 8~10cm 정도가 적절하다.

② 전극-피부 접촉면 : 전극과 피부 사이에 공기가 있을 때보다 식염수나 전도 젤리를 사용하면 경흉저항이 낮아진다. 가슴에 털이 많을 때는 털을 깎고 전극을 붙이면 경흉저항을 감소 시킬 수 있다.

③ 호흡주기 : 환자가 흡기 시, 호기 시보다 저항이 크다.

④ 두 전극 사이의 거리 : 전극 간의 거리는 가까울수록 저항이 작다. 즉, 흉

곽이 작으면 저항이 작다.

⑤ 전극 압력 : 전극을 강하게 눌러 붙일 때 저항이 작다.

3. 제세동기의 에너지 형태

제세동기는 크게 단상파형(monophasic)과 이중파형(biphasic)의 두 가지로 분류된다(그림 4). 두 가지 형태는 심장에 전류를 흘려보내는 방식에 차이점이 있다. 이중파형을 사용했을 때 단상파형을 사용 했을 경우에 비해 낮은 에너지로 큰 효과를 볼 수 있다.

(1) 단상파형

전류를 한 방향으로만 흐르게 한다. 파형은 시간에 따라 증가했다가 0으로 급격히 감소하는 모양을 갖는다. 단상사인(monophasic dampde sine : MDS), 단상 순간형 지수(monophasic truncated exponential : MTE) 등의 형태로 에너지가 전달된다.

2005년 개정 이전에는 단계적으로 200J → 200~300J → 360J의 에너지로 증가시키며 충격을 가하는 것이 일반적이었다. 이렇게 하는 것은 전기 충격 성공률을 높이고 안전성을 높이기 위함이었다. 하지만 2005년 개정 이후로 처으무터 360J로 강하게 시행해서 한 번에 심장을 소생시키는 것을 목표로 한다.

(2) 이중파형

전류가 한 극에서만 흐르지 않고 한 극에서 흐른 전류가 다른 극으로 이동해 파형의 모양은 위아래로 흔들리는 모양이 된다. 이중 순간형 지수(biphasic truncated exponential : BTE), 이중 직선(rectilinear biphasic : RLB) 등의 형태가 있다. 이중파형을 사용할 때는 에너지의 크기를 증가시키지 않는다.

이 때 에너지는 단상파형보다 훨씬 낮은 150J~175J 사이의 에너지를 연속적으로 사용한다. 하지만 둘의 치료 효과는 거의 비슷하거나 이중파형 쪽이 더 좋다. 또한 낮은 에너지를 사용하는 이중파형 전기충격이 더 안전해서 심근의 손상이 적다. 그리고 이중파형 제세동기는 단상파형에 비해 크기와 무게를 줄일 수 있어 더 다양한 곳에서 사용이 가능하다는 장점이 있다.

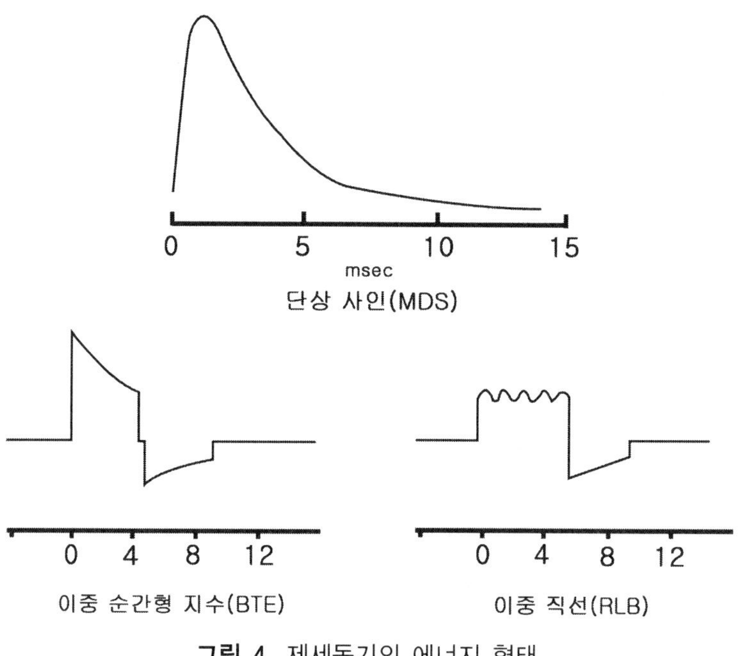

그림 4. 제세동기의 에너지 형태

4. 자동제세동기(automated external defibillators : AED)

(1) 제세동기에서 심전도를 분석할 때 사람이 직접 할 필요가 없고 자동으로 상태를 진단해서 알려준다. 뿐만 아니라 현재 환자의 상태에서 제세동이 필요한지를 결정해주고 일반인들도 지시에 따라 응급처치를 할 수 있도록 모든 치료 순서를 안내해주는 시스템을 갖고 있다. 필요한 에너지양에 대한 정보도 프로그래밍 되어 있다. 단, 최종적인 제세동 실행은 사람이 직접 버튼을 눌러야 가능하다(그림 6).

(2) 소아의 경우 필요한 에너지의 양이 성인보다 적을 수 있다. 이런 경우를 대비해 '소아용 변환 시스템'을 갖고 있는 기기도 있다. 만일 이 시스템이 없다 하더라고 성인 기준의 에너지를 사용해도 상관없다(단, 성인에게 소아 기준의 에너지를 사용해서는 안 된다)

(3) 자동화되면서 대형 빌딩, 쇼핑센터, 공항 등에 비치해두고 일반인이라도 사용법만 알면 응급처치를 할 수 있게 되어 있다(그림 5).

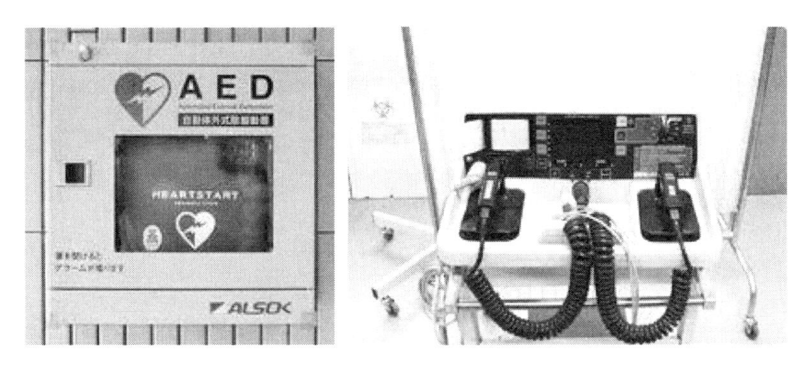

그림 5. 자동 제세동기의 표식 및 종류

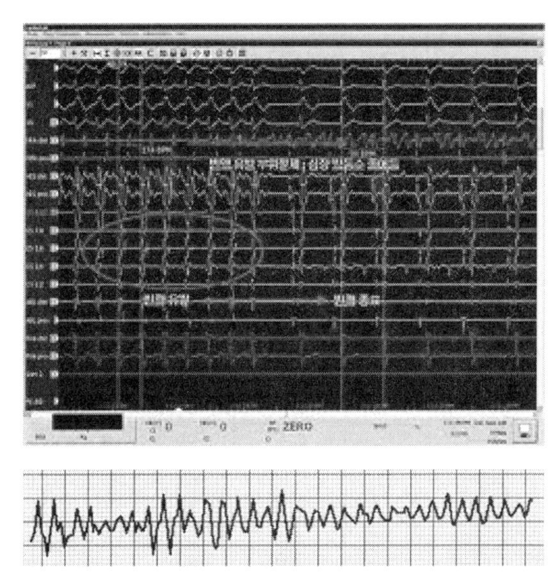

그림 6. 자동 제세동기 작동시키기
(전기충격을 가할 때는 사용자가 직접 작동시켜야 한다)

5. 이식형 제세동기(implantable cardioverter-defibrillators)

(1) 악성 부정맥 병력이 있는 환자의 체내에 직접 삽입하는 제세동기로, 한정 횟수, 낮은 에너지로 전기충격을 심근에 직접 가하는 기기이다. 이식형 제세동기는 심장의 박동을 계속 감시하고 있다가 악성 부정맥이 발새하면 이를 감지하고, 충격을 가해 부정맥을 즉각 중지시킨다. 이 때 비정상적으로 빠른 부정맥 뿐만 아니라 비정상적으로 느린 부정맥도 치료할 수 있다.

(2) 왼쪽 쇄골 아래를 절개해 전극선을 시장 안으로 이식하고 본체에 연결 후 피부 밑에 이식한다(그림 7). 전극선은 실제로 심장에 전기충격을 주는 부분이다. 전기 충격을 주기 위한 배터리와 회로로 구성되어 있으며, 배터리가 모두 소모되는 경우 본체 자체를 바꾸어야 한다. 수명은 2~5년 정도이다. 심한 부정맥이 생길 경우 생명을 살리는데 큰 도움이 되며 부정맥제를 복용할 필요가 없어지거나 복용량이 줄어드는 등 장점이 있다.

(3) ICD는 전극선, 본체, 프로그래머 등으로 구성된다. 전극선과 본체는 시술 시 직접 몸에 이식되는 것이고 시술 후 ICD를 겸사하는 소형 컴퓨터인 프로그래머는 치료 정보를 관리하는 역할을 한다.

(4) 이식 후 정기적으로 관리를 받을 필요가 있는데 이 때 병원에서는 프로그래머를 이용한다. 프로그래머에서는 ICD가 부정맥 발생 시 잘 치료했는지 확인하고 그 치료 정보를 보여준다. 그래서 이식 후 환자의 관리 및 치료 방향에 대해 도움을 줄 수 있다.

(5) ICD 이식 환자일 경우 MRI 촬영 불가능 등 각종 의료 행위에 있어 제약이 따를 수 있으므로 진료 시 항상 ICD 이식 환자라는 것을 밝혀야 할 것이다.

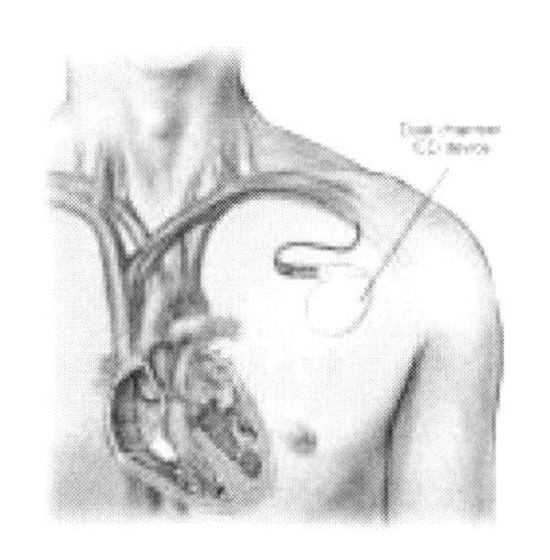

그림 7. 이식형 제세동기 시스템

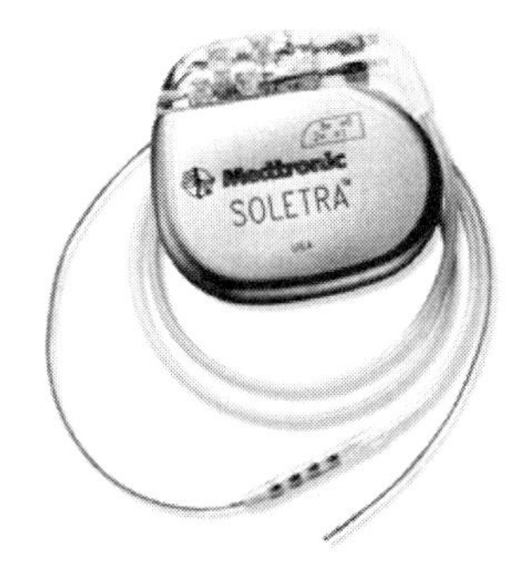

그림 8. 이식형 제세동기

6. 제세동기 사용 방법

다음은 일반적인 제세동기 사용 순서이다. 모든 제세동기를 조직하기 위한 기본

순서는 (1) 전원을 켜고 (2) 전극을 붙인 다음 (3) 심장의 리듬을 분석한 뒤 (4) 제세동을 시행하는 것이다.

(1) 전원켜기

전원을 켜면 자동 제세동기의 경우 음성 명령이 시작된다.

(2) 전극 부착

두 개의 전극은 환자의 가슴에 붙인다. 전극을 붙일 때 두 개가 서로 겹쳐지면 안되며 성인과 소아는 사용하는 전극의 크기가 달라야 한다. 전극을 붙이는 방법은 크게 세 가지로 나타낼 수 있다.

① 첫째, 오른쪽 쇄골 바로 아래, 흉골 가장자리 부분과 왼쪽 유두 측면, 겨드랑이에서 7cm 가량 떨어진 부위에 두 개를 각각 붙인다. 이것이 표준위치이다(그림 9).

② 둘째, 전극을 양쪽 겨드랑이 아래 흉곽의 측면에 부착한다.

③ 셋째, 왼쪽 심첨부와 심장의 후면인 왼・오른쪽 견갑하부에 부착한다. 몸집이 작은 소아의 경우 이 방법을 사용하면 전극이 겹칠 위험이 없다.

※ 전극을 붙일 때는 가슴 부위가 젖어있으면 안 되므로 땀이 나거나 물기가 있을 때 꼭 닦아내고 붙어야 한다. 또, 최대한 경흉저항을 줄이기 위해 젤이나 식염수를 사용하는 것이 좋다. 가슴의 체모도 제거하는 편이 좋지만 전극을 강하게 누르면 체모로 인한 저항을 감소 시킬 수 있다.

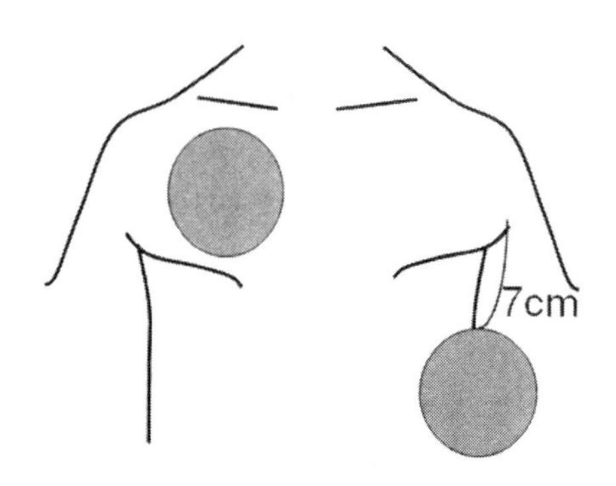

그림 9. 전극 부착 표준위치

(3) 심전도 분석

자동 제세동기의 경우에는 자동으로 심전도의 특성을 분석하여 음성으로 분석 및 진단 결과를 알려준다. 심전도 분석은 모두 환자에게서 떨어진 상태로 환자의 움직임이 전혀 없을 때 행해야 한다. 몸의 약한 움직임이 전기신호에 영향을 주어 오류가 생길 가능성이 있기 때문이다. 그래서 구급차 내에서 심전도 분석을 할 때도 차를 멈추고 시행하여야 하며 자동 제세동기의 경우 심전도 분석은 5~15초 정도 소요된다.

(4) 제세동 시행

환자의 상태에 따라 적절한 에너지를 선택한 다음 환자에게서 모두 떨어진 후 시행 버튼을 눌러 시행한다. 자동 제세동기의 경우 평균 에너지양이 프로그래밍 되어 있다. 하지만 자동 제세동기도 최종적인 시행 버튼은 사람이 직접 눌러야 한다. 강한 전기 에너지기 때문에 환자에게 접촉해 있거나 근접해 있으면 위험하다.

7. 제세동기 사용 시 주의사항

(1) 제세동기는 높은 에너지를 사용하므로 취급 시 안전에 주의해야 한다.

① **화상** : 전극을 부착했던 부의에서 붉은 점이 나타날 수 있으며 때로 화상이 되기도 한다.

② **폭발** : 땀, 체모 등으로 인해 신체와 전극의 접촉이 좋지 않으면 전극과 흉벽 사이에 불꽃이 튈 수 있다. 이 불꽃이 인화성 마취가스, 산소 등에 인화할 경우 폭발을 일으킬 수 있다.

③ **감전** : 고전압 펄스가 환자의 몸을 통해 흐르면서 환자와 접촉한 사람에게도 전류가 흐를 수 있다. 그러므로 항상 시술자와 보조원 모두 장갑을 끼고 있어야 하며 제세도 시행 시 누구도 환자와 접촉해서는 안 된다.

(2) 제세동기는 일정 조건하에서 사용해야 한다. 환자의 심장이 완전히 정지했을 때, 환자의 움직임이 전혀 없을 때에만 제세동기로 분석 및 전기충격을 가해야 한다. 환자가 호흡을 한다면 기계가 리듬을 부정확하게 분석할 가능성이

있다. 또 제세동기를 사용할 때에는 휴대폰 등 무선송수신기를 근처에서 되도록 사용하지 않는다.

(3) 이식형 제세동기를 사용하는 환자나 인공 심박조율기를 이식한 환자의 경우 체외 제세동기 사용 시 주의해야 한다. 전극을 부착할 때 내부의 기기와 2.5cm 정도 떨어진 곳에 붙여야 한다. 기기를 이식할 때 절개한 흉터가 남으므로, 흉터에서 적당히 떨어진 곳에 붙이면 된다. 이식형 제세동기와 체외의 제세동기가 충돌해 전기 충격에 실패할 가능성이 있으므로 주의한다. 이식형 제세동기가 환자에게 전기충격을 시행할 때는 환자는 근육이 어느 정도 수축하게 된다. 이 때 이식형 제세동기가 치료 주기를 끝낼 수 있게 30~60초 시간을 두고 체외 제세동기를 작동시킨다. 또, 피부에 부착해 사용하는 약물이 있을 때는 제거하고 제세동을 시행한다.

5.2 인공심폐기

1. 자연 심장과 폐의 역할

(1) 심장의 주요기능은 산소가 많은 신선한 혈액을 몸에 공급하고 이산화탄소가 포함된 탁한 혈액을 몸 밖으로 내보내는 일이다. 이 때 산소와 이산화탄소의 교환은 폐에서 이루어진다. 호흡으로 들이마신 산소가 심장으로부터 보내진 혈액의 이산화탄소와 폐에서 교환돼 온몸으로 공급되는 것이다.

(2) 교환을 일으키는 구체적인 대상은 적혈구 내의 헤모글로빈이다. 헤모글로빈은 적절한 환경에 따라 산소를 달고 다니기도 하고 때 놓기도 한다. 예를 들어 심장에서 폐로 보내는 혈액에서처럼 주변의 이산화탄소 농도가 높으면 헤모글로빈과 산소의 결합력이 높아진다. 호흡을 통해 들어온 산소를 많이 잡아놓는다는 말이다. 이때 여러 가지 정보에 따라 이산화탄소는 폐 밖으로 방출된다.

2. 인공심폐기란

(1) Cardiopulmonary bypass machine이라고도 불리는 heart lung machine은 심폐 수술(open heart surgery) 시 심장(heart)과 폐(lung)의 대체 역할을 위한 의료기기로 혈액에 산소를 공급하여 순환시키는 기능을 한다. heart lung machine은 혈액을 심장의 우심방에서 산소공급기라고 불리는 특별 저장소로 보내고 산소 공급기 안에서 특별 투과막에 의해 산소가 공급된다. 이런 과정을 거치면서 어두운 혈액의 대정맥은 밝은 적색의 생생한 혈액으로 바뀌어 대동맥으로 흘러들어간다. 그리고 이런 혈액들이 인체 혈관을 통해 순환을 한다. heart lung machine은 체외 순환사에 의해 따로 관리가 되고 있기 때문에 수술자나 환자는 안전하게 수술이 가능하다. 옛날에는 혈액에 직접 산소가 접촉하는 방식을 사용하였는데 적혈구의 파괴 및 단백질의 변성이 일어나 혈액이 가스와 간접적으로 접촉하는 밀폐형 인공심폐기가 개발되었다.

(2) 1953년 Gibbon이 인공심폐기를 이용한 심방중격결손 환자의 개심술(심장과 폐의 기능을 일시적으로 정지시킨 상태에서 심장의 일부분의 정개로 심장을 열고 수술을 시행하는 것으로 대부분 심장 수술은 개심술로 하게 됨)을 처음으로 성공한 이래 눈부신 발달을 거듭하여 지금은 보편화되었고 비교적 안전하게 시행되고 있다.

(3) 국내에서 약 60~70개 병원에서 매년 수천회 이상의 개심술이 시행되고 있고 성공률이 높지만 아직도 인공 심폐기를 이용한 개심술에는 인공심폐기를 통한 관류 시간은 길면 길수록 심장과 VP의 손상이 오게 되므로 대부분의 수술이 체외순환 시간 1~3시간 이내에서 이루어져야 한다는 것, 인체의 산소 소모량을 줄이기 위한 저체온법(Hypothermia), 표면 냉각법, 중심 냉각법, 심정지를 위한 심정지 마비액 사용과 혈액 응고 방지를 위한 지혈제 사용과 국소 관류로 인한 혈액 응고 장애 등의 많은 제약이 따른다.

(4) 이렇게 인공심폐기를 이용한 심장 수술 기술의 발달로 대부분의 심장 질환이 수술로 치료가 가능하게 되어, Gibbon이 처음 개심술에 성공한 심방중격결손의 수술은 오늘날 수술 사망률이 1%미만의 좋은 결과를 기대할 수 있다.

3. 인공심폐기의 구성성분

(1) 정맥(Venous) Cannulae

① **one cannula** : 우심방(through RA appendage)

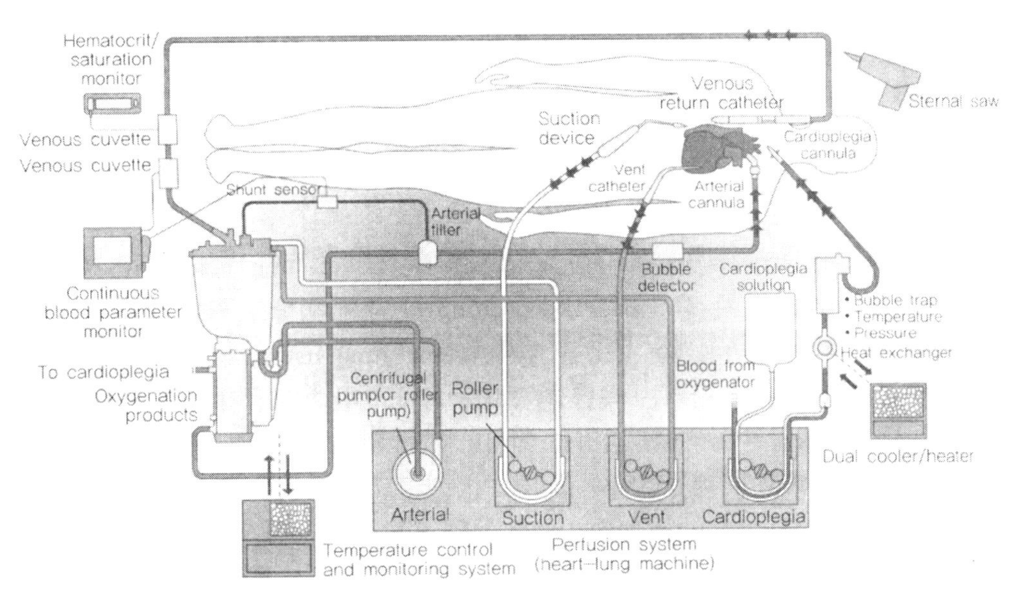

그림 10. 인공심폐기를 이용한 체외 순환 모식도

② **two cannula** : 상대정맥과 하대정맥(SVC & IVC), left SVC → third cannul at CS

③ single cannula of modified "two stage" cannula

④ **중심정맥압(CVP)** : 0~15mmHg 유지

⑤ **정맥환류** : 중력에 의존 → 25~30inches 아래에 venous reservoir 위치

(2) 저혈조(Blood Reservoir)

① 기포형 산화기(bubble oxygenator) : arterial reservoir

② 막형 산화기(membrane oxygenator) : venous reservoir

③ 응급상황시 5~10초간의 관류에 필요한 혈액을 공급하며, 정맥환류량이 과도할 때 저장하는 역할, 공기를 배출하는 역할을 함

(3) 산화기(Oxygenator)

산소공급기라고도 하며, 산화기는 심폐기를 이루는 구성성분 중 동맥펌프와 더불어 가장 중요한 두 가지 기본 성분 중의 하나이다. 산화기는 실제 우리 몸으로부터 받아들인 정맥 혈액에 단순히 산소 공급만을 하는 것이 아니라 이산화탄소 제거 기능도 겸하기 때문에 산화기란 용어보다는 인공폐(artificial lung), 또는 가스교환기(gas exchanger)란 용어가 더 적절하다는 견해도 있다.

① Bubble(기포형) oxygenator

㉠ 원리 : direct gas exchange through a diffusion plate
bubble size(35㎛) : small bubble-O_2 exchange, large bubble : CO_2 exchange

㉡ 장단점 : 70~80년대 초 이용, 2시간 이내의 perfusion에 유리(시간이 지날수록 손상 증가)

② Membrane(막형) oxygenator

㉠ 원리 : gas exchange through a semipermeable membrane : silicon rubber, polypropylene, teflon membrane(large surface area : 1.6~5.4m_2)

㉡ 장단점 : heat exchanger와 하나의 unit으로 구성됨
2~3시간 이상의 perfusion에 유리(대부분 혈액 손상은 첫 2~3분간 발생)

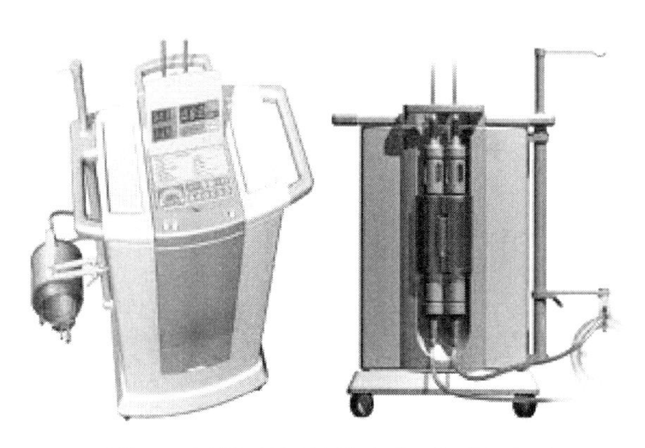

그림 11. 막형 인공산화기와 컨트롤 유니트

(4) 열교환기(Heat Exchanger) : 심폐바이패스 시 저체온의 유도를 위하여 사용

① **체온측정** : 직작(rectal)과 비인두[nasopharyngeal(base of brain)]
② **냉각속도** : 0.7~1.5℃/min, 가온속도 : 0.2~0.5℃/min

(5) Pumps

① Roller pump vs Centrifugal pump[소용돌이(vortex)처럼 혈액을 회전시켜 형성되는 압력이용]
② Use : to pump oxygenated blood to the patient
to produce negative pressure to operate the cardiotomy suction system
to deliver cardioplegic solution or to perfuse the coronary arteries

(6) 여과기(Filters) : screen filter made of nylon or polyester(20~40㎛)

trap particulate matter and gaseous emboli

(7) 동맥(Arterial) Cannulae : 환자의 체표면적과 예상 flow rate로 결정함

(Size : 6~24Fr), 무명동맥(innominate artery)직하부 또는 사지동맥(femoral or axillary)을 이용

(8) 심장 내 흡인장치(Cardiotomy Suction System) : 수술 중 출혈을 심폐기로 저혈조로 흡입함

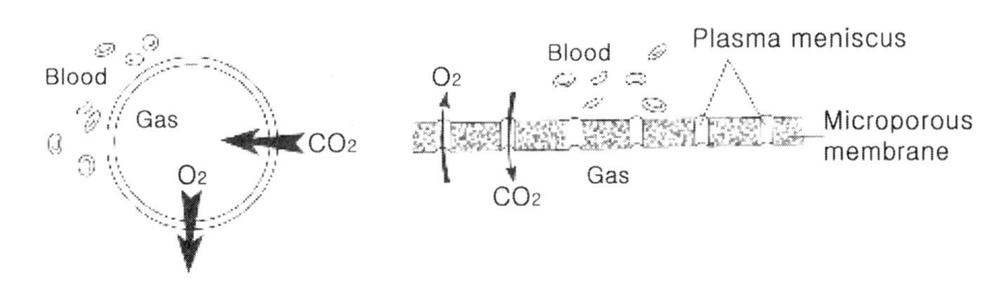

그림 12. 2 suckers, connecting tubing, 1 roller, combined filter and reservoir unit

① **혈액손상(hemolysis)의 중요 원인** : air-blood interface and turbulence
② **가스 색전증(emboli)의 중요 원인** : N_2 bubbles이 더 위험(poorly soluble)

(9) Cell Saver : heparin 투여 전 또는 protamine 투여 후 : autotransfusion (1~5 unit packed RBC)

(10) 심폐기사(Perfusionist)

4. 합병증

(1) 중추신경계 : 뇌졸중(2% incidence)

① **hemorrhagic injury** : heparinization during CPB
② **ischemic injury** : MAP 〈 50mmHg, older age, prolonged perfusion
③ **massive air embolism** : 0.1~0.2% of perfused patients
④ **microemboli** : 가스, 피브린, 지방, 세포, 혈소판, 백혈구 응집물, 기타 이물질
⑤ temporary psychosis

(2) 심장

① **저심박출증후군(low cardiac output)** : myocardial injury, poor myocardial contractility
② **부정맥** : 25% of CABG & 75% of valve replacement hypothermia, ↓PaO_2, my ocardial injury, ↑ catecholamines, electrolytes imbalance

(3) 심낭막절개증후군(Postpericardiotomy Syndrome) : malaise, fever, pericardial effusion, leukocytosis, pleuritic chest pain, pericardial friction rub → 자연 치유 가능

(4) 출혈 : surgical bleeding Vs medical bleeding(hemodilution, heparin rebound, loss of platelet membrane recepter, derangement of clotting factor, ↑ fibrinolysis, DIC)

(5) 삼장압진(Pericardial Tamponade) : 저심박출, 중심정맥압 상승, 심박수 상승, 기이맥(paradoxical pulse), 종격동 확장(mediastinal widening)

(6) 폐 : atelectasis, pleural effusion, pneumothorax, pneumonia, ↑A-aDO$_2$, pulmonary edema, ARDS, hemoptysis, hemothorax, trachea injury

(7) 신장 : 급성신부전[원인 : 저관류, 저혈압, 약제, 혈뇨(hemoglobinuria), microemboli]

(8) 위장관 : GI bleeding, thromboembolism, mesenteric infarct, acute pancreatitis

(9) 동맥 Catheters : bleeding, dissection, limb ischemia(femoral artery)

(10) 정맥 Cannulae : obstruction of venous return, RA tearing, SVC stenosis

5.3 수액펌프

1. 수액펌프의 용도

중환자실 등에서 환자의 집중치료 시에는 환자에게 많은 약물 주입이 요구된다. 이때 정맥으로의 약물 및 혼합물 주입을 위해 정확하고도 정량 주입을 위한 제어가 필수적이다. 통상 약물 주입기는 피스톤 타입의 펌프나 연동펌프 작용에 의해서 주입량을 가변 할 수 있다. 부피측정형 수액펌프들은 주입 약물의 부피로 제어되며, 약물의 주입을 안전하고 정확하게 할 수 있는 점이 무엇보다 중요하다.

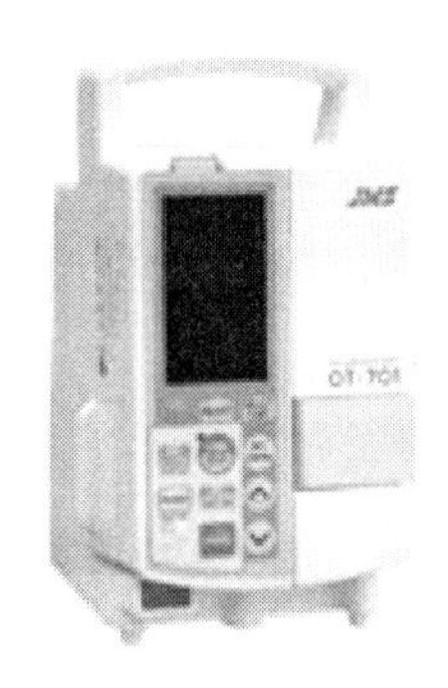

그림 13. 수액펌프

2. 원리

프레세니우스에 의해 최초로 제조된 주입펌프는 환자의 순환계로 치료약물 또는 영양소 등을 인체로 주입한다. 일반적으로 피하, 정맥, 동맥, 그리고 경막으로 약물을 정확하게 투입하기 위해 사용되며, 이들 약물주입펌프들은 시간당 0.1mL 정도의 작은 양의 약물도 투입할 수가 있다. 인젝션 형태의 약물주입펌프는 무통증을 위해 환자가 제어하는 정해진 시간마다 약물주입이 가능하기도 하며, 또는 일정시간 동안 정량의 약물 주입을 위해 볼륨제어가 가능하기도 하다. 이들 주입의 유형에 따른 기능 설정은 사용자 인터페이스로서 임상관리자 또는 간호사에 의해 설정할 수 있으며, 연속주입은 프로그램에 의해 작은 펄스형태로 한번 주입량이 20nano-liters에서 100micro-liters 사이에서 정할 수 있다.

간헐적 주입의 경우 연속주입 시 보다 많은 양을 주입할 수 있다. 간헐적인 주입을 위한 주입타이밍은 프로그램에 의해 설정이 가능하다. 수액펌프 중 볼륨펌프는 환자들에게 영양분 공급, 인슐린과 같은 호르몬 공급, 또는 통증제어를 위한 마약들

그림 14. 주입펌프

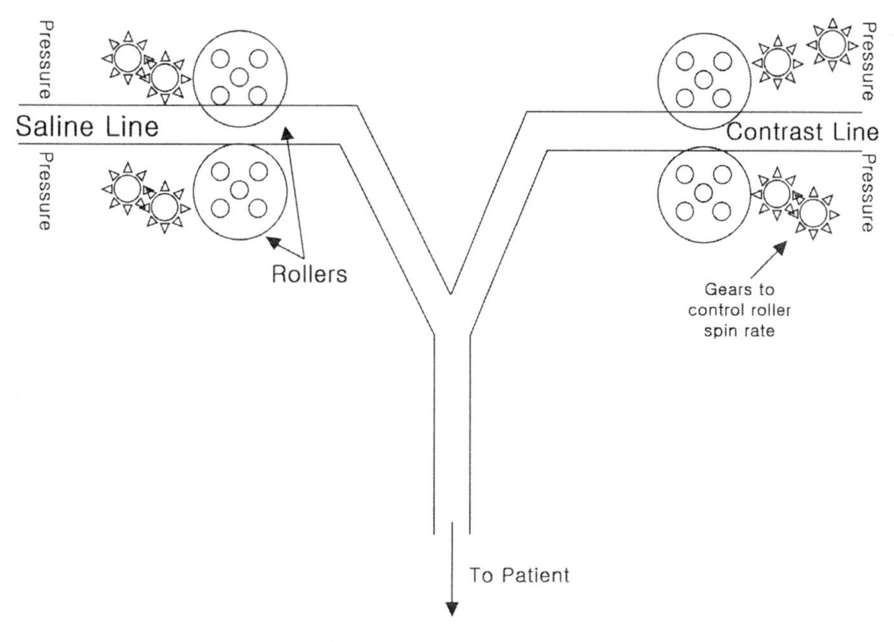

그림 15. 수액펌프의 개념도

을 주입하게 되며, 이식형 또는 병원 등에서 사용되도록 제품화되어 있다. 이들 볼륨펌프들은 연동펌프의 변형으로 약물의 주입 통로인 실리콘형 고무관을 압축한 롤러가 사용되기도 하며, 손가락으로 누르는 형태의 롤러가 사용되기도 한다.

수액펌프에 사용되는 소형 펌프들은 컴퓨터에 의해 제어되고 있다. 혈관의 압력은 8lbf/in^2(55kPa)보다 작고 경막외, 그리고 피하 압력은 18lbf/in^2(125kPa) 정도이기에 약물 투입백(bag)의 높은 압력은 약물 주입 시 혈관을 압박하게 하므로 주의해야 한다. 흐름 제한장치는 압력맥, 혈관 등의 압력 차이에 따른 약물 주입 조절을 위해 주입시스템의 기압을 일정하게 유지하기 위한 기능을 담당하며, 공기정화 필터는 환자의 정맥 속으로 유입되는 공기를 제거하기 위한 안전장치이다. 통상 신체무게에서 1kg당 0.55cm^3 정도의 공기는 신체에 해가 되기에 충분한 양으로 추정한다. 이들 작은 공기 입자들은 동맥에서 해를 끼칠 수 있으며, 통상 이들 공기입자들은 정맥에서 심장을 통해 허파에서 체외로 분리 배출되기 도 한다. 공기정화 필터장치는 얇은 막으로 구성되어 있으며, 공기 입자을 발산한다. 혈액 내에 큰 기포가 있으면 출혈이 발생하기도 하며, 소형의 주입 펌프들에서는 삼투압을 이용하여 제거하기도 한다.

3. 구성과 종류

(1) 수액펌프의 구성

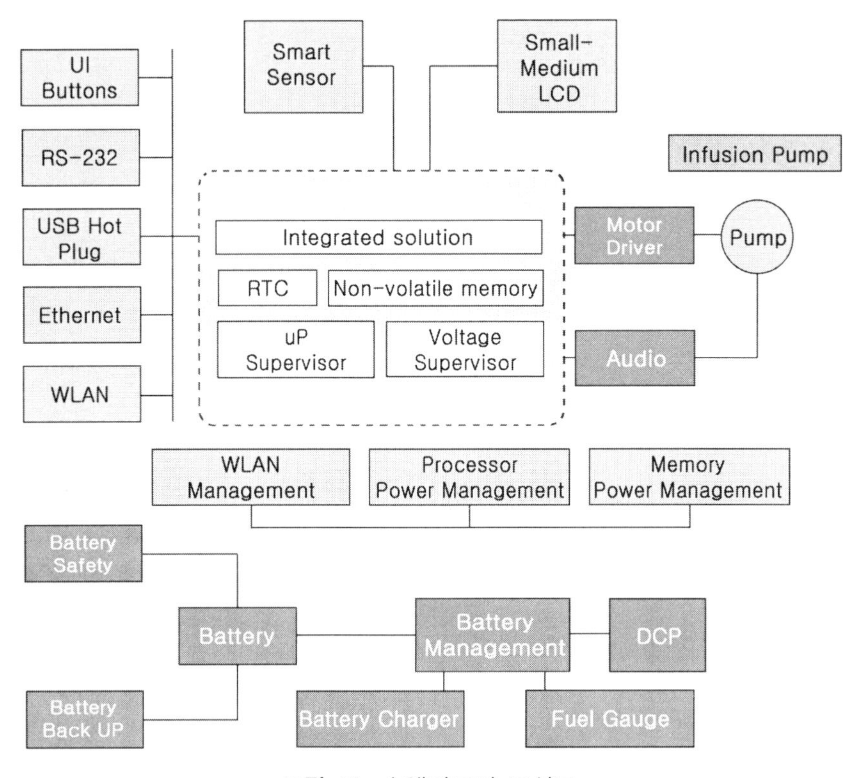

그림 16. 수액펌프의 구성도

(2) 수액 펌프의 종류

① **선형 연동펌프** : 순차적으로 동작하는 finger 타입의 선형 펌프를 이용하여 I.V 관재료를 압축하여 유체의 흐름을 앞으로 밀어내는 방식이다.

② **회전형 연동펌프** : 회전형 롤러가 장착되어 I.V 관재료를 환자측 방향으로 회전하면서 압축하여 유체의 흐름을 밀어내는 방식이다. 롤러의 속도를 변화시킴으로써 주입량을 변화시키게 된다.

③ **교환형 피스톤펌프** : 유체의 고정 볼륨을 갖는 원통 속을 선택된 비율로 움직이는 피스톤이 유체의 흐름을 밀어내는 방식이다.

④ **횡격막형 피스톤펌프** : 유연성 있는 고무 횡격막과 밸브들로 이루어져 있다.

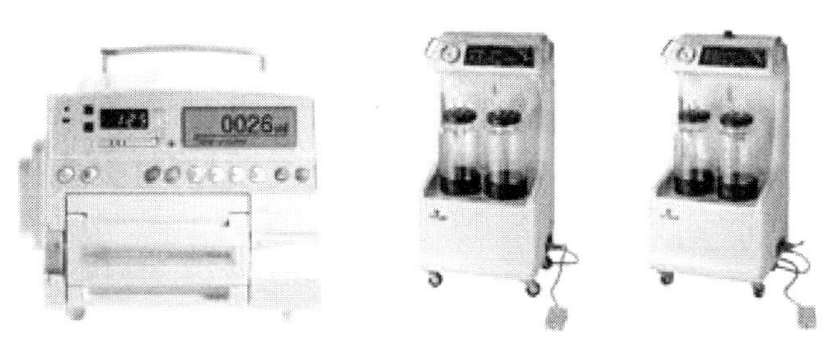

그림 17. 수액펌프의 종류

4. 일반적인 사양

표준 IV세트(15, 20drops/ml)에서부터 미세 약품방울 IV 세트(60drops/ml) 구동 가능, 주입량 세팅 범위 1ml/h~999.9ml/h 정도, 정확성 ±5% 이내(0.1ml/h 내외)이다.

일반적인 사용 온도조건은 5~40℃ 정도이며, 상대 습도는 ≦90% 유지가 일반적이다. 폐쇄 압력은 40kPa~140kPa, 8가지 폐쇄 감성 경보, 전원 장치로는 100V~240V, 50Hz/60Hz, 내부 전지는 재충전된 Ni - 수소 전지, DC12V, 2000mAh(이때 부하시간 ≥5hr)이다.

5. 작동(action, operation)

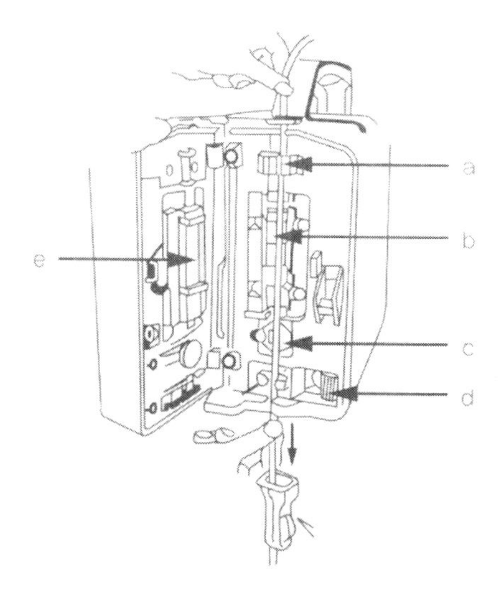

그림 18. 수액펌프의 주요명칭

그림 18의 a는 수액밸브의 잠김 기능을 하는 역할을 담당하고. b는 수액의 농도 상태를 파악하며, c는 수액유속을 측정하고, b는 수액펌프의 잠금장치이며, esms 전체 제어를 담당하고 있다.

(1) 작동순서

① 전원 스위치를 켠다
② 문을 열어 하단부 Tubing Lever를 당긴다.
③ 준비된 I. V Set을 일직선이 되도록 삽입한다.
④ 문을 닫는다. 이때 Tubing Clamp는 자동으로 잠긴다.
⑤ I. V set 챔버에 Drop Sensor를 장착한다.

[주의] 챔버에 약물을 절반 이하로 채우고 Sensor는 약물이 없는 부분에 장착한다.

⑥ INFUSION SET 조절, I.V Set에 표시된 대로 조절 : 한국표준 15(1cc = 15Drop)
⑦ **Rate 값 설정** : **예)** 300cc를 1시간에 주입하려면 Rate를 300으로 설정
⑧ **Limit 값 설정** : 9999㎖ 또는 ---- 설정 시 Bottle 이나 Pack 용량이 다 들어간다.
⑨ START 버튼을 눌러 작동시킨다.

(2) 알람기능

① **COMPLETION** : 설정된 값에 따라 약물이 다 주입된 상태(Limit 값)
② **AIR** : 공기 흡입시
③ **OCCLUSION** : 과부하 발생시, I. V Set 막힘
④ **FLOW ERR** : 챔버에 약물 방울이 불규칙적으로 떨어질 경우(INFUSION SET 잘못 설정 시)
⑤ **EMPTY** : I.V Set 챔버가 비어있고 약물이 전혀 떨어지지 않을 경우
⑥ **DOOR** : 문이 열렸을 때
⑦ **PURGE** : 급속 주입 시

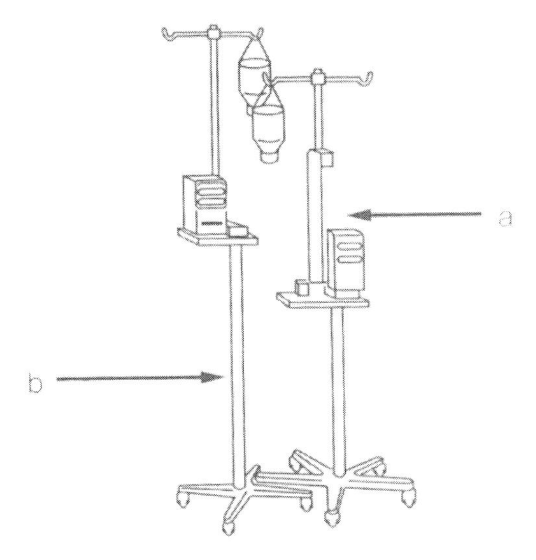

그림 19. 안정된 이동형 수액펌프의 비교

수액의 흐름을 이론적으로 설명한 것이 베르누이 방정식이다. Bernoulli의 상태 방정식은 다음 식과 같다.

$$P1 = P2 + \rho Q22(1/A221/A12) + \rho g \Delta h$$

Bernoulli의 불안정상태 방정식은 다음과 같다.

$$P1 = P2 + \rho Q22(1/A221/A12) + \rho g \Delta h + \int (dvs/dt)ds$$

유채 내의 임의 지점에서의 압력을 p, 밀도를 ρ(rho), 유속을 v, 중력가속도를 g, 높이를 h라고 한다면, 베르누이(Bernoulli)의 방정식은 다음과 같다

$$p + \rho gh + \rho(v^2)/2 = \text{일정(constant)}$$

5.4 전기수술기

1. 외과적 수술과 출혈

(1) 인체 내부의 조직이나 기능에 이상이 있을 경우 외과적 수술이 필요할 수 있으며 이러한 경우 인체 조직을 절개하게 된다. 이 때 많은 출혈이 일어날 수 있으며 심할 경우 생명이 위험한 상태가 될 수 있다. 혈액은 인체 내를 순환하면서 물질 운반, 체온 조절, 면역 기능 등 중요한 역할을 함으로 혈액이 많이 손실되면 위험하다. 혈액이 제 기능을 충실히 행하려면 일정한 혈액량이 유지되어야 하기 때문이다. 또 수술 시 많은 출혈이 있으면 시야 확보가 어렵다는 단점도 있다.

(2) 전기수술기는 전기에너지를 이용해 수술 시 출혈량을 줄여서 혈액의 손실을 줄이고 시야를 확보할 뿐만 아니라 흉터도 심하게 남기지 않는다. 그래서 전기수술기는 현대의 외과 수술에 있어서 필수적인 기기이며 출혈이 많은 수술에서 널리 쓰인다.

2. 인체와 전류

(1) 인체는 전류에 대해 저항으로 작용한다. 만약 과다한 전류가 인체를 통해 흐른다면 그 전류의 열작용에 의해 화상, 통증, 호흡이상, 심장발작 등이 발생할 수 있다(표 1).

표 1. 전류의 세기에 따른 인체의 반응

전류의 세기(A)	인체의 반응
0.001 이상	전류를 감지할 수 있음
0.01~0.1	전류가 느껴지는 곳에서 손을 땔 수 있음
0.1 이상	통증, 호흡곤란, 어지름증을 느낌
0.5~1	심실세동 발생
5이상	화상 발생

(2) 이러한 인체의 반응은 전류의 줄열 때문에 발생한다. 이러한 위험성 때문에 직류전류나 낮은 주파수의 교류전류를 인체에 흐르게 하는 것은 불가능하다. 직류전류나 나증에 주파수의 교류전류는 사람을 통과하면 고통과 충격을 줄 수 있기 때문이다. 하지만 20kHz이상의 고주파 전류가 통과하면 고통도 없고 근육수축도 일어나지 않는다.

(3) 조직은 그 형태에 따라 저항값이나 전도율이 다양하다. 지방이나 폐가 저항이 높으며 혈액이나 근육은 저항이 낮다(표 2). 그래서 전도율도 근육은 높고 지방은 낮다. 피부는 저항도 중간수준이며 전도율도 중간수준이다.

표 2. 조직 형태에 따른 저항값

조직 형태	평균 저항값
혈액	160Ω
근육, 신장, 심장	200Ω
뇌	700Ω
폐	1000Ω
지방	3300Ω
간, 비장	300Ω

(4) 고주파의 교류전류를 흘려주면 표 1과 같이 위험한 반응을 일으키는 데 필요한 전류의 역치가 증가하게 된다. 따라서 활동전위를 일으키지 않고도 조직을 열적으로 변성시킬 수 있다.

(5) 전기수술기에서는 전류를 몸 전체에 흐르게 하지 않고 표피에만 흐르게 하는 방법으로, 300kHz~3MHz, 1~10kV의 고주파 교류전류를 이용한다. 교류전류를 인가하면 도선 내부에 표피보다 많은 자력선이 분포하게 되어 표피 쪽으로 전류가 흐르기 수비다. 이러한 현상을 표피효과라 한다. 교류 전류의 주파수가 높을수록 표피효과는 강해진다. 즉, 인체에 적당한 주파수의 교류전류를 인가하면 체내로 흐르지 않고 피부로만 흐르게 할 수 있다.

3. 전기수술기의 원리

(1) 전기수술기는 단극 방식일 경우 본체, 전극, 대극판으로 구성된다. 본체에서 전류가 발생해 인체와 직접 닿는 전극으로 정해진다. 이 전극을 통해 몸으로 전류가 전해지며 이 전류는 다시 대극판으로 흘러나와 본체로 돌아온다.

(2) 전극이 접촉하는 부위는 전류가 집중해서 흐르게 되고 높은 온도로 열이 발생하게 된다. 하지만 전류가 체내를 통과할 때는 어느 한 점에 집중되는 것이 아니라 넓게 퍼져 흐르게 되므로 몸 안에서는 열이 발생하지 않는다. 그래서 직접 전극이 닿는 부분에만 전기 수술기가 작용하게 된다.

(3) 전기수술기의 작용은 절개, 응고, 지혈 등 크게 세가지가 있다. 절개는 응고보다 더 높은 출력을 필요로 하기 때문에 응고시킬 때보다 높은 주파수의 전류를 사용한다.

(4) 전극이 닿는 부위에는 전류가 집중되어 흐르고 그 부분이 고온이 된다. 고온으로 올라가면서 세포내액, 세포외액이 순간적으로 온도가 높아지며 세포가 파열된다. 이렇게 세포가 파열되는 것을 이용해 전기수술기로 절개를 하게 된다. 전기수술기로 절개한 경우 단백질이 열에 의해 변성되어 출혈이 일어나지 않는다.

(5) 대극판은 체내에 흐르는 전류를 다시 본체로 돌려보내는 역할을 한다. 그런데 만약 이 대극판이 수술 시 사용하는 전극처럼 면적이 좁으면 대극판에 닿는 피부에도 열이 집중되어 절개되거나 화상을 입을 수 있다. 그러므로 대극판은 항상 인체와 접촉면이 넓어야 한다. 대극판이 클수록 전기수술기의 안전성이 높다. 소아 환자의 경우 체표면적이 작기 때문에 큰 대극판을 사용하기 어렵다. 대극판이 작으면 전기수술기에 의하여 출력이 제한된다.

(6) 대극판은 납이나 스테인리스 판으로 된 재사용 가능한 종류도 있고 일회용으로 나온 종류도 있다. 대극판의 특성이나 전기수술기의 특징을 고려하여 적절한 것을 사용해야 한다.

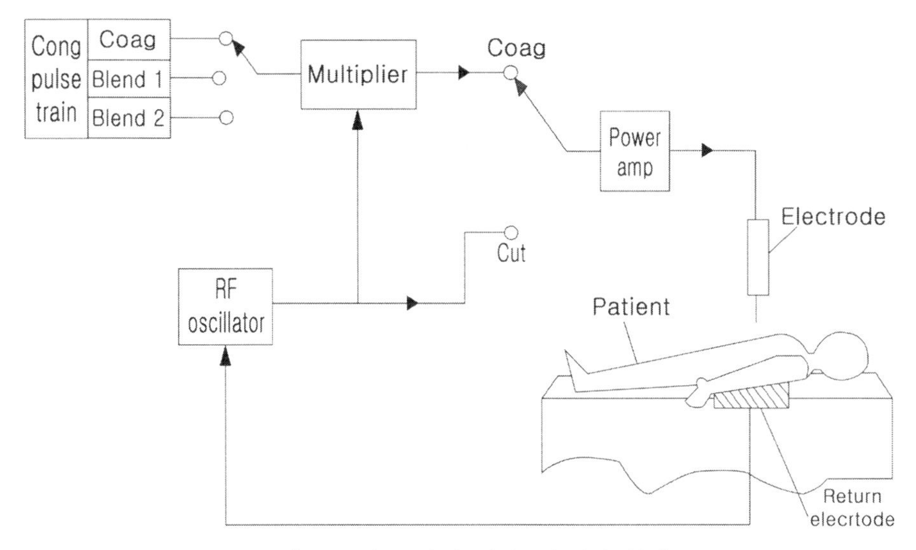

그림 20. 단극 방식 전기수술기의 원리

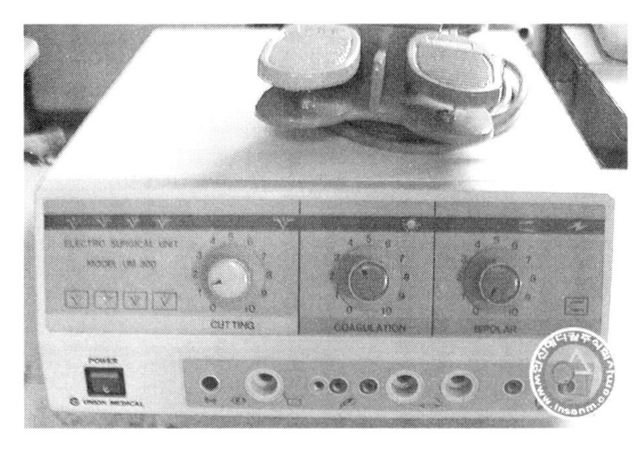

그림 21. 단극 방식 전기수술기

(7) 양극 방식 전기수술기는 대극판과 전극 대신 핀셋 모양의 전극(그림 22)을 사용한다. 양극 방식 전기수술기는 자근 조직, 모세혈관을 시술할 때 수술의 정확도를 높이고 주변 조직의 상처를 최소화하기 위해 사용한다. 단극 방식은 대극판을 통해 전류가 돌아가지만 양극 방식에서는 전류를 가하는 곳과 돌아가는 곳이 같다. 단극 방식에 비해 출력이 작아서 50~70W 정도이다.

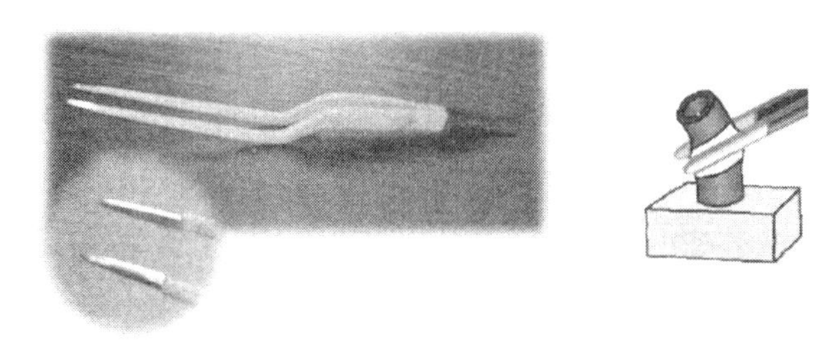

그림 22. 양극 방식 전기수술기의 전극

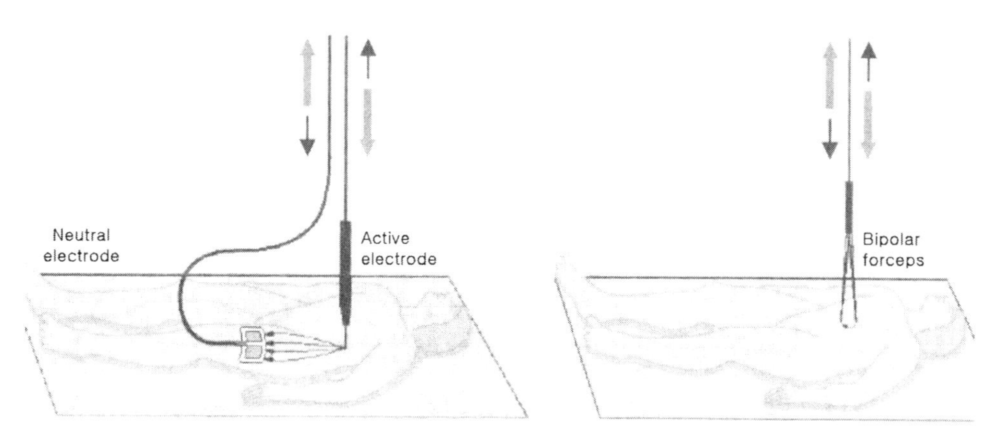

그림 23. 단극 방식과 양극 방식의 차이

4. 전기수술기의 작용

(1) 절개

고주파의 강한 전력을 이용해 조직을 절개한다. 피부의 절개보다는 불필요한 조직이나 종양 등을 절개할 때 많이 사용한다. 주변조직이 손상될 수 있으므로 정밀을 요하는 수술(뇌, 심장 등)에는 거의 사용하지 않는다. 인체 내부로 삽입해서 사용하기도 한다. 출력은 최대 300W, 일반적으로 많이 사용하는 출력은 130W 정도이다.

(2) 응고

조직을 응고시켜 지혈을 한다. 수술 시 출혈이 있는 부위에 사용하며 절개 시 사용하는 전력보다 낮은 전력을 사용한다. 전력을 낮추면 절개되지 않고 조직이 타서 출혈이 멈춘다. 단, 출력전압을 낮추면 지혈이 되지 않으므로 출력 전압은 그대로 두고 주파수를 낮춘다. 사용하는 에너지 출력은 100~130W 정도이다.

(3) 지혈

절개와 응고의 중간방식이다. 조직을 절개하거나 응고시킬 때 상황에 따라 전기수술기의 작동 방식을 바꾸어주어야 하는데 이러한 불편한 점을 개선한 것이 지혈 방식이다. 전압이나 주파수를 모두 변화시킬 수 있어 조절을 어떻게 하느냐에 따라 응고 방식과 가까워지기도 하고 절개 방식과 가까워지기도 한다. 즉, 상황에 맞는 최고의 상태로 전기수술기를 사용할 수 있다.

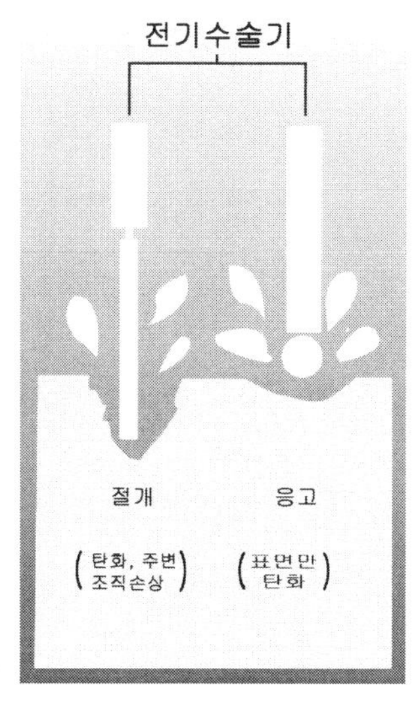

그림 24. 전기수술기의 절개와 응고

표 3. 출력에 따른 사용분야

전력의 크기	사용분야
낮은 전력 절개 및 응고 시 30W 미만	신경외과, 피부과, 성형외과, 구강외과, 복강경 수술, 정관수술 등
중간 전력 절개 시 30~150W 응고 시 30~70W	일반외과, 정형외과, 흉부외과, 폴립절제술
높은 전력 절개 시 150W 이상 응고 시 70W 이상	요도 경유 절제술(요도를 통한 수술), 종양제거, 유방 절제술, 개흉술

5. 전기수술기 본체의 구성

(1) 보편적으로 전기수술기의 본체는 전원회로, 발진회로, 증폭회로, 조정회로, 출력회로, 안전회로로 구성된다.

(2) 안전회로는 환자의 상태에 따라 적절히 출력을 제한시키는 회로이다. 예를 들어, 환자의 대극판이 단선될 때 환자와 의료진이 모두 부상의 위험이 있다.

이를 방지하기 위해 단선 여부를 감지, 단선될 때 출력되지 않게 작동한다.

(3) 대극판에 흐르는 전류를 감시해 전류가 끊어지면 출력을 차단하는 방식도 있고(전류감시법) 전극이 환자의 시술부위에 접촉했을 때만 출력되는 방식(환자감시법)도 있다.

6. 아르곤(Ar) 빔 전기수술기

전기수술기의 전극 끝에서 아르곤 기체를 분사하면서 전극에 강한 전류를 흐르게 하면 아르곤 기체가 이온화된다. 또, 아르곤 빔 때문에 주변공기가 차단되는 효과가 있기 때문에 조직이 타지 않고 응고되는데 응고가 진행되어 건조되면 조직의 저항이 증가해 전류의 전달이 제한된다. 그래서 조직의 온도가 일정 상한선을 갖고 멈추게 되며 주변 조직 및 혈관의 손상이나 괴사가 최소한으로 일어나게 할 수 있다. 연기가 적게 발생하며 시야 확보가 되며 보다 안전한 수술이 가능해진다.

7. 전기수술기 사용시 주의사항

(1) 대극판 사용시 주의사항

① 대극판은 전류를 본체로 돌려보내주는 중요한 역할을 한다. 에너지가 한 곳에 집중되지 않도록 면적을 최대한 넓게 해야 하며 면적이 작을 경우 사용하는 에너지의 양이 제한될 수 있다. 그래서 적절한 대극판을 선택하고 그에 따른 에너지를 설정하면 안전성을 높일 수 있다.

② 대극판을 부착한 부위에서 화상을 입을 수 있기 때문에 대극판을 부착할 때 주의해야 한다. 뼈가 돌출되어 있거나 체모가 많은 부분은 에너지가 집중되거나 전류가 원활하게 환류하는 것을 막을 수 있기 때문에 부착하지 않는다. 대극판은 충분한 면적이 있는 근육부에 부착하는 것이 좋다. 체모는 제거하고 부착하는 편이 좋다. 부착할 때도 수술 중 떨어지거나 움직이지 않도록 젤을 충분히 발라 부착한다. 수술 중에 대극판의 움직임은 화상의 원인이 될 수 있다.

(2) 높은 에너지를 사용하기 때문에 화상 및 전기쇼크 위험이 크다. 그래서 사용 시 항상 최대 출력 확인, 출력파형 관찰, 전류 누설 점검, 대극판의 접지 확인 등 전기적인 점검이 필요하다. 또, 전기수술기 때문에 발생하는 연기나 수술실의 다른 전자기기에 의한 전파 장해, 화상에도 유의해야 한다.

① **연기** : 전기수술기를 사용하면 연기가 난다. 이 연기에는 벤젠, 포름알데히드 등이 포함되어 있어 악성종양이나 감염환자가 마실 경우 위험할 수 있다. 그러므로 전기수술기를 사용하는 수술실에는 연기를 빠르게 배출할 수 있는 시설이 되어 있어야 한다.

② **접지** : 전기수술기 사용 중 누전이 발생하면 전기쇼크가 발생해 환자의 생명이 위험할 수 있으므로 사고 방지를 위해 본체는 항상 접지시켜야 한다. 본래 자체에 누전되지 않게 만들어져 있지만 만약 누전이 되더라도 안전하게 땅으로 흘러들도록 접지시켜야 한다.

③ **전파장애** : 전기수술기는 큰 전력을 사용하므로 주위의 모니터, 디지털기기, 페이스메이커등 전자기기들에 영향을 줄 수 있다. 이렇게 영향을 받을 가능성이 있는 기기에는 필터를 장책해 피해를 줄여야 한다.

④ **화상** : 대극판을 붙인 부위에서 일어날 수도 있고, 대극판을 붙이지 않는 부위에서 발생할 수도 있다. 대극판의 일부에 전류가 집중될 경우나, 전류가 대극판을 통한 방법이 아닌 다른 방법으로 본체에 돌아오는 경우 화상이 발생할 수 있다. 이를 방지하기 위해 대극판을 주의해서 적절히 부착하고 수술 현장의 다른 전자기기들의 사용에 유의해야 한다. 또, 수술 중 대극판이 몸에서 벗어나면 면적이 좁아져 위험할 수 있으므로 벗어나지 않도록 유의해야 한다.

⑤ **폭발** : 전기수술기의 전극에서는 불꽃이 일어나므로 인화성 마취가스, 산소 등 가연 기체의 농도가 높은 환경에서 사용하면 화재가 발생하거나 폭발사고가 일어날 위험이 있다. 그러므로 이러한 환경에서는 사용하면 안된다.

5.5 페이스메이커

1. 심장의 페이스메이커

(1) 정상적인 심장은 동방결절이라는 페이스메이커에 의해 심박이 조정된다. 동방결절에서 일정한 주기로 전기충격을 발생시키고 이 전기충격이 심방을 수축시킨다. 그 후 심방과 심실 사이의 방실결절로 전기충격이 전달되어 활성화되고 심근 전체로 전기충격이 퍼져 심장이 수축하게 된다(그림 25).

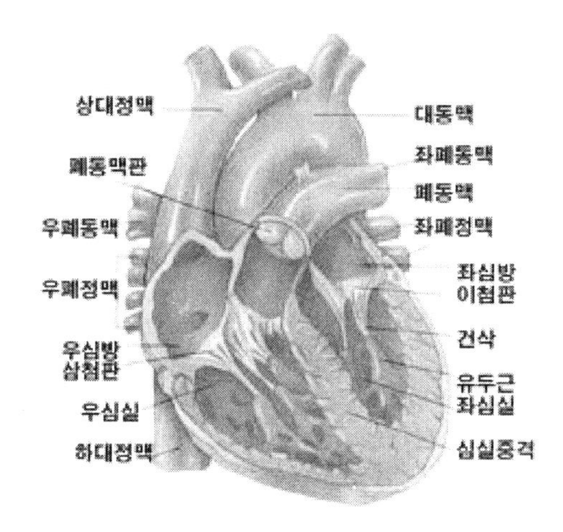

그림 25. 심장의 전기전도계

(2) 동방결절이 제 역할을 다하지 못해서 심장의 전기전도계에 이상이 생기는 현상을 심장 블록(heart block)이라 한다. 이러한 현상의 결과로 심장의 비정상적인 상태로 호흡곤란, 현기증, 심계항진(가슴이 두근거림) 등의 증상이 발생할 수 있고, 심할 경우 생명에 위협 받을 수 있다.

(3) 부정맥은 각종 심장질환의 합병증이나 후유증으로 발생하며 부정맥, 특히 서맥(비정상적으로 느린 부정맥)의 치료법 중에 하나가 인공 페이스메이커를 사용하는 방법이다.

(4) 서맥이 발생하면 혈액 박출량이 충분하지 못해 몸의 대사요구량을 채울 수 없

게 된다. 그 결과 현기증, 실신, 호흡곤란 등의 증상이 나타난다. 서맥은 동기능부전, 방실전도차단 등의 종류가 있다(그림 26). 동방결절의 전기 자극 주기가 일정하지 않고 느려지거나 멈추는 것이 동기능부전에 의한 서맥이고, 동방결절에서 전기 자극은 정상적으로 발생하는데 방실결절에서 문제가 생겨 심실로 자극이 제대로 전도되지 못하는 것이 방실전도차단이다. 서맥이 심해서 약물로 치료가 불가능할 경우 페이스메이커를 사용하는 것이 증상을 개선시킬 유일한 방법이다. 서맥의 정류에 따라 페이스메이커의 사용법이 달라진다.

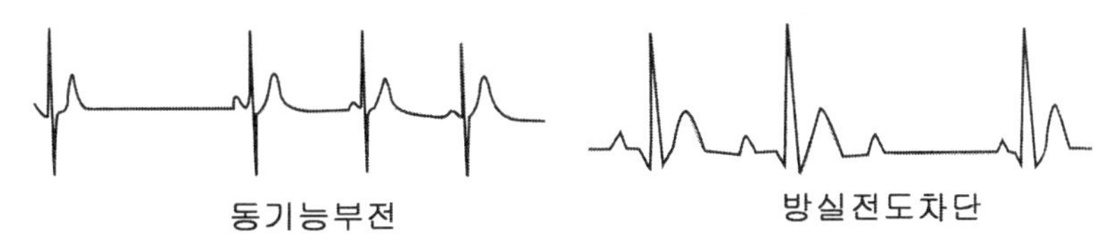

그림 26. 서맥의 종류

2. 인공 페이스메이커(인공 심박조율기)의 구성과 원리

(1) 인공 페이스메이커는 심장이 정상적으로 뛰도록 해주는 장치이다. 단, 심장마비 가능성이 있는 부정맥(심실세동, 심실성빈맥 등)이 있는 응급환자의 경우 페이스메이커가 아니라 제세동기를 사용해야 한다. 페이스메이커는 각종 심장질환의 증상인 부정맥, 특히 서맥을 치료하는데 효과적이라서 비후성 심근증, 심부전증 등 부정맥을 유발하는 질병에도 효과가 있다.

(2) 인공 페이스메이커는 두 가지 종류가 있다. 체외에서 사용하는 임시형 페이스메이커와 체내에 이식하는 영구형 페이스메이커이다. 인공 페이스메이커는 종류와 상관없이 크게 본체와 전극선, 두 부분으로 나뉜다(그림 27). 영구적으로 이식하는 페이스메이커의 경우는 시술 수 관리를 해주는 프로그래머도 있다.

(3) 본체는 전기 자극 발생장치로, 반영구적인 건전지와 작은 컴퓨터와 비슷한 전기회로로 구성되어 있다. 전지는 에너지를 만들어낼 전력을 제공하고 회로는 전기 자극을 가할 시점과 에너지의 양을 결정한다. 본체의 기능은 심장박

동이 비정상적으로 변할 때 이를 감지하여 전지에서 미세한 전류를 심장으로 전달하는 것이다. 이 때, 전류는 0.1~20mA 범위(1초 동안 흐르는 전류의 범위)에서 조정이 가능하다. 이 전류로 인해 심근은 탈분극 되어 수축하게 된다. 전류는 심근을 탈분극 시킨 후에 다시 본체로 돌아온다. 본체는 가볍고 생체적합성이 좋은 금속으로 만들어진다.

(4) 전극선은 심근에 고정되어 본체에서 전달된 전류를 심장에 전달하는 역할을 한다. 뿐만 아니라 심장의 전기적인 활동을 감지하는 역할도 한다. 환자의 증상에 따라 사용하는 페이스메이커의 종류도 달라지고, 페이스메이커에 따라 작용방식도 다르다. 사용하는 전극의 개수는 1개에서 3개까지 다양하며 종류에 따라 개수가 다르다. 전극선은 전기전도성이 좋으면서도 외부와는 전기절연성을 가져야 하며 유연한 성질과 충분한 물성을 갖추어야 한다. 또한 심장의 자발적인 활동을 방해해서도 안 된다. 전극선은 주로 심장 안쪽으로 삽입되지만, 특정 경우에는 심장의 외부에 고정되기도 한다. 전극선은 기능에 따라 다시 네 부분으로 나뉜다.

① **접속핀** : 본체에 연결되어 에너지가 최초로 지나가는 전극선의 끝부분이다.

② **몸체** : 외부에 대해 절연되어 있는 금속선으로, 본체에서 발생한 전류를 심장으로 전달하는 길 역할을 한다.

③ **고정부위** : 전극선의 끝부분에 있으며, 심근에 전극선을 고정시킬 수 있는 모양으로 만들어져 있다.

④ **전극** : 고정부위 앞, 전극선의 제일 끝부분에 위치한다. 심장의 활동정보를 수집하여 본체로 전달하고 본체에서 발생한 전류를 심근에 전달하는 역할을 한다.

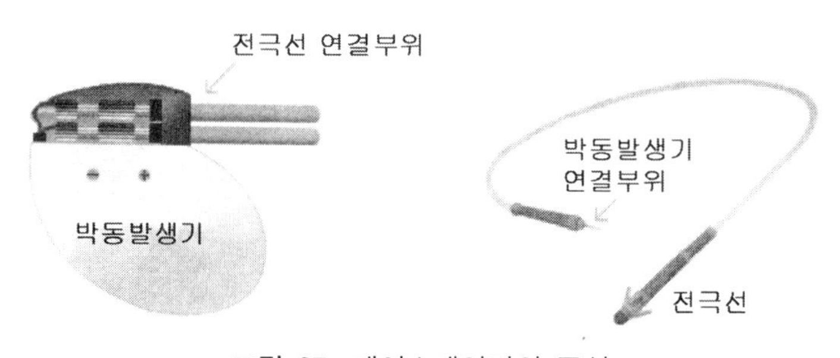

그림 27. 페이스메이커의 구성

3. 임시형 페이스메이커와 영구형 페이스메이커

페이스메이커는 크게 체외에서 사용하는 임시형 페이스메이커와 체내에 이식하는 영구형 페이스메이커로 나뉜다.

(1) 임시형 페이스메이커

체외에서 임시로 장착하는 페이스메이커로 부정맥이 심하지 않아 회복 가능성이 있어 장기적인 심박조율이 필요하지 않은 환자들의 치료에 사용한다. 또 영구형 페이스메이커를 이식하기 전에 심박을 안정시키는 목적으로도 사용한다. 서맥이 심한 응급상황에 응급처치를 위해 사용하기도 한다. 전원은 체외에 있으며 9V의 전압을 생성할 수 있다. 체내로 전극만 삽입해 심장에 충격을 준다. 전류 크기는 4~5mA에서 점차 낮게 조정한다. 심박수는 환자의 고유 심박수 보다 조금 낮게 설정한다.

(2) 영구형 페이스메이커

영구적으로 이식하는 페이스메이커로 부정맥이 심해 지속적인 심박조율을 필요로 하는 환자들에게 사용한다. 전극과 본체 모두 체내로 이식하므로 크기도 작고 가볍다(영구형 페이스메이커의 크기는 본체가 약 4cm 무게 17~24g, 전극이 약 50~60cm 정도이다). 임시형 페이스메이커와 달리 전원은 5V 정도의 전압을 발생시킬 수 있는 리튬전지이다. 전극은 정맥을 통해 심장에 삽입해 종류에 따라 적절한 위치에 놓고 본체는 전극선과 연결한 다음 쇄골 아래 피부를 절개해 넣어둔다. 영구

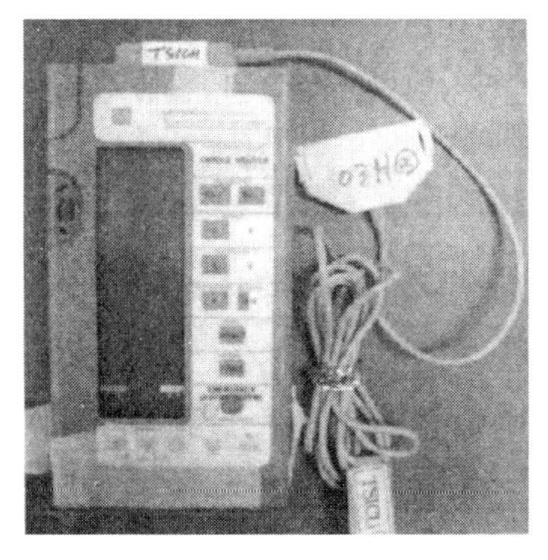

그림 28. 임시형 페이스메이커

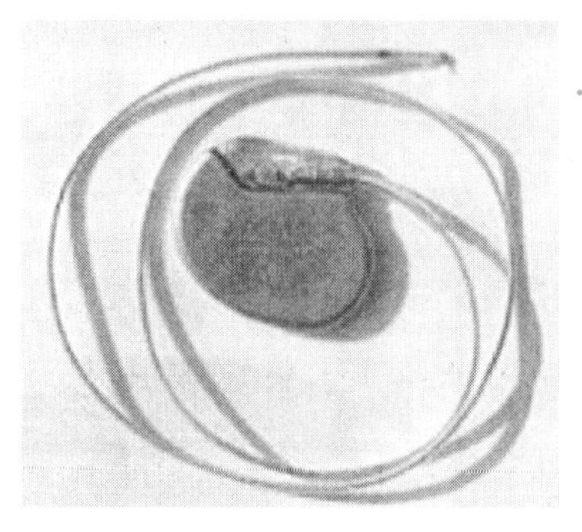

그림 29. 영구형 페이스메이커

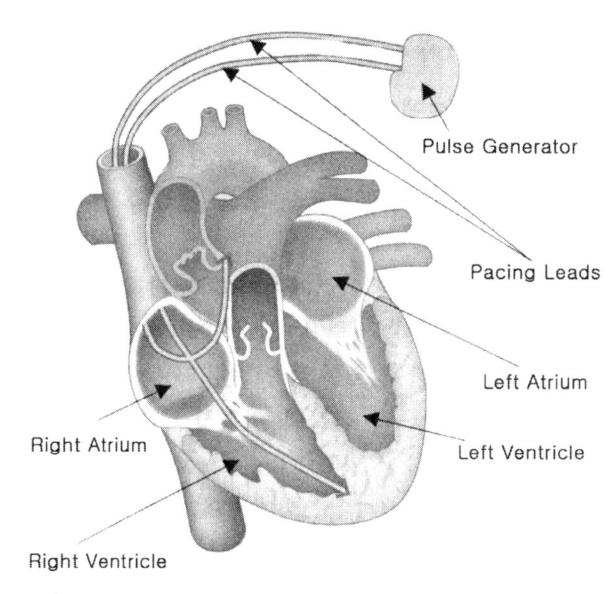

그림 30. 페이스메이커 이식

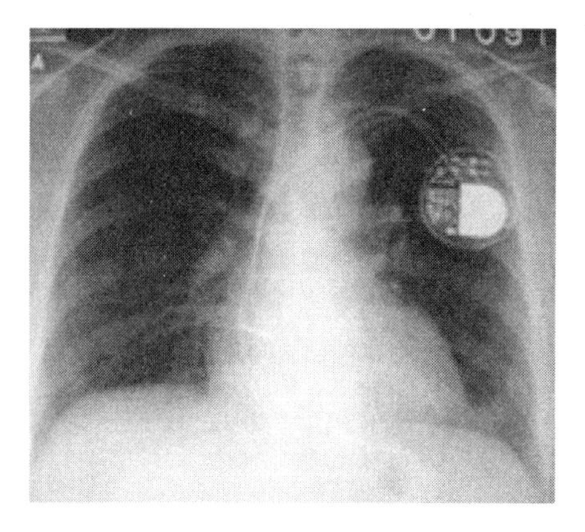

그림 31. 인공 페이스메이커가 이식된 모습

형 페이스메이커는 심한 부정맥 환자들이 일상에서 큰 불편함 없이 살아갈 수 있게 심박을 늘 조정해준다.

4. 페이스메이커 이식 후 점검

(1) 영구형 페이스메이커를 이식한 후에는 주기적으로 점검을 받아야 한다. 점검 주기는 개인의 건강상태에 따라 조금씩 다르지만 보통 6개월에서 1년에 한

번 정도이다. 페이스메이커를 점검 및 조정할 때 페이스메이커 조정기라는 일종의 리모콘을 이용한다. 조정기를 페이스메이커가 있는 피부 위에 올려놓으면 페이스메이커의 정보가 모두 인식된다. 이 정보를 바탕으로 치료기능을 조정하기도 한다. 치료기능을 조정할 때는 프로그래머에 지시사항을 입력하면 간단하게 조정할 수 있다.

(2) 페이스메이커를 점검할 때 몇 가지 필수 검사가 있다.

① 첫째, 심장 조율에 필요한 최소에너지인 조율역치를 구하고 조율 자극의 세기를 조정한다. 조율 자극의 세기가 너무 강하면 배터리가 빨리 떨어지고, 너무 약하면 조율 효과가 없으므로 적절히 조절해야 한다. 일반적으로 조율 자극의 세기는 조율역치의 두 배 크기로 한다.

② 둘째, 심전도를 확인한다. 심장과 페이스메이커의 전기적인 활동을 모두 확인하고 기록한다.

③ 셋째, 심장의 비정상 수축에 대한 감도를 확인한다. 심장이 수축할 때 그것을 얼마나 잘 감지하는지 검사한다. 감도가 높으면 심장의 비정상 수축을 잘 감지할 수 있으며 불필요한 전기 자극을 줄일 수 있다.

④ 넷째, 심박률 반응성 검사를 한다. 페이스메이커의 형태 중 발생시키는 전기 자극의 주기가 일정하게 정해진 것이 아니라 신체대사 요구량에 따라 자동 조절되는 페이스메이커의 종류도 있는데, 그 때 이러한 기능이 정상적인지 검사하는 것이다. 한 가지 방법으로 환자에게 운동을 시켜 페이스메이커의 반응을 보는 검사가 있다.

⑤ 전지는 반영구적인 것을 쓰기 때문에 전지의 수명은 대략 5~10년 정도로 긴 편이며, 배터리가 모두 소모되면 페이스메이커를 교체해야 한다. 교체할 때는 본체만 교체하면 된다.

5. 페이스메이커의 형태

페이스메이커는 여러 가지 형태로 나뉜다(그림 32). 이 형태는 심실 및 심방 박동의 조절여부와 조절방법에 대한 차이로 분류한다.

(1) Single Chamer

전극선 한 개만을 이용해 심방이나 심실 중 한 곳에만 두고 심박을 조절한다.

① **VVI(Ventricle Ventricle Inhibited pacing)** : 전극이 시실에 위치해서 심실 박동을 감지하고 조율하는 형태로 가장 간단하고 안전성이 높다. 심방과 심실 간의 박동 조화를 맞추기 힘든 단점이 있다. 심실기능이 저하된 환자에게는 사용하면 안 된다.

② **AAI(Atrium Atrium Inhibited pacing)** : VVI와 비슷하지만 전극이 심방에 있어 심방박동을 감지하고 조율한다. 심방전도에 문제가 있고 방실전도에는 문제가 없는 동기능부전 환자에게 사용한다.

③ **VVIR, AAIR(VVI/AAI Rate responsive mode)** : 전극은 각각 심실, 심방에 위치하고 위의 형태와 성질은 같다. 하지만 신체활동에 따라 심장의 활동, 호흡 등을 감지해 맥박수를 자동적으로 조절해주는 기능이 추가된 형태이다.

(2) Dual Chamber

전극선 두 개를 이용해 심방과 심실에 적절히 배치해서 심박을 효과적으로 조절한다. Single Chamber 형태보다 가격이 비싸고 성능이 좋다.

① **VOD(Ventricle Dual Dual)** : 한 개의 전극선과 한 개의 감지기가 있다. 전극선은 심실에, 감지기는 심방에 위치시킨다. 심방에 전기 자극을 주지 않고 심방의 움직임에 따라 심실의 움직임을 조율한다. 심방의 활동은 정상이지만 심실의 활동이 비정상적인 방실전도차단 환자에게 사용한다.

② **DDD(Dual Dual Dual)** : 전극선이 각각 심방과 심실에 위치해서 심방과 심실 모두를 감지하과 조율한다. 실제 심장과 비슷하게 심방과 심실을 순차적으로 조율한다. 즉, 심방조율과 심실조율 간에 적당한 간격을 둔다. 인체의 정상적인 심장과 비슷하게 활동하게 해준다.

③ **DDDR(DDD Rate responsive mode)** : DDD와 성질은 같지만 신체활동에 따라 심박수를 조절해주는 기능이 있다. DDD보다 실제 심장에 더욱 가까운 형태이다.

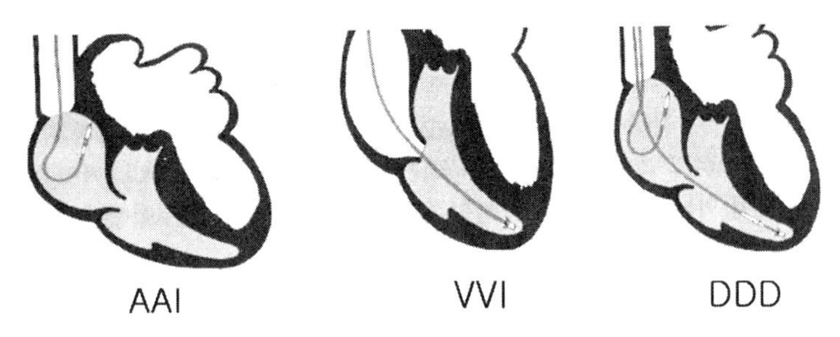

그림 32. 페이스메이커 형태에 따른 전극의 삽입

(3) Biventricular Pacing(BVP)

전극선이 세 개가 있고 각각은 좌심실, 우심실, 심방에 각각 위치한다. 전극선이 양쪽 심실에 모두 위치함으로써 좌우가 동시적으로 수축하지 않는 증상이 있을 때 다시 도시에 수축할 수 있도록 조율하는 역할을 한다. 그래서 이것을 심장 재동기화 치료(CRT : Cardiac Resynchronization Therapy)라고도 한다. 심실의 좌우가 동시에 수축하지 않는 것은 심부전 환자의 대표적 증상인데, 이 형태의 페이스메이커를 사용하면 심부전 환자들의 사망률을 낮추고 삶의 질을 크게 높일 수 있다.

※ 위에 언급한 형태는 모두 심박을 감지해서 필요할 때만 전기 자극을 가할 수 있도록 만들어진 형태이다. 초기의 페이스메이커는 이와 달리 한 번 자극 주기를 결정해 놓으면 심박이 정상적일 때라도 늘 그 주기대로 자극을 내보내는 형태였다. 그런 형태는 심장에 불필요한 전기 자극이 너무 많이 가해지고 배터리가 빨리 소모되는 경향이 있어 현재는 모두 필요할 경우에만 자극을 주는 형태로 사용한다.

6. 임시형 페이스메이커와 응급처치

(1) 임시형 페이스메이커의 사용은 심한 서맥에 대한 응급처치 방법으로, 상당히 효과적이다. 약물을 사용했을 때 반응이 없는 경우 임시형 페이스메이커를 이용한 전기적 치료를 하게 된다. 임시형 페이스메이커는 본체는 밖에 있고 전극만 체내로 삽입해 전기 자극을 심근에 전달한다.

① **경정맥 심박조율(transveinous pacing)** : 전극을 방사선 투시기를 사용해

내경정맥, 쇄골하정맥, 대퇴정맥 등 정맥을 통해 삽입해서 전기 자극을 전달한다. 가장 효과적이고 안정적인 방법이다.

② **경흉부 심박조율(transthoracic pacing)** : 흉벽에서 조율 전극선을 직접 심실 벽에 삽입하여 심장의 전기적인 활동을 강화한다.

③ **경식도 심박조율(transesophageal pacing)** : 전극을 식도를 토해 삽입, 조율한다.

④ **경피적 심박조율(transcutaneous pacing)** : 모든 서맥 증상에 있어 일차적으로 맥박을 안정화시킨다. 조율 패드를 환자의 가슴 앞뒤로 부착하고 ECG 파형을 관찰하면서 흘려주는 전류량을 변화시킨다.

(2) 응급상황 발생 시, 가장 신속하게 행할 수 있는 방법부터 시행한다. 가장 먼저 경피적 심박조율을 시도하고 효과가 없을 경우 경흉부 심박조율이나 경정맥 심박조율을 시행한다. 응급상황이 아닐 경우에는 환자에게 적절한 방법을 신중하게 선택해서 실시한다.

표 4. 응급 심박조율 방법에 따른 차이

심박조율 방법	조율 부위	장점	단점
경정맥 심박조율	심방, 심실	가장 안정적이고 효과적	침습적이며 시간이 오래 걸림
경흉부 심박조율	심실	빠르게 시행가능	시행이 다소 복잡함
경식도 심박조율	심방	안전하며 심방의 활도 정보를 정확히 알 수 있음	환자의 내성이 생길 수 있음
경피적 심박조율	심실	간단하고 안전하며 빠른 시간 내에 시행가능	심장의 활동을 정확히 알기 어렵고 내성이 생길 수 있음

7. 이식형 제세동기와 페이스메이커의 차이

(1) 이식형 제세동기(ICD)와 페이스메이커는 모두 부정맥 치료기기이다. 두 가지를 결합시켜서 나오는 기기도 있다. 하지만 두 가지 기기는 다른 부정맥의 형태를 치료한다.

(2) 부정맥은 심장박동이 불규칙한 상태를 말한다. 정상보다 맥박이 빠를 수도 있고 느릴 수도 있으며 발생하는 부위도 다양하다. 또, 비교적 간단히 치료할 수 있는 경우가 있고 빨리 대처하지 않으면 생명이 위험해지는 경우도 있다. 부정맥은 간단히 약물로도 치료 할 수 있지만 제세동기나 페이스메이커를 사용해야 할 만큼 심각하기도 하다.

(3) 제세동기는 세동을 제거하는 기기이다. 세동은 심근이 불규칙하고 빠르게(분당 300회 이상) 수축하면서 혈압이 낮아지고 빠른 응급처치를 하지 않으면 심정지, 사망으로 이어진다. 제세동기로 치료하는 대표저긴 증상이 심실세동과 심실성빈맥이다. 제세동기는 전기자극을 매우 강하게 주어 심근 세포의 대부분을 한꺼번에 탈분극 시킨 다음 동방결절의 회복을 유도한다. 심한 부정맥 경력이 있는 환자들에게는 제세동기를 체내에 이식해서 위험한 상황에 빠르게 대처할 수 있도록 해 준다.

(4) 페이스메이커는 부정맥 중에서도 서맥일 경우 많이 사용한다. 서맥의 증상이 심할 때 응급처치로도 사용하지만 일상생활에서 서맥의 증상으로 고통 받지 않도록 이식하기도 한다. 페이스메이커는 제세동기와 다르게 심장이 박동할 정도의, 심실이나 심방이 탈분극화 되어 수축할 정도의 전기 자극만 가한다. 따라서 가하는 전기 에너지는 페이스메이커가 훨씬 작다. 그래서 안전성도 페이스메이커가 더 높다.

8. 페이스메이커 이식 후 주의사항

(1) 가정에서 사용하는 대부분의 전자기기는 사용 가능하다. 하지만 자석 요, 고주파/초음파 온열치료기 등은 사용하면 안 된다. 휴대폰은 사용 가능하지만 페이스메이커와 일정 거리(15cm) 이상 유지한 상태로 사용하는 것이 좋다. 그 외에도 강한 전기나 자석의 영향을 받을 가능성이 있는 기기를 주의하고 그러한 장소를 피하는 것이 좋다.

(2) 의료행위에 있어서 몇 가지 제한을 받을 수 있다. X-ray, 초음파, CT 등은

영향을 주지 않지만, MRI는 페이스메이커를 영구적으로 손상시키므로 MRI 촬영을 할 수 없다. 또 방사선치료, 전기 수술, 열 치료, 쇄석술을 시행하면 페이스메이커가 오작동을 일으킬 가능성이 있으므로 의사와 상의 후 시행해야 한다. 만약 페이스메이커를 이식한 환자에게 제세동이 필요한 상황이 온다면, 제세동기를 사용하는 데 있어서 전극을 부착하는 데 주의를 기울여야 한다. 전극은 페이스메이커의 위치에서 약간 벗어난 곳에 부착해 강한 전류에 페이스메이커가 영향을 받지 않도록 한다.

9. 페이스메이커의 이식에 따른 부작용

(1) 페이스메이커의 사용으로, 많은 부정맥환자들의 생명을 살릴 수 있게 되었다. 페이스메이커 이식은 다른 부정맥 치료법보다 안전하고 간단하며 합병증이 적어서 많이 사용하는 치료법이다. 하지만 페이스메이커를 여러 번 설치하면서 드물게 부작용으로 상대정맥 증후군이 나타날 수도 있다.

(2) 페이스메이커의 전극을 삽입할 때 상대정맥으로 많이 삽입하는데, 이 때 상대정맥에서 혈전에 의한 폐쇄가 일어날 수 있다. 이러한 상태를 상대정맥 증후군이라 한다. 혈전은 보통 삽입된 전극을 따라 생긴다. 이러한 경우 심하면 혈관내막과 협착을 일으키기도 한다. 상대정맥 증후군은 항응고제, 혈전용해제를 사용하거나 혈전제거술, 풍선확장술 등 다양한 치료방법을 통해서 치료할 수 있다.

(3) 또, 심근에 전극선이 고정된 부위에 외부 물질에 의한 염증반응을 일으킬 수 있다. 이를 방지하기 위해 전극선의 끝부분인 전극에 항염증 약물을 첨가시켜 심장에 고정해둔다. 그러한 처리를 통해 전극선 끝부분에서 약물이 방출되고, 결합부위의 염증이 감소하며 상처가 줄어들어 심박조율의 효과를 증대시킨다.

5.6 인공심장

1. 혈액투석의 정의

혈액투석은 투석기(인공신장기)를 이용하여 혈액으로부터 노폐물을 걸러주고 신체 내의 전해질 균형을 유지하며 과잉의 수분을 제거하는 방법이다. 혈액투석을 받기 위해서는 혈관에 투석치료를 위한 통로를 만들어야 한다. 이것은 외과적 수술을 통해 주로 전박(아래팔)의 동맥과 정맥혈관을 연결해서 혈관을 점점 굵게 만드는 것으로 이 굵어진 혈관을 동정맥루라고 한다. 동정맥루가 충분히 굵어지면(약 6주 이상 소요) 주사바늘을 이곳에 삽입하여 투석기와 연결한 후 투석치료가 시작된다. 혈관이 발달하지 않은 사람들은 인공혈관을 사용해 누관을 만들 수 있다. 만약 동정맥루를 만들기 전에 혈액투석을 해야 하는 급한 상처에서는 플라스틱관을 어깨부분의 큰 혈관이나 서해부정맥에 넣어야 투석이 가능하다. 어깨부분의 큰 혈관에 넣은 관은 2주에서 한달 정도 사용할 수 있다.

(1) 장점

① 환자가 병원에 정기적으로 오기 때문에 다른 환자나 치료진과 정기적으로 접촉하게 되어 위로가 되고, 의료진이 치료해 줌으로 안전하다.
② 매일 치료하지 않고 주 2~3회의 치료로 충분하다.
③ 집에 특별한 도구가 필요 없으며 동정맥루 수술 후에는 신체에 카테터를 달고 다니지 않아도 된다.

(2) 단점

① 고정된 스케줄에 맞춰 주 2~3회 투석실에 와야 하는 번거로움이 있다.
② 기계에 의존해야 한다.
③ 치료 때마다 두 번 주사에 찔려야 한다.
④ 주 2~3회만 투석하며 바로 식이나 수분의 제한이 심하다.
⑤ 투석과 투석 사이에 쌓인 노폐물을 몇 시간에 걸쳐 빼므로 투석 후 피로하거나 허약감을 느낄 수 있다.

2. 원리

혈액투석에서 용질의 제거는 확산과 대류에 의해 이루어지고, 체액 제거는 초과에 의해 이루어진다.

(1) 확산(diffusion)

혈액과 투석액 사이에 반투막을 두고 요소나 칼륨 같은 용질이 이동하는 것으로, 반투막 면적(surface area) 및 투과성(permeability), 혈액과 투석액 사이의 농도차(concentration gradient) 및 유속(flow rate) 분자 크기 등에 좌우된다.

(2) 대류(convection)

반투막을 토해 체액이 이도할 때 상당량의 용질이 용매끌기(solvent drag)라고 불리는 마찰력에 의해 움직이는 것으로 보통의 혈액투석으로는 대류에 의한 용질 이동은 적지만, 초여과율이 높은 고유량 투석기(high-flux dialyzer)에서는 그 역할이 크다.

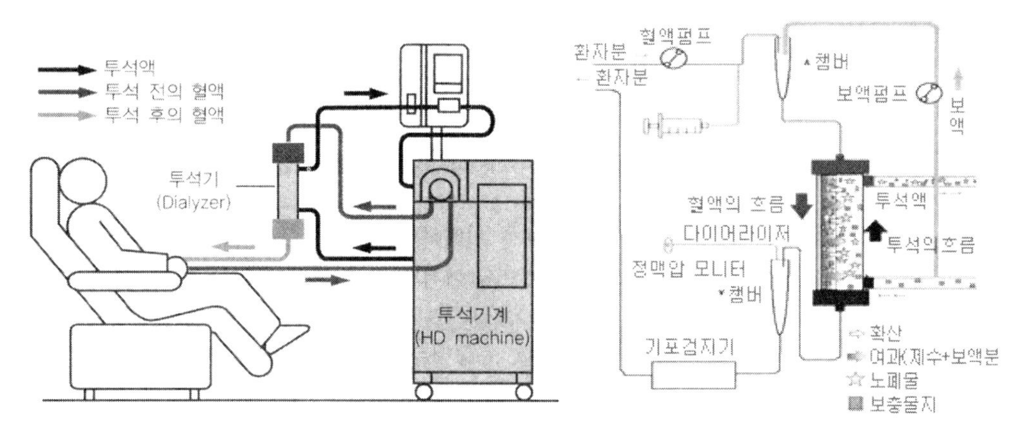

그림 33. 혈액투석 시스템

(3) 초여과(ultrafiltration)

① 혈액구획에 양압을 걸고 투석액 구획에 음압을 걸어 이것의 합이 막간 정수압(transmembrane pressure)을 형성한다. 따라서 일정한 막간 정수압에서 일

정 시간 동안 제거할 수 있는 수분량을 투석기 초여과계수라고 할 때, 초여과율은 초여과계수와 막간 정수압, 투석시간 등에 의해 결정된다.

② 혈액투석은 확산과 초여과가 동시에 이루어지고, 순차적 초여과 혈액투석은 초여과만 먼저 시행하고 혈액투석은 그 다음에 시행하는 것이며, 혈액여과는 초여과된 체액을 수액으로 보충하는 것이며, 혈액투석여과는 혈액투석과 혈액여과를 합친 것이다.

3. 혈액투석 장치요소

(1) 투석기(Dialyzer)

혈액부분과 연결되는 2개의 연결부위와 투석액 부분과 연결되는 2개의 연결부위가 있다. 최근에는 심관형투석기를 많이 사용하며, 플라스틱 원통 안에 속이 빈 가는 섬유신장기(hollow fiber)들이 수천개씩 있다. 이 곳으로 혈액이 통과하여 투석액과 접촉하면서 노폐물, 과다한 전해질, 수분이 혈액에서 투석액 쪽으로 이동한다.

(2) 혈관통로(Vascular access)

혈액 투석시에는 200~300ml/min의 많은 혈류량을 유지하기 위한 혈관통로가 필요하다. 단 위시간당 충분한 혈액을 공급할 수 있어야 하며 다시 정맥으로 유입가능하고 반복 사용할 수 있어야 한다.

① 일시적인 접근방법

㉠ 쇄골하정맥, 내경정맥, 대퇴정맥에 카테터를 삽입한다.

㉡ 기흉, 혈흉, 부정맥, 감염, 출혈의 합병증이 있을 수 있다.

② 영구적인 접근방법

㉠ 동정맥루(arteriovenous fistula)와 합성이식물질이나 자기혈관을 이식하는 동정맥이식(arteriovenous graft)이 있다.

㉡ **동정맥루** : 동맥과 정맥이 연결되면, 압력이 센 동맥혈이 정맥내로 흘러들

어가 정맥혈관을 울혈시키고 굵어지게 하여 투석 시 사용할 수 있게 된다. 수술 후 이렇게 성숙될 때까지 1~2개월 기다렸다가 사용한다. 수술로 인해 심하게 손이 붓거나 국소빈혈, 출혈, 혈전증, 동정맥류, 감염 등의 합병증이 있다.

㉢ **동정맥이식** : 인조혈관을 당뇨 또는 심한 동맥경화로 인해 적절한 동정맥루 형성이 어려운 당사자, 비만, 혈관이 가늘고 깊은 위치에 있는 여성, 노령자 등에게 사용하는 방법이다.

㉣ **영구적 카테터(silicone dual-lumen catheters with dacron cuff)** : 동정맥루나 인조혈관이식술이 어려운 경우 내경정맥이나 쇄골하정맥에 삽입한다.

㉤ 혈관통로의 합병증

ⓐ 감염

ⓑ 카테터의 혈전

ⓒ 중심정맥의 혈전이나 협착

ⓓ 동맥류 혹은 가동맥류(pseudoaneurysm)

ⓔ 협착이나 혈전

ⓕ 손의 허혈

(3) 투석액(Dialysate)

혈액과 상호작용하여 노폐물과 과잉 수분을 제거하면서 필요한 전해질은 보충, 유지시켜줄 수 있도록 조성된 투석액이 필요하면 농도는 혈장액과 비슷하다.

(4) 항응고제(Anticoaulation)

혈액투석 시 혈액이 체외로 나갈 응고될 수 있으므로 항응고요법이 필요하며, 헤파린이 널리 이용된다.

(5) 기타

압력계, 공기감지기, 혈액펌프 등

3. 혈액투석의 합병증

(1) 저혈압
(2) 근경련
(3) 투석 불균형 증후군
(4) 흉통과 부정맥
(5) 투석 중 고혈압
(6) 발열과 오한
(7) 오심, 구토

4. 복막투석

(1) 복막투석의 정의

혈액투석과 더불어 말기 신부전증 환자에게 시행되는 신 대체요법의 하나로 호나자 자신의 복막을 이용하여 투석하는 방법이다. 이를 위해 환자의 복부에 특수 제조된 부드러운 관(카테터)을 삽입하며 이 관을 통해 투석액을 주입하고 배액 함으로써 체내 노폐물과 수분 등을 제거한다. 혈액은 복강 주위 혈관내에 그대로 있으면서 과다한 수분과 노폐물은 혈액으로부터 투석액으로 걸러지게 된다. 투석과정이 끝나면 투석애근 괒ㄴ을 통해 몸 밖으로 나가게 된다.

(2) 복막투석의 원리

복막은 복강을 둘러싸서 뱃속의 장기를 보호하는 얇은 막으로 안에 많은 수의 모세혈관을 포함하고 있으며 표면적이 $2m^2$에 달하는 넓은 막이다. 이러한 복막은 수백만개의 작은 구멍을 가지고 있는 반투과성 막으로, 혈액내 노폐물과 수분은 구멍을 통해서 통과하나 단백질이나 혈액세포는 통과시키지 않는 선택적 투과막이며, 투석액이 복강내로 주입되면 확산과 삼투를 통해 혈액내의 노폐물과 여분의 수분이 혈액에서 투석액 쪽으로 당겨지게 되는 것이다.

(3) 복막투석의 종류

① 지속적 외래 복막투석 : 직장이나 학교 같은 곳에서 일상생활을 하는 동안 기계에 의존하지 않고 환자 자신이 직접 투석을 시행하는 방법이다. Bag 안에 들어있는 투석액은 도관을 통해 복강내로 중력에 의해 들어가서 4~5시간 정

도 머문 후 다시 Bag으로 투석액을 내보낸 후 버린다. 이것은 24시간 동안 3~4번 시행된다. 한번 교환시에 약 30~40분이 소요되고 투석액이 복강내에 있는 동안 환자는 직장이나 집에서 일을 할 수 있다.

② 지속적 주기적 복막투석 : 투석원리는 지속적 외래 복막투석과 비슷하나 투석이 기계를 사용하여 자동적으로 이루어지는 점이 다르다. 주로 집에서 밤사이에 1시간 30분 간격으로 계속 투석이 이루어지며 낮 동안에는 투석액이 복강내에 있어서 투석액을 교환하지 않는다. 그러나 값이 비싼 장비가 필요하므로 경제적 부담이 있다.

③ 간헐적 복막투석 : 낮 동안에만 투석을 하는 주간 복막투석법과 주 2~3회 병원에 와서 복막투석 기계를 사용하여 투석을 하는 방법, 밤에만 기계를 사용하여 투석을 하고 낮 동안에는 정상 생활을 하는 야간 복막투석법이 있다.

(4) 복막투석의 장점

① 요독증의 조절이 쉽다.
② 혈압조절이 쉽다.
③ 빈혈이 있는 환자에게 영양상태의 호전을 기대할 수 있다.
④ 말초신경염이 혈액투석에 비해 호전된다.
⑤ 식사제한을 하지 않으므로 영양상태가 양호하다.
⑥ 생존율 및 사회 복귀에 유리하다.
⑦ 환자가 더 쾌적함을 느낀다.
⑧ 시간과 경비가 절약된다.

(5) 복막투석의 단점

① 최대의 단점은 신체에 카테터를 달고 있어야 하므로 복막이 외부로부터 세균 침입에 대해 방어 기구가 거의 없어서 복막염이 유발한다는 점이다.
② 혈액투석에 비해 꽤 큰 물질도 통과시키기 때문에 혈중의 단백질, 비타민 등이 소실될 수 있다.
③ 포도당이 체내에 흡수되기 때문이 비만이나 고지혈증의 위험이 크다.

5.7 인공호흡기

1. 정의

폐의 질환, 호흡근이나 호흡중추의 이상, 마취를 시켜 수술할 때 등에 인공적으로 호흡을 조절하여 폐포에 산소를 불어 넣는 장치이다. 인공호흡기는 산화와 환기를 개선하고, 효과적인 호흡에 필요한 노력과 산소 요구량을 감소시키는데 목표가 있다. 폐 기능이 적절해질 때까지 또는 급성 증상이 해소될 때까지 환기를 제공하는 것이다. 여러 가지 종류가 있으나, 크게 나누면 구강과 기관을 통하여 폐 흉곽을 내부에서 가압하는 것과, 흉곽을 밖으로부터의 음압으로 당기거나 양압으로 가압하는 것의 두 종류가 있다. 외각에서 마취용에 사용하는 것과 내곽에서 폐질환에 사용하는 것에는 전자의 것이 많다. 현재 폐절제나 심장수술 등 큰 수술이 적극적으로 행해지는 것은 마취기와 인공호흡기가 진보한 결과라고 할 수 있다. 내과영역에서도 폐기종, 기관지천식, 만성기관지염 등 기도의 폐색을 일으키는 호흡기 질환의 치료에 인공호흡기가 자주 쓰인다.

2. 인공호흡기가 필요한 경우

(1) **산소화** : PaO_2 〈 50mmHg, FiO_2 〈 0.60

(2) **환기** : $PaCO_2$ 〉 50mmHg, pH 〈 7.25

(3) 폐활량 〈 1회 호흡량의 2배(10~15mL/kg보다 적을 경우

(4) 음악흡인력 〈 $-25cmH_2O$

(5) 호흡기전 : 무호흡, 지속적 호흡수 〉 35회/분

(6) **FiO_2** :흡인산소 농도, PaO_2 동맥산소압

(7) **$PaCO_2$** : 동맥 이산화탄소압

(8) **pH** : 수소이온 농도

3. 인공호흡기의 종류

(1) 부피 조절형 인공호흡기(volume-cycled ventilator)

미리 정한 양의 가스가 전달되면 흡기를 끝낸다. 폐에 적용되는 압력과는 관계없이 정해진 양의 가스를 전달한다. 보통 최고 압력을 설정해두고 그 압력이 넘게 되면 안전밸브가 열려 폐에 손상을 최소화할 수 있도록 설계되어 있다. 흡기시간은 가스전달 속도에 달려있다. 가스가 전달되는 속도가 빠르면 흡기 시간은 길어진다. 한편 호기시간은 호흡수에 따라 결정되므로 가스전달 속도와 호흡수에 달려있다.

(2) 압력조절형 인공호흡기(pressure-cycled ventilator)

설정한 압력에 다다르면 흡기가 끝난다. 대상자의 기도압력이 미리 설정한 수준에 다달을때까지 가스가 들어간다. 가장 큰 단점은 가스의 흐름은 압력과 저항의 함수이기 때문에 가스의 저항에 매우 민감하다는 것이다. 기도의 저항이 m지 않은 환자의 경우 무방하지만 급성 기도경련, 수술직후 등 기도저항이 수시로 변하는 경우에는 매 호흡마다 전달되는 가스의 양이 달라지기 때문에 적절하지 않다.

4. 호흡조절방식

(1) 계속적 인공호흡기(contineous mandatory ventilation : CMV)

① CMV는 대상자 스스로 호흡을 전혀 할 수 없는 경우에 적용한다.

② 인공호흡기가 환기를 유발하는 양식으로서 대상자의 자발적인 흡기노력과 상관없이 치료자가 설정해 준 1회 호흡용적 및 횟수로 기계환기가 이루어진다.

③ 장점 : 경추손상과 같이 무호흡이 있는 혼수환자, 뇌손상, 약물과다, 마취 시에도 적용

④ 단점 : 스스로 호흡할 수 있는 환자는 힘들어한다. 어떤 노력에도 반응을 못하여 특히 혼란이 있거나 불안정한 환자는 효과적인 환기를 위해 진정제나 근이완제(바비)를 투여 후 적용해야 한다.

⑤ 목표

㉠ 적합한 환기의 유지

㉡ 정확한 FiO_2 의 투여

㉢ 정확한 환기와 산화유지를 위한 정확한 안정 시 호흡량의 투여

㉣ 대상자 스스로 환기를 유지할 수 없는 사람들이 호흡하는데 드는 힘을 감소시켜주는 것

⑥ 종류

㉠ 용적 조절 인공호흡기(volume-cycled ventilator : VCV)

ⓐ 미리 정해진 1회 용량의 공기가 폐에 전달되면 흡기가 끝나고 호기가 시작되는 방식

ⓑ 생리적으로 안전한 한도에서 미리 정해놓은 1회 호흡량은 그 양을 전달하기 위하여 요구되는 압력에 상관없이 환자에게 전달된다.

ⓒ 장점은 1회 호흡량이 동일하다는 점이고 대상자의 폐순응도에 따라 1회 호흡량을 전달하기 위해 필요한 압력이 달라진다.

㉡ 압력 조절 인공호흡기(pressure-cycled ventilator : PCV)

ⓐ 특정한 양압을 전달하도록 장치되어 있는 것으로 미리 정해진 기도압력에 도달될 때까지 폐에 공기가 전달되고, 미리 정해진 압력에 도달하면 기계는 호기로 들어가 환자는 호기하게 된다.

ⓑ 충분한 일회 호흡량이 들어가고 있는지 확인하기 위해 주기적으로 호기양을 측정해야 한다.

ⓒ 단점은 대상자의 기도상태에 따라 전달되는 1회 호흡량이 흡기 때마다 달라질 수 있다는 것이다.

(2) 간헐적 강제환기(intermittent mandatory ventilation : IMV)

① 계속적으로 대상자가 자연스런 호흡을 하면서 인공호흡기가 정해진 1회 호흡량을 정해진 횟수에 따라 전달하는 양식으로 대상자의 자발적인 호흡사이에 치료자가 설정한 강제적 환기를 삽입하는 방식

② 인공호흡기의 순화주기를 통해 환자가 자발적으로 호흡을 하도록 돕는다.

③ 오랫동안 인공호흡이 필요했던 환자나 다른 이유로 인공호흡을 중단하기 어려웠던 환자를 인공호흡기로부터 중단시키기 위해 사용, 또한 자발적인 호흡을 하는 환자에게도 사용되는데 1회 호흡량과 호흡수 요구에 적절하지 못할 때 사용된다.(COPD 환자)

④ 방법

㉠ 정규적으로 미리 설정된 횟수와 용적에 따라 강제적으로 인공호흡기 호흡을 하도록 주기가 반복된다. 최소환의 환기를 제공한다.

㉡ 환자에 의해 시작된 호흡과 기계호흡이 동시에 발생할 때 호흡중복이 있을 수 있다.

⑤ 장점 : 기계적 호흡수를 줄이면서 weaning 과정 가속화, 스스로의 호흡량을 점차 늘려가면서 호흡 전체를 감당, 마비나 진정제 투여할 필요 없다. 인공호흡기를 완전 끄기 전에 활용한다.

(3) 동시성 간헐적 강제환기(synchronized intermittent mandatory ventilation : SIMV)

① SIMV의 단점을 보완하여 대상자의 환기노력과 동시에 인공호흡기에서 공기를 전달한다. 즉, 1분당 정해진 횟수만큼 대상자의 흡기 노력과 일치하여 간헐적으로 시작하도록 되어 있다.

② 인공호흡기를 통해 자발적으로 호흡을 하도록 돕는 것으로 자발적으로 호흡을 할 수 있으나 1회 호흡량과 호흡횟수가 요구보다 적을 때 사용된다.

③ 방법

㉠ 정규직으로 미리 설정된 시간에 따라 강제호흡을 하게 한다.

㉡ 환자자신의 흡기노력에 의해 강제호흡이 시작되고, 기계적 호흡은 환자의 흡기노력과 동시에 발생되거나 보조하게 된다.

㉢ 환자가 흡입하는 노력을 하지 않아도 여전히 호흡은 제공되거나 또는 조절된다.

(4) 호기말 양압 호흡(positive end-expiratory pressure : PEEP)

① PEEP는 기계적 환기를 받는 대상자의 기도를 양압 상태로 유지시켜주는 방식이다.

② 기계적인 인공호흡을 하는 동안은 호기말에 대기압력수준 이상을 유지하게 하여 기능적 전기량을 증가시킨다.

③ PEEP의 목적은 가스교환을 하는 표면부위를 증가시키고, 폐포의 허탈과 무기폐로 진전되는 것을 예방한다.

④ 방법 : 호기가 끝날 때까지 기도에 일정한 압력을 가하여 기도와 폐포의 허탈을 방지함으로써 기능적 잔기량을 증가시켜 폐포에서 폐모세혈관으로 더 많은 산소를 확산시킨다.

⑤ 단점 : PEEP로 인해 흉곽 내 압력을 증가시키고 정맥혈이 심장으로 귀환하는 것을 감소 시킨다.

(5) 지속성 기도양압(continuos positive airway preassure : CPAP)

① 자발적인 호흡을 하는 대상자의 기도에 호기말 양압이 가해지는 방식이다(자발적 호흡 + PEEP = CPAP)

② PEEP와의 차이는 대상자가 인공호흡기 보조를 받지 않고 자발적으로 호흡하는 것이다.

③ 적절한 1회 호흡용적을 유지할 수 있는 능력은 있으나 적절한 조치 산화의 유지를 방해하는 질환이 있는 환자에게 사용된다.

④ 기계적 인공호흡이 부족하기 때문에 평균 기도압이 낮다. 이것은 압력으로 인한 손상의 위험과 정맥귀환의 장애를 감소시킨다.

⑤ 방법 : 인공호흡기의 횟수가 "0"일 때 인공호흡기를 통해 운반되거나 인공호흡기가 필요하지 않은 분리된 CPAPcircuitry를 통해 운반된다.

5. 인공호흡기 조절과 맞춤

(1) **1회 환기량(Tidal Volume : TV)** : 대상자가 호흡할 때마다 들이쉬는 공기량 (평균 7~10mL/kg)

(2) **분당 호흡수** : 1분당 전달되는 인공호흡기의 호흡 수(평균 10~14회/min)

(3) **흡입산소분압(FiO_2)** : 대상자에게 전달되는 산소 농도로 필요에 따라 21~100% 산소 공급이 가능하다.

(4) **한숨** : 정해진 1회 호흡량의 1.5~2배에 해당하는 공기 용량을 1시간에 6~10회 전달한다.

(5) **최고기도압력(PIP)** : 1회 호흡량을 전달하는데 필요한 기도의 최고 압력

(6) **지속성 기도양압(CPAP)** : 자발적 호흡을 하고 있는 대상자를 위해 전 호흡주기 동안 양압을 적용하는 것이다.

(7) **호기말 양압(PEEP)** : 호기 동안 양압을 적용하는 것으로 무기폐를 예방하여 산화를 증진시킨다.

(8) **유량(flow)** : 폐 호흡시 인공호흡기가 공기 흐름을 얼마나 빨리 전달하는가를 나타내는 것으로 보통 40L/min으로 설정한다.

6. 인공호흡기 사용에 따른 부작용

(1) 기관튜브 합병증

① **장기간 기관 튜브 삽입** : 후두 손상, 심각한 위장관 팽만
② **오른쪽 기관지에 튜브 삽입** : 폐포 과환기, 무기폐, 기흉
③ 기타 : 커프가 밀리면서 튜브의 입구 폐쇄, 혈관 괴사

(2) 인공호흡기의 기능이상

기계의 고장, 흡기의 과열, 부적절한 가습, 경보장애 등이 있으며, 흡인을 위해 잠시 꺼두었다가 켜는 것을 잊는 것이 가장 흔하면서도 위험한 실수이다. 저압경보는 회로에 새는 곳이 있음을 알려준다.

(3) 감염

인공호흡기 치료를 받는 대상자는 보통 저항력이 떨어져 있으므로 감염에 취약하다. 기관튜브는 정상적인 상기도의 방어기전을 차단한다. 슈도모나스균은 따뜻하고 습한 환경에서 잘 자라므로 가습치료가 큰 위험요소가 된다. 따라서 24시간마다 대상자와 접촉하는 모든 기구는 교환한다. 호흡간호 제공시 멸균법을 잘 지키고, 객담검사도 정규적으로 시행해야 한다.

(4) 압력으로 인한 폐 손상

지속적인 양압이 가해지면 기흉이 올 수 있다. 이는 흡기 때 들어온 가스가 호기 때 배출되지 못하기 때문이다. 대상자의 기도 압력이 갑자기 올라간 경우 기흉을 의심할 수 있다.

(5) 저혈압

정상적인 호흡은 흡기 중 음압이 증가하고 호기 시 감소하지만, 인공호흡기는 양압으로 폐를 팽창시키므로 흉곽 내 압력이 생기고 상하 대정맥에서의 혈액 흐름이 감소하여 심장으로 정맥혈 귀환이 저하되어 심박출량도 감소한다. 따라서 주의 깊게 혈압을 측정하고 중심정맥압을 측정하거나 Swan Ganz catheter로 폐동맥압(PAP), 폐모세혈관압(PCWP)을 측정해야 한다.

(6) 근육 합병증

부동성 때문에 전반적으로 근육이 소모되므로 조기이상과 적절한 운동이 필요하다.

(7) 인공호흡기 의존

인공호흡기를 오래 할수록 호흡근이 피로해지고, 스스로 호흡을 할 수 없기 때문에 중단하는 과정이 매우 어렵다. 의료팀은 신체 계통을 최적화하고, 대상자에게서 인공호흡기를 뗄 수 없다고 단정하기 전까지 모든 방법을 다 시도한다.

5.8 방사선치료기기

1. 방사선 치료

방사선 치료는 전리방사선이 생물체에 조사되면 정상조직은 어느 정도의 시간이 지나면 회복하지만 종양 조직은 회복이 불충분하므로 이를 이용하여 종양조직을 제거하는 암치료법으로 X선, 감마선과 같은 파동 형태의 방사선, 또는 전자선, 양성자선과 같은 입자형태의 방사선 등이 암에 조사되면 암세포를 즉각 죽이지는 못하나 암세포가 분열, 증식하는 기능을 파괴하여 새로운 암 세포가 분열, 생성되지 못하게 함으로써 암의 성장을 지연시키거나 멈추게 하여 더 이상 분열하지 않는 암세포는 죽게 된다.

2. 방사선 치료의 원리

(1) 방사선을 조사해서 세포가 죽게 되는 것은 방사선 에너지가 인체를 구성하는 원자, 분자로 이행되어 물리 화학 생물학적 작용을 일으켜 화합물의 조성을 변화시키게 된다. 이것으로 인해 세포의 생존에 필수적인 기관에 영향을 주기 때문으로 현재는 그 기관이 DNA와 세포막이라고 알려져 있다.

(2) 방사선을 받은 세포는 대부분 그 이후의 세포 분열 시 기능장해, 증식 저지가 일어나며 일부는 apoptosis라는 과정을 거쳐 죽게 된다.

(3) 방사선은 정상 조직과 암 조직 모두 방사선으로 인한 장애를 일으키지만 정상 조직은 어느 정도의 시간이 지나면 회복하게 되고 종양 조직은 회복이 불가능하게 된다.

(4) 방사선 치료는 종양의 위치에 따라 방사선을 선택하여 치료한다. 전자선은 피부 근처의 종양치료에 사용하며, X선과 γ선은 깊은 부위에 있는 종양치료 사용에 적합하다.

표 5. 방사선의 종류

방사선의 종류	입자선	전자파
방사선 동위원소	α선(뇌종양의 중성자포획요법) β(32P) 중성자선(252Cf)	γ선(226Ra, 222Rn, 60Co, 137Cs, 198Au, 192Ir)
초고압발생장치	전자선(선형가속기, 베타트론) 중성자선, 양성자선(싸이크로트론)	X선(선형가속기, 베타트론)

3. 방사선 치료 장비

방사선 치료장비는 방사선을 이용하는 방법에 따라 환자 외부에서 고에너지의 X-선이나 전자선이 조사되어 환자의 피부를 통과해서 몸 내부에 있는 종양까지 도달하여 치료하는 외조사치료장치와 방사성 물질을 작은 관에 넣어서 몸 속의 종양 근처에 설치하거나 종양에 삽입하여 환자 몸 안에 주입시켜 치료하는 근접조사치료장치, 그리고 정위적 고정기구를 이용하여 환자의 움직임을 최소화하고 표적부위를 방사선 빔을 이용하여 한 번에 고선량의 방사선을 조사하면서 표적 밖의 부위는 피해를 극소화시키는 정위적 방사선 수술 장치로 나눌 수 있다.

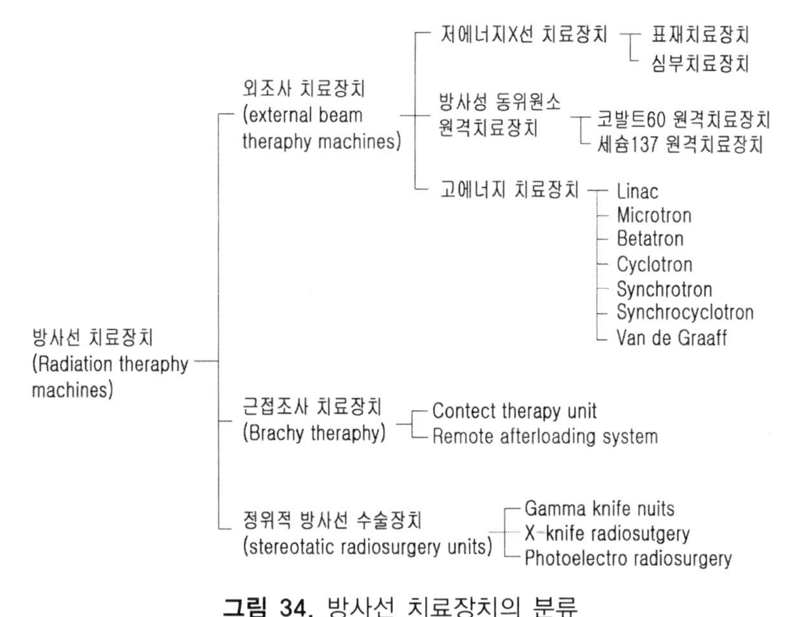

그림 34. 방사선 치료장치의 분류

(1) 저에너지 X선 치료장치

저에너지 X선 치료(low energy X-ray theraphy)는 관전압 50~120kV 정도의 X선을 이용하여 주로 피부질환에 이용하거나, 일부 심부 치료에 이용된 기기로서 표면치료용 X선장치 · X선심부치료장치 · 체강X선장치 등이 있으나 악성 종양에 대해서는 현재 거의 이용되지 않고 있다.

(2) 코발트-60 원격치료장치

방사성 동위원소인 Co-60에서 발생하는 감마선을 이용하는 장치로써 평균에너지는 1.25MeV로 선형 가속기의 4MV X-선이 평균에너지와 비슷하다. 이 장치는 단순히 선원의 개폐를 이용하여 치료가 이루어지므로 사용이 편리하고 고장의 발생이 적다는 장점이 있지만 평균에너지가 낮아 심부종량치료에 적절하지 않고 동위원소의 교체비용이 드는 등의 이유로 점차 사용이 감소하고 있다.

● 구성

코발트 60 원격치료장치는 고정조사 및 운동조사를 할 수 있는 장치로 중요한 구성요소는 선원, 조사용기, 회전 지지장치, 제어장치, 치료용 테이블이 있다.

㉠ **^{60}Co 선원** : ^{60}Co 선원은 보통 원자로에서 안정된 동위원소인 ^{59}Co에 중성자를 충돌시켜서 얻는다. ^{60}Co이 붕괴하여서 ^{60}Ni로 되면서 β입자와 1.17MeV 및 1.33MeV의 γ선을 방출하여 β입자는 선원자체와 선원용기에 흡수되고 평균에너지 1.25MeV 인 γ 선만을 치료에 이용하게 된다. 반감기가 5.26년으로 짧아서 선원의 교환이 번거롭고 누설선량이 크다는 것을 제외하고는 거의 단일한 γ선의 에너지를 방출하고 비방사능이 높아서 γ선의 출력이 크며 제조와 구입이 용이할 뿐만 아니라 금속 상태이므로 자석으로 조작할 수 있기 때문에 보편적으로 우수하여 현재 많이 이용되고 있다.

㉡ **조사용기** : 조사용기는 source head라고도 하며 방사선의 방어 목적으로 사용된다. 현재 장치의 소형화로 인해 납용기보다 텅스텐합금을 주로 많이 사용하고 있다. 조사 용기는 선원용기와 방사선을 조사하거나 차단하기 위해 선원을 개폐하는 개폐장치(shutter), 방사선의 조사면적인 조사야의 크기를 결정하기

위한 조리개의 역할을 하는 콜리메터(collimator), 광원을 방사선 선원과 기하학적으로 일치시켜 치료 전에 방사선의 조사야를 확인할 수 있는 조사야표시장치(optical light)로 구성되어 있다.

㉢ **회전지지장치** : 회전 지지장치는 약 1ton 정도의 무게를 가지는 조사용기를 지지하며 360° 회전이 가능하여 여러 각도로 다양한 방법으로 치료할 수 있으며, 특히 회전조사를 할 수 있도록 설치되어 있다.

㉣ **제어장치** : 제어장치는 선원의 개폐와 치료방법 및 치료조건을 제어하는 장치로써 선원을 개폐하는 전원스위치, 방사선 조사 시간을 제어할 수 있는 타이머, 갠트리의 회전 및 방향설정을 하는 장치와 치료실 문의 개폐를 알려주는 표시 램프 등으로 구성되어 있다.

㉤ **치료 테이블** : 치료 테이블은 선원과의 거리 조정을 위해 높낮이를 조절하며 조사야의 중심을 맞출 수 있도록 되어 있다.

(3) ^{137}Cs 원격치료장치

방사성 동위원소 ^{137}Cs에서 방출되는 γ선을 치료에 이용하는 장치로써 ^{60}Co치료장치와 구조가 비슷하다. 반감기가 길고 선원이 값싸긴 하지만 비방사능(22~23 Ci/g)이 작아서 선원의 용적이 커지므로 반음영이 커지게 된다. 현재는 특수한 실험용의 경우를 제외하고는 사용되지 않는다.

(4) 선형가속장치(Linear accelerator : Linac)

방사선 치료의 표준장비로서 2차대전중 microwave 발전에 힘입어 1950년 Stanford Hospital에 처음 설치된 이후 계속적인 개발이 진행되어 왔다. 일병 직선가속장치라고 불리는 이 장치는 균등조사에 효과가 있으며, 투과력이 높고 표면선량이 적으며 부작용도 적기 때문에 가장 이상적인 치료효과를 나타낸다. X선 및 전자선 출력이 가능하며 다양한 에너지 높은 선량률, beam 모양을 조정할 수 있다. 최근에는 컴퓨터로 제어되는 최신형 선형가속기가 개발되고 첨단 보조장치들이 개발되어 부작용없이 완치율을 높일 수 있는 3차원 입체 조형치료가 가능하게 되었다.

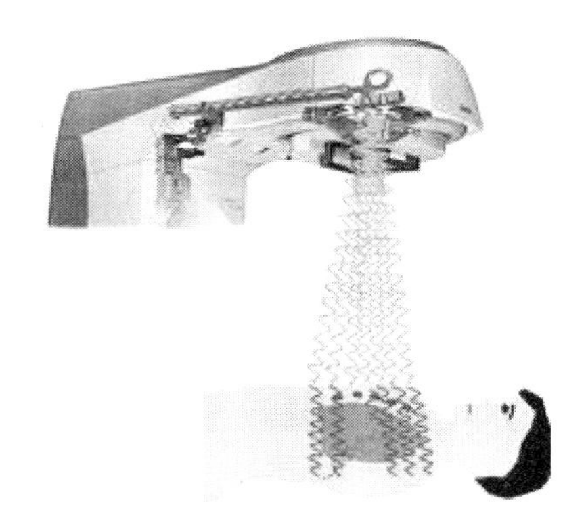
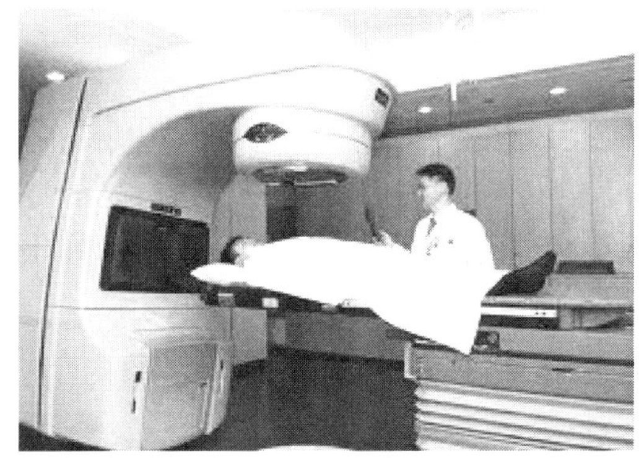

그림 35. 선형 가속기

① 작동 원리

전자총에서 발생된 전자를 고주전자파에 실어 가속하는 장치로서 이때 고주전자파는 magnetron 또는 klystron에서 발생되어 도파관을 통해 가속관에서 공급된다. 전자는 6~45MeV의 에너지를 얻어 target에 충돌하여 X선을 발생시킨다.

이때 magnetron과 klystron의 차이점은 magnetron은 단지 마이크로 펄스파를 만드는 srjt이고 klystron은 마이크로 펄스파를 만들어 증폭시키는 역할을 겸하는 것이다. 이러한 이유로 magnetron은 low energy linac에 klystron은 high energy linac에 부착되는 장치이다.

② 장치의 구성

현재 사용되고 있는 선형가속장치는 고주파 발진부와, 가속부, 조사 head부, 회전 지지장치, 조사제어장치, 치료대로 구성되어 있다.

㉠ 고주파 발진부

전자를 가속시키기 위한 3000MHz 전후의 고주파를 발생시키는 장치

ⓐ **마그네트론(magnetron)** : 고주파를 발생시키는 것으로 약 3000MHz의 고주파를 발생시킨다. 이들 고주파는 도파관을 따라 가속관으로 들어가게 된다. 구조는 원통형으로 되어 있으며 중심에 음극이 있고 그 주변으로 몇 개의 발진 구멍을 갖추고 있는 양극으로 둘러싸여 있다.

magnetron은 klystron에 비해 구조가 간단하고, 소형이며, 조작이 간단하고

가격이 저렴하여 실용적이긴 하지만 klystron에 비해 주파수나 출력의 안정성이 나쁘고 수명이 짧은 것이 단점이다.

ⓑ **크라이스트론(klystron)** : 고주파 증포기라고 할 수 있으며, 구조로는 기본적으로 2개의 구멍이 있으며 이때 음극에 의해 발생된 전자는 양극에 의해 가속되어 4~5단계의 buncher를 통과하면서 마이크로파와 같이 밀도가 변조되고, 밀도변조된 전자군을 공진전자파로 전환시켜 5~7MW의 대출력을 가진 고주피를 얻은 디음, 이것올 도파괸올 통해 가속괸에 보내이 전자총에시 발생된 전자를 실어 가속시켜 에너지를 얻게 된다.

주파수의 안정화는 저출력 부분에서 별도로 행하고 있기 때문에 magnetron에 비해 수명이 길고, 발진 주파수가 안정되어 X선과 전자선을 발생할 수 있는 이중선질 장치에 유리하며, 안정된 대 출력의 마이크로파를 얻을 수 있지만 가격이 비싸다.

ⓒ **도파관** : magnetron 또는 klystron에서 발생된 microwave를 구리로 만든 금속관 내부를 통해 가속관으로 전달하는 금속관을 말한다.

ⓓ **펄스 전원** : 전자총에서 전자를 발생시킬 경우나 magnetron 또는 klystron이 마이크로파를 발생시키는 데 필요한 대출력의 펄스를 만들어주는 전원, 즉 펄스 변조기라고 한다. PFN(pulse forming network)에 전기에너지를 모아 순간적으로 스위치를 동작하여 모았던 에너지를 방출하여 구형 펄스를 발생시키는 원리이다.

ⓛ 가속부

고에너지 전자선 및 X선을 발생시키기 위해서는 전자를 진공상태의 관에서 가속시켜야 얻을 수 있다. 이를 위한 장치들을 선형가속기의 가속부라고 한다.

ⓐ **전자총(electron gun)** : 가속관에 전자를 공급하기 위해 사용하는 것으로 2극 진공관 방식과 3극 진공관 방식이 있다. 두 방식 모두 음극과 양극사이에 10~70kV의 전압을 인가하면 음극에서 방출 열전자가 양극으로 가속되어 진행하게 되어 전자가 가속관에 입사한다.

ⓑ **가속관(accelerating tube)** : 전자총에서 발생된 전자를 klystron 또는 magnetron에서 발생된 microwave의 위상속도와 같게 하여 전자를 실은 다음가속

시켜 높은 에너지를 얻게 하는 장치. 가속과 벽면의 에너지 손실을 최소화하기 위해서 구리를 사용한다. 전자를 가속시키기 위한 가속관의 종류로는 정재파형과 진행파형이 있다.

㉮ **정재파형가속관** : 가속관의 종단부에는 전파를 반사시키도록 종단되어있으며 이 때문에 입사한 전파는 전부 같은 위상에서 반사되어 가속으로 적용하게 된다. 따라서 위상속도가 변화하지만 에너지는 변화하지 않는다.

㉯ **진행파형가속관** : 전자총에서 가속관으로 들어온 전자는 동시에 공급된 고주파 위에 실려 같이 진행하기 때문에 고주파 위상의 진행방향과 일치하여 전자를 가속시키는 형태이다. 전자 입사부에서는 전자의 속도가 가속을 받아 변화하기 때문에 전자의 속도와 고주파의 위상속도를 일치하도록 연속적으로 변화시켜 주어야 한다. 이를 위해 유용원판 간격 및 구멍 크기가 다른 buncher부와, 간격이나 구멍의 크기가 일정한 regular부로 구성되어 있다.

ⓒ **이온펌프(ion pump)** : 가속관 내는 방전이나 전자와 공기의 충돌로 인한 beam 손실이 생기지 않도록 약 10^{-8}Torr, mmHg 고진공도를 유지할 필요가 있어 전원이 꺼져도 항상 이온펌프로 작동시킨다.

ⓓ **편향부** : 가속관을 통하여 가속된 전자류는 편향 마그네트(bending magnet)에 의해 편향시켜 Ti(티타늄)으로 된 얇은 판막에 투과시킨 다음 공기 중으로 내보냄으로써 진공을 유지한다.

ⓔ **본체 냉각부** : 가속관 본체 온도가 약간만 변화하여도 마이크로파 위상변화가 상당하기 때문에 가속관의 외벽에 냉각수를 흘려서 온도변화를 ∓ 0.5도 이내로 제어하고 있다.

㉢ 조사 Head 부

조사 헤드는 납 또는 텅스텐과 납의 합금으로 된 물질로 이루어져 있어 이용선추외의 불필요한 방사선을 이용선추의 1/1000 이하로 차폐한다.

또한 조사헤드는 고에너지의 전사선과 X선을 선별적으로 발생시키는 타겟(target), 전자짐을 통로에 삽입하여 산란 또는 확산시켜 균등한 선량분포의 조사야로 이용하기 위한 **산란박**(scattering foil), X선을 조사야 전체에 균등하게 조사하는 **선속평탄**

여과판(Flattening filter), 조사되는 X선의 선량을 측정하여 수치를 알려주는 **이온선량계**(ion chamber), 치료에 이용하는 1차선 조사야를 결정해주는 **콜리메터**(collimator), 조사야와 선위중심을 맞춰 주는 빛조사 장치인 **조사야표시장치**(light localizer system) 등으로 구성되어 있다.

㉣ **회전지지장치**(gantry)

조사 head부를 지지하고 있으며 360° 회전이 가능하기 때문에 고정조사 및 운동조사를 할 수 있다. 선속지지체가 부착되어 있어 회전축의 균형유지와 방어벽의 보조역할을 하고 있다.

㉤ **조정제어기**(Control units)

조정실에 설치되어 있는 장치로써 선형가속장치에서 발생되는 X선 또는 전자선을 선택, 조정하여 사용할 수 있고, 에너지와 조사야 선량을 선택할 수 있다. 또한 선량률 및 조사선량, 갠트리 각도, 회전조사 등을 조정할 수 있다.

(5) 베타트론(Betatron)

원형궤도상에서 전자(베타 입자)를 같은 궤도반경을 회전시키면서 고속으로 가속시키는 장치로써 자속의 시간변화에 의해 생기는 전자력이 전자에 작용하여 가속을 행하는 것이기 때문에 유도 가속장치라고 할 수 있다.

① 원리

교류자장에 의해 원형가속진공관내에서 전자를 일정하게 회전시키면서 가속하는 원리를 이용한다. 즉 전자총에서 발생시킨 전자를 원형가속관내에 주입하면 전자는 원형 가속관 주변에 설치된 교류변압기에 의해 발생된 자계의 수직방향으로 힘을 받아 회전운동을 하게 되고, 시간당 변화하는 자속에 의해 발생된 전계의 작용으로 가속된다.

② 구성

의료용으로 이용되는 베타트론 치료 장치는 전자를 회전시키거나 입사 또는 출력을 위한 전원을 공급하는 **전원부**, 가속관 내의 전자의 접속과 회전 유지를 위한 전자석, 가속관의 도넛형태를 이루고 있는 **도넛관**, 조사야 내 선속의 평탄도와 선속을 제어하는 **조사 head부**와 전자총에서 전자를 도넛가속관 내로 입사시키거나 X선 혹은 전자선을 발생시키기 위한 **펄스 발생장치**, **지지장치 및 조정제어장치**로 구성되어 있다.

(6) 마이크로트론(microtron)

선형가속 장치와 cyclotron의 원리를 합한 형태로 전자를 가속시켜서 에너지를 얻는다. microtron은 전자 가속효율이 뛰어나고, 비교적 쉽게 임의의 높은 강도의 전자선 에너지를 발생시킬 수 있어서 방사선 치료 상 특별한 선량률 효과를 지니고 있다.

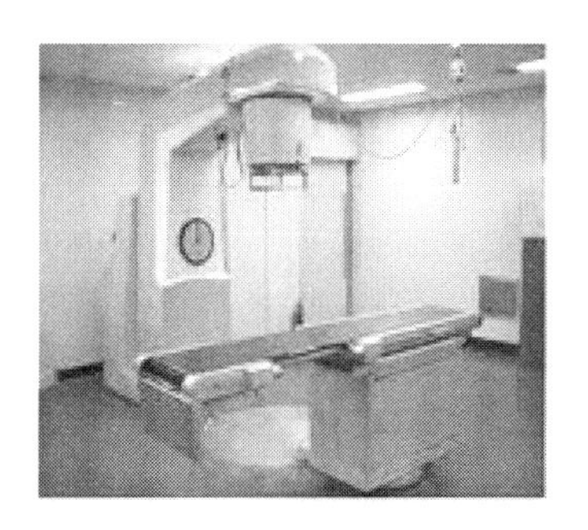

그림 36. 마이크로트론(microtron) 조사기

① 원리

전자총에서 발생된 전자를 klystron 또는 magnetron에서 발생된 고주파에 실어 공진공동(resonance cavity)에 도달시키면 자계의 힘을 받아 가속된 전자가 원형의 직류 자장용 진공관 내를 물결파가 퍼져나가는 형태로 회전 가속하면서 필요한 에너지를 얻게 된다. 가속이 되풀이되면서 가속전자의 에너지가 점점 높아지게 되고 회전반경도 점차 커지게 된다.

또한 원형의 전자석을 2개로 나눠 분리시키고 그 사이에 정재파형 가속관을 삽입시킨 Race track microtron 가속 원리도 있다.

② 구성

㉠ **가속기 본체** : 전자를 고주파에 실어 회전자계를 이용하여 반복 회전시켜서

가속하는 장치

㉡ **유도관(beam transport pipe)** : 본체에서 발생된 전자선속을 2~3개로 나누어진 치료 장치에 보내주는 관으로써 편향전자석을 이용해 손실 없이 보내지게 된다.

㉢ **gantry 및 조사 head** : 조사 head와 gantry는 선형가속기와 기본적으로 같지만 마이크로트론은 1대의 본체에 2~3대의 치료장치를 연결할 수 있기 때문에 환자의 치료가 끝남과 동시에 다른 치료 장치에서 미리 준비하고 있던 환자를 바로 치료할 수 있다.

㉣ **제어부** : 치료장치를 제어할 수 있도록 2~3개의 control box로 구성되어 있으며 기능은 선형가속장치와 비슷하다.

(7) Cyclotron

① 전자석의 중간에 두 개의 반원형 전극으로 되어 있는 Dee라고 불리는 가속관에 일정하고 강한 자장과 교번고주파의 전장을 바꾸어 줌으로써 이온원으로부터 나온 하전입자는 균일한 자계 B(B : 전극에서 만들어진 자속밀도)의 힘을 받아서 궤도반경을 따라 회전운동 시키면서 15~50MeV 정도의 에너지로 가속하는 장치이다.

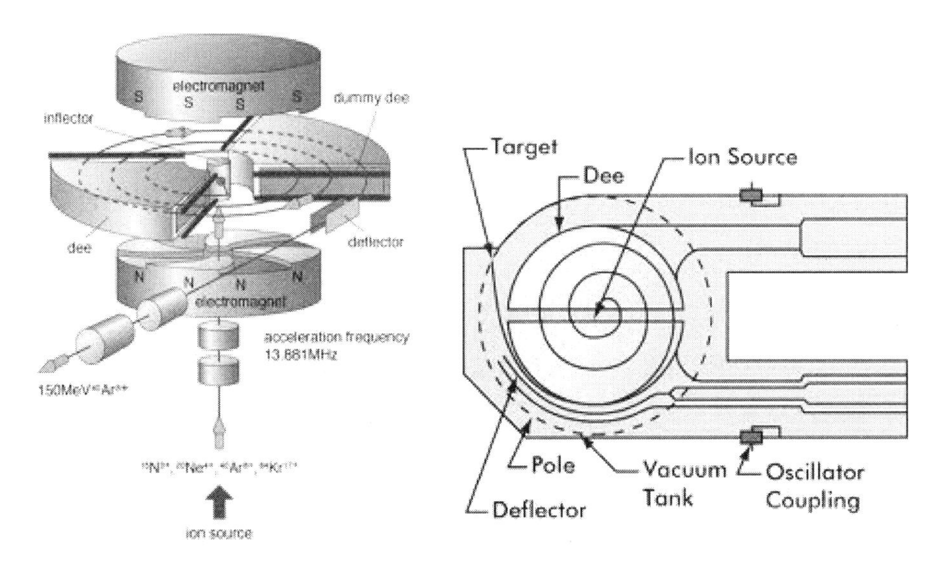

그림 37. cyclotron의 구성

② **구성** : 이 장치는 하전 입자를 가속시키는 Dee라고 하는 가속관과 고압고주파를 제공하는 고주파발진기, 전극의 중심부에 위치하여 하전입자를 발생시키는 ion source, 발생된 하전입자를 회전운동 시키기 위해 강한 자장을 일으키는 전자석 코일과 전자석 철심, 그리고 발생된 source를 외측으로 편향시키기 위한 deflector 등으로 구성되어 있다.

(8) Synchrocyclotron

Cyclotron과 같은 원리이지만 하전입자의 에너지가 높게 되면 질량이 증가해서 입자의 속도가 변화하여서 cyclotron의 주기가 성립되지 않게 된다. 따라서 속도에 맞춰 주파수를 변경시켜 입자를 가속하는 장치이다. cyclotron과 차이점은 하전입자 회전주기의 위상이 좀 더 안정적이며 출력전류가 pulse 형태로 약 1/100 정도밖에 되지 않으며 높은 가속 전압이 필요하지 않다. 또한 상당히 높은 에너지, 약 500~800MeV 까지 가속할 수 있다.

(9) Synchrotron

Synchrotron 가속장치는 증가하는 자장을 이용하여 하전입자를 일정한 원형궤도 위를 회전시키고 그 도중에 고주파를 걸어 가속하는 장치로 전자synchrotron과 양자synchrotron이 있다. 일정한 궤도 반경을 유지하기 위해서는 에너지가 증가함에 따라 자장을 강하게 해주어야 하며 이로 인해 synchrocyclotron에 비해 자장 공간이 적어 경제적이다.

(10) Van de Graaff generator(반 · 데 · 그라프 가속기, 정전형 고압 발생장치)

집전극에 많은 정전기를 집적시켜 직류 고전압을 얻어 하전입자, 즉 전자, 양자를 가속하는 장치로써 치료용으로 사용되는 정전형 고전압 발생장치는 주로 2MV 정도의 고에너지 X선을 발생시킨다. 고압의 절연과 장치 크기의 제한에 의해 현재는 사용하지 않고 있다.

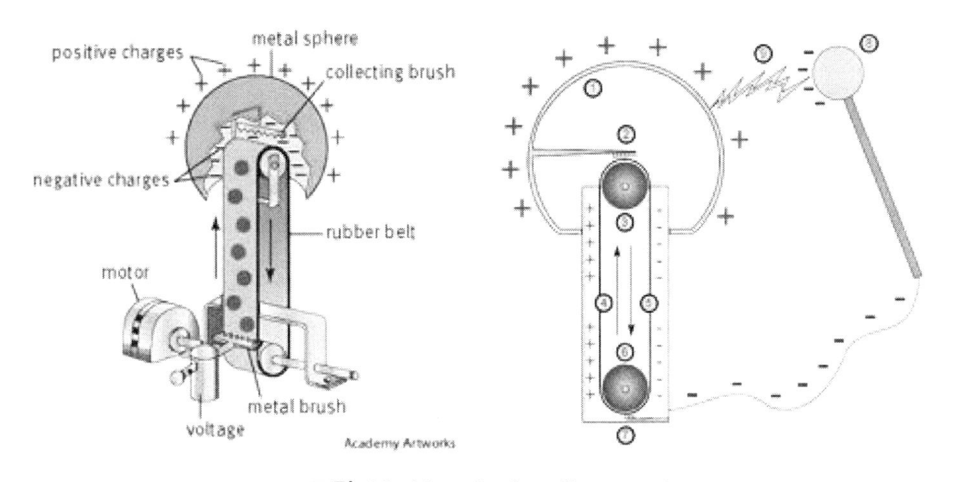

그림 38. Van de Graaff generator

(11) 감마 나이프(Gamma knife of Gamma Leksell unit)

감마 나이프는 감마선과 나이프의 합성어로 201개의 작은 ^{60}Co 밀봉소선원이 central body라고 하는 반구형 차폐로 되어 있으며, 또한 이것과 연결된 좁은 원통형의 구멍이 있는 콜리메터가 장착된 헬멧을 통하여 뇌 속에 있는 병소에 집중적으로 방사선을 조사하는 정위적 치료 장치이다. 이 때문에 정상 뇌 조직에는 전혀 손상이 없이 안전하게 병변을 괴사시킨다.

구성

감마나이프는 201개의 코발트60 선원을 내장하고 있는 조사부(radiation unit)와 헬멧(collimator helmet) 네 종류, 환자가 치료를 받는 환자 테이블(treatment couch) 그리고 조정장치(control panel)로 구성되어 있다. 여기에 목표물의 위치를 3차원 공간 내에서 확인할 수 있는 정위적 기구(stereotactic instrument)와 목표물에서 조사되는 방사선량을 설정하는 치료계획 시스템(dose planning system)이 포함된다.

㉠ **조사부(radiation unit)** : 감마나이프의 주요 부분인 조사부(radiation unit)는 외경이 약 170cm인 반구형이며 두께는 약 40cm, 무게는 약 18톤 정도이다. 밀봉소선원에서 발생된 방사선이 한 곳으로 집중되도록 설계되어 있으며, ^{60}Co선원과, 선원과 콜리메터 헬멧 연결부ㅇ인 central body, 치료 시 조사용

기입구를 개폐하는 차폐문으로 이루어져 있다.

㉡ **콜리메터 헬멧(collimator helmet)** : 콜리메터 헬멧은 201개의 hole이 헬멧 전체에 걸쳐 일정하게 분포되어 있으며, 이것을 환자의 머리에 씌워 치료하게 된다. 이것은 6cm 두께를 가진 텅스텐합금으로 되어 있으며, 외부반경은 22.5cm이고 내부는 16.5cm 정도의 반경으로 되어 있다. 이때 각 선원에서 발생된 방사선은 central body를 거쳐 헬멧에 분포되어 있는 콜리메터를 통하여 병소에 집중적으로 조사하게 된다.

㉢ **환자테이블(treatment couch)** : 방사선 치료용 테이블과 비슷하며 헬멧을 고정하고 있다. 환자를 조사용기 내로 이동할 때 테이블은 전후로 이동 가능하다.

㉣ **조정장치(control panel)** : 조정 장치는 결정된 조사시간을 set-up하여 치료하고, 제어하는데 사용된다. 응급상황에 대처하기 위한 장치도 포함되어 있다.

5.9 신생아보육기

1. 인큐베이터의 유래

1878년 프랑스에서 과학적 이론을 근거한 최초의 유아 인큐베이터가 발표되었으며, 1890년대 초, 미국 내과의사 Edward J. Brown이 파리에서 특허권을 받았다. 조산아를 위한 인큐베이터의 발명 및 전시품은 미국인에게서 비상한 관심을 받았고 신문 기사거리가 되었다. 1901년 Buffalo News는 아파치족 인디언 공주가 인큐베이터의 도움으로 태어났다고 말하고 있으며, New York Times는 인큐베이터 전시품에 관한 사건들을 보도하였다.

1907년 프랑스인 Pierre Budin이 그의 책 「The Nurseling」에서 신생아에게 있어서 온도의 필요성을 강조하였다. 32.5~33.5℃의 온도에서 생후 1개월 내 신생아의 생존 비율이 10%인 반면 36.0~37.0℃의 온도에서는 유아들의 생존비율이 77%까지 증가된다고 보고하였다.

그림 39. 초창기 인큐베이터

2. 원리

인큐베이터 내 온도유지를 위해 가열장치를 부가하였으며, 신선한 공기의 공급을 위해 옥외 공기를 여과하여 공급한다. 아기들은 낮, 밤으로 먹을 것을 받을 수가 있고, 2시간마다 공기를 정화시킨다.

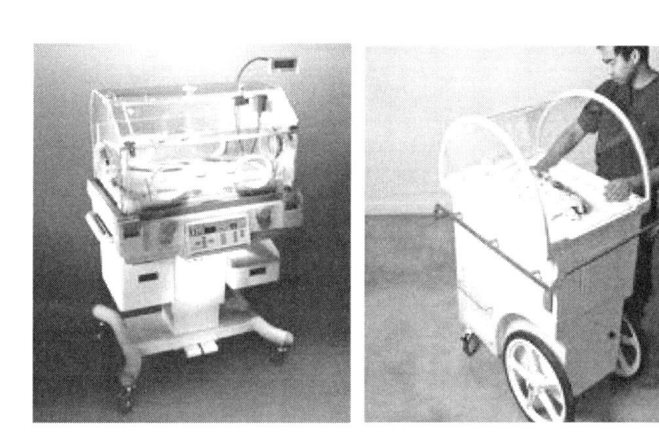

그림 40, 현재의 인큐베이터

3. 구성과 개념

인큐베이터는 온도, 습도, 그리고 통풍을 조절할 투명한 공간과 주변장치를 포함한다. 조숙하거나 병든 유아들을 위해 알을 부화하는 것과 같은 보살핌이 요구된다.

첫 번째 인큐베이터는 고대 중국과 이집트에서 사용된 기록이 있다. 그들은 뜨거운 방에서 닭 알들을 수정시키고 알을 부화하였다. 이 당시 나무를 이용한 난로들과 알콜램프를 이용하여 인큐베이터를 가열하는데 사용되었다. 인큐베이터 내부 공기는 맑은 공기의 표준인 21% 산소농도 수준을 유지하도록 해야 한다.

최근 19세기 이후 의사들은 37주 미만의 임신기간 후 태어난 아기들의 생명을 구하기 위해 인큐베이터를 사용하기 시작하였다. 초기 등유 램프를 이용한 인큐베이터가 파리 여성들의 병원에서 1884년에 나타났다. 1933년에, 미국 Julius H. Hess는 전기를 이용한 유아 인큐베이터를 설계하였다. 당시 인큐베이터는 에워싸인 것을 제외하고는 현재의 인큐베이터와 거의 같다. 대체로 의료인들이 끊임없이 신생아 관찰을 위해 투명한 덮개를 사용하였고, 긴 팔처럼 생긴 고무장갑들이 측면 벽의 구멍에 부착되어 있었다. 간호사나 유모들이 신생아를 보살피는 것이 가능하였으며 온도는 대체로 섭씨 32~37도로 유지된다.

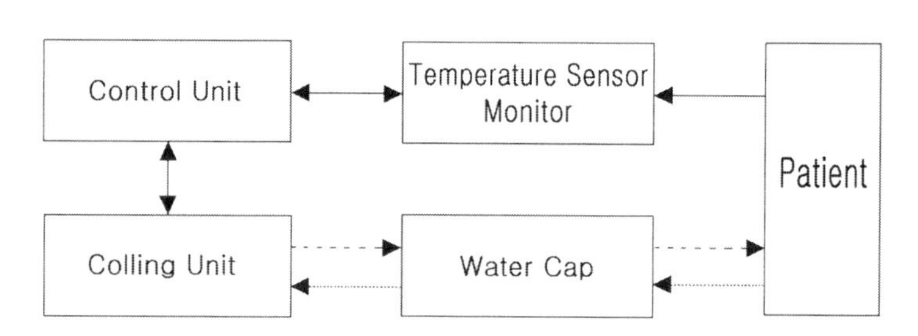

그림 41. 인큐베이터의 기본 설계

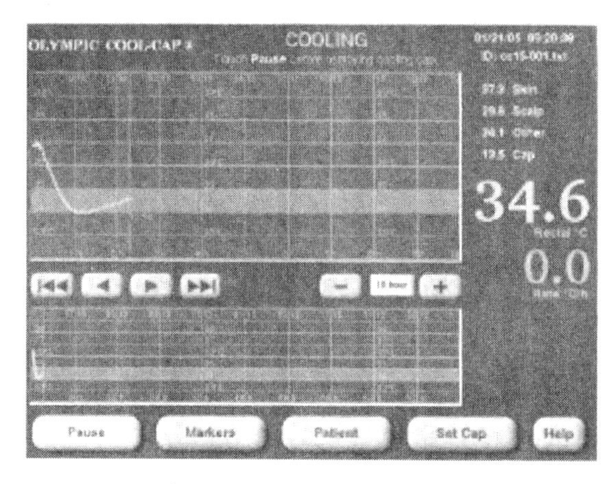

그림 42. 인큐베이터의 화면설정

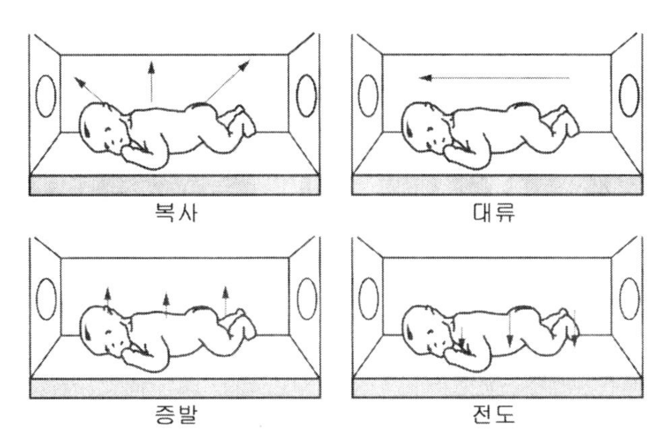

그림 43. 인큐베이터의 4가지 대표적인 기능

인큐베이터의 온도제어 기능

인큐베이터는 일정한 온도를 유지해야만 한다. 온도 편차가 발생하면 인체조직의 손상을 가져오게 되므로 온도 편차가 크지 않아야 한다. 인큐베이터에서 열 제어는 온도 조절 장치에 의하여 자동으로 유지되며 제어된다. 신생아 복부에서의 피부 온도와 인큐베이터 실내의 공기 온도는 24시간 계속해서 모니터링 되며 온도조절이 자동으로 된다.

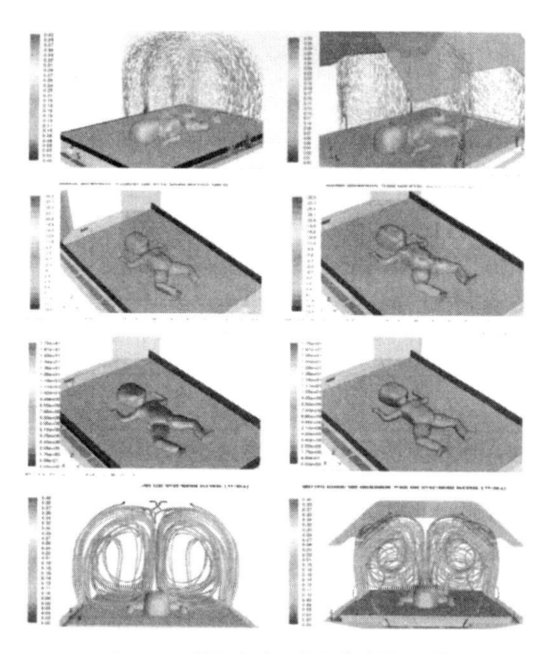

그림 44. 열현상의 시뮬레이션 흐름도

5.10 전기자극치료기

1. 전기자극치료

전기자극치료란 인체에 전류를 직접 통하게 함으로써 유용한 생리적 반응을 유발시켜 질병을 치료하는 모든 방법을 전기치료라 할 수 있다. 의료용으로는 평류전기 · 감응전기 · 교류전기의 세 가지가 쓰인다. 평류전기는 직류전기와 같은 것으로서 건전지나 축전지 등을 이용하든지, 콘덴서에 축전시켜 일정한 전압을 유지하여 소정의 전류를 가진 전기를 일정한 방향으로 흘리는 것이다. 이른바 단형파로서 치료용일 때는 4.5~45V, 0.1~10mA의 전류가 신경이나 근육에 통전된다. 양극(陽極)은 지각 · 운동신경의 흥분을 가라앉히는 데에 효과가 있고, 진통 · 진경(鎭痙)의 목적으로 쓰이며, 음극은 마비된 부위를 자극하므로 신경마비 등에 이용된다. 감은전기는 감응코일을 써서 전령(電鈴)의 경우와 같이 전류를 빨리 단속시키면서 변화있는 전류를 통하게 하는 것이며, 단속적인 고주파인 2~10mA를 치료용으로 사용한다. 교류전기에는 저주파 전류, 중주파 전류, 고주파 전류가 포함되어 의료에 사용되고 있다. 오늘날의 전기치료는 다양한 형태의 전류를 이용하여 치료에 이용하고 있다. 즉, 인체에 적용되는 전체적인 전류량을 줄이고 생리학적 반응을 증가시키는 미세전류치료와 신경근전기자극치료, 기능적 전기 자극, 고압 맥동 전류 등을 이용하여 신경근자극, 통증치료, 근재교육, 근력강화 혈액순환 촉진, 상처치유 촉진, 부종완화 경련완화, 관절가동역 증가 등 다양한 분야에 활용되고 있다.

2. 전기치료자극기기의 특성과 구성

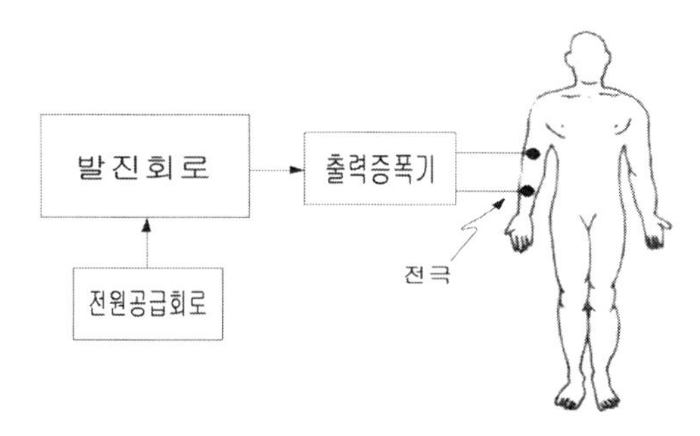

그림 45. 전기치료자극기기의 원리

전기 치료 자극기들은 전원 공급장치에 의한 자극과는 다르다. 따라서 변압기, 정류기, 여과기, 조절기로 구성된 장치들을 사용해서 전원 공급 장치에 의해 제공된 전류를 치료용으로 우리 몸에 사용되어 질 수 있도록 변환시켜야 한다.

3. 신호발생기

① 전원 공급

㉠ **변압기** : 전류공급으로부터 전자기 유도를 통하여 제공된 교류전류를 증가시키거나 늦추는데 사용되는 장치. 이는 전원 공급에 의하여 제공된 전압을 변압기로 생체조직에 효과적이고 안전한 자극을 위하여 적절한 수준으로 변환시켜 준다.

㉡ **정류기** : 주기적으로 양과 음의 두가지 방향으로 변화하는 교류전류를 한가지 방향만 갖는 직류전류로 변환시키는 장치로써 전원이 공급된 교류파형을 직류파형으로 변환하여 이온 도입에 적용하거나 단상파형으로 변환하여 전기적으로 말초신경 섬유가 활성화되게 한다.

㉢ **여과기** : 특정 교류 주파수를 차단함으로써 다른 교류 주파수를 통과시켜 전기 자극을 발생하도록 하는 장치이다.

㉣ **조절기** : 전류가 지속적으로 흐르게 하여 전류의 흐름이 일정하게 유지되도록 조절하는 장치이다.

② 발진기회로

치료적 회로의 주파수 특성을 조절할 수 있는 역할을 함으로써 주파수, 진동시간, 순환주기, 상승 및 붕괴시간 등을 조절할 수 잇게 된다.

③ 증폭기의 출력 회로

입력신호의 에너지를 증가시켜 출력 측에 큰 에너지의 변화로 출력하는 장치로써 반파의 전류, 전압 등의 강도를 최종적으로 조절, 증폭시킨다. 특정범위 안에서의 전극에서 조직의 임피던스 변화는 고려하지 않는다.

4. 전기치료기 분류

(1) 전류 흐름의 방향에 따른 분류

① **직류전류(direct current : DC)** : 전자의 흐름이 변하지 않고 계속 한 방향으로 흐르며 전류의 크기도 항상 일정한 전류이다. 임상적 목적에 따라 의용평류치료, 이온도입치료에 사용하는 연속직류전류(continuos direct current : CDC)와 탈신경근의 전기자극치료(clectricls stimulation therapy, ESP), 전기진단에 사용하는 단속직류전류(interrupted direct current)로 나뉜다.

② **교류전류(alternating current : AC)** : 교류전류는 전자의 흐르는 방향과 전류의 크기가 일정한 주기에 따라 연속적으로 바뀌는 전류이다. 교류전류는 그 특성에 따라 정현파전류(sinusoidal current), 감응전류(faradic current), 가시전류(spike current), 간섭전류(interferential current), 러시안전류(Russian current), 고주파전류 등으로 나뉜다.

(2) 주파수에 따른 분류

① **저주파전류(low frequency current)** : 주파수가 1Hz~1000Hz까지의 전류를 말하면 전기자극치료(EST), 기능적전기자극치료(FES), 경피신경전기자극치료(TENS) 등에 이용한다.

② **중주파전류(middle frequency current)** : 주파수가 1000Hz 이상~10,000Hz까지의 전류를 말하며 간섭전류치료(ICT), 러시안전류치료(Russian stimulation) 등에 이용한다.

③ **고주파전류(high frequency current)** : 주파수가 100,000Hz 이상인 전류를 말하며 심부투열치료(medical diathermy)에 사용하는데 shortwave의 주파수는 10~100MHz이며, microwave의 주파수는 300~3000MHz 정도이다.

(3) 전압 또는 전류의 크기에 의한 분류

① **저전압전류(low boltage current)** : 전압이 100V 이하인 전류를 저전압전류(low tension current)라 하며 직류전류(DC), 저주파 전류(LFC), 중주파 전류(MFC)가 있다.

② **고압전류(high voltage current)** : 전압이 수백 V 이상인 전원으로부터 발생한 전류로 고전압맥동전류(high voltage pulsed galvanic current : HVPC), 고주파전류(HFC) 등이 있다.

(4) 전류강도에 의한 분류

① **미세전류(microamperage current)** : 전류강도가 1mA(1000 μA) 이하
② **저전류(low amperage current)** : 전류강도가 1~30mA
③ **고전류(high amperage current)** : 전류 강도가 500~2000mA

(5) 열의 전달 방법에 의한 분류

① **전도(conduction)** : 초욕, 온습포, 회전용
② **대류(convection)** : 증기욕(steam bath), 사우나탕
③ **복사(radiation)** : 열등, 적외선 등

5. 전기자극치료기의 형태

치료 또는 진단을 위한전기 자극치료기들은 외부전원의 종류와 한자에게 제공되는 전기신호의 형태, 치료적 또는 진단의 목적에 따라 형태가 다르다.

(1) 휴대용 자극기와 전선 전원용 자극기

① **휴대용 자극기** : 치료 목적의 자극기들은 낮은 전력이 요구되기 때문에 전원으로 건전지를 사용하여 환자가 움직일 때 사용하기 유용하다. 그러나 전원용량이 적기 때문에 수시로 건전지를 교체해야 하는 번거로움이 있다.
② **전선용 자극기** : 가정에서 쓰이는 전기를 전원으로 사용하며, 전선 전원용 자극기는 출력이 일정하며 흔히 전기 진단용 장치에 많이 이용된다.

(2) 정전류와 정전압 자극기

치료용으로 사용되기 위해서는 정전압 자극기 보다는 정전류 자극기가 더 바람직하다. 이는 정전류에 의한 자극을 이용할 경우, 생체 조직을 통과할 때 임피던스에

일어나는 변화에 의해서 전류의 흐름이 영향을 받지 않고 일정하게 유지되기 때문이다.

① **정전류 자극기(Constant Current Stimulator)** : 특정한 범위에 한해서 조직의 임피던스와 무관하게 전류가 동일한 진폭으로 흐르도록 하는 장치이다.

② **정전압 자극기(Constant Voltage Stimulator)** : 특정 조직의 임피던스의 q jadnl에 한해서 무관하게 전압이 일정하게 유지되어 공급하는 장치

표 6. 저항 변화에 따른 정전류와 정전압 비교 분석

저항 변화		정전류	정전압
저항 감소	전류	고정	증가
	전압	감소	고정
	전력	감소	증가
저항 증가	전류	고정	감소
	전압	증가	고정
	전력	증가	감소

6. 전기자극치료기의 종류

(1) ICT(간섭전류치료기)

두 개 혹은 그 이상의 서로 다른 중주파 전류를 인체의 동일 지점 혹은 일련의 지점에서 교차통전 시켰을 때 간섭현상으로 새로운 저주파전류가 발생한다. 신경, 근육계를 자극하는 치료로 저주파, 간섭파, 중주파. ENDOSONO 치료, 직류치료 등 다양한 타입의 전류를 이용, 통증관리, 부종치료, 근육강화 등의 목적으로 사용된다. 즉 간섭전류를 사용하여 전기 치료하는 방법을 간섭전류치료(ICT)라고 한다.

① 효과

㉠ 생리적 효과

ⓐ 자율신경계 작용 감소

ⓑ 직경이 큰 감각신경섬유 자극

ⓒ 정상적인 운동신경 자극으로 근수축 유발

ⓓ 혈관확장에 의한 국소 및 원격 혈류량 증진

ⓔ 대사과정 촉진하고 세포막의 투과성 변경

㉡ 치료적 효과

ⓐ 유해성 자극 전달을 억제함으로써의 진통 효과

ⓑ 운동신경 및 근육을 직접 자극하여 근수축 유발

ⓒ 바로 순환 증진에 따른 혈류량 증진

ⓓ 정맥과 림프액 순환 증진으로 인한 부종 및 혈종 흡수

ⓔ 염증 완화

ⓕ 창상치유과정 촉진

ⓖ 요실금 완화

② 적응증

㉠ 근골격계 손상 및 질환

㉡ 신경계 손상 및 질환

㉢ 순환계 질환

㉣ 피부질환-대상포진

㉤ 급성·만성 통증

③ 금기증

㉠ 급성 심부정맥혈전증 및 습성 혈저성 정맥염

㉡ 심박조절기를 착용한 환자

㉢ 감염성 질환, 피부질환

㉣ 임신부의 복부

(2) Microwave diathermy(극초단파 치료기)

극초단파는 고주파에 속하며, 주파수가 300~3000 또는 30000MHz, 파장이 1cm에서 1m인 전자기파로 단파와 적외선 사이의 주파수 범위나 극초단파심부투열치료(microwave diathermy, MWD)에는 2450MHz(12.25cm), 915MHz(33cm), 433.92 MHz(69cm)를 사용하고, 이 중 2450MHz를 가장 많이 이용하며, 인체의 각 조직

(지방, 근육, 피부 등)을 거의 균등하게 가열하여 효과가 크고 지속성이 좋은 치료기기이다. 초점 조절이 가능하며, 단파에 비해, 근육, 혈액 수분이 많은 부위에 흡수량이 많은 반면 지방에 흡수가 적다. 경계면에서는 반사되며, 근육조직이나 심부조직에는 흡수가 많고, 골 조직에서 흡수가 적다.

이 온열효과로 인해 치료부위에 혈류가 증대되어 신진대사가 촉진된다.

① 극초단파의 특징

㉠ beam 형성

㉡ 초점을 집속함

㉢ 근육 및 혈액과 같이 수분을 많이 함유한 조직에서 많이 흡수

㉣ 심부조직을 선택적으로 가열

㉤ 주파수가 낮을수록 침투깊이가 깊음

② 치료적 효과

㉠ 혈류량 증진

㉡ 섬유성 교원조직의 신장력 증가

㉢ 관절강직의 현저한 감소

㉣ 진통작용, 근경축 완화

㉤ 만성염증의 화해촉진, 만성감염의 치유촉진

㉥ 창상치유촉진

㉦ 악성종양의 열치료

③ 적응증

㉠ 연부조직구축

㉡ 통증 및 근경축을 동반하는 질환

㉢ 혈류량 증가와 혈약순환 촉진으로 인한 아급성 및 만성 염증질환

㉣ 강한 열을 활약 관절에 적용할 경우, 관절 류마티스

④ 금기증

㉠ 악성종양, 허혈성 조직

㉡ 젖은 붕대 및 부착된 테이프, 습기가 있는 상처 표면
㉢ 금속 이식물 또는 누출된 부위
㉣ 성장하는 뼈, 출혈부위, 결핵성 관절, 눈, 최근의 방사선 치료, 열 과민성 환자

(3) SSP(silver spike point therapy : SSP)

SSP치료법은 침을 사용하지 않고 침 치료와 똑같은 효과를 기대할 수 있는「저주파 경혈 표면 자극 요법」인 것이다. 전기 통전성을 높이기 위해 은으로 도금한, 삼각 원뿔모양인 SSP전극을 경혈점 표면에 놓고 흡착시켜, 저주파전기를 통전하는 치료기기이다. 사용법이 간편하여 매우 용이하고, 환자에게 주는 고통이 적기 때문에 어린이들이나 과민증환자를 대상으로 치료하기 좋고, 장기간 반복해도 합병증과 부작용이 없다.

① 특성

㉠ 전류 : 저전압 맥동전류를 사용하는 정전류 자극기를 사용한다.
㉡ 파형 : 이상 비대칭 가시파 or 이상 비대칭 직사각형파를 사용
㉢ 맥동빈도 : 1~200pps or 1~999pps까지 다양하다.
㉣ 맥동기간 : 50~150us 사용한다.

② SSP전극

은으로 도금한 삼각 원뿔 모양의 전극으로 원뿔을 중심으로 원반위의 전선연결부위는 원통모양으로 만들고, 원뿔의 뾰족한 끝을 피부에 접촉하고, 침이랑 비슷한 자극 효과를 얻기 위해서 반창고 등으로 고정을 한다.

SSP전극의 종류로는 표준 SSP전극, 작은 크기의 외이용 SSP전극, 진공 상태로 피부에 밀착하는 흡입식 SSP전극이 있다.

③ 치료적 효과

진통 효과, 마취 효과, 순환증진 효과, 항염 효과, 치유촉진 효과, 마사지 효과, 마비개선 효과, 전기침의 생리학적 효과 등이 있다.

④ 적응증

㉠ 수술 시 마취

㉡ 통증완화 및 염좌 골절

㉢ 젖 분비촉진, 월경통, 방광염, 입덧

㉣ 변비, 설사, 식욕부진, 불면증

⑤ 금기증

㉠ 심장박동조절기, 심장질환

㉡ 열동반 질환, 피부염으로 전극부착이 힘들 경우

㉢ 임신초기, 혈전증

(4) TENS(transcutaneous electrical nerve stimulation, 경피신경전기자극치료기)

경피신경전기자극치료(TENS)는 전류를 이용하여 피부의 말초감각신경을 자극하여 다양한 원인으로 초래되는 통증을 치료하는 방법이다.

① 경피신경전기자극의 유형

㉠ **고빈도-저강도 경피신경전기자극(conventional TENS)** : 흔히 사용하는 치료방법으로 75~125pps 혹은 80~120pps의 높은 맥동빈도를 사용한다. 비교적 진통유발이 빠르게 나타나지만 진통 지속시간이 짧은 편이다. 주로 급성통증 치료에 많이 사용한다.

㉡ **저빈도-고강도 경피신경전기자극(acupuncture-like TENS)** : 전기자극을 10~20pps 이하 대개는 1~4pps의 낮은 강도로 자극한다. 주로 심부통증 및 만성통증을 치료하기 위해 많이 사용한다.

㉢ **고빈도-고강도 경피신경전기자극(brief intense TENS)** : 전기자극을 150pps 이상의 높은 맥동빈도를 사용하고 맥동기간은 200㎲ 이상으로 하며 견딜 수 있는 범위 내에서 근수축이 일어나도록 매우 강한 강도로 자극한다. 비교적 진통유반이 빠르게 나타나지만 진통 지속시간이 짧다 통증을 매우 빠르게 제거할 목적으로 사용된다.

② 치료적 효과

㉠ 전기적으로 감각신경을 자극하여 통증제거 및 조절

㉡ 약간의 미열효과와 마사지 효과

㉢ 근경축 완화 효과

③ 적응증

㉠ **통증을 동반하는 근골격계 질환들과 손상** : 관절의 염좌, 활액낭염, 건초염, 동결견퇴행성관절염, 류마티스관절염

㉡ **통증을 동반하는 신경계의 질환들과 손상** : 신경통, 작열통, 두통, 편두통, 긴장성두통, 환상지통, 대상포진

㉢ 수술 후 통증

㉣ 암으로 인한 두통, 만성복통, 분만통, 생리통, 심인성 통증

④ 금기증

㉠ 심부정맥, 급성심근경색증 등의 심장질환

㉡ 심박조절기 사용하는 환자

㉢ 경동맥동 위, 눈 위나 그 주위, 임산부 복부

㉣ 감각마비 및 감각과민 부위, 뼈가 돌출된 부위

(5) Ultra Sound(초음파기기)

진동주파수가 17,000~20,000Hz 이상인 불가청 진동음파를 이용하여 치료하는 기기로써 교류전류를 발생시키는 심부 열치료기로 음파의 형태이기 때문에 금속 삽입물이 생체조직 내에 있을 경우에도 사용 가능하다. 초음파 치료는 0.5~5MHz, 대개는 1MHz 내외의 초음파를 사용하여 치료한다.

① 초음파의 흡수

조직에 초음파를 적용하면 조직의 분자에서 초음파 에너지를 흡수하여 열에너지로 전환시킨다. 초음파 에너지 흡수는 조직의 음향 임피던스. 전파속도, 조직의 밀도, 주파수, 단백 지방 수분함량, 입사각, 반사m 굴절 등에 영향을 받으며 구조단백질의 함량이 높을수록, 뼈, 관절낭이 같은 교원조직의 함양이 많을수록 흡수가 많

다. 또한 주파수가 높고 파장이 짧을수록 흡수량이 증가하지만 멀리 전파되는 에너지의 양은 줄어들게 된다.

② 초음파 치료기의 구성

㉠ **전원공급회로** : 완파장 정류기와 여과기(filter)로 이루어져 있으며 진동회로에 안정된 출력을 공급

㉡ **진동회로** : 50~60Hz의 교류전류를 고주파전류로 바꾸고 500V 또는 그 이상의 고전압전류로 만들어 동축케이블을 통해 변환기의 금속전극에 전달

㉢ 변환기(transducer, applicator, sound head, probe)

ⓐ 압전성질을 가진 물질

ⓑ 천연 압전재로 수정, 토말린 등이 있으며 수정을 가장 많이 사용

ⓒ 인공 압전재로는 티탄산바륨, 지르콘산연을 많이 사용

③ 초음파의 발생

㉠ **압전효과** : 기계적인 자극을 주면(압축, 비압축) +,- 전하가 생겨 전류를 발생

㉡ **역압전효과** : 전기적인 자극을 주면 기계적인 진동이 발생

④ 초음파의 전파 매개물질

㉠ **물** : 구하기 쉬우나 변환기 유연하게 움직일 수 없음

㉡ **오일과 수성 파라핀** : 적당한 점성, 조직과 저항이 맞지 않아 국소부위 가열경향

㉢ **클리세롤** : 점성, 피부에 대한 친화성

㉣ **초음파용 겔** : 많이 사용

⑤ 치료적 효과

㉠ 관절구축, 유착, 반흔 조직의 신장

㉡ 관절강직의 감소

㉢ 통증 및 근경축 완화

㉣ 염증수복 및 치유 촉진

㉤ 칼슘침착의 흡수

ⓗ 살균효과

ⓢ 골절치유

⑥ 적응증

㉠ 관절구축 및 유착

ⓐ 고정, 외상, 류마티스성관절염, 퇴행성관절염, 근육 단축, 섬유증

ⓑ 외상, 피부질환에 의한 구축 및 반흔조직

㉡ 관절강직

㉢ 통증 및 근경축을 동반하는 질환

ⓐ 어깨의 통증이나 요통, 근막통증증후군 등의 근골격계 통증

ⓑ 대상포진, 교감신경기능장애에 의한 통증, 신경통 등의 신경계 통증

㉣ 급성 및 만성 염증성질환과 창상

ⓐ 점액낭염, 건염, 건초염, 관절주위염 등의 염증성 질환

ⓑ 염좌, 혈종, 종창, 부종

㉤ 말초혈관장애

⑦ 금기증

㉠ 심박조절기를 사용하는 경우

㉡ 눈, 뇌와 척수에 적용 금지

㉢ 생식기관 및 복부기관, 임신부의 자궁

㉣ 급성감염

㉤ 악성종양이나 결핵

㉥ 말초순환장애 부위

(6) FES(기능적전기자극치료기)

전극을 환자가 참을 수 있는 강도로 자극하여 근수축을 유발시켜서 중추신경계환자의 재활 치료에 이용하는 치료기기이다.

● 치료적 효과

㉠ 관결가동범위 증진

㉡ 근력 증강

㉢ 중추신경장애를 가진 환자의 감각지각력 증가

㉣ 신경마비환자의 자발적인 조절을 위한 재교육적인 효과

(7) EST(신경근전기자극치료기)

전기자극치료(EST)는 전기적으로 근육이나 신경을 자극함으로써 근수축을 유도해내는 치료기기로서 신경지배가 비정상적인 탈신경근인 경우에는 근위축 발생을 예빵하거나 진행속도를 늦추고 신장성 감소 방지, 근육이 마비되어 있는 동안 근수축 감각 유지를 위해 사용한다.

① 치료적 효과

㉠ 탈신경근의 전기자극 효과

㉡ 신경지배근의 전기자극 효과

② 적응증

㉠ 근육마비

㉡ 관절운동범위 유지 및 획득

㉢ 경련성 완화

㉣ 근 재교육

㉤ 혈류량 증진

㉥ 배뇨장애

㉦ 척추측만증

③ 금기증

㉠ 부종

㉡ 피부손상

㉢ 감각마비 부위

㉣ 결핵

㉤ 악성종양

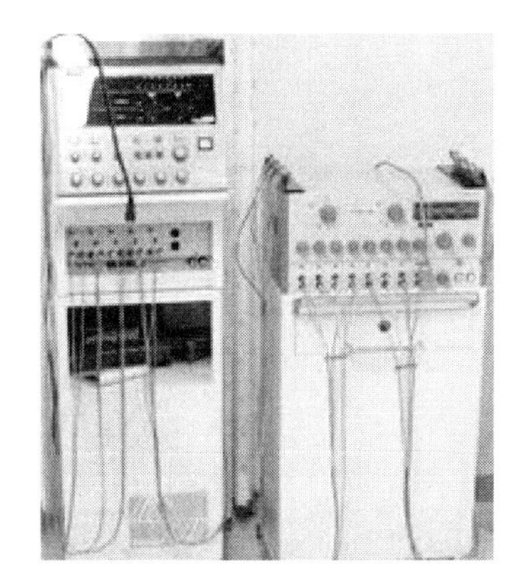

그림 46. 신경자극 치료기

5.11 체외충격파쇄석기(ESWL : Extracorporeal Shock Wave Lithotripter)

1. 체외충격파쇄석기 유래

(1) 인체 내에 고에너지의 충격파를 아주 짧은 시간에 집중적으로 가하는 방식의 의료장비를 말한다. 의료용으로 사용되는 충격파는 액체 상태에서 널리 전파된다. 의학용 충격파는 높은 에너지를 갖고 있으며, 펄스형태의 파동을 이용한다. 의학 목적을 위해서 사용된 첫 번째 충격파는 전광 스트로크에 의한 불꽃 방전으로 발생하였다. 고 에너지의 정현파 펄스는 물의 음향 특성이 있는 조직에 투사될 때 반사파를 최소로 하여 그 효과가 극대화된다. 1974년 미국의 리브가 두뇌 종창의 치료를 위해 사용된 충격파 발전기가 그 효시이며,

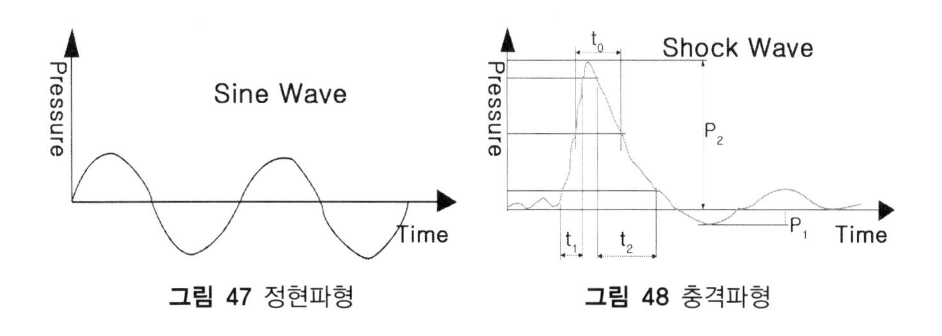

그림 47 정현파형

그림 48 충격파형

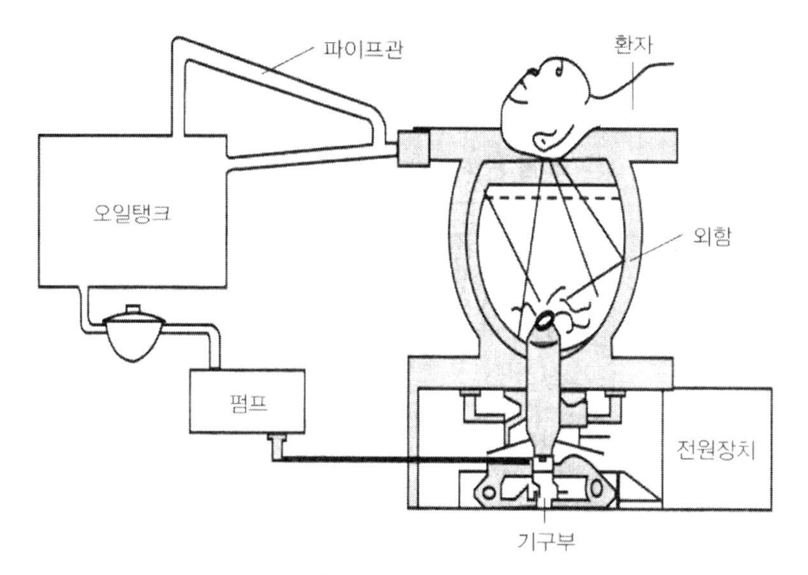

그림 49 초기설계도면

1960년대 초 충격파를 이용한 연구는 재료 분석에서부터 의학용 치료법의 시도 등 다양하게 산업과 의학 전문분야로 확대되어 연구하기 시작하였다.

(2) 체외충격파 시술로는 신장과 요관, 췌장 등이 담석 제거 등에 이용하였고, 특히 돌을 잘게 분해하도록 사용되었다. 신장 결석 파쇄기들은 조직 덩어리를 물에 의해 둘러싸여진 상태, 즉 욕조 속에 잠긴 환자상태가 요구되었으며, 환자는 편한 자세로 테이블 위에 앉지 않고 물속에 서서 직접적인 접촉으로 치료를 받았다. 사실상 충격파는 일정한 물 쿠션에 의해 환자의 체내로 전파될 수 있다. 충격파의 발생은 여러 가지 전기 음향 변환기들에 의한 고전압을 가지는 전기적 축전방식을 이용한다. 의학용 충격파 발생에는 평평한 코일, 원통 모양 코일, 그리고 포물선형태의 반사물을 사용한 음향 렌즈로 이루어져 있다. 주로 전기유체학적으로 압전방식과 전자계방식 등이 이용된다.

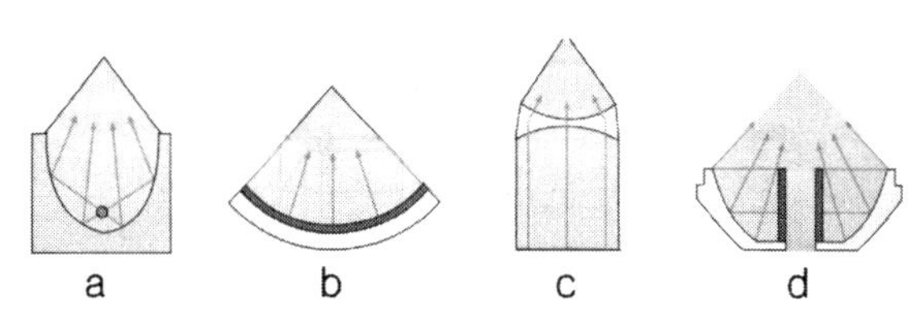

그림 50. 세대별 압력 파형방식

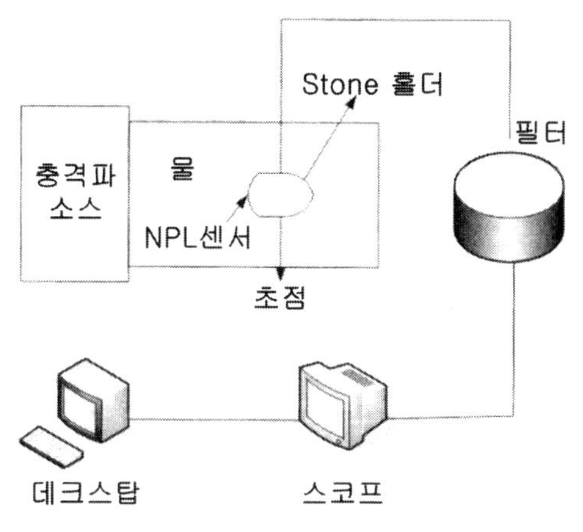

그림 51. ESWL의 기본구성

그림 50에서 a는 전기유체식이며, b는 압전기식, c는 전자계 판넬식, d는 전자계실린더-포물선식으로 발전하고 있다.

2. 체외충격파쇄석기 원리

체외충격파 치료는 충격 에너지를 한 곳에 집중시켜 결석을 분쇄하여 자연 배출시키는 방식이다. 수중의 결석에 충격파를 접속하게 되면 결석과 물의 음향 임피던스가 다르기 때문에 경계면에서 반사가 일어난다. 반사로 인해 충격파가 결석에 도달하게 되면 결석은 압축되고 곧이어 팽창되기 때문에 결석 내부에 균열이 생기며 폐쇄된다.

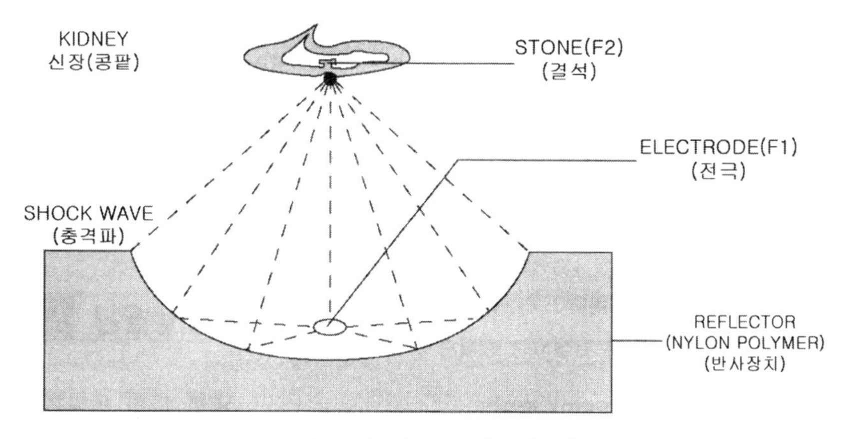

그림 52. 체외충격파쇄석기 원리

이러한 파쇄현상은 충격파가 도달되는 면과 충격파가 관통하여 빠져나가는 면에서도 발생하게 된다. 인체의 연부조직은 물과 비슷한 음향특성을 갖고 있으며, 결석의 음향특성은 연부조직과는 현저하게 다르기 때문에 충격파에 의한 인체조직에 대한 영향이 없고 결석만을 파괴하게 된다.

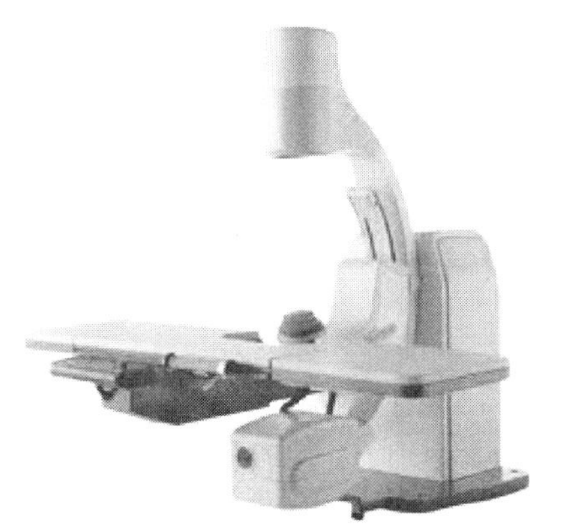
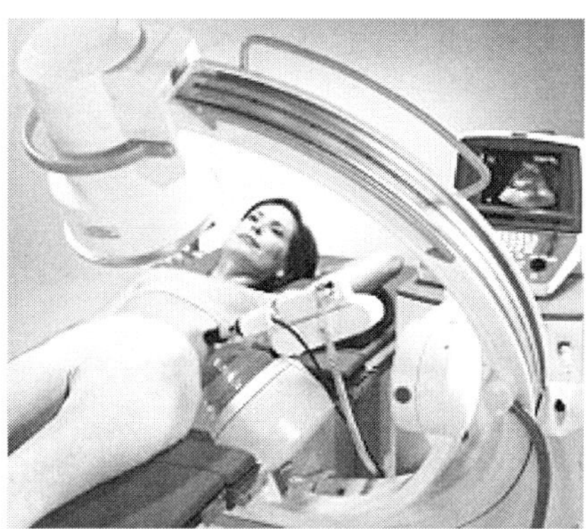

그림 53. C-ARM X-ray와 ESWL

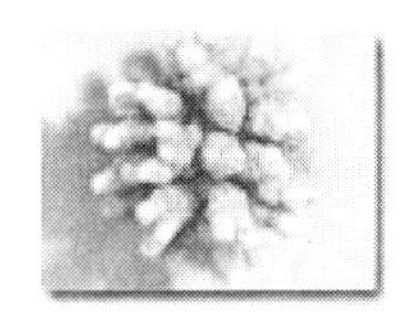
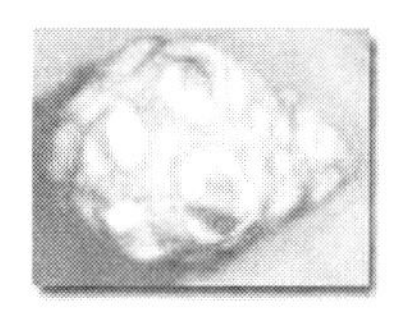
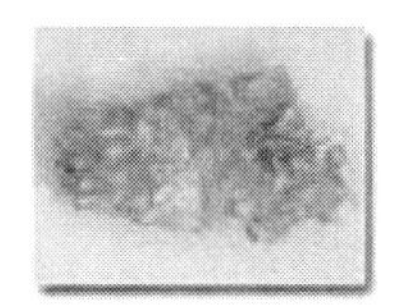

그림 54. 결석 사진

3. 에너지 발생원

에너지원에서 발생한 압력파를 초점에 접속하여 충격파로 만든 점 에너지 방식을 이용한다. 점 에너지원으로는 수중방전(spark gap) 방식, 미소발파(micro explosion) 방식, 전자진동(electromagnetic) 방식, 압전소자(piezoelectric) 방식이 있다.

(1) 수중방전(spark gap) 방식

수중에 놓인 전극간에 약 20kV, 1㎲ 정도의 반전을 일으켜 이 때 발생하는 충격파를 이용하는 방식

(2) 미소발파(micro explosion) 방식

미량의 화학물질을 폭발시켜 발생되는 충격파를 이용하는 방식

(3) 전자진동(electromagnetic) 방식

금속막을 전자석으로 진동시켜 이 때 발생되는 압력파를 집속시켜 충격파를 만드는 방식

(4) 압전소자(piezoelectric)

세라믹 소자에 고주파를 인가하여 발생하는 초음파(압력파)를 이용하는 방식

4. 체외충격파쇄석기의 구성

체외충격파쇄석기는 충격발생장치, 충격파전달매체, 그리고 결석의 위치를 확인하는 위치 측정장치 등 3부분으로 구성되어 있다.

(1) 충격파발생장치

쇄석기의 가장 중요한 부분으로 결석을 폐쇄시키는 충격파를 발생하는 장치이다.

(2) 충격파전달매체

일반적으로 물을 이용하며, 초기 쇄석기의 단점인 욕조 속에 환자가 들어가 서서 치료를 받아야 하는 불편함을 제거하기 위해 최근에는 수조(물주머니)를 이용한 방식으로 일정기간 물을 교환할 필요도 없다.

(3) 위치측정장치

결석의 정확한 체내 위치추적을 위해 X선 진단기 또는 초음파 영상장치를 이용하

기도 하며, 두 가지를 동시에 사용하는 장비도 있다.

5. 체외충격파쇄석기의 특징

(1) 결석 주위조직의 손상이 없으며 마취나 피부절개, 통증 없이 신장, 요관, 방광 결석 및 담낭결석 치료가 가능하다.

(2) 다른 수술법과 달리 반복 시술이 가능하다.

(3) 시술 수 합병증이나 후유증이 적으며 노약자나 대사성 질환자에게도 안전하게 시술할 수 있는 장점이 있다.

(4) 입원, 마취, 투약 등이 필요 없으므로 신체적, 경제적 부담이 적다.

5.12 인공심장

1. 심장질환 환자 동향

(1) 심장은 체내의 혈액을 골고루 공급하고 순환시키는 혈액펌프이다. 심장은 매일 10만번 수축운동을 하여 연간 약 3천 5백만 회를 박동하면서 체내에 혈액을 공급한다. 이러한 심장의 기능이상이 오는 경우는 어떻게 될까? 경미한 기능저하는 운동의 제한 등 일상생활의 불편을 야기하고 기능이상이 진전되면 호흡곤란 등과 함께 생명에 치명적인 영향을 주게 된다.

(2) 노화의 진행이나 질환에 의해 심장기능이 저하되면 약물치료나 외과적 수술이 적용되지만 이러한 치료방법으로 심장기능이 회복되지 못하는 경우가 있다. 이런 말기심장병의 경우 다른 사람의 심장을 이식받는 심장이식이 현재까지는 가장 널리 알려진 치료방법이었다. 그러나 심장질환을 가진 환자에 비해 공여되는 심장의 수가 절대적으로 부족한 실정이다. 심부전 등 말기심장병에 대한 가장 유력한 치료방법인 심장이식술은 공여심장의 부족이라는 한계를 가지고 있으며, 이에 대한 대안으로 인공심장의 적용이 시작되었다.

2. 인공심장의 분류

인공심장의 분류는 세대에 따라 나누어질 수도 있고, 기능 및 에너지원 등을 기준으로 할 수도 있다. 대표적으로는 자연심장의 박동성을 기준으로 하는 박동형 혈액펌프(Pulsatile blood pump)와 연속류혈액펌프(continuous flow blood pump)로 나눌 수 있고, 구동메커니즘에 따라 전기기계식, 전기공압식, 유체기계식 등으로 나눌 수 있다. 다음 표 7의 분류방식에 따라 나누어 정리하였다.

표 7. 인공심장용 혈액펌프의 분류

분류	구분
박동성유무 (Pulsatility)	박동성(Pulsatility)
	페리스탈틱(Peristaltic)
	연속류형(Continous)
	원심형(Centrifugal)
	축류형(Axial)
구동메커니즘 (driving mechanism)	전기기계식(Electromechanical)
	전기유압식(Electrohydraulic)
	전기공압식(Electropneumatic)
	유체기계식(Fluid machinary)
	원심형(Centrifugal)
	축류형(Axial)
이식성여부 (Implantation)	이식형(Implantable)
	체외형
	비부착형(Extracoreal)
	부착형(Paracorporeal
적용방법 (Application)	심실보조장치(Ventricular Assist Device : VAD)
	좌심실보조장치(LVAD)
	우심실보조장치(RVAD)
	양심실보조장치(BiVAD or BVAD)
	완전인공심장(Total Artificial Heart TAH)
인공심장역할 (Therapy)	심장이식을 위한 가교역할(Bridge to transplantation)
	혈액펌프 이식을 위한 가교역할(Bridge to bridge)
	영구 이식(Destination therapy)

3. 이식성 여부에 따른 분류

(1) 전치환 인공심장(Total Artificial Heart : TAH)

전치환 인공심장은 체내에 이식되는 인공심장시스템으로서 심각하게 손상되거나 회복불능의 자연심장을 제거하고 대체하여 혈액의 폐순환과 체순환을 유지하는 혈액펌프를 가리킨다. 전치환 인공심장은 보통 좌심실과 우심실의 기능을 가지는 두 개의 펌프가 필요한데, 우심실용 펌프는 혈액의 폐순환을 담당하여 산소교환이 되도록 하고 좌심실용 펌프는 산소가 공급된 혈액의 몸 전체 순환을 담당한다. 이식 수술 시 자연심장의 좌심방과 우심방을 남긴 상태로 좌심실과 우심실을 제거한 후 이식한

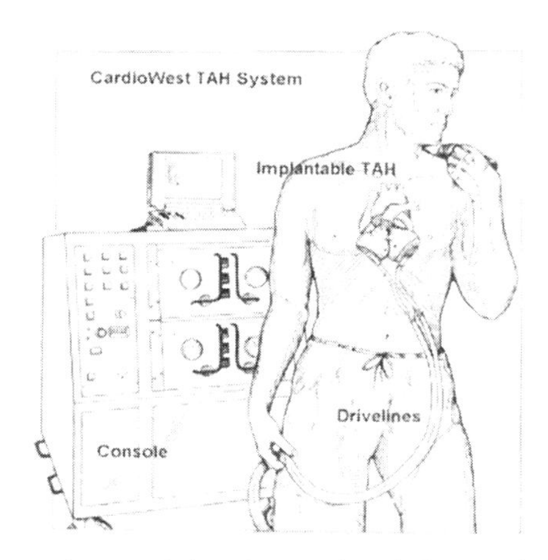

그림 55. 카디오웨스트 인공심장 시스템

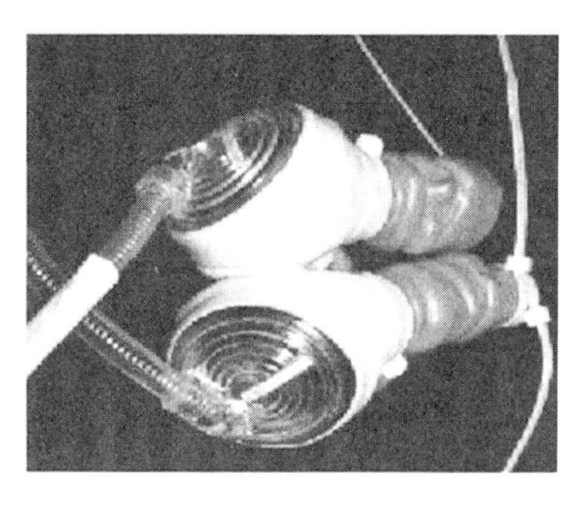

그림 56. 카디오웨스트 전치환인공심장

그림 57. Abiomed사의 전치환인공심장 Abiocor

다. 전치환인공심장의 개발역사는 상당히 오래되었고, 여러 종류의 모델이 연구 중에 있으며, 상업적으로 이용되고 있는 모델로서 카이오 췌스트 전치환인공심장(CardioWest TAH, USA), 아비오코 전치환인공심장(Abiocor TAH, USA) 등이 있다.

(2) 심실보조장치(Ventricular Assist Device : VAD)

심장의 기본 역할은 체내에 혈액을 공급하는 것이다. 심장의 기능이 극도로 저하되거나 기능을 상실했을 때는 완전치환형 인공심장(TAH)을 적용한다. 하지만, 좌심실과 우심실 중 한쪽만 기능을 보조할 필요가 있을 때는 심실보조장치(VAD)를 사용한다. 심실보조장치를 환자의 심장 기능 중 저하된 심실을 보조하는 역할에 따라 좌심실보조장치, 우심실보조장치, 양심실보조장치로 나뉘어진다. 전치환인공심장과 시밀보조장치의 가장 큰 차이는 전자는 환자의 심장을 떼어내고 기기를 이식하는 데 반해, 후자는 환자의 심장을 제거하지 않고 혈액이 흐를 수 있는 관으로 심장과 기기를 연결하여 심실의 기능을 보조한다. 상품화 된 제품으로 BVSⓇ5000(아비오메드, 미국), 쏘라텍 공압식 심실보조장치(Thoratec VAD, Thoratec Corp., 미국), 메도스 공압식 심실보조장치(Medos HIA VAD, Medos, 독일), 엑스코 공압식 심실보조장치(ExCor VAD, Berlin Heart, 독일), 노바코 좌심실보조장치(Novacor LVAS, World Heart, 캐나다), 하트메이트 I(Heartmate LVAS, Thoratec Corp., USA), 라이온하트 완전이식형 심실보조장치(Lionheart™ totally implantable VAD, Arrow International Corp, 미국) 등이 있다.

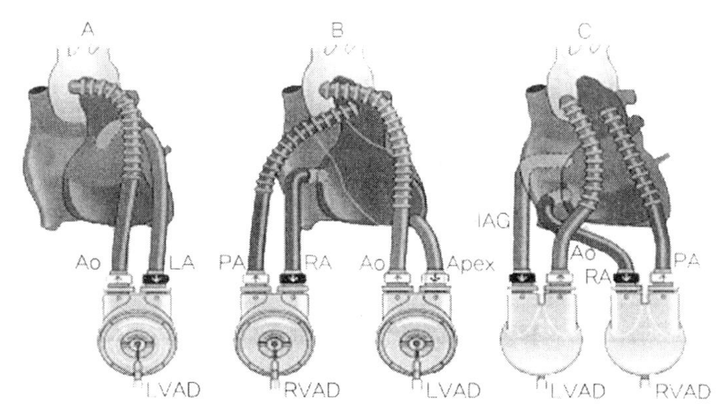

그림 58. 심실보조장치의 연결방법

LVAD : 좌심실보조장치, RVAD : 우심실보조장치, 두 개가 사용된 경우는 양심실보조장치(BVAD)

4. 구동 메커니즘에 따른 분류

연속류 혈액펌프와 박동성 혈액펌프는 구동 메커니즘과 여러 가지 면에서 차이를 가지는데, 이를 표 8에 정리하였다.

표 8. 박동성과 비박동성 펌프 비교

	박동성	비박동성
다이아프레임 또는 혈액주머니	있음	없음
판막	있음	없음
가변형 부피챔버	있음	없음
크기와 무게	크고 무거움	작고 가벼움
혈액접촉면전	넓다	작다
전자제어	복잡	비교적 간단
움직이는 부품	많음	적음
혈액 손상	크기	낮다
비용 및 가격	높다	비교적 낮다

(1) 연속류 혈액펌프(Continuous Flow Blood Pump/Rotary blood pump)

연속류가 생성되는 혈액펌프는 원심형과 축류형의 두 가지로 분류할 수 있다. 축류형 펌프의 임펠러는 통상적으로 매 분당 10,000회의 회전속도를 가지고 원심형 펌프는 축류형 펌프의 1/5~1/3 정도의 회전속도를 가진다.

① 원심형 혈액펌프(Centrifugal blood pump) : 최근에 장기간 동안 체내에 이식하여 좌심실 또는 양심실 보조의 기증을 가지는 원심형 혈액펌프의 개발이 진행되고 있다. 초기에는 자석 커플링을 이용하여 축에 고정된 임펠러를 회전시키는 방식이 시도되었으나, 임펠러 중심축에 고정된 베어링 내부에 혈액이 누출되거나 마찰에 의한 과도한 발열, 그리고 장기간 사용 시 베어링에서 혈전이 고착되는 점 등의 단점들이 대두되었다. 3세대로 개발된 혈액펌프는 자기부상 방식을 이용하여 접촉부가 완전히 없어진 모델이 개발되고 있는데, 이는 기존의 접촉형 베어링 채용에 의해 발생하는 문제가 완전히 해결될 수 있다.

또한 최근에는 유체베어링을 이용하여 임펠러의 회전에 의해 동적으로 부상되는 임펠러를 사용하는 혈액펌프가 소개되고 있다. 자기부상형과 유체부상형 혈액펌프 두 가지 모두 장기간 체내이식에 이상적인 모델이라고 할 수 있다. 대표적인 원심형 혈액펌프 두 가지 모두 장기간 체내이식에 이상적인 모델이라고 할 수 있다. 대표적인 원심형 혈액펌프로서 에바하트(Eva Heart™, Sun medical Technology Research, 일본), 듀라하트 좌심실보조장치(DuraHeart™ LVAS, Terumo, 일본), 하트메이트 Ⅲ 좌심실보조장치(HeartMate Ⅲ, Thoratec Corp., 미국), 하트퀘스트 심실보조장치(HeartQuest™ VAD, MedQuest, 미국), 코어에이드(CorAideTM LVAS, Arrow International, 미국), 벤트라시스트 원심형 좌심실보조장치(VentrAssist™ LVAS Ventracor, 호주) 등이 있다.

② 축류형 심실보조장치(Axial Type Ventricular Assist Device) : 회전식 펌프는 끊임없이 회전하는 부분에 의해 비박동성 혈류를 생성한다. 축류형 혈액펌프의 회전부는 임펠러 형상을 가지고 있으며 아르키메데스의 스크류 펌프와 근본적으로 동일하다. 회전중심에 위치하는 작은 곡선형 임펠러는 분당 약 10,000회의 속도로 회전한다. 각각의 날개는 혈액을 뒤쪽으로 밀어내며, 이 효과적인 메커니즘은 원심형 혈액펌프에 비해 1/3밖에 않되는 부피의 펌프가 가능하도록 한다. 현재 혈액펌프(MicroMed DeBakey VADTM, MicoMed Technology, 미국), 자빅 2000 축류형 혈액펌프(Jarvik 2000, Jarvik Heart, 미국), 하트메이트 Ⅱ 축류형 혈액펌프(HeartMate Ⅱ LVAD, Thoratec Corp., 미국), 인코 축류형 혈액펌프(Incor, Berlin Heart, Germany)가 있다.

(2) 박동형 혈액펌프(Pulsatile Flow Blood Pump)

① IABP(Intra Aortic Balloon Pump) : 대퇴동맥이나 말초동맥으로부터 풍선을 부착한 관을 좌쇄골하동맥 바로 아래까지 삽입하고, 풍선의 수축과 확장을 심장의 박동주기에 맞추어 구동장치를 동작시킨다. 이는 심장의 확장기에 풍선이 확장되고, 수축기 직전에 풍선이 급속히 수축되어 좌심실압을 저하시키게 된다.

● IABP의 심기능 보조 메커니즘

㉠ 풍선의 수축과 확장에 의해 심장의 후부하 감소

㉡ 심장의 산소소비량 감소

㉢ 심박출량 증가

㉣ 관상동맥 혈류량의 증가

② 전기공압식 인공심장 : 압축공기를 혈액펌프의 원동력으로 사용하는 공기구동형 펌프로는 세계 최초의 인공심장인 자빅-7이 있다. 인공심장은 좌우 두 개의 챔버로 구성되어 있다. 입출구에는 기계식 인공판막이 장착되어 있으며 각 챔버 안에는 여러 겹으로 된 탄성막이 있어서 압축공기가 혈액을 짜낼 수 있게 하였다. 공기의 압력은 빠른 속도로 떨어지도록 조절되어 챔버 내의 공기압력이 심방압보다 더 낮게 떨어지도록 해 혈액을 유입하게 하였다. 다른 구동력이 공압이기 때문에 혈액적합성이 다른 것들에 비해 뛰어나지만, 작동기가 외부에 있기 때문에 환자가 이동하기에 어려움이 있다.

③ 전기기계식 인공심장 : 전기공압식 인공심장과는 달리 작동기가 내부에 있어서 이동성이 뛰어난 내장형 맥동펌프가 이에 속한다. 대표적인 제품으로 Novacor LVAD(Baxter), HeartMate LVAD(Thoratec), heartSaver VAD(Worldheart) 등이 있다.

5. 한국의 인공심장

한국의 인공심장개발은 1984년 서울대학교 민병구교수팀이 정부의 연구비 지원하에 처음으로 연구에 착수하였다. 미국의 인공심장 연구가 1950년대에 시작된 것에 비하면 30년 가량 늦게 출발하였다. 하지만 2001년 전기식 체내이식형 양심실 보조장치로는 최초의 응급임상시허믈 실시하여 12일의 생존레를 기록하여 인공심장(KORTAH, 서울대, 바이오메드랩), 애니하트 양심실 보조장치(AnyHeart, 서울대, 바이오메드랩), 헤모펄사 박동형 심실보조장치(Hemopulsa, 바이오메드랩), 아이바드 좌심실보조장치(IVAD, 바이오메드랩), 에이치바드 전기공압식 양심실보조장치(HVAD Electro-Pnenmatic VAD, 한국인공장기센터) 등이 있다.

6. 인공심장 연구 및 시장의 전망

인공심장 또는 장기간 심실을 보조하기 위한 혈액펌프는 임상에 적용되고 있거나 임상실험에 근접한 제품이 약 10가지 정도 된다. 이들은 서로 시장에서 경쟁을 할 것처럼 보이지만 가까운 시일 내에 그렇게 될 것 같지는 않다. 2010년까지 세계의 인공심장시장은 75억불에서 120억불로 추정되고 있다. 대기업도 아닌 몇몇의 인공심장회사가 독점적으로 시장을 지배하기에는 너무 큰 시장으로 보이고, 회사들도 이 사실을 인식하고 있다. 이들은 각자 나름대로의 영역을 구축하고 시장을 분할하여 나누어 가질 것으로 판단된다. 아주 큰 시장을 외면할 것인가, 동참할 것인가, 한국 정부는 이미 연구비 지원으로 기초연구에 참여하고 있지만, 장기적 안목을 가진 기업이 동참할 때가 된 것으로 보인다. 한 가지 품목의 개발로 100억불 내외의 완전히 새로운 시장을 형성하는 의료기기는 흔하지 않으며 그렇게 개발된 기기 하나 하나가 각각의 생명의 불꽃을 지피는데 절대적인 의미를 가지는 경우는 많지 않다.

5.13 무통증 약물 전달기구

인간의 삶은 주사 맞기의 연속이다. 아기가 첫 주사를 맞는 것은 태어난 병원에서부터이다. 그러나 어린 시절에 경험한 이러한 통증은 절대 그대로 사라지지 않는다. 특히 당뇨병 환자들은 하루에 1번 이상 인슐린을 주사해야 하기 때문에 번번이 불편함과 고통을 느낄 수밖에 없다. 이런 이유로 통증이 없는 약물 투여법이 개발되고 있다. 마이크로 니들(microneedle)도 이런 연구의 일환으로 개발되었으며, 이 주사의 경우, 기존의 피하 주사보다 환자가 느끼는 통증은 작을 것으로 예상되는데, 이것은 마이크로 주사 바늘이 너무 작아서 신경 말단부를 자극하지 못하기 때문이다. 마이크로 주사의 사용 잠재성은 매우 크며, 특히 각각의 세포를 목표로 해서 약을 투입할 경우나 확산 시스템이나 펌프 시스템을 사용해서 연속적으로 약을 투입할 경우 효과가 탁월할 것으로 기대하고 있다.

또한, 직접 약물 전달용 마이크로 니들(micro needle) 중 상용화된 마이크로 니들 (Tok-Tok)은 피부나 두피에 약물을 효율적으로 전달시키기 위한 것으로, 약물을 수용하는 공간을 가지며, 약물이 배출될 수 있도록 머리카락보다 가는 80㎛ 굵기에 약물이 흐를 수 있는 유로가 형성된 것도 있다. 니들의 종류는 길이에 따라 250um(개인용)과 500um(병원용)이 개발되어 있으며, 얼굴과 두피용으로 응용가능하다.

얼굴용은 미백, 잔주름제거, 볼톡스, 비타민제 투여 등에 사용가능하며 두피용은 발모제의 투여에 적합하며, 약물 전달효율을 극대화하였고 고가 약물의 사용량 또한 최소화시킬 수 있는 장점이 있다.

또한, 니들이 진피층에 침투해서 자극하면 화상이나 흉터가 자연적으로 치료될 수 있으며, 콜라겐 생성이 유도되어 피부톤 개선 및 노화방지 효과가 극대화될 수 있다. 그리고 사마귀 제거수술 등에 사용되던 바르는 피부마취제분야를 대신할 수 있도록 개발되며, 취과용으로 보철, 임플란트 등에 사용되는 잇몸 부분 마취용 니들로도 개발되어 사용되고, 빠른 약물전달을 요구하며 통증을 두려워하는 환자들을 위한 피부 마취주사에도 유용할 것으로 기대된다.

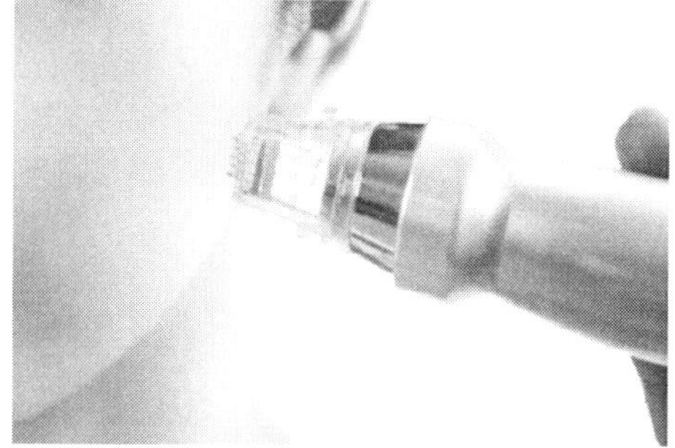

그림 59. 마이크로 니들 장치

PART

06 임상검사

6.1 임상검사의 의의

환자가 진료를 하게 되면 먼저환자가 가장 불편해 하는 것이 무엇이고 그 질환이 발생한 시기, 경과 등을 물어본다. 다음 일반적인 신체 소견을 관찬하고 이를 확인하기 위하여 임상검사를 하게 된다.

임상검사는 환자 및 환자의 체액, 배설물, 조직 등에서 얻는 모든 정보를 특정 해석법으로 분석 또는 계측하여 얻어지는 것으로, 환자로부터 채취한 시료를 분석하는 검체검사와 환자로부터 직접 정보를 얻는 생리기능검사로 대별할 수 있는데 이 장에서는 검체를 통하여 분석하는 검체검사만을 다루었다.

검사는 병리, 세포진검사를 병원병리검사로서 독립시키고, 나머지의 검체검사는 넓은 의미의 임상화학검사로 취급하는 것이 새로운 분류법이다. 임상검사의 종류는 넓은 의미의 임상화학, 병원병리, 생리기능의 3가지 검사로 분류한다.

표 1. 임상검사의 종류와 내용

종 류		주 요 내 용
검체검사	임상화학검사	뇨, 분변, 체액중의 생화학 성분의 정성 또는 정량 검사 혈청중의 생화학 성분의 정량 또는 분리분석
	혈청검사	각종 항원·항체의 정성 또는 정량검사
	수혈검사	혈액형, 교차적합검사
	혈액검사	혈액세포의 계수와 형태, 응고, 섬유소, 용해기능검사
	미생물검사	미생물의 분리, 배양, 동정, 약제 감수성 검사
	병리, 세포진검사	수술부위에서 얻은 조직의 병리형태, 일반 생검, 세포진 검사
생리기능 검 사	순환기능검사	심전도, 심음도, 운동부하시험, 자기온도검사
	신경, 운동기능검사	뇌파, 근전도, 청력, 전정기능검사
	호흡기능검사	기초대사, 폐활량검사, 가스분석검사
	초음파검사	심장, 간장, 위장, 산부인과, 비뇨기과 검사
	내시경검사	위장 및 장의 촬영, 복강경, 기관지경검사

1. 외래환자 진료시의 기본검사

초진 환자의 진료시 병력과 신체소견 조사를 마친 다음 기본검사를 실시하게 된다. 이 기본검사는 질병과는 관계없이 모든 초진 환자에게 실시할 수 있다.

기본검사에는 다음과 같은 것이 있다.

- 요검사(단백, 당, 우로빌리노겐, 잠혈)
- 혈액검사(Hgb, Hct, 적혈구수, 백혈구수, 혈소판수)
- 적혈구 침강속도와 C-반응단백(CRP)
- 화학검사(혈청총단백, 알부민, 글로부민, A/G비) 등

이들 검사종목은 병원의 시설이나 환자의 성별 및 연령에 따라 다를 수가 있으며, 요 검사의 경우에는 최근 시약스트립에 의하여 실시할 수 있는 검사종목이 늘어나 10개의 종목을 동시에 실시할 수 있다.

혈액검사는 자동혈구 계산기를 사용하여 RBC, WBC, Hgh, Hct, MCV, MCH,

MCHC 등을 이용 간단하게 검사가 가능하며 검사하는 장비의 기종에 따라 3종의 백혈구(호중구, 단구, 림프구) 감별 계산이 가능하다.

분변검사는 기생충검사 목적으로만 실시해 왔으나 최근에는 기생충감염의 빈도가 낮아져 기생충 검사를 선별검사로 실시할 필요가 없어졌다. 그러나 소화기관의 출혈을 검출하기 위한 분변 잠혈검사를 하고 있다.

적혈구 침강속도와 CRP 검사는 염증질환의 감별에 유용한 검사이나 현재 우리나라에서는 기본검사로 취급되지 않아 많은 검사가 이루어지지 않고 있다.

혈액화학검사를 쉽게 실시할 수 있는 장비들이 개발됨에 따라 어느 의원, 병원에서도 가장 쉽게 이루어지는 검사이며, 병원의 규모에 따라 Munual방식의 분광광도계에서 많은 종류의 전자동 생화학분석기를 사용 중에 있다.

2. 입원환자에 대한 기본검사

입원환자에 대한 기본검사는 외래 환자에 대한 것보다 좀 더 복잡하게 실시할 수 있다.

(1) 요 검사

색조, pH, 비중, 단백, 당(식후 2~3시간 요), 우로빌리노겐, 잠혈, 아초산염, 에스터라제(요백혈구수추정), 요침사 현미경 관찰 등을 한다. 요침사의 현미경 관찰은 요를 원심분리기에 침전시켜 현미경으로 관찰하는 것이다. 이와 같은 작업은 번거롭기 때문에 시험지 검사에서 단백이나 아초산염, 잠혈, 에스터라제 등이 양성인 경우와 요로감염이 의심될 때만 요침사 현미경 관찰을 실시한다.

(2) 혈액 검사

① 혈구 검사

백혈구, 혈색소, 헤마토크리트, 적혈구수, 적혈구지수, 혈소판수, 혈구형태 및 백혈구를 감별한다. 혈구형태의 관찰은 적혈구, 백혈구, 혈소판 수에 이상이 있거나 혈액질환이 의심될 때 시행한다.

② 화학 검사

혈청총단백, 알부민, 콜레스테롤, AST(GOT), ALT(GPT), LDH, ALP, GGT, BUN, CREA, 요산 등을 검사한다.

③ CRP와 적혈구 침강속도

CRP는 세균감염이 의심될 때 실시한다. 신생아, 고령자, 면역부전환자 등에서는 정량법으로 실시한 것이 판독에 쉽다.

(3) 대변 검사 : 잠혈 충난

충난검사는 병력에서 의심될 때만 검사한다.

6.2 임상검사의 종류

1. 임상화학 검사

(1) 임상화학 검사란

임상화학이란 질병의 진단이나 치료를 돕기 위해 인체에서 얻어지는 여러 가지 재료를 화학적인 방법으로 하는 검사를 말한다. 주로 혈액이 그 대상이나 요, 뇌척수액, 위액 기타의 모든 체액, 분비물 등도 그 대상이 된다. 임상화학에 쓰이는 검사법은 제한된 시간 내에 간편하면서도 필요 충분한 만큼 정확하게 결과를 낼 수 있어야 한다.

이와 같은 생체 시료를 이용한 임상검사가 임상화학이며 이를 행하는 과정을 임상화학분석이라 한다. 임상화학분석에서 취급하는 정량검사는 대부분이 분석화학을 기초로 한 기기분석을 의미한다. 병원에서의 임상화학분석의 구성은 자동 분석장치를 주로 사용하는 중앙 검사실을 중심으로 하여 이와 연관된 응급검사, 특수검사, 분리분석검사, 주변검사 등으로 구성된다.

임상화학 검사는 여러 성분의 생체시료에서 분석할 성분이 미량인 시료를 신속하고 정확하게 얻는 것이 목적이므로 목적성분의 분석에 적당한 분석기기와 분석법을

표 2. 기기의 분석방법의 종류

광분석	**광흡수를 이용한 방법** • 가시, 자외선 흡수광도분석 • 적외선 흡수분석 • 비탁분석 • Ramann 분광분석 • 분광편광분석 • 원자흡광분광분석 **발광현상을 이용한 분석** • 발광분광분석 • 염광분광분석 등
전자기분석	X선 분석(흡수, 회절, 형광, 발광을 이용) 전자선 분석 질량분석 핵자기공명분석(MRI) 자기회전공명분석(ESR) 등
전기화학적 분석	전위 적정, 전도율 적정, 고주파 적정, 전류 적정, 전해분석, 전량분석, Polaro 분석 등
분리분석	각종 크로마토그래피, 전기영동법, 정밀분류법, 초원심법 등

선택하여 이용한다. 일상적인 정량검사의 대부분은 흡광광도분석으로 하며, 특수검사나 분리분석검사에는 형광분석이나 각종 전기영동법, 전위차를 이용한 이온 전극법 등이 많이 이용된다.

(2) 임상화학 검사항목

① 총단백(Total Protein)

총단백은 혈액의 모든 단백의 합으로 크게 나누면 알부민과 글로불린으로 나눌 수 있으며 세분하면 수십, 수백 종으로 나눌 수 있다. 총단백은 각 성분의 증감이나 성상을 고려하여 해석한다.

증가하는 경우는 탈수, 용혈, 운동, 스트레스, 만성감염, 간질환, 자가면역성 질환, 알러지성 과민반응상태 등이며, 감소하는 경우는 영양불량, 간질환, 신질환, 신증후군, 폐결핵, 흡수장애, 위장관 소실, 3도 화상, 임신 등의 원인이 있다.

② 알부민(Aibumin)

알부민은 거의 전부 간에서 합성되며 반감기는 15~19일이다. 간질환의 병세 및 예후 판정에 유용한 지표이다. 특히 간경화시 낮으며 복수의 정도와 알부민 농도는 비례한다. 알부민은 위장관, 피부, 신장 등으로 소실되며, 삼투압을 조절하며, 호르몬, 빌리루빈, 및 약물의 운반기능을 갖는다. 일반적으로 탈수증, 프로제스테론, 알부민 정주시 증가하고, 급성 및 만성 소모성 질환, 간질환, 흡수장애, 영양불량, 신질환 박탈성 피부염, 수액제제 희석효과 등에서 감소한다.

③ AST(SGOT)

AST는 신체 각종 조직에 널리 분포되어 있으며 여러 가지 질환에 상승된다. 주로 간실질 세포의 질환을 찾고 치료의 추적에 쓰인다.

증가하는 경우

- 간 질 환 : 간염, 다즙울체, 알콜리즘, 간 울혈, 전이간암, 폐쇄성 황달, 등의 간세포의 손상이 있는 경우
- 기　　타 : 심근 경색증, 급성 심근염, 골격환 질환, 심한 용혈성 질환, 악성 종양, 급성 신경색, 급성 폐경색, 급성 췌장염, 3도 화상, 경련 등
- 고도증가 : 급성 바이러스성 간염, 중독성 간손상, 대량의 괴사성 종양, 간경화, 전이암, 폐쇄성 황달, 전염성 단행수증 등

감소하는 경우

Pyridoxine(B6)결핍 등, 장기적 투석을 받는 경우

④ ALT(SGPT)

간질환, 울혈성 심부전. 전염성 단핵구증, 급성 심근경색증, 급성 신경색증, 골격근질환, 급성 췌장염, 헤파린 치료 등에서 증가하며, 급성간염인 경우 AST와 ALT 모두 증가하나 간경화 때는 AST는 중등도로 증가하지만 ALT는 좀 더 증가한다.

AST가 간장에 더 특이적으로 분포되어있어 바이러스성 간염이나 약물에 의한 독성간염을 초기에 찾아내는데 AST 보다 유용하다.

⑤ τ-GT(GGT)

증가된 Alkaline Phosphatase가 간에서 유래한 것인지 뼈에서 유래한 것인지 구분하기 위하여 참고가 되는데 GGT는 뼈에서는 없기 때문이다. 모든 형태가 간질환에서 증가하며 특히 유용한 점은 이 효소가 알코올성 간 손상에 가장 민감하여 알코올리즘의 진단에 사용된다.

⑥ 콜레스테롤(Cholesterol)

콜레스테롤은 체내에서 합성하는 것과 음식물에서 흡수하는 것이 있다. 콜레스테롤은 비타민D 합성, 스테로이드 호르몬, 성호르몬, 담즙 합성 등의 원료로 쓰이며 세포막의 구성 성분이 되기도 한다.

높은 콜레스테롤은 고혈압, 흡연과 함께 관상동맥 경화증의 3대 주위험인자이다. 최근에는 HDL-콜레스테롤이 낮은 경우 주로 관상동맥 경화증에 잘 이환된다고 하여 HDL-콜레스테롤을 많이 측정한다.

증가하는 경우는 고지혈증, 담즙 울채, 신증후군, 갑상선 저하증, 경구피임약 사용할 때, 임신, 비만, 당뇨 등이며, 감소하는 경우에는 간질환, 흡수장애, 영양불량, 갑상선 기능 항진증 빈혈 등이 있다.

⑦ 혈당(Glucose)

임상적으로 고혈당을 보이는 경우 당뇨병을 의심하나 다른 상태에서 고혈당을 나타내는 경우도 있다. 임상적으로 당뇨병 이외에 고혈당을 나타내는 경우는 갑상선 기능항진, 위절제, 췌장질환, 두부외상, 뇌출혈, 임신 등이 있다. 저혈당은 인슐린의 과잉분비, 뇌하수체 전업 기능 저하증에도 나타나고 당뇨병 치료제의 과잉투여시에도 나타날 수 있다.

⑧ 빌리루빈(Bilirubin)

혈중 빌리루빈이 증가하는 경우는 용혈 등에 의한 과형성, 간세포에서의 흡수장애, 포합과정의 결함, 담즙으로서의 배설 장애, 담도폐쇄 등이 있다.

⑨ 요산(Uric Acid)

요산은 핵산의 최종 대사산물이며, 대부분이 소변으로 배설된다. 신사구체에서

여과된 요산은 90~95%가 다시 흡수되며 그중에 일부는 원위 세뇨관에서 분비된다. 요산은 통풍, 혈액질환, 약물, 조직괴사, 영양불량, 방사선치료, 임신중독증에서 증가하며, 감소하는 경우에는 심한 간질환과 동반된 알콜중독증, 만성 소모성 질환, 신세뇨관 질환, 대량의 아스피린의 복용, 윌슨씨병 등이다.

⑩ 요소 질소(Blood Urea Nitrogen, BUN)

BUN은 아미노산 대사의 종산물로 나오는 암모니아를 배설하기위해 요소 싸이클을 통해 BUN의 형태로 되는 것이다. BUN의 변동은 섭취 단백량, 요소 합성, 배설 등 세 가지 인자로 좌우된다. 일반적으로 BUN은 신장기능의 지표로서 이용되나, 신전성(Prerenal) 혹은 신후성(Postrenal)으로도 증가할 수 있다.

신질환, 신전성, 에디슨씨 병, 스테로이드 치료, 고단백 식이, 수뇨관 폐쇄 등에서 증가하며, 간기능 부전, 임신, 수분 과다섭취, 동화성 호르몬, 영양불량상태 등에서 감소한다.

이밖에도 LDH, ALP, Globulins, 알부민/글로부린 비, TTT, ALP, CPK, Creatinine 등등 많은 임상화학 검사는 각종 질환에 비교적 널리 참고로 하고 있다. 환자의 질환의 상태에 따라 참고하고자 하는 임상화학 검사의 항목을 선택하여, 검사 후 그 결과로서 환자 진료 및 치료에 지표로 삼고 있다.

2. 미생물 검사

(1) 미생물 검사란

미생물 검사는 세균뿐만 아니라 Rekettsia, Fungus 및 바이러스도 검사 대상으로 하고 있다. 치료의 방향과 지침을 세우기 위한 목적에 병원성균의 신속하고도 정확한 분류가 중요하다. 임상미생물학적 판단을 바르게 내리게 위하여는 Normal flora와 그 병적인 변동에 대하여 잘 알아야 한다. 검사 의뢰지에 될 수 있으면 자세한 임상 진단과 재료의 종류, 채취 부위 등을 기록한다. 세균의 최종분류는 염색성 형태, 배양 특성, 생화학적 시험 및 혈청학적 시험 등에 의한다. 세균을 분류하기까지의 모든 시험 결과는 기록으로 남겨야 하며 병원균의 분류에 그치지 않고 균종에 따라서 항균제에 대한 내성시험까지 정확히 표준화된 내성시험을 할 수 있게 마련이 세워져야 한다.

특수한 경우 분리된 세균으로 치료용 백신을 만든다든지 진단용 항원을 만드는 등의 일도 임상미생물학의 한 영역인 것이다.

그림 1. 각종 세균의 형태

1) Single coccus 2) Cocci in pairs 3) Cocci in chains 4) Cocci in clusters 5) Cocci in tetrads 6) Cocco bacilli 7) Club-shaped bacilli 8) Bacilli with round ends 9) Bacilli with sqare ends 10) Fusi form bacilli 11) Vibrios 12) Spirilla 13) Borrelia 14) Treponema 15) Leptospira

3. 혈액학 검사

(1) 혈액검사의 의의

혈액은 두 가지 주성분으로 되어있는데 액체 성분의 혈장과 그 속에 떠 있는 고형성분, 즉 적혈구, 백혈구, 혈소판으로 이루어져 있다. 혈액은 어른에서 그 체중의 약 13분의 1, 혹은 8%를 차지하며, 체중 kg당 75ml 정도로 계산된다. 남자는 여자보다 많고 어린이는 어른보다 많다. 활동 후에는 많아지며, 임신 때도 많아진다.

혈액은 약 알칼리성(pH 7.35-7.45)을 띄며 혈색소(Hemoglobin) 때문에 동맥혈은 선홍색, 정맥혈은 짙은 자색으로 보인다. 혈액은 신체 각 부분을 도면서 다음과 같은 중요한 일을 한다.

- 산소와 영양소를 공급하고 노폐물을 받아서 배설기관으로 운반한다.
- 산, 염기, 삼투압 평형 등 전신의 물리화학적 성상을 조절한다.
- 백혈구 및 항체 등의 방어작용으로 우리 몸을 보호한다.

이러한 작용으로 전신 어디서 일어나는 변화든지 예민하게 혈액의 성상에 영향을 미치며, 이것을 검사하는 것은 조혈장기의 질환 뿐 아니라 모든 기질적 질환의 진단에 크게 도움을 준다.

일반적으로 혈액학 검사실에서 실시되는 내용은 다음과 같다.

① 혈액 채취 및 검체 제작
② 수기 또는 자동기기를 사용하여 혈구수 산정
③ 혈구 용적 측정
④ 세포의 형태학적, 세포화학적, 면역학적 동정
⑤ 세포군의 반응적 또는 변화 등정

(2) 혈액검사의 항목

① RBC 수

빈혈의 경우 감소하며, 지성 적혈구 증다증, 이차성 적혈구 증다증, 폐기종, 심한 운동 후, 탈수상태, 고산지역 주민은 증가한다.

② Hemoglobin

빈혈의 경우 감소하며, 본태성 또는 각종 2차성 적혈구 증다증에서는 증가한다.

③ Hematocrit

빈혈, 출혈 후, 대량수액으로 인한 혈액 희석의 경우 감소하며, 다혈구증, 탈수, 쇼크, 고산지역 등 산소분압시에는 감소한다.

④ WBC 수

● 증가하는 경우

세균 감염, 염증 조직 괴사, 대사 장애, 종양, 출혈, 용혈, 스테로이드 치료시, 골수증식성 질환, 백혈병, 알러지, 피부질환, 기생충, Loeffler 증후군 등

● 감소하는 경우

골수부전증, 재생불량성 빈혈, 비종대, 약물투여, 심한 세균감염, 자가 면역질환 등

⑤ 혈소판 수(Platelet count)

● 감소하는 경우

생산의 감소 : 재생불량성 빈혈, 백혈병, 골구 섬유증, 선천성 혈소판 이상 등

파괴의 증가 : 특발성 혈소판 감소성 자반증(ITP), 전신성 홍반성 낭창(SLE), 파종성 혈관내 응고증(DIC), Evans 증후군, 약물, 심한출혈, 비장기능 항진 등

● 증가하는 경우

일차성 증가 : 골수증식성 질환, 원발성 혈소판 증가증, 진성다혈구증, 만성과립구성 백혈병 등

이차성 증가 : 감염증, 급성출혈, 전이암, 비절제

⑥ 적혈구 지수(RBC index)

● 평균 적혈구 용적(Mean Corpuscular Volume, MCV)

$$\frac{Hct(\%)*10}{RBC(*10^6/\mu\iota)}$$

- **평균 적혈구 혈색소(Mean Corpuscular Hemoglobin, MCH)**

$$\frac{Hb(g/dl)*10}{RBC(*10^6/\mu\iota)}$$

- **평균 적혈구 혈색소 농도**

(Mean Corpuscular Hemoglobin CO ncentration, MCHC)

$$\frac{Hb(g/dl)*100}{Hct(\%)}$$

4. 요 검사

(1) 요 검사의 의의

신장(Kidey)는 혈장(Plasma)의 성질을 화학적으로나 물리적으로 유지 조절하는 기능이 있다. 이를 위하여 질소성 물질을 비롯한 여러 가지 대사물을 배설한다. 요(Urine)의 생성은 사구체(Glomerulus)의 여과 과정에서부터 시작된다. 즉, 혈장은 사구체를 통과하는 동안 단백질만 제외한 그 구성 성분을 그대로 지닌 채로 여과되는 것이다.

이 여액은 긴 세뇨관을 통과하면서 대부분 수분과 Glucose, Amino, Acid, Electrolyte 등 몸에 필요한 물질(High renal thershold substance)을 선택적으로 재흡수 당한다. 그 나머지 요소 Urea 등 전혀 불필요한 물질들(Low renal therhold substance)과 세뇨관에서 분비되는 일부 물질이 체외로 나오는 것이 요이다.

따라서 요분석에는 이런 요형성에 직접 관여하는 비뇨기계통의 이상은 물론 혈액 성분이나 순환기계동의 이상 및 간기능의 이상들도 간접적으로 반영되는 것이다.

(2) 요 검사의 항목

요 검사는 보통 육안적 색깔 및 혼탁도 검사, 요비중 검사 등 물리 검사, Reagent strip을 이용한 화학 검사와 요침사 검사로 구성된다. 요침사 검사는 원심분리기와 현미경 등의 기구가 필요하고 판독에 숙련도가 필요한 비교적 복잡한 검사인데 비해 요의 화학 검사는 Plastic 받침대에 시약이 함유된 반응부분이 붙어있는 Reagent strip으로 간단하게 검사할 수 있다.

다음의 항목들이 일반적으로 요검사의 항목들이다.

① Glucose

혈중 포도당의 농도가 170~180 mg/dl 이상일 때 세뇨관에서 재흡수 안된 포도당이 요에서 검출된다. 정상인에서도 검사 전에 당질을 과잉섭취하면 양성이 나타난다. 당뇨병이 대표적으로 양성이 나타나는 질환이고 그 외에 내분비 질환, 만성간질환 등 고혈당이 동반되는 환자에서 양성이 나타난다.

② Bilirubin

수용적인 Conjugated bilirubin이 혈중에 증가할 때, 요로 배설이 증가되고, 담도폐쇄, 간질환, Hemoglobin 대사 이상시에 양성이 나온다.

③ Ketone

정상적으로 요에서 배설되지 않으나 Stress, Exercise, Fasting 때에 배설된다. 당뇨환자의 경우 Ketone이 음성이면 당뇨병 조절이 잘 되고 있음을 의미하고, Ketone이 계속 다량 배설될 때는 당뇨병성 Ketoacidosis를 의미한다.

④ Specific Gravity

Renal tubular damage시 낮은 S.G.가 나타나고, Dehydration 당뇨시 높은 S.G.가 나타난다.

⑤ Nitrite

양성반응이 있으면 비뇨기계에 감염이 있는 것을 의미한다.

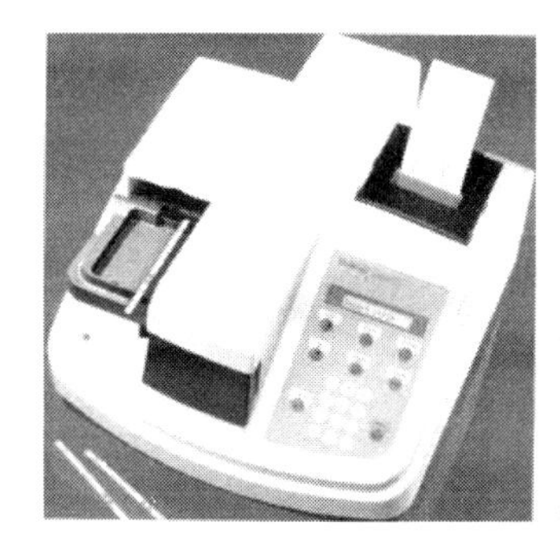
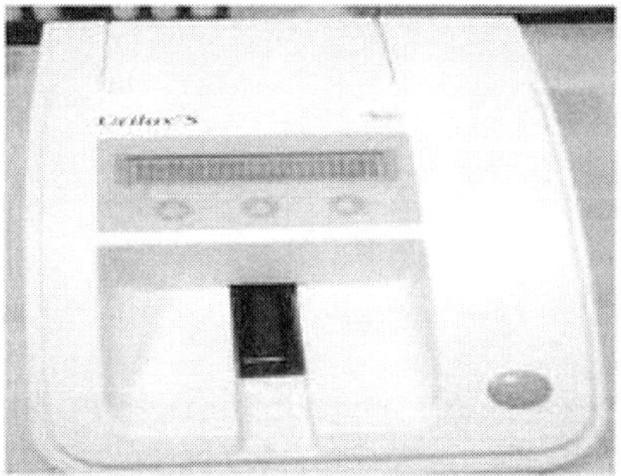

그림 2. 자동소변분석기

⑥ Blood

혈뇨, Hemoglobin 뇨, Myoglobin 뇨에서 양성이 나오며, 혈뇨는 비노기계에서 출혈이 있는 것을 의미한다. Hemoglobin 뇨는 수혈부작용, 신생아 용혈성 질환, 자가면역성 용혈성빈혈 등에서 나타난다. Myoglobin 뇨는 근육에서 유리된 Myoglobin이 사구체를 통과하여 요로 배출되는 상태로 근육질환, 근육손상에서 나타난다.

⑦ pH

● 알칼리성 뇨

급성 또는 만성 신질환, Vomiting, 대사성 Alkalosis, 호흡성 Alkalosis, 알칼리성 식품(야채, 과일) 섭취, 요로 세균 감염 등에서 나타난다.

● 산성 뇨

Severe diarrhea, Dehydration, Fever, 대사성 Alkalosis, 호흡성 Alkalosis, 세뇨관성 Acidosis, 산성 식품(육류) 섭취시에 나타난다.

⑧ Protein

정상인에서도 생리적 또는 기립성 단백뇨가 -/+(Trace)가지 나올 수 있으며, 임신중이나 신생아에서 기능적 단백뇨가 나오고, Fever, 외상, 심한빈혈 등에서 일시적으로 단백뇨가 나온다. 단백뇨는 신장질환의 중요한 소견이다.

⑨ Urobilinogen

용혈성 황달, 신생아의 황달에서 양성이고, 이때 요 Bilirubin 검사는 음성이다. 또한 간세포성 황달(간염, 간경화, 간암)에서 양성이며, 이때 요 Bilirubin 검사는 양성이다.

⑩ Leukocyte

요 중에 백혈구가 있는 것을 의미한다.

5. 면역학 및 혈청학 검사

1) 면역 및 혈청학이란

면역학(Immunology)은 병원균에 대한 여러 가지 저항력에 관한 분야이다. 우두에 걸린 사람은 다시는 천연두(Smallpox)에 잘 걸리지 않는 다는 사실에서 종두법을 발견한 Jenner가 이 방면의 선구자라고 할 수 있다. 백신(Vaccine)이란 말은 원래 우두 또는 우두 접종이란 뜻이었는데 지금은 모든 예방접종에 통용되고 있다.

백신같이 어떤 동물체에 저항력을 얻게 하기 위하여 주는 물질을 일반적으로 면역원이라 하고 여기서 얻어지는 저항물질을 면역체라 한다. 이러한 면역을 다음과 같이 나눌 수 있다.

- 자연면역
- 획득면역 : 수동면역, 능동면역

이와 같은 면역에 관련된 검사 방법을 면역학 검사라 하며, 일반적으로 임신 반응 검사, 간염 항원 및 항체 검사, 매독 검사, 류마치스양인자 검사 등등이 있다.

혈청검사란 일반적으로 항원-항체 반응을 이용하여 혈청내의 항체를 검사하는 종목을 말하며, 최근 일부의 종목은 혈청내의 항원을 항체-항원 반응으로 검사하기도 하므로, 광역적인 의미로 면역학적 방법을 이용하는 검사의 종류를 말한다.

혈청검사에 이용되는 면학적 검사방법으로 혈구응집법, Latex 응집법, 또는 효소면역법 등이 있는데, 혈구 응집법은 약 2시간 정도 기다려야 하며 Latex법은 빠른 시간 내에 결과를 얻을 수 있으나 민감도가 낮아 검사의 신뢰성애 한계가 있다.

6.3 흡광도 분석법

1. 빛의 성질

빛은 전파, 적외선, X선, 감마선 등의 전자파로 파장만 다를 뿐 그림 3에서 보는 바와 같이 파장의 범위에 따라 구분한다. 파장이란 빛의 파에 대한 1주기의 길이를 말하며, 단위는 nm(Nanometer)이다.

분광광도계의 사용파장은 50에서 2,500nm로 육안으로는 400에서 700nm가 보여 이를 가시광선이라 하며 태양광선이나 백열전구에서는 모든 파장의 빛을 포함하므로 백색으로 보이는 것이다.

착색된 용액은 백색광 중 일부 파장의 빛이 선택적으로 흡수, 산란, 반사, 굴절 등에 의하여 제외되고 나머지의 빛이 색으로 느껴진다. 이와 같은 관계를 여색(보색)이라 하고 전부의 빛이 흡수되면 흑색이 된다.

빛은 각종 파장의 색이 섞여 있으며, 이를 분광기(Monochrometer)를 사용하여 선택적으로 특정 파장만의 빛을 골라내어 사용하는데 이 선택된 광을 단색광이라 한다.

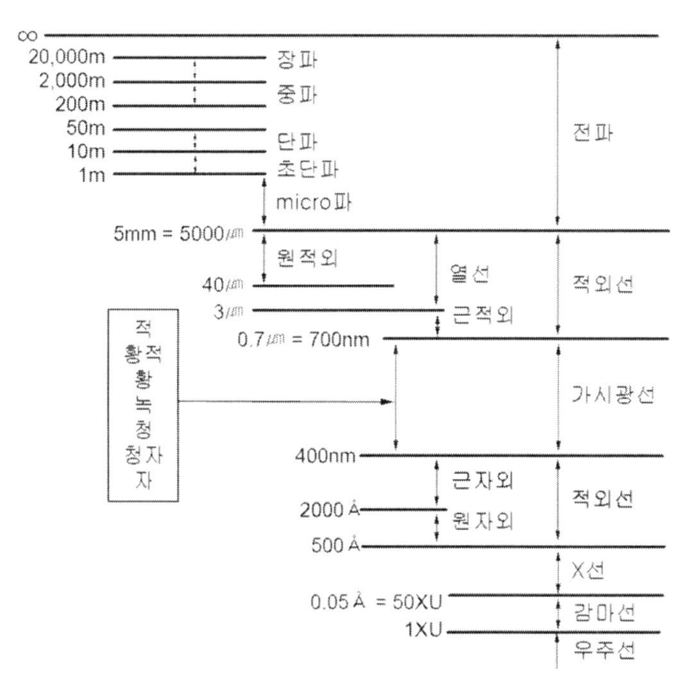

그림 3. 전자파의 종류

2. 흡수 스펙트럼

광의 흡수는 입사

광이 그 에너지를 물질의 분자나 원자 혹은 이온에 주어생긴다. 그 결과 이러한 화학 종류의 에너지 함량은 증대되고 이 때 원자나 분자, 이온 등의 에너지는 불연속적으로 이러한 것을 양지화 된다고 한다.

백색광 중 임의 파장이 빛을 흡수하는 것을 Bohr 조건으로 설명된다.

$$V = \frac{E_2 - E_1}{h}$$

E_1 : 빛을 흡수하기 전 화학종의 에너지

E_2 : 빛을 흡수한 후 화학종의 에너지

E_1 및 E_2로 얻어지는 값은 매우 많지만, 각 화학 종류의 외적 조건이 일정하면 E_1, E_2도 일정하다. 따라서 어느 특정 물질에 백색광이 입사되었을 때 나타나는 흡수 스펙트럼은 물질마다 일정하다.

분자가 갖는 에너지에는 전자에너지(E_{el}), 진동에너지(E_{vib}), 회전에너지(E_{rot})의 3종류가 있고, 광의 흡수는 이들 중 1종류 이상의 에너지 상태를 변화시킬때 생긴다. 하나의 에너지 상태의 변화는 다른 상태에서도 변화를 주어서, 전자상태 변화에는 진동상태, 회전상태의 변화가 따르며, 진동상태의 변화에는 회전상태의 변화가 따른다.

전자상태의 변화에 수반되는 에너지 변화가 가장 크며, 진동에너지의 변화는 두 번째이고 회전에너지의 변화가 가장 작다. 에너지의 변화와 흡수되는 빛의 파장에는 Bohr의 조건에서 전자 스펙트럼은 단파장 영역에서 나타나며, 회전 스펙트럼은 장파장 영역에서 나타난다.

흡수 스펙트럼은 본질적으로 스펙트럼의 집합이며, 시료가 기체라면 개개의 선이 서로 중첩된 흡수대로 관측된다.

3. Bouguer-Lambert-Beer의 법칙

단색광이 물질에 입사되면 반사, 굴절, 산란, 흡수 등의 현상에 따라서 물질을 통과하여 나오는 광의 강도는 감소된다.

입사광의 강도는 I_0 투사광의 강도를 I라고 하면, 입사광이 Cell 중의 물질에 의하여 감소되는 것은 흡수 때문이다. 단색광이 용액을 통과할 때, 용액이 빛에 대하여 직각인 두께 dl 이란 얇은 층으로 가정하고, 빛이 이 층에 도달하였을 때의 강도를 I, 통과되어 나온 빛의 강도를 $I+dl$이라고 하면 dl는 광의 강도 I와 층의 두께 dl에 비례하고 또한 부(-)의 양이므로

$$dl = kIdl \text{(k는 상수)}$$

이다. 이것을 용액층의 두께 전체에 대하여 적분하면, 위의 식은

$$\frac{dl}{I} = -kdl$$

즉, $I = I_0 e^{-kl}$이 된다.

$$\text{따라서, } I = I_0 10^{-kl} \text{ 또는 } \log\frac{I_0}{I} = kl$$

이 되고, 입사광과 투과광의 비율의 log는 두께에 비례하며 이를 Bouguer-Lambert의 법칙이라 한다.

용액이 균일하면 용질분자의 수 n은 용액층의 두께 1에 비례하므로

$$\log\frac{I_0}{I} = \acute{k}n \text{(}\acute{k}\text{는 상수)}$$

여기에서 1이 일정하면 용질분자의 수 n은 용액 농도 C에 비례한다. 따라서

$$\log\frac{I_0}{I} = k'' C$$

이것이 Beer의 법칙이며, 액층의 두께가 일정하면 입사광과 투과광의 비율의 log는 농도에 비례한다는 것을 나타낸다.

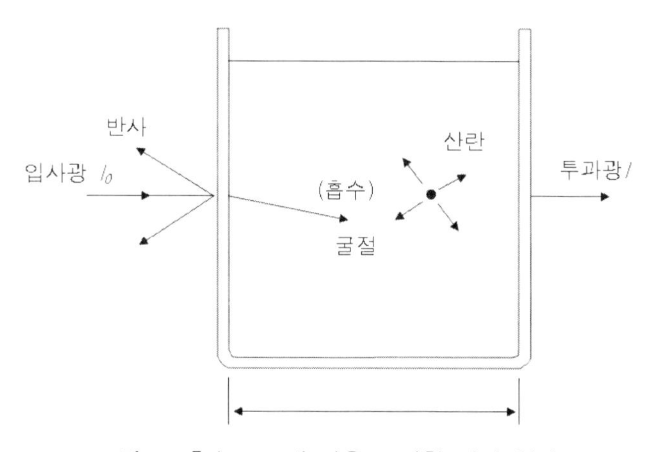

그림 4. 흡수 Cell에 광을 조사할 때의 현상

이 두 개의 법칙에서 단색광의 용액을 통과할 때, 입사광과 투과광의 강도는 $\log\frac{I_0}{I} = kCl$ 이 된다.

이것이 Lambert-Beer의 법칙이다.

여기서 I_0/I : 투과도(Transmittancy, t)

$(I_0/I) * 100(\%)$: 퍼센트 투과율(Percent transmittance, %T)

$\log\frac{I_0}{I} = \log\frac{l}{T} = A$: 흡광도(Absorbance, A)

따라서

$$\log\frac{I_0}{I} = \log\frac{l}{t} = \log\frac{100}{T} = 2 - \log T$$

의 관계가 되고, Bouguer-Lambert-Beer의 법칙은 "용질(정색물질)의 흡광도(A)는 용액 물질의 농도 C와 액층의 두께 l의 식에 비례한다.

흡광도 분석법의 정량적 기초는 Beer의 법칙이며, 이 법칙이 성립되기 위하여는 다음의 조건이 성립되어야 한다.

- 입사광이 단색광이어야 한다.
- 계면반사, 분자에 의한 산란이나 형광 발색, 현탁물에 의한 난반사등이 없어야 한다.
- 용액의 농도가 변하여도 용질의 화학종류가 일정하여야 하며, 농도 변화에 따른 분자의 해리나 결합의 평형이 이동하지 않아야 한다.

4. 흡광광도 분석장치

흡광광도 분석장치의 구성은 광원부, 파장 선택부, 검체부, 측광부, 지시기록부의 5개 부분으로 나눌 수 있다.

파장선택부에서 회절격자(Grating) 등의 Monochrometer를 사용한 장치를 분광광도계, 간섭필터를 사용한 것을 광전광도계라 한다.

Monochrometer는 광원에서 방사되는 연속광 중에 특정 파장만을 선택하여 사용하는 것으로서, 광의 분산을 생기게 하는 회절격자나 프리즘(Prism) 또는 이들을 조합한 것이다. 그림 6은 회절격자를 사용한 분광광도계의 한 예로서, 입구쪽 Slit 상에 광원상을 맺히게 하고 Monochrometer에 입사한 연속광은 회절격자에 의해 분산되어, 출구쪽 Slit 상에 스펙트럼을 맺히게 한다. 임의의 파장 단색광을 출구쪽 Slit에 나오게 하려면, 회절격자를 움직인다. 이때 움직인 회절격자의 각을 θ, 파장을 λ라고 하면, λ와 θ간에는 다음의 식이 성립된다.

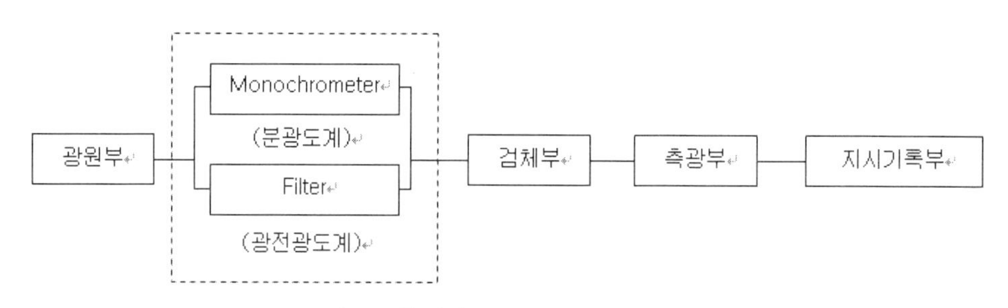

그림 5. 흡광광도 분석장치의 구성도

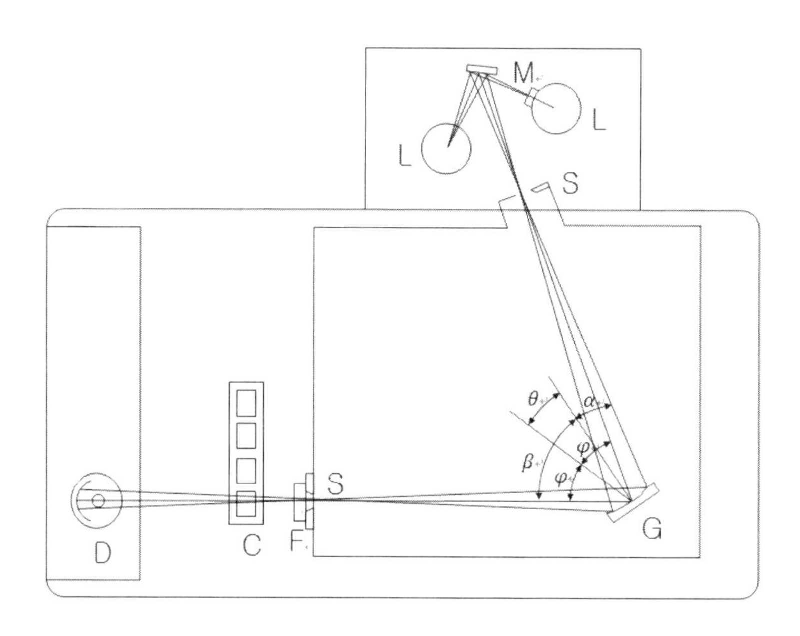

L : lamp
M : 집광거울
S1 : 입사 slit
G : 회절격자
S2 : 출사 slit
F : Filter
C : cell
D : 검출기

그림 6. 분광광도계의 광학부 분석도

$$\theta = \sin^{-1}(m \cdot \lambda/2 \cdot d \cdot \cos\Phi)$$

여기서 $m =$ 차수(±1, ±2, …)

$d =$ 격자상수(홈의 간격)

$\Phi =$ 입사각과 회전각이 이루는 각도의 1/2

또한 스펙트럼의 순도($d\lambda$)와 Slit 폭(S)의 관계는 다음 식으로 표현된다.

$$d\lambda = S \cdot d.\cos\beta/m \cdot f$$

여기서 f : Camera 거울의 초점거리(그림 6에서 GS_2간의 거리)

6.4 전기화학장치

전기화학장치는 화학반응을 일으킨 물질의 존재상태를 전기적 관계를 이용하여 측정하는 것으로 주로 전압, 전류, 전위차, 전도도, 등의 변화를 정량화하는 기능을 갖춘 것을 전기화학적 측정법이라 한다.

임상검사에서는 전기화학적 분석의 진전 따라 전극을 이용하는 방법, 이온전극, 가스감응전극, 효소전극을 사용하고 그 응용성을 넓혀가고 있다.

1. pH 메타

pH 메타는 완충액이나 반응시약 등의 pH 조정이나 확인에 주로 사용된다. 혈액의 pH를 측정하는 혈액 가스 분석장치에 이용하여 응급검사항목으로 생체의 pH 확인에 널리 활용되고 있다.

(1) 측정원리

일반적으로 사용되는 pH 전극은 유리전극이다. 유리전극은 개체막형 이온선태전극의 대표적인 것으로, 유리막에서 발생하는 전위차를 측정한다. 전기전도성은 높고 거의 전위차를 만들지 않는 염화칼륨(KCI)의 염교(Salt bridge)를 이용하여 유리막의 내부전극과 비교전극을 동일 용액에 넣어 두 전극간의 전위차를 무시하고

pH 의존 전압을 알아낸다.

그림 7의 유리전극 pH 메타는 비교전극 내부액의 KCl이 다공성의 연결부를 통하여 피검액과 연결되고 유리막 양쪽에 피검액의 pH와 대응하는 전위차를 만들어 그 전류를 증폭하여 pH를 구한다.

실제로 pH의 절대측정은 불가능하며 목적하는 pH값에 가까운 표준액을 이용하여 교정하여야 한다.

유리전극에는 2점교정(표준액 pH 1 용액, 표준액 pH 2 용액)을 이용한다. 많은 pH 메타의 교정(Calibration)은 중성부근 교정용을 평행이동, 산 및 알칼리성 교정용액이 기울기 교정에 사용된다.

pH 메타에 사용되는 전극은 다음과 같은 것들이 있다.

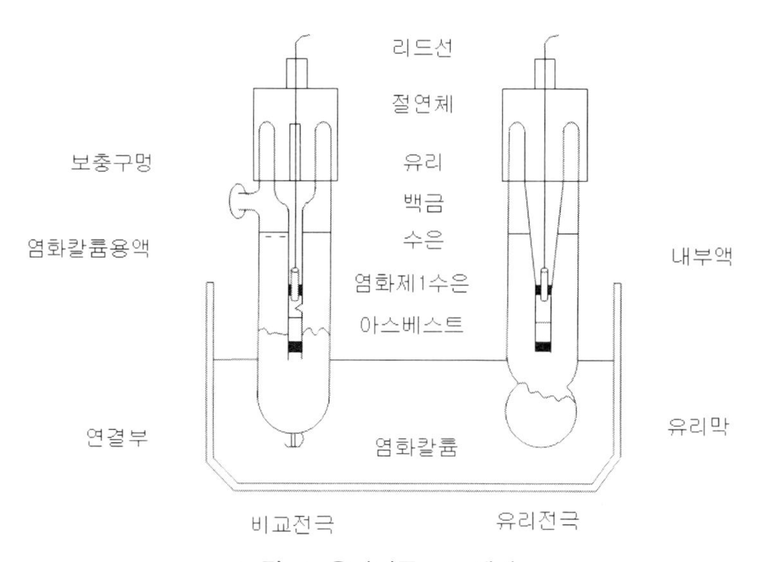

그림 7. 유리전극 pH 메타

① 유리전극

유리전극은 Na-Ca계 유리 또는 Li계 유리의 유리막을 이용한 것으로 충분히 H2O를 흡수하고 Na^+, Li^+ 이온이 구멍을 통과하여 H^+이 확산된다. 그 결과 유리박막 양쪽 용액 pH의 차이에 비례하여 전위차가 생기는 것을 이용한다.

② 비교전극

비교전극은 Calomel전극, 은-염화은전극 등이 이용되고 있다. 연결부의 구조에 따라 여러 종류로 나뉘고, 피검액의 종류에 따라 다르며 이중구조형이 안정하여 일반적으로 사용되고 있다.

③ 복합전극

유리전극과 비교전극을 일체화한 전극으로 피검액도 소량이며 세척이 용이하여 사용하기가 편리하다.

④ 온도보정전극

유리전극에서 생기는 기전력을 온도와 관계없이 자동적으로 보정해 주는 것이 온도보정전극이다.

2. 이온전극장치

용액 중의 특정 이온에 선택적으로 감응하여 비교전극 간의 이온농도에 대한 전위차를 만드는 전극을 이온전극(이온선택전극 : Ion-selective electrode, ISE)이라 하고 주로 전해질(Na^{+}, K^{+}, Cl^{-}, Ca^{++} 등)의 농도를 측정하는데 이용된다.

(1) 이온전극의 종류

이온전극은 감응막의 구성에 있어서 다음과 같이 4가지 종류로 분류된다.

① 유리감응막전극

유리박막을 이용한 전극(Na^{+} 전극 등)

② 고체막전극

난용성 금속염을 가압 성형하거나 단결정막을 사용한 전극(Cl^{-} 전극 등)

③ 액체막전극

이온감응액체를 에폭시 수지나 PVC에 내장시켜 만든 전극(K^{+}, Cl^{-}, Ca^{++} 전극 등)

④ 격막형전극

가스투과성 막과 pH 전극을 조합하여 용액중에 특정 이온을 가스화하여 격막을 통과시켜 다시 이온화를 측정하는 전극(PCO_2 전극 등)

(2) 이온전극의 구조

유리격막의 이온전극으로 고체막전극은 직접 리이드선형과 내부형이 있으며, 액체막전극은 내부액형이 대부분이고 감응막의 유지방법에 따라 다공질막, PVC막, 에폭시막의 3가지 종류가 있다.

(3) 비교전극(Reference electrode)

비교전극은 이온전극과 함께 측정의 기준으로 사용하며, pH 메타의 비교전극과 유사하다. 비교전극의 구조는 내부전극과 내부액 및 연결부로 되어있다. 비교전극의 종류는 연결부의 구조에 따라 Ceramic혈과 Sleeve형으로 분류된다.

Ceramic형은 유리전극 끝에 다공성의 세라믹을 넣어 만든 것으로 구조가 단순하며 사용이 편리하나 연결부가 오염되어도 세척이 불가능해 측정오차의 원인을 제거하기가 어렵다.

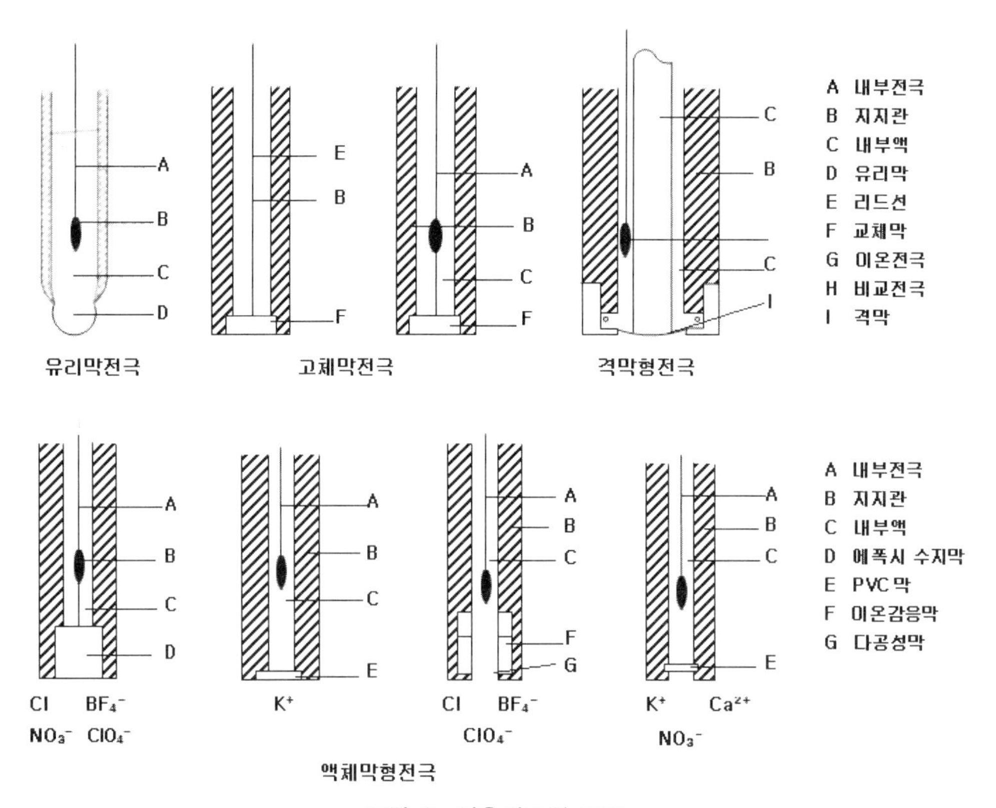

그림 8. 이온전극의 구조

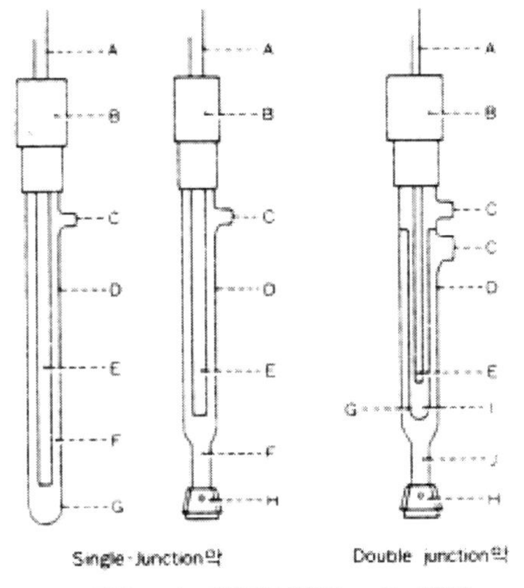

A: 리드선 B: 마개 C: 내부액보충구멍 D: 지지관
E: 내부전극 F: 내부액 G: Ceramic 연결부 H: Sleeve 연결부
I: 안쪽 내부액 J: 바깥쪽 내부액

그림 9, 비교전극의 구조

Sleeve형은 유리관에 조합되어 구조가 복잡하고 사용이 어려우나 내부가 오염된 경우에도 Sleeve 겉을 움직여 재현성이 좋은 결과를 얻을 수 있다.

이러한 비교전극은 연결부가 단순한 Single형이 이용되고 내부액의 염화칼슘 용액에 의한 측정값이 영향을 받는 경우는 연결부를 이중으로 하고 바깥쪽의 내부액은 측정에 영향이 없는 이온 용액을 채운 Double형을 이용한다.

(4) 이온전극을 이용한 전해질 분석기의 측정방법

이온전극법에 의한 전해질 분석기는 측정방법에 따라 분류하면, 측정시료를 희석하지 않고 직접 측정하는 비희석전위차법(Undiluted potentiometry, 비희석법)과 측정시료를 특정한 희석액으로 희석하여 측정하는 희석전위차법(Diluted potentiometry, 희석법)이 있다. 비희석법은 전혈(Na나 Li 헤파린 처리), 혈장, 혈청시료를 측정할 수 있다. 특히 전혈중의 혈구를 파괴하지 않고 혈장중의 이온을 측정하는 것이 특징이다. 비희석법중 고농도로 인하여 장비의 측정범위를 초과할 때에는 시료를 희석하여 측정한다.

희석법은 전해질과는 관계가 없고 이온강도가 일정한 희석액으로 20~60배로 희석하여 측정하며 혈장, 혈청, 뇨, 기타체액 등의 시료를 측정할 수 있다.

측정방식은 전극을 Flow 계통에 넣은 Flow-path나 Flow-by와 비이커와 같은 특정 Cell에 시료를 넣어 전극을 통하게 하는 Dip 방식이 있다.

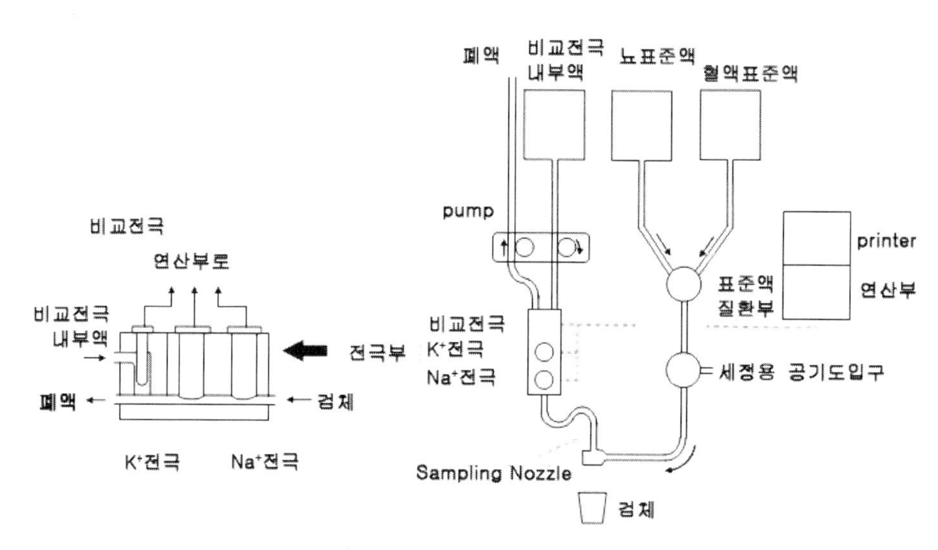

(a) 비희석법 Flow 방식

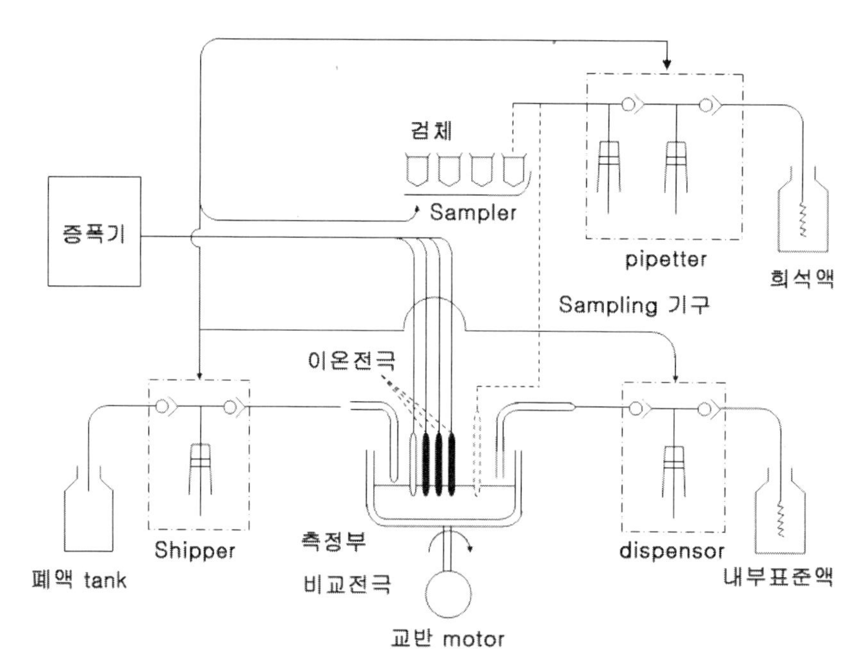

(b) 희석법의 Dip 방식

그림 10. 전해질 측정장치의 구조

3. 효소전극장치

고정화 효소와 전극을 조합한 것으로 효소반응에 의하여 생성되거나 소비되는 O_2를 전극반응으로 감지하여 H_2O_2의 산화전류에 의하여 H_2O_2를 직접 전기화학적으로 검출하여 목적물질을 정량하는 데 일반적으로 사용된다.

(1) 효소전극의 원리

효소전극은 효소반응에 의하여 소비되는 물질을 전기화학장치로 선택적으로 측정하여 전기신호로 변환한다. 이때 효소반응은 고정화한 효소에 의하여 특정 측정대상 기질에 작용하여 전극에 활성적인 물질을 전기화학장치로 감지한다.

(2) 효소전극의 종류

① 이온전극을 이용한 효소전극

효소반응에 관여하는 각종 이온 등의 농도를 각각의 이온에 선택적 감응막에서 생기는 막의 전위에서 구한 전위 측정에 의한 방법으로 암모니움 이온전극, 암모니아 가스전극, 탄산 가스 전극 등이 이용된다.

② 백금 및 은 전극을 이용한 효소전극

효소반응에 관여하는 전극 활성물질의 전극반응에 의하여 얻어지는 전류값에서 측정대상물질을 구하여 전류측정에 의한 방법을 이용한다. 효소전극, 과산화수소 전극 등이 이용된다.

(3) 효소전극의 구조

① 암모니아 가스 전극

암모니아 가스 전극은 소수성의 가스투과막에 피검액과 전극 내부액을 격리시키면 피검액 중의 암모니아성 막(Membrane)을 투과시켜 확산하여 내부액으로 들어가 그 일부가 내부액 중의 물과 가역적으로 반응한다.

암모니아 가스 전극의 이용은 혈장 중 암모니아의 측정, 암모니아나 요소 등의 측정에 이용된다.

② 과산화수소 전극

전류측정은 백금과 은 전극에 의한 과산화수소 전극으로 하고 효소반응에 의하여 만들어지는 H_2O_2를 H_2O_2 선택투과막을 통하여 이용하는 것이 보통이다. H_2O_2 투과막은 과산화수소 전극에 직접 전달하여 Ascorbic acid 등의 영향물질을 피하게 되어 영향물질의 방해를 받지 않는 선택성에서 우수한 막을 이용한다.

효소전극 중 가장 보편적으로 사용되는 것이 Glucose전극이다. Glucose전극은 고분자막에서 Glucoseoxidase(GOD)를 고정화하고 시료를 완충액과 같이 전극 반응 Cell에 보내지면 글루코즈와 완충액 중의 용존산소가 효소작용으로 글루콘산과 과산화수소를 만든다.

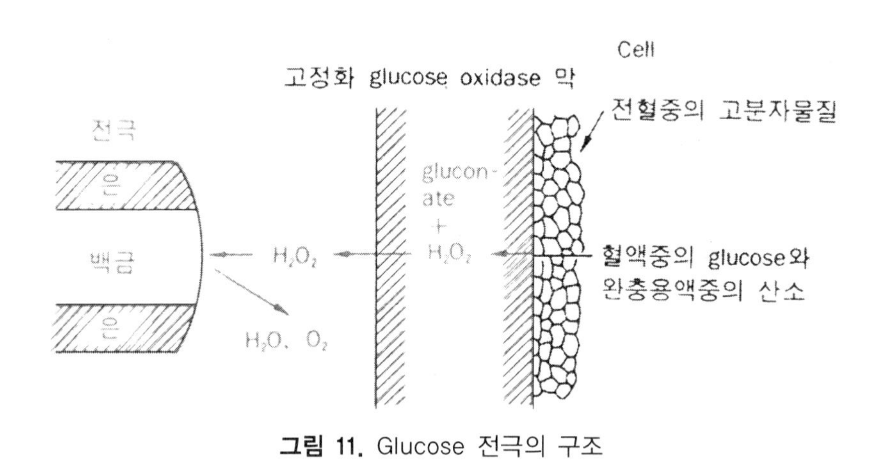

그림 11. Glucose 전극의 구조

생성된 H_2O_2는 농도확산에 따라 전극 표면에 도달하여 백금(Pt)극에서 산화되고 은(Ag)극에서 환원되어 물을 만든다. 이 때 반응전류가 생성되며 H_2O_2는 전극표면에 물과 산소로 분해되어 반응전류는 생성된 H_2O_2의 농도에 비례하며 이것을 측정하여 Glucose 농도를 구한다.

이와 같은 전극은 일반적으로 GOD 고정화막 외부의 시료면에 Poly-carbonate 막이며, 내부는 Gelulose acetate막은 H_2O_2보다 분자량이 큰 물질은 통과시키지 않고 Ascorbic, Acid, Uric acid, Cysteins 등의 환원물질을 차단하고 방해반응을 피하는 역할을 한다.

4. 기타 전기화학적 측정장치

(1) 이온 크로마토 분석기

Ion-chromato analyzer는 각종의 이온을 소량의 검체를 사용하여 고감도로 측정하는데 사용되며 특히 음이온의 분석에 유효하다. Ion-chromato analyzer의 흐름도는 그림 12와 같다. 검출계는 전도율 검출기가 이용되며 전도율 검출계는 그림 13에서와 같이 내용량이 적은 유통형으로 압력에 견딜 수 있도록 되어 있다.

각 이온은 전도율이 다르므로 Column으로 분리한 검체의 전도율을 측정하여 Chromato grath를 얻기도 한다. 이 외의 검출계로는 전기량 검출기 등의 전기화학적 검출기도 이용되는데 전기화학적인 활성이온의 측정에 이용된다.

(2) 요소질소의 분석계

Urea에 Urease를 작용시키면 NH_4^+와 HCO_3^-으로 분해되어 반응액 중의 전도도가 증가하는데, 최대 전도도 가속도를 이용하여 요소질소 농도를 측정한다.

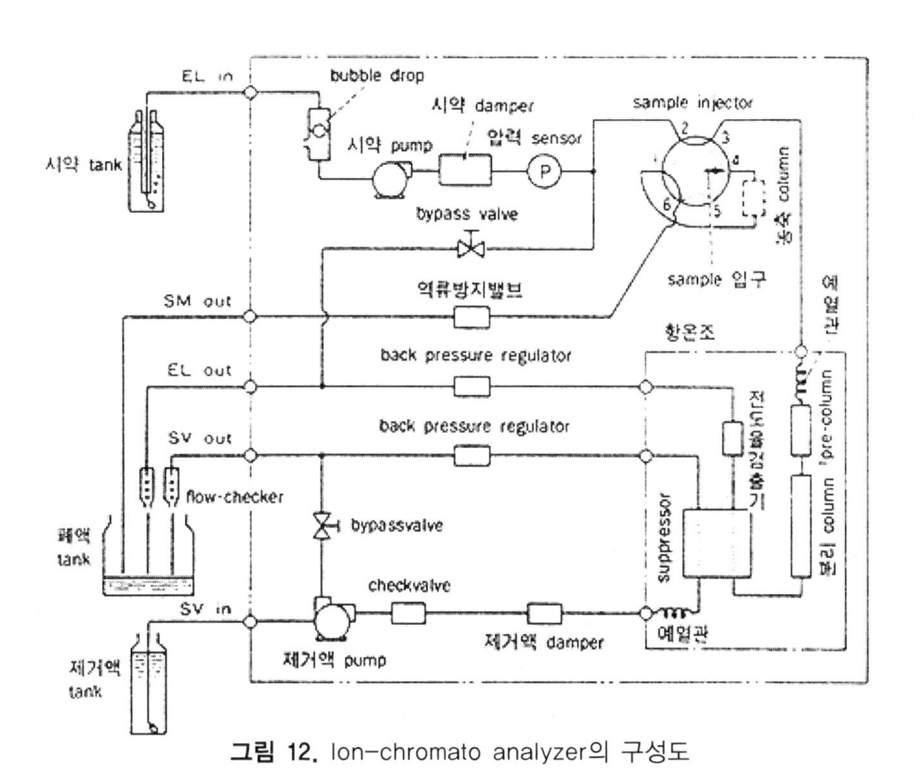

그림 12. Ion-chromato analyzer의 구성도

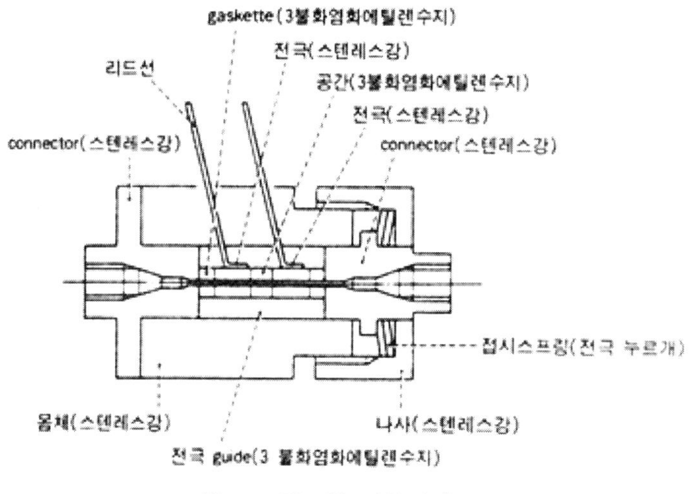

그림 13. 전도율 검출기의 구조

(3) 혈구계수기

전해질 용액 중에 부유하는 적혈구, 백혈구, 혈소판 등의 입자가 작은 구멍을 통과할 때 구멍에 전극을 걸어서 얻어지는 전기저항의 크기로 혈구수를 산출한다.

(4) 고성능 액체 크로마토그래피(HPLC)

고속(고성능) 액체 크로마토그래피(High speed(high performance) liquid chromatography)를 이용하여 분리, 정량할 때의 검출기의 하나로, 전도도계가 이용된다. 특히 알칼리 금속이동 등의 검출에 사용된다.

6.5 의료기기의 관리

1. 의료기기 관리의 개요

우리나라의 병원에서 사용되는 대부분의 장비는 수입에 의존하고 있으며 장비의 구입에 사용되는 달러도 과히 천문학적인 금액이다. 이에 많은 연구소 및 업체에서 의료기기의 국산화에 심혈을 기울이고 있으며, 일부 국산장비는 세계적인 기술을 가지고 수출되고 있다. 그러나 세계적으로 가속적인 기기의 발전은 국산 의료기기가 의료기 시장을 선도하기에는 우리의 기술의 저변이 취약하고 또한 국내 의료기기의 시장이 국산제품을 소화하기에는 너무도 작다. 이와 같은 이유로 많은 국내의 병원에서 고가의 외국산 첨단 장비들의 사용이 현실인 것이다.

첨단의 고가 장비를 효율적으로 오랫동안 운용하기 위해서는 의료기사 및 관리자들의 장비에 대한 관리가 매우 중요하다. 복작하며 생소한 의료장비를 얼마나 올바르게 이해하고 사용법 및 유지관리법을 숙지하느냐가 관리가 새로운 문제점으로 제시되고 있다.

이 문제점이란 각종 의료기기의 구입선정에서부터 운용, 보수 유지, 관리에 필요한 기술 습득 등 의료기기의 효율적이고 사용을 극대화시키기 위한 모든 것을 말한다. 현재 선진 각국에서는 물론 우리나라의 많은 병원이 전담 부서를 두고 기기의 종합적인 관리를 하고 있다.

2. 의료기기의 선정

기기의 구입을 하기 위해 기기의 선정 전에 구입하고자 하는 장비가 꼭 필요한가를 확인한다. 예를 들어 현재 사용하고 있는 장비의 처리능력 부족으로 새로운 장비를 구입하고자 한다면, 효율성을 배가하기 위한 방법은 없는지, 기기의 고장으로 구입하고자 한다면 기기를 수리하는 방법은 없는가, 새로운 기기의 구매시는 기존의 장비로 대체할 수 없는가 등을 신중하게 고려한다.

기기의 구매가 결정되면, 기기의 선정을 위하여 사용자, 사후 장비 관리부서, 구매 부서에서 장비 구입 심의위원회를 구성하고 장비의 특성, 장비의 가격, 장비의 분포도 및 장비 유지 관리의 문제 등을 고려하여 구입하여야 한다.

새로운 장비를 구입시에는 반드시 외국 공인기관(미국 FDA, 일본 후생성 등)의 검증 여부 확인하고, 국내의 식품 의약품 안전청 및 생산성 기술연구소 등과 같은 기관의 기준과 검사를 필하였는지를 확인하여야 하며, 또한 유사경쟁 기기와의 대비를 통하여 비용이 과다 지출되지 않도록 세심한 평가를 필요로 한다.

(1) 성능

사용자는 성능상 필요한 기능이 있는지를 세심히 검토하고 필요 이상의 기능이 있는 장비의 선정을 가급적 피한다. 필요 기능 이상의 장비는 공급 가격이 고가인 것은 물론이며 장비의 운용이 복잡하고 장비의 유지 및 보수에도 많은 비용이 지출될 것이다.

장비의 기술방식 또한 매우 중요한 사항이다. 기기의 기술방식이 새로운 기술을 사용한 기기인지, 보편화되어 있는 기술을 사용한 기기인지 또는 사장되어 가는 기술을 사용한 기기인가를 검토하는 것도 잊어서는 안될 부분이다. 새로운 기술을 사용한 기기는 신기술의 장점을 가지고 있으나 임상적으로 보편화되지 않아 장비의 운용시 어려움을 느낄 수 있으며, 사장되어가는 기술방식을 채택한 장비는 곧 장비의 생산중단으로 차후 유지 보수를 위한 부품이나 소모품 등의 조달에 어려움을 느낄 수 있게 된다.

위와 같은 성능에 대한 기기의 구입 장비 필요 사양이 결정되면 최소 3개사 이상의 공급회사로부터 사양을 받아 이를 검토 후 결정한다.

(2) 기존 설비의 이용 여부

새로 구입되는 장비는 기존에 설치되어 있는 설비를 이용할 수 있도록 하는 것이 바람직하다. 기기의 크기, 설치 방법, 전원의 용량, 가스, 물, 온도, 습기, 배수 등을 고려하며 또한 최근 첨단 장비들은 컴퓨터와의 연결 등으로 전원 및 주위 환경에 대한 매우 민감한 장비들이 많으므로, 다른 기기 영향등을 생각하여야 한다.

(3) 업체의 사후 관리 능력

최근 들어 많은 수입의료기기의 회사들이 국내에 지사를 설립하고 제품을 판매하고 있으나 규모가 큰 다국적 기업을 제외한 대부분의 의료기기 제조업체들은 국내에 대리점을 두고 제품을 공급하고 있다. 이러한 공급 업체들도 업체마다의 전문성을 가지고 있으나, 일부 업체들은 영세성을 벗어나지 못하고 있다. 장비의 구입 후 만일 적정한 기술 제공을 받지 못하거나 업체에서 예비용 부품을 준비하고 있지 못하면 장비의 고장시 이를 장기간 방치할 수 있게 된다.

새로운 장비의 구입 전 반드시 공급업체의 기술숙련 정도를 확인하여야 하며, 장비의 도입 후 정확한 설치가 가능한지, 사요에 대한 교육을 충분하게 할 수 있는 업체인가를 검토하고 이에 따르는 사용자 설명서 및 서비스 설명서를 공급받아야 한다.

(4) 가격

가격의 비교평가는 장비의 구입 가격뿐만 아니라 장비의 사용기간동안 소요될 운용 비용 및 보수 유지비용 등을 전체적으로 고려하여야 한다.

① 소모품의 가격

장비의 특성상 반드시 그 회사 제품의 소모품만을 사용하여야 한다면 소모품의 가격이 비쌀 수도 있다. 일부 제품은 공급자가 병원에 무상으로 기증하는 경향이 있거나 또는 아주 낮은 가격으로 제품을 공급할 수 있다.

이런 경우에는 여러 병원에서 공급받는 소모품의 가격을 확인하며, 일반적인 소모품을 사용하는 동등의 장비가 있다면 이런 제품의 구입을 고려하는 것도 바람직하다.

② 수리용 부품의 가격

장비의 정비시에 사용되는 수리용 부품은 정비 가격에 포함되는 것이 보통이다. 그러므로 정비시의 부품가격은 일반적인 부품 가격보다도 비쌀 수 있으며, 만일 자주 교환해야 하는 부품은 구입 전 금액을 확인해야 한다.

대부분의 의료 장비의 수명은 10년 내외로 이 기간 동안의 필요한 부품의 원활한 공급과 서비스가 제공되는지를 확인하여야 한다.

③ 정비보수료

최근 고가의 장비일수록 월 정기 보수 계약제로 장비를 관리하는 경향이 두드러지고 있다. 이때 신뢰성이 높은 업체일수록 금액이 높아지며, 장비 관리의 효율성은 높아지게 된다. 장비의 관리시 이러한 정비 보수 계약시에는 정비 횟수, 정비시 필요 부품의 공급 한계 및 장기간의 장비의 고장시 등의 책임여부 등을 결정하여야 한다.

(5) 안전성

의료기기는 환자의 생명과 직접적으로 영향을 미치는 것으로, 구입하고자 하는 기기가 미국의 FDA, 일본의 후생성 등 제조국가가 인정하는 기관에서 안정성 검사를 필하였는지를 확인하고 또한 제조국가에서 충분한 임상실험의 여부와 이에 관련된 임상실험 결과 및 선정기기를 사용한 학술논문 및 국내 검증기관에서 검사를 필하였는지를 확인해야한다.

만일 의료기기의 제조상 또는 설계상의 결함으로 기기 자체에서 문제점이 발생시는 장비수리, 변상, 교환 등의 방법 및 무상 보증수리기간 등을 명확하게 명기하여야 한다.

(6) 성능 향상 기능(up-grade)

장비의 구입시 현재 구입예산의 부족으로 특정 기능을 배제하고 일부 기능만을 가진 장비를 구입하였거나 또는 병원의 특성상 일부 기능이 필요하지 않아 구입을 고려하지 않았더라도 향후 필요시 parameter 기능 향상이나, 컴퓨터 인터페이스 여부, 기록계의 장착 가능 등을 조사하고 향후 이러한 기능을 up-grade를 실시할 계획이 있다면, 기능을 가지고 있는 기기의 구입이 유리하며, 만일 사용할 계획이 없다면 이러한 기능을 가지고 있는 의료기기를 구입하는 것은 과다 지출이 될 수 있다.

3. 의료기기의 검수

(1) 절차

① 장비가 제조사로부터 도입시의 초기 검수의 실시

㉠ 구입 사양에 맞는 기능 유무

㉡ 구입 부속물(accessories)의 구비 여부

㉢ 외형적인 장비의 손상

㉣ 선정시 사양에 따른 장비의 동작 상태 등

② 사용자에 대한 올바른 장비운용 교육

③ 장비 관리자에 대한 간단한 정비 교육

(2) 장비의 이력카드 작성

모든 장비는 장비의 도입 시점으로부터 반드시 관리번호를 부여하고 장비이력카드를 작성하여 관리하여야 한다.

장비의 이력카드에는 기기의 설치 일자, 무상수리 기간 및 설치이후에 발생되는 모든 정기 서비스 내역, 장비의 고장으로 수리시에는 수리 내용과 수리에 사용된 부품 및 부품의 비용, 성능을 향상하기 위한 Up-grade 등을 기록한다. 이와 같이 장비이력카드의 중요한 기능은 아래와 같이 요약할 수 있다.

① 모든 수리와 기기 변경의 기록

기기의 고장시 사용자가 실시한 수리의 내용이나 또한 병원의 장비관리자가 수리한 내용은 기록하는 것은 물론, 공급사에서 실시한 수리의 내용 및 기기의 변경 기록(Up-grade, Down-grade, Modify 등)을 기록한다.

② 정기검사 일자의 기록

정기적으로 실시하는 정기검사의 일자를 기록하여 정기검사가 적정일 이내에 정비가 실시되었는지의 유무를 확인한다.

③ 수리횟수에 따른 장비의 신뢰성 확인

지나치게 잦은 고장에 대한 장비의 수리는 의료장비로서 신뢰성에 문제가 될 수 있느며 또한 관리적인 측면에서도 장비에 대한 생산성 및 효율성이 고려되어야 한다. 장비의 신뢰성, 안정성 및 효율성 등의 관리를 위하여 수리의 실시 일자, 횟수, 및 내용을 정확하게 기록한다.

④ 장비의 폐기 및 대체 시기의 예측 등

수리 횟수의 기록 등은 장비의 폐기 및 대체 장비의 구입 시기를 예측할 수 있다. 이와 같은 예측을 통하여 장비의 구입시기 및 장비의 폐기 시기를 결정한다.

표 3. 장비이력카드의 예

Hospotal				MOEDEL(Main)	
운영부서				S/N(Main)	
전화번호		담당자		기타장비 모델명	
설치일자				기타장비 S/N	
P.M	Yes O, No O	유효기간	까지	install Engineer	
보증기간	~			Offer Number	
비고					
방문일자		Engineer		비고	
고장내역					
수리내역					
수리 부품					
수리비내역					
방문일자		Engineer		비고	
고장내역					
수리내역					
수리 부품					
수리비내역					
방문일자		Engineer		비고	
고장내역					
수리내역					
수리 부품					
수리비내역					
방문일자		Engineer		비고	
고장내역					
수리 부품					
수리비내역					

4. 사용 및 유지관리 교육

(1) 사용자 교육

대부분의 장비의 고장은 사용자의 장비 사용 미숙에 있다. 고가의 장비일수록 사용자 설명서가 영어로 되어 있고, 최근들어 컴퓨터의 발달로 많은 의료기기들이 컴퓨터와의 연결되어 있어, 컴퓨터에 친숙하지 않는 사용자는 사용법 숙지시 공급업체의 교육에 의존하는 비율이 높아지고 있다.

이와 같이 새로운 장비가 도입되면 반드시 사용자는 장비의 운용에 어려운이 없도록 충분한 교육을 요구하여, 사용자가 하여야 하는 유지 관리 방법 및 고장시 응급으로 대처하는 방법 등을 익혀야 한다.

(2) 기술 관리자 교육

기기의 유지 보수 관리자는 제조업체로부터 인정하는 교육을 이수하여야 한다. 최근 들어 고가의 장비들은 대부분 외국의 제조사가 제공하는 현지의 교육장소에서 서비스 교육을 실시하는 것이 일반적이다. 그러나 제조사에서 실시하는 교육을 참가하는 것이 현실적으로 어려우며 또한 참석을 하더라도 교육이 영어 및 현지어 등으로 실시되어 이를 이해하는데 있어서 매우 어려움을 느끼게 된다.

이와 같은 이유로 반드시 국내의 대리점으로부터 서비스에 대한 교육을 요구하고 서비스 매뉴얼 등의 자료를 받아 이를 완전 숙지하여야 한다.

6.6 장비의 보수 및 관리

1. 사용자에 의한 일상적인 유지 관리

장비의 사용자는 제조사가 권장하는 주기적인 유지 관리를 하여야 한다. 일반적으로 제조사는 장비의 원활한 사용을 위하여 일상적인 유지 관리 목록을 작성하여 사용자 설명서에 다루고 있다.

(1) Daily maintenance

매일매일 기기의 사용 전에 실시하여야 할 점검이나 기기의 사용 후 해야하는 유지 보수로서, 일정한 작업표를 만들어 실시하여야 한다.

(2) Montyly maintenance

매달 정기적으로 실시하며 필요한 소모성 부품의 교체 장비의 청소 등 주로 사용자가 실시하며 장비의 수명연장을 하기 위한 중요한 유지관리 작업이다. 모든 의료기기는 깨끗하게 사용되어야 하며 이와 같은 월 정기 유지 관리를 통하여 올바르게 사용되지 못하면 사소한 것이라도 고장의 원인이 될 수 있다.

(3) Quarterly maintenance

주로 소모성 부품의 교환 장비의 교정을 해야 하는 작업으로 사용자보다는 의료기기 관리자가 사용자 및 유지 관리 설명서에 의해 반드시 실시한다. 일반적으로 이와 같은 유지 관리의 소홀로 장비의 고장의 원인이 될 수 있다.

(4) Yearly maintenance

1년에 한 번씩 유지관리를 하기 위한 작업으로 장비의 상태나, 준 소모성부품의 교환시기 또한 전반적인 주유, 조정 및 교정과 장비의 안전성 등을 실시하며, 사용자나 병원의 장비관리자보다는 공급업체에 의뢰하여 종합적인 장비의 점검과 동시에 실시하는 것이 바람직하다.

2. 예방정비(Preventive Maintenance)

예방정비의 목적은 장비가 고장없이 다음 예방정비시까지 사용하는 것을 목적으로 하고 있다. 장비의 중요도에 따라 차이는 있지만 예방정비는 보통 2개월에 1회 정도를 실시하며, 예방정비의 실시횟수가 잦을수록 비용이 증가된다. 예방정비의 범위는 다음과 같다.

- 장비의 동작에 따른 광범위한 검사

• 소모성 부품의 교환
• 철저한 주유 및 조정
• 필요한 부분의 성능 검사
• 최종 성능확인
• 안전 확인

만일 예방정비를 공급업체에게 위탁하여 실시한다면, 예방정비의 횟수, 비용, 장비의 고장비 사용되는 수리용 부품의 부담 비용의 한계 등, 정비 후 기술정비 부서의 책임자와 기기 사용자에 의해 인정받아야 할 사항 및 실시되는 작업의 질에 대한 책임 소재를 계약서상 명기하여야 한다.

3. 고장 수리

장비의 예방 정비가 잘되면 장비의 고장 횟수는 상대적으로 줄어든다. 그러나 정비가 된 기기라도 이상이 발생될 수 있으며, 고장 발생시는 신속하게 처리할 수 있는 체계를 갖추고 있는 것이 필요하다.

고장시 교체해야 할 부품을 재생사용 또는 동일 기능의 대체품을 사용하거나, 소자 단위의 수리 방식으로 하면 장비 수리비를 대폭 절감할 수 있으나 수리기간이 길다는 단점이 있고, PC board로 교체를 하면 신속한 수리는 가능하나 많은 비용이 지출된다.

대부분의 고장은 위에서 언급했듯이 사용자의 부주의에서 발생되는 것이 많다. 수리 요청시는 반드시 부속품의 연결이 올바른지, 퓨즈가 절연됐는지, 또는 간단한 장비의 조정 불량 등은 아닌지를 확인하여야 한다.

기기는 반드시 청결한 상태로 유지되어야만 한다. 청결한 상태에서 사용해야만 고장없이 고가의 장비를 오랜 기간동안 사용할 수 있는 것이다.

4. 기기의 기능 변경(Up-grade, down-grade, Modify)

기기의 변경은 반드시 필요시에만 실시한다. 자체 기술진에 의한 작은 기기의 변경이라도 반드시 공급업체에 자문을 받아 실시하며, 업체에서 무상 또는 유상으로 실시하는 변경의 경우는 제품 하자에서 오는 문제로 실시하는 것인지 또는 기능 향상을 위한 것인지를 확인한다.

5. 안전 점검

의료기기의 안전성과 신뢰성은 양질의 진료활동에 매우 밀접하고 중요한 사항으로 의료사고 예방과 의료기기 안전운용 관리에서 안전 점검은 빼놓을 수 없는 매우 중요한 일이다. 기기의 변경 및 수리 후에 첫 사용할 때 발생되는 안전사고에 효과적으로 대처하기 위해서는 반드시 정상적인 장비의 사용전 충분한 시험을 통하여 만족한 결과를 얻을 때에만 사용한다.

6.7 장비의 폐기

의료 장비는 다음의 이유 등으로 폐기 및 교체한다.

(1) 수리 한계를 지난 심한 마모

장비를 구입한 일자가 오래되지 않았더라도 장비의 성능에 대비하여 사용한 횟수, 시간, 출력 등의 이유로 장비가 손상되어 수리의 한계를 넘은 심한 마모시 장비의 구입가격에 비하여 수리비용이 많이 들 경우 장비를 폐기한다.

(2) 수리 한계를 넘은 지나친 손상

천재지변으로 인한 수해, 화재, 전기적인 손상 및 기타 물리적인 충격으로 인하여 장비의 수리 한계를 넘은 지나친 손상시는 비록 장비를 수리할 수 있다 하더라도 수리 후 또 다른 고장이 발생될 수 있고, 고장 빈도가 잦을 수 있기 때문에 경제성 및 효율성을 고려하여 수리 한계를 넘은 지나친 손상시에는 장비의 폐기를 고려한다.

(3) 장비 결과의 신뢰성 문제

오랫동안 사용되어 장비의 내구 연한이 넘거나 잦은 사용으로 장비는 출력, 결과,

안정성 등의 환자의 진료 및 치료에 관계되는 의료장비로서의 신뢰에 의심이 가는 경우에는 장비의 정밀 점검을 통하여 폐기를 검토한다.

(4) 임상적으로 기술적인 낙후

최근 과학의 발달은 의료분야에도 예외일순 없다. 새로운 기술을 통한 제품들이 쏟아져 나오고 있으며, 컴퓨터의 발달은 하드웨어 분야의 발전을 가속시켰고, 하드웨어 발전을 통한 소프트웨어의 발달 또한 함께 발달되고 있다. 사용중인 장비의 기술이 낙후된 장비는 현재 임상에서 사용되는 일반적으로 사용되는 장비의 기술과 비교하여 현저하게 뒤떨어지는 경우 폐기를 검토한다.

(5) 수리용 부품의 조달 불가

일반적으로 제조사에서 제품을 단종시키는 경우에는 5년간 수리용 부품을 공급해 주고 있다. 그러나 제품 형식이 이미 오래 전에 생산 중단되었고 제조사로부터 부품의 공급이 불가능하여 계속적인 장비의 사용이 가능하더라도 부품 조달의 문제로 장비를 폐기시키는 경우가 종종 있다. 이와 같은 문제를 고려하여 반드시 제품 구입시에 구입하고자 하는 제품의 형식이 오래되었는지 또는 제품이 곧 단종 될 것인가 등을 고려하여야 한다.

의료 장비의 폐기 여부 결정에 크게 도움이 되는 것이 장비이력카드이다. 이를 근거로 그 동안 상태를 분석하여 폐기를 결정하는 것이 바람직하다. 다시 새로운 장비를 구입할 때에는 기기 구입의 우선순위를 결정하여 충분한 기간을 가지고 검토 후 구입하는 것이 바람직하다.

PART 07

의료기기 멸균 소독

7.1 멸균과 소독

① 멸균(sterilization : 스테러리제이션) : 모든 미생물을 완전히 사멸제거하고 무균의 상태로 만드는 것을 말한다. 주로 열(증기, 건열)이 이용되지만 감마선 또는 산화에틸렌가스(Ethylene Oxide Gas(EOG))의 여러 물질도 이용된다.

② 소독(Disinfection : 디스인펙션) : 대상물질에 병원성 미생물을 사멸시켜 그 잠재적인 감염능력을 소실시키는 것이다. 소독을 위해서 여러 과학물질이 이용되지만 포자를 형성하는 세균에 대하여 반드시 유효한 방법은 아니다.

7.2 멸균소독법의 종류

1. 고압증기 멸균

고압증기 멸균(Auto clave : 오토클레이브)을 이용하여 챔버 내를 2기압 이상으로 가압하고 내부의 증기의 온도를 120[℃] 이상으로 상승시키기 때문에 그 환경에서 12~20분간 유지하면 모든 미생물은 아포를 포함하여 사멸한다.

① 일반적인 멸균 공정 : 예비 진공(Pre vacumm : 프리 버큠), 증기공급, 멸균, 증기 배기, 건조의 순이다.

② 예비 진공에 의해 멸균효과가 높아진다. 건조멸균에 비해 온도도 낮고, 시간도 짧은 것은 미생물의 사멸효과에 대한 수분의 존재의 유무 때문에 습열 쪽이 건열보다도 온도가 낮아도 시간적으로 짧고 멸균효과는 신속하다.

③ 작용순서는 미생물 구성 단백의 응고변성, 효소계의 불활성으로 되어 있다. 금속성 수술기구의 전부와 유리제 기구, 리넨류는 고압증기 방법에 의해 멸균한다.

2. 자불소독

주사기, 메스, 가위, 고무를 소규모로 소독할 수 있다. 온도가 100[℃]를 넘지 않으므로 단 시간에서는 엄밀한 의미의 멸균이 되지 않는 경우가 있어 멸균법으로서 신뢰성이 높지 않다.

3. 건열소독

유리기구, 도기제품 등의 멸균에 이용되며 건열멸균기를 이용한다. 160[℃]에서 30분간에 서 1시간 정도 유지하며 작용순서느 미생물 구성단백의 응고변형, 산화작용으로 되어 있다.

4. EOG(E · O Gas) 멸균

고열에 견디지 못하는 기구에 이용하는 멸균법이다. 현재 널리 보급되어 있고 작용순서는 미생물 구성 단백의 알칼리화와 그것에 따른 효소계의 파괴에 의한다.

① EOG 멸균의 장점 : 고압증기 멸균과 비교하여 저온에서 살균이 가능하고 장치도 간단하다.

② EOG 멸균의 단점 : 멸균시간이 길고 멸균조건의 일정화가 어렵고 EOG의 독성이 강하여 전류가스에 의한 부작용을 막기 위해 멸균 후 충분한 에어레이션

(Aeration)이 필요하다.

③ EOG 멸균의 공정 : 공기의 배기 및 가습, EOG 도입, 멸균공정, 공기 배기, 공기세정 등의 순서이다.

④ EOG 멸균법 : 여러 부작용 외에 장기간 노출되면 복막암, 백혈병, 선천성기형 등이 보고 된 바 있다. 따라서 작업환경 농도를 일정치 이하로 유지하는 것이 바람직하며 이를 위해서 환기조건 중에 충분한 배려가 필요하다. 멸균 종료 후에 EOG를 다시 공기 중으로 내보내면 국부적으로 고농도의 부위가 나타날 우려가 있으므로 사람이 없는 곳으로 방출한다.

예) 1. 미국에서는 8시간 평균(8-hr TWA, Time Weighted Average : 타임 웨이티드 애버리지)으로 1[ppm]로 규제되고 있고 단시간 한계는 15분간 5[ppm]으로 되어 있다.

예) 2. 일본에서도 일반 고압가스 보안 규칙에 의해 이것으로 준한 값이 채용되고 있다.

5. 포름알데히드 가스소독

고압증기 멸균이 불가능한 각종 광하기기나 마취기, 인공호흡기 등의 소독에 사용된다.

① 작용순서 : 핵단백 응고를 변질시켜 불활성화시키는 것이다. 밀폐한 용기(Formalin box: 포르말린 박스)에 에프겐 과립을 소독하려는 기구와 같이 봉입한다.

② 영양형 세균에는 효과적이지만 아포형 세균에 대하여는 효과가 의문시되고 있으며, 침투성, 확산성이 없고 표면밖에 살균이 되지 않는다. 또는 대형기기에 대하여는 포르말린을 가열, 기화해 순화시켜 이용하는 방법도 있다.(포름알데히드 가스 장제순환법)

③ 포름알데히드 가스 : 강한 자극의 냄새가 있고 농도에 따라 그 자극증상이 다르다. 장기간 흡입에 의해 기관지염, 천식증상이 일어나며 비강 내에 암이 발생한다는 보고도 있다.

④ 포름알데히드 가스의 안전기준 : 8-hr TWA로 1[ppm]이며 단시간(15분) 노출

한계로는 2[ppm]이다.

6. 약제에 의한 소독

① 약 종류에 따른 작용법 : 소독약의 종류에 따라 다르지만 다음과 같다.

㉠ 염소계 소독약이다.

㉡ 과산화수소는 산화작용이다.

㉢ 산 알칼리는 과수분해 알코올류이다.

㉣ 석탄산, 크레졸, 포르말린액은 단백질응고이다.

㉤ 수은화합물은 미생물구성 단백과의 결합작용이다.

② 소독약을 이용하는 데 중요한 것은 유효이용 농도를 엄격히 준수하는 것이며 또 온도, 시간도 중요하다. 에타놀, 클로르벤젠, 요오드포름 등이다.

7. 자외선 살균

물, 공기의 살균에 사용된다. 파장은 2500~2600[Å]이다. 수술실 내의 살균이나 수술용 손 씻는 물의 살균에 사용된다. 전자의 경우는 자외선은 투과력이 낮기 때문에 살균대상 표면에 부착물이 붙어 있으면 살균효과가 낮아지므로 주의가 필요하다. 또 살균 등에 그늘이 되는 부분은 살균은 되지 않으므로 살균대상물의 위치에 유의한다. 그림 1은 수술실 및 수술실 감시반을 나타내었다.

작용순서는 분자의 여기에 의해 분자의 불평등 상태 또는 반응성이 중대한 상태이기 때문에 미생물의 핵단백 구성물이 변화하여 사멸하게 된다.

그림 1. 수술실 및 수술실 감시반

8. 대표적인 의료기기의 멸균소독법

① 대형기기 : 인공호흡기, 마취기 등의 대형 의료기기는 포름알데히드 가스 소독이 많이 이용되며 소독기는 이러한 대형기기를 수용할 필요가 있다. 대형의 포름알데히드 소독기가 없는 경우에는 소독제에 의한 소독을 한다.

② 인체에 부착되는 프로브류 : 고압증기멸균 또는 EOG 멸균이 가장 효과적이다. 이것이 불가능한 경우는 포름알데히드 가스 소독을 하지만 아포에 대하여는 효과가 의문시 되고 있다.

③ 광학기기 : EOG 살균이 효과적이다. 불가능하면 포름알데히드 가스 소독을 한다.

④ 액체가 통하는 튜브류 : 고압증기멸균 또는 EOG 멸균을 한다. 그 외의 경우는 멸균된 Disposable(디스포자블) 제품을 이용한다.

⑤ 호흡회로 : EOG 멸균 또는 포름알데히드 가스 소독을 한다. 환자의 경우 대형기기에서 설명한 것처럼 대형기기와 함께 하는 경우가 많다.

7.3 수술실의 멸균과 소독

1. 수술환자의 감염관리

수술실 간호사는 무균술에 대한 폭넓은 지식이 있어야 하며 또한 강력한 요구와 설득을 할 수 있는 태도를 갖추어야 한다.

① 수술 절개부위 감염증 환자의 보고와 기록을 한다.

② 공기청정시설을 확보(Larminar airflow system : 라미널 에어플로 시스템)한다.

③ 수술실의 위치를 고려한다.

④ 수술실 간호사의 전문성 부여한다.

⑤ 수술실의 복장강화와 수술실 방문을 제한한다.

㉠ 수술실 인력을 구성하는 간호사와 의사, 환자 자신이 수술실의 오염원이 된다. 그러므로 수술실 인력이 오염원이 되는 것을 막기 위해서는 마스크,

수술모, 수술가운 등의 올바른 사용이 필요하다.

㉡ 마스크는 코와 입을 완전히 가리고 항상 건조한 상태로 유지되도록 한다.

㉢ 수술모는 수술모 밖으로 머리카락이 나오지 않도록 한다.

㉣ 수술실 가운은 바지(Slacks : 슬랙스)가 바람직하다.

㉤ 수술실 인력 외의 수술실 방문을 제한하되 꼭 필요한 경우 수술실 복장을 갖추고 수술실 실내화를 착용하며 손씻기(Hand scrub : 핸드 스크럽)를 허용한다.

⑥ 손씻기 강조(Hand scrub)

㉠ 수술용 고무장갑이 5 : 1의 비율로 구멍이 난다는 점을 감안하여 손씻기(Hand scrub : 핸드 스크럽)를 철저히 한다.

㉡ 하루 중 첫 손씻기에는 최소한 10분 이상을 한다.

⑦ 피부준비 및 방포시의 무균실 적용

㉠ 철저히 무균실이 지켜져야 한다.

㉡ 서지컬 드레이프스(Surgical drapes) : 수술시의 사용이 일반화되어야 한다.

㉢ 면방포가 사용될 경우 방포가 젖게 되면 새로운 멸균방포 위에 새로운 방포를 여러 장 덧대어 사용한다.

⑧ 깨끗한 기구 세트(Fresh instrument set : 플래시 인스트루먼트 셋트)를 사용한다. 수술절개 부위 감염증을 가져오는 요인은 다음과 같다.

㉠ 장문합에 사용된 봉합사가 풀려 장 내용물이 복막강으로 흘러나올 때이다.

㉡ 오염수술에 사용된 기구나 물품이 오염되면서 복벽 또는 흉벽 등을 오염시킬 때 이다.

㉢ 수술절개 부위 봉합에 깨끗한 기구 세트(Fresh instrument set : 플래시 인스트루먼트 세트)가 사용되지 않았을 때이다.

⑨ 공기 오염원 제거

㉠ 공기 오염원이 되는 웃음, 대화, 재채기, 수술실 통행 등을 피한다.

㉡ 수술 중 얻어지는 혈액, 조직, 분비물 등이 건조되면 공기 오염원으로 작용 : 혈액, 조직, 분비물 등이 건조되지 않도록 소독수로 닦는다.

㉢ 거즈 수량 파악(Gauze count : 거즈 카운트)dl 끝나면 거즈를 비닐이나 뚜껑이 있는 용기에 담는다.

⑩ 부속물품 관리

㉠ 수술부위에 직접 이용되지 않는 물품도 적당한 소독을 해야 한다. 압축지혈대(Pneumatic tourniquet : 뉴메이틱 큐니틱트), 모래베개(Sand bag pillow : 샌드백 필로), 침대 부속물 등이다.

㉡ 수술침대, 기계상, 운반용 기기(Car) 등의 바퀴도 청소를 자주한다.

㉢ 고압솥(Autoclave : 오토클로브)의 꼭대기나 가장자리, 스크럽 싱크(Scrub sink)대, 수도꼭지, 비누와 스크럽(Scrub) 솔 저장함 등도 소독수로 자주 닦는다.

⑪ 청소관리

㉠ 수술실의 청소는 하루의 업무가 시작되기 1시간 전에 이루어져야 하며 한 수술이 끝나고 환자가 나간 후에도 중간 청소를 하고 하루의 모든 업무가 끝나 후 다시 청소를 한다.

㉡ 업무시간 1시간 전이나 하루의 업무가 끝난 후에 이루어지는 청소는 공기중의 먼지입자, 비말성 미생물 등이 앉은 것을 제거하기 위해 하는 것으로 바닥은 젖은 마대걸레로 닦고 그 외의 부분은 소독수를 묻힌 타월로 닦는다. 작은 진공청소는 가능하나 빗질은 절대로 금한다. 그림 2는 안이 중환자실 및 회복실을 나타내었다.

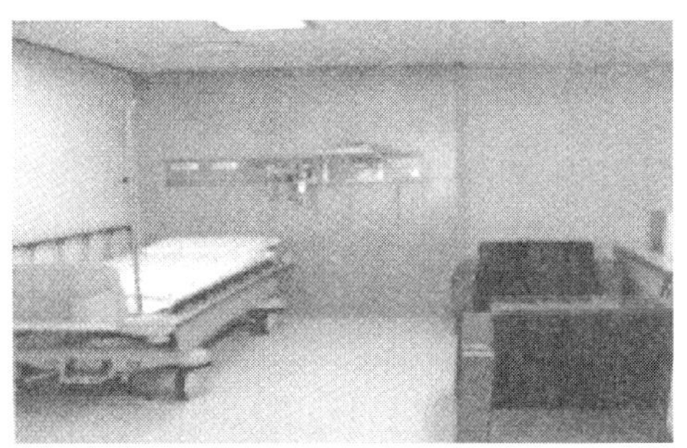

그림 2. 안이 중환자실 및 회복실

2. 무균수의 기본원칙

① 수술에 이용되는 기구와 물품은 멸균되어 있어야 한다.

② 소독된 상태에 있는 사람은 소독된 물품을 다루며 소독되지 않는 물품은 비소독 상태에 있는 사람이 다룬다.

③ 멸균성에 대해 의심이 갈 경우에는 불결한 것으로 간주한다. 무균성 소독도구(Package : 패키지)가 비소독 작업실에서 발견될 때, 소독기의 작동시간이 불분명할 때, 비소독된 사람이 소독된 기구나 물품을 스쳤을 때, 소독된 기구나 물품의 포장이 벗겨진 상태로 방치되어 있을 때 소독하여야 한다.

④ 부속된 사람은 소독된 공간 위를 지나가서는 안되며 소독된 사람은 비소독된 곳에 기대지 않아야 한다.

㉠ 식염수나 증류수(Saline : 셀라인)가 필요할 때 수술실 근무간호사(Scrub nurse : 스크럽 너스)는 대야(Basin : 베이신)나 볼(Bowl) 등의 멸균된 수술 기계상의 가장자리로 옮겨놓고, 순회간호사(Circulating nurse : 서클레이션 너스)는 멸균된 수술 기계상 근처에 서서 대야(Basin : 베이신)나 볼을 치운다.

㉡ 무영등의 초점을 맞출 때 순회간호사는 소독된 부위와 적당한 거리를 두어야 한다.

㉢ 땀을 제거할 경우 소독된 부위로부터 얼굴을 돌리게 한 후 땀을 딱아낸다.

㉣ 수술실 근무간호사가 비소독 테이블을 방포로 덮을 때에는 자신의 가까운 쪽을 먼저 덮고 후에 먼 쪽을 덮는다.

㉤ 핀셋(Trans forcep : 트랜스 포셉)으로 순회간호사가 비소독 테이블을 소독방포로 덮을 때에는 먼 쪽을 먼저 덮고 가까운 쪽을 덮는다.

⑤ 멸균된 테이블을 단지 테이블 높이에서만 멸균상태이다.

⑥ 소독된 수술가운을 입었을 때의 소독범위 : 허리에서 어깨까지의 앞부분과 소매부분까지이다.

㉠ 손은 허리위치 이상의 자기 시야 안에 둔다.

㉡ 팔꿈치는 양 옆구리 가까이 두면서 손은 얼굴과 멀리 둔다.

㉢ 양 팔을 접어 겨드랑이 사이에 두지 않는다.

㉣ 발판 위에 서게 되면 가운의 허리 아래 부분이 테이블 위치 이상으로 올라오므로 주의한다.

㉤ 소독 가운을 집을 때 가운의 허리 윗부분이 가운을 집은 사람의 허리 아래 부분으로 내려가면 불결된 것으로 간주한다.

⑦ 멸균용품을 담고 있는 용기의 가장자리는 불결된 것으로 간주한다.

㉠ 멸균 패키지에서 물품을 들어올릴 때 똑바로 들어올려 물품이 소독방포의 가장자리에 닿지 않도록 한다

㉡ 순회간호사가 용액병이나 시험관(Test tube : 테스트 튜브)의 뚜껑을 열 때 뚜껑의 가장자리가 병이나 튜브의 주둥이에 닿아서는 안된다.

⑧ 무균자(Sterile person : 스테라일 퍼슨)는 무균실(Sterile area : 스테라일 에어리어)에 있어야 한다.

㉠ 환자를 드래핑(Draping)시에 무균자(Sterile person : 스테라일 퍼슨)는 Op, Table과 안전한 거리를 둔 상태에서 등을 돌리고 서 있는다.

㉡ 2명의 무균자는 서로 등을 돌리고 지나간다.

㉢ 무균자가 비무균자(Non-sterile person : 논스테라일 퍼슨)가 영역을 지나갈 때는 등을 돌리고 통과한다.

㉣ 무균자가 무균실(Sterile area : 스테라일 에어리어)을 통과할 때는 마주보고 통과한다.

㉤ 무균자과 비무균자는 충분한 거리를 두고 대화하도록 한다.

㉥ 무균자는 수술 시작이 지체되어 기다리게 될 경우 수술실 방안이나 복도를 돌아다녀서는 안 된다.

㉦ 무균자는 소독영역과 최소한으로 접촉하도록 한다.

⑨ 습기는 오염원이 되고 있다.

㉠ 살균된 물품(Sterile package : 스테라일 패키지)은 건조한 곳에 보관한다.

㉡ 살균된 물품이 젖어 있으면 불결한 것으로 간주한다.

㉢ 무균실(Sterile area : 스테라일 에어리어)은 용액 등으로 젖게 되면 다른 무균의 천(Sterile drape : 스테라일 드레이프) 등으로 덮어준다.

⑩ 오염원을 최소한 감소시킨다.

㉠ 환자의 수술부위 피부는 병실에서 면도(Shaving : 셰이빙)와 스크럽을 한 후, 수술 직전에 다시 한 번 살균한다.

㉡ 수술팀은 수술에 참여하기 전 모두 손세정(Hand scrub : 핸드 스크럽)을 한다.

㉢ 간호사와 의사는 맨손이 수술가운의 겉 부분과 수술장갑에 닿지 않도록 주의하여 수술가운을 입은 후 수술장갑을 착용한다.

㉣ 스크럽 후 손을 말리기 위해 이용하는 핸드 타월(Hand towel)이 입고 있는 수술실 가운에 닿지 않도록 한다.

㉤ 피부 절개에 이용된 칼(Knife : 나이프)은 불결된 것으로 간주한다.

㉥ 수술 중 장갑(Glove : 글러브)에 구멍이 나면 즉시 교환하고, 구멍을 낸 바늘(Needle : 니들)이나 기구(Instrument : 인스트루먼트)는 불결한다.

㉦ 염증성 수술부위는 오염된 것으로 간주한다.

⑪ 소독포를 풀 경우에는 겉포만 만져서 푼다.

⑫ 핀셋(Trans forceps : 트랜스 퍼셉스) 이용시 비소독된 면에 닿지 않도록 하고 병(Jar : 자)에 넣을 때에는 뚜껑이 완전히 덮이도록 한다.

⑬ 소독된 물품을 멸균기에서 꺼낼 때 비소독된 부분에 닿지 않아야 한다.

⑭ 작은 바늘이나 기구를 잃어버렸을 때에는 바닥의 먼지를 문 쪽으로 쓸면서 찾는다.

3. 수술실 간호사의 역할

① 수술실 근무간호사(Scrub nurse : 스크럽 널스)의 역할 : 수술과정을 정확히 알고 있어야 하며 수술자의 요구를 예측할 수 있음은 물론 수술자의 요구를 신속하고 효과적으로 처리할 수 있어야 한다. 그림 3은 여러 가지 수술기구를 나타내었다.

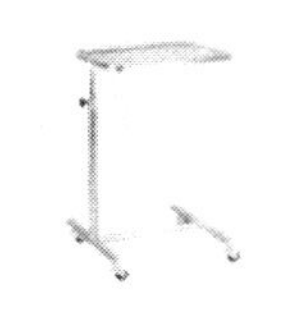
(a) 메이오 스탠드

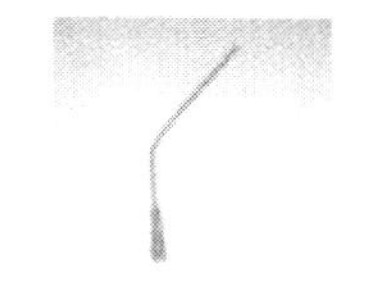
(b) suction(흡입관)

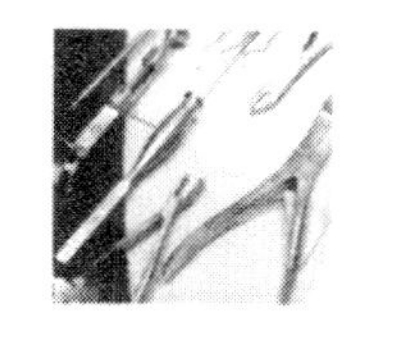
(c) 수술기구-1

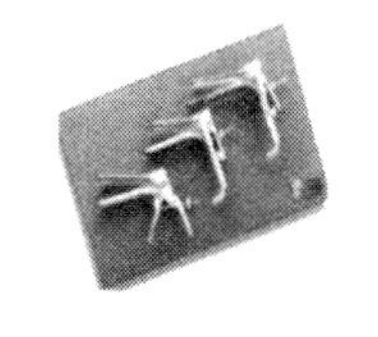
(d) 수술기구-2

그림 3. 여러 가지 수술기구

② 수술 전

㉠ 수술과정을 명확히 알고 있어야 한다.

㉡ 수술에 필요한 기계 및 물품이 순회간호사에 의해 공급되도록 지시한다.

㉢ 드레이핑(Draping)에 이용되는 리넨(Linen)을 준비한다.

㉣ 메이요 스탠드(Mayo stand)를 준비한다. 수술에 이용될 기구를 메이요(Mayo)에 차린다. 모든 기구를 쉽게 집을 수 있고 움직일 수 있도록 해 놓는다.

㉤ 봉합사 및 봉합바늘을 준비한다.

㉥ 수술에 이용되는 스펀지(Sponge)를 세어 놓는다.

㉦ Gowning(가우닝), Gloving(글러빙)을 도와준다.

㉧ 수술 전 과정에 이TDj서 무균술을 철저하게 지킨다.

㉨ 드레이핑하는 것을 돕는다.

③ 수술 중

㉠ 피부절개를 위한 기구를 의사에게 건네주며, 효과적인 방법으로 기구 등을 건네 준다.

㉡ 수술 도중 Mayo Table(메이요 테이블)에 있는 기구를 항상 깨끗이 정리한다.

㉢ 이용한 기구는 Gauze(거즈)로 피나 조직을 깨끗이 제거하여 정리해 놓는다.

㉣ Suction Tip(석션 팁)은 막히지 않도록 자주 통과시킨다.

㉤ 만약 제거된 뼈나 조직을 다시 이용해야 할 경우 소독된 부위에 보관한다.

㉥ 검사물을 잘 보관하였다가 필요한 경우 처리절차를 지시한다.

㉦ Sponge(스펀지), 바늘(Needle : 니들), 기구(Instrument : 인스트루먼트)의 수를 파악(Count : 카운트)한다.

ⓞ 순회간호사로 하여금 수술실이 청결히 유지되도록 한다.

④ 수술 후

㉠ 소독된 손으로 마지막 Dressing(드레싱)하는 것을 돕는다.

㉡ 수술시 나온 모든 검사물에 관해 다시 확인한다.

㉢ 환자가 회복실로 갈 때까지 수술실 내에 머무른다.

㉣ 수술이 끝나 후 이용된 기구와 물품을 절차에 따라 처리한다.

㉤ 수술이 끝난 후에는 수술실 벽과 바닥, 대야, 흡입관(Suction : 석션) 등이 깨끗이 정리되어 있는지 점검한다.

⑤ 순회간호사의 역할

㉠ 수술이 진행되는 동안 수술실의 청결을 유지한다.

㉡ 무영등 및 각종 보조등을 시험해 보며 필요한 부위에 초점을 맞춘다.

㉢ Suction(석션)기, Bovie Unit(보비 유닛), 발판 등이 바른 위치에 있는지 확인하고 작동시험도 한다.

㉣ 필요한 경우 깨끗한 멸균기를 조작할 수 있어야 한다.

㉤ 수술실 근무간호사에게 필요한 경우 Gauze(거즈), 식염수(Saline : 살린) 등 각종 멸균 물품을 공급한다.

㉥ 수술체위 유지를 도와준다. 각 수술에 필요한 수술체위와 침대 및 부속물의 이용법을 알아야 한다.

㉦ 수술실 근무간호사의 Sponge(스펀지), 바늘(Needel : 니들), 외과적 기구의 수 파악(Surgical instrument count : 서지컬 인스트루먼트 카운트)에 협조하고 기록을 정확히 한다.

㉧ 수술실 근무간호사를 관찰하며 필요한 경우 지시한다.

㉨ 수술중 누락된 기구 및 물품이 있는지 확인하고 필요한 경우 신속히 공급한다.

㉩ 수술과정 전체에 있어서 무균수술이 철저히 지켜지도록 관찰한다.

㉪ 검사물에는 명칭을 정확히 하여 검사실로 보낸다.

㉫ 다음 수술을 위해 준비를 한다.

㉬ 수술이 끝난 후 중간 청소가 이루어지도록 지시한다.

㉭ 이용된 기구와 물품을 분류하여 정리한다.

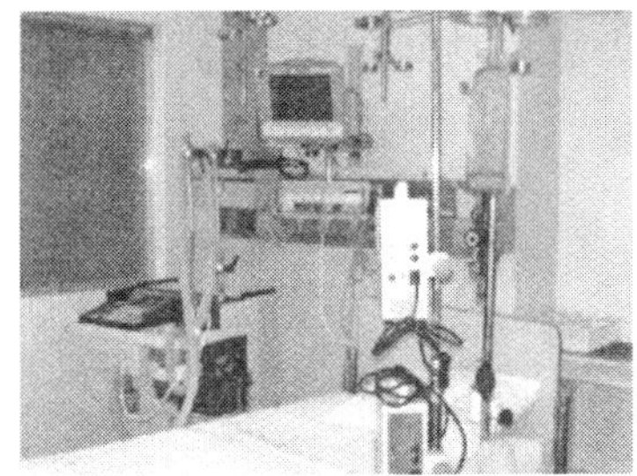

그림 4. 중환자실

4. 외과수술시 세정

① 외과수술시 세정(Surgical scrub : 서지컬 스크럽) 목적 : 손과 팔의 미생물을 제거하여 수술절개부위의 오염을 막는다.

② 외과수술시 세정 소요시간 : 첫 세정(Scrub : 스크럽)은 10분 정도. 첫 세정(Scrub : 스크럽) 후에 다시 단축 세정(Short scrub : 쇼트 스크럽)하는 경우는 5분 정도이다.

③ 외과수술시 세정순서

㉠ 반지나 팔지를 뺀다.

㉡ 손바닥에 소독액과 물을 묻혀 거품을 낸 후 팔꿈치 위 31[inch]까지 닦고 흐르는 물에 씻는다.

㉢ 뾰족한 손톱 줄(Nail file : 네일 파일)로 손톱 밑을 깨끗이 한다.

㉣ 솔에 비누를 묻혀서 손을 닦되 양손을 차례로 닦고, 손의 위치는 팔꿈치 높이보다 위에 있어야 한다.

㉤ 왼쪽 손목에서 팔꿈치까지의 팔을 닦되 다시 손목 위로 올라가 손을 닦아서는 안된다.

㉥ 왼쪽 팔꿈치와 상완(팔꿈치 위 31인치[inch])을 닦는다.

㉦ 솔을 깨끗이 헹군다.

㉧ 오른손의 솔을 왼손으로 옮기고 오른쪽 손목에서 팔꿈치까지 비누를 묻히고 솔로 닦는다.

㉨ 오른쪽 팔꿈치 위 31인치[inch]까지의 부위와 팔꿈치 주위를 닦는다.

㉩ 왼손에 솔을 든 채 양손과 팔을 헹군다.

㉪ 반복하여 3번 세정하였으면 솔을 버리고 물을 잠근 후 수술실 안으로 들어간다.

5. 손 말리기

① 손 전용 타월을 집을 때에는 무릎을 굽히고 빨리 타월을 집으며 이때 타월 주위의 다른 소독 물품이 손에 닿지 않도록 주의한다.
② 타월을 집은 후 손을 닦을 때 타월이 비무균 세정 복장(Non-sterile scrub dress : 논 스테라일 스크럽 드레스)에 닿지 않도록 주의한다.
③ 타월을 반대쪽 세로로 길게 접은 후 접힌 솔기가 손목 쪽에 있게 한 후 팔꿈치 쪽으로 옮겨 가면서 물기를 닦는다.
④ 타월을 지정된 곳에 놓는다.

6. 장갑 착용

① 장갑 착용시(Gloving : 글러빙) 수술실 근무간호사의 손을 무균 가운의 소매 안에 둔 채로 오른손으로 왼쪽 장갑(Gloving : 글러빙)의 끝부분을 잡는다.
② 장갑의 엄지부분과 왼손의 엄지부분이 마주보고, 장갑의 손가락이 팔 쪽을 향하도록 왼쪽 손바닥에 장갑을 놓는다.
③ 무균 가운의 소매 속에 있는 왼손의 엄지와 검지로 장갑의 아래쪽 끝부분을 잡고 무균 가운의 소매 속에 있는 오른손의 엄지와 검지는 장갑의 위쪽 커브(Cuff)를 잡은 채 손을장갑 속으로 밀어 넣는다.
④ 이때 살균된 가운(Sterile gown : 스테라일 가운)의 끝이 장갑(Glove : 글러브) 속에 머물게 되므로 살균되 가운의 소매 아래 부분을 조심스럽게 잡아당기되 살균된 가운의 끝이 장갑 위로 완전히 빠져 나오지 않도록 주의한다.
⑤ 왼손으로 오른쪽 장갑을 잡은 뒤 오른쪽 손바닥에 놓는다. 그 후의 방법은 동일하다.

PART

08 지적 재산권 (Intellectual Property)

지적재산권(지적소유권)에 관한 문제를 담당하는 세계지적재산권기구(WIPO)는 이것을 구체적으로 '문학·예술 및 과학작품, 연출, 예술가의 공연·음반 및 방송, 발명, 과학적 발견, 공업의장·등록상표·상호 등에 대한 보호권리와 공업·과학·문학 또는 예술분야의 지적 활동에서 발생하는 기타 모든 권리를 포함한다'고 정의하고 있다. 이것은 인간의 지적 창작물을 보호하는 무체(無體)의 재산권으로서 산업재산권과 저작권으로 크게 분류된다. 산업재산권은 특허청의 심사를 거쳐 등록을

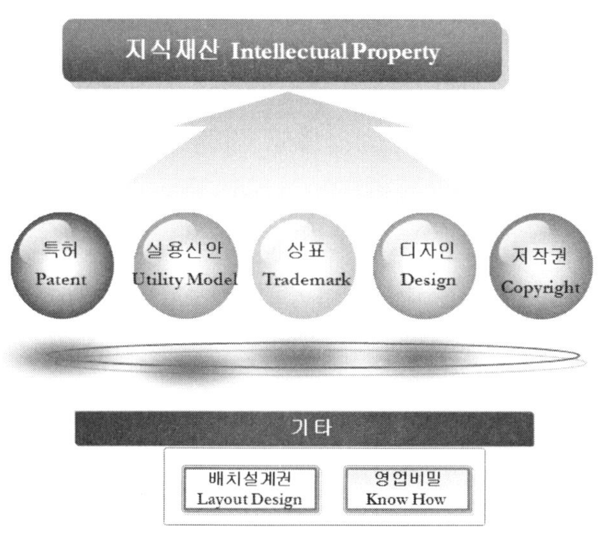

그림 1. 지식 재산권 분류

하여야만 보호되고, 저작권은 출판과 동시에 보호되며 그 보호기간은 산업재산권 중 특허는 20년, 실용신안권은 10년이고, 저작권은 저작자의 사후 50년까지이다.

지적소유권의 문제는 특히 국가와 국가 간에 그 보호장치가 되어 있느냐의 여부와 국가 간의 제도상의 차이 때문에 분쟁의 대상이 되고 있다. 오늘날과 같이 정보의 유통이 급속하게 이루어지고 있는 시대에는 어떤 국가가 상당한 시간과 인력 및 비용을 투입하여 얻은 각종 정보와 기술문화가 쉽게 타국으로 흘러들어가기 마련이어서 선진국들은 이를 보호하기 위한 조치를 강화하고 있다.

최근에는 새로운 기술의 산물인 컴퓨터 소프트웨어와 유전공학 기술 등의 보호방법과 보호범위가 지적 소유권보호제도의 한 과제가 되고 있는데, 컴퓨터 소프트웨어는 대부분의 선진국들이 저작권으로 보호하는 추세에 있어서 한국도 1986년 12월 '컴퓨터프로그램보호법'을 제정하여 1987년 7월부터 시행하여 오다 2009년에 저작권법에 편입하여 함께 보호하고 있으며, 유전공학 기술은 그 제조방법을 한국 등 대다수의 국가가 특허로 인정하고 있다.

지식재산권과 관련된 한국의 법률로는 특허법(patent law), 저작권법(copyright law), 실용신안법(utility model law), 디자인법(design law), 상표법(trademark law), 영업비밀 보호법(trade secret law), 발명보호법 등이 있으며, 이들에 관한 권리를 보호하기 위하여 국제적으로 협약한 조약으로는 '공업소유권의 보호를 위한 파리협약' '한·일 상표권 상호보호에 관한 협정' 등이 있다.

최근에는 첨단기술과 문화의 발달로 지식재산권도 점차 다양해져서 영업비밀보호권이나 반도체칩배치설계보호권과 같은 새로운 지식재산권이 늘어날 전망이다. 현재 한국에서는 산업재산권은 특허청에서, 저작권은 문화체육관광부에서 관장하고 있다.

또한, 지식재산권들은 대상, 보호요건, 보호기간 등이 각각 다르기 때문에, 권리보장과 그 기간, 기술력 등을 고려하여 권리를 보장받기위해서는 각 제도에 대한 정확한 이해 및 전략 수립이 필요하며, 권리 보호 기간은 표 1과 같다.

예를 들어 의료기기와 관련된 신기술을 개발하여 권리를 보장받고자 할 때 가질 수 있는 방법으로는 특허권, 실용신안권, 영업비밀로 유지하는 방법이 있을 것이며, 이것의 결정은 비밀유지가 가능한지, 경쟁사와의 관계, 기술이전, 기술 수준의 정도 등을 잘 고려하여 결정하여야 할 것이다.

표 1. 지식재산권으 보호 기간

	보호대상	등록여부	보호기간
특허권	발명(시술적 사상)	○	출원일로부터 20년
실용신안권	고안(소발명, 특허와 거의 유사)	○	출원일로부터 10년
상표권	상품 출처의 식별표시	○	등록일로부터 10년
디자인권	물품의 외관 디자인	○	등록일로부터 15년
저작권	사상 또는 감정의 표현들	–	저작자 사후 50년
배치설계권	반도체 배치 설계	○	등록일로부터 10년
영업비밀	비밀로 유지된 생상 방법 등	×	비밀상태 동안

8.1 산업재산권

산업재산권에는 특허, 신용신안, 의장, 상표에 관한 권리가 있다.

특허는 자연법칙을 이용한 기술적 사상의 창작으로서 고도한 것이고 (대발명), 실용신안은 자연법칙을 이용한 기술적 사상의 창작(소발명)이다.

의장은 물품의 형상, 모양, 색채 또는 이들을 결합한 것으로서 시각을 통하여 미감을 일으키게 하는 것이며, 상표는 타인의 상품과 식별되도록하기 위하여 사용하는 기호, 문자, 도형, 입체적 형상, 또는 이들을 결합한 것 및 이들에 색채를 결합한 것이라 할 수 있다.

1. 특허

특허법 제2조 제1호에서는, 특허는 자연법칙을 이용한 각 기술분야의 기술적인 착안을 발명이라 하고, 그 발명을 국가의 행정권한으로써 일정기간(출원일로부터 최대 20년)을 정하여 독점적으로 보호한다는 것으로서 그 보호를 받기 위해서는, 기술을 공표할 것이 요구된다. 따라서, 이기간 동안 독점배타적 권리를 가지며, 경쟁회사를 제재하여 시장에서 우위를 가질 수 있으며, 라이센싱으로 수익을 창출할 수 있다.

기술의 공표는, 요약서, 명세서, 청구범위, 도면(선택)을 포함한 출원서 양식을 갖춰 특허청에 제출하고, 이 특허출원서에 기재된 기술에 독점권을 부여할 것인지 여부를 심사를 받게되며, 심사의 결과 독점적인 권리로서의 인정될 경우, 특허로서 등록되고, 또 그 권리의 존속 유지를 위하여 매년 등록 유지비용을 지불하는 것으로 약정된 기간까지의 권리를 행사할 수 있게 된다.

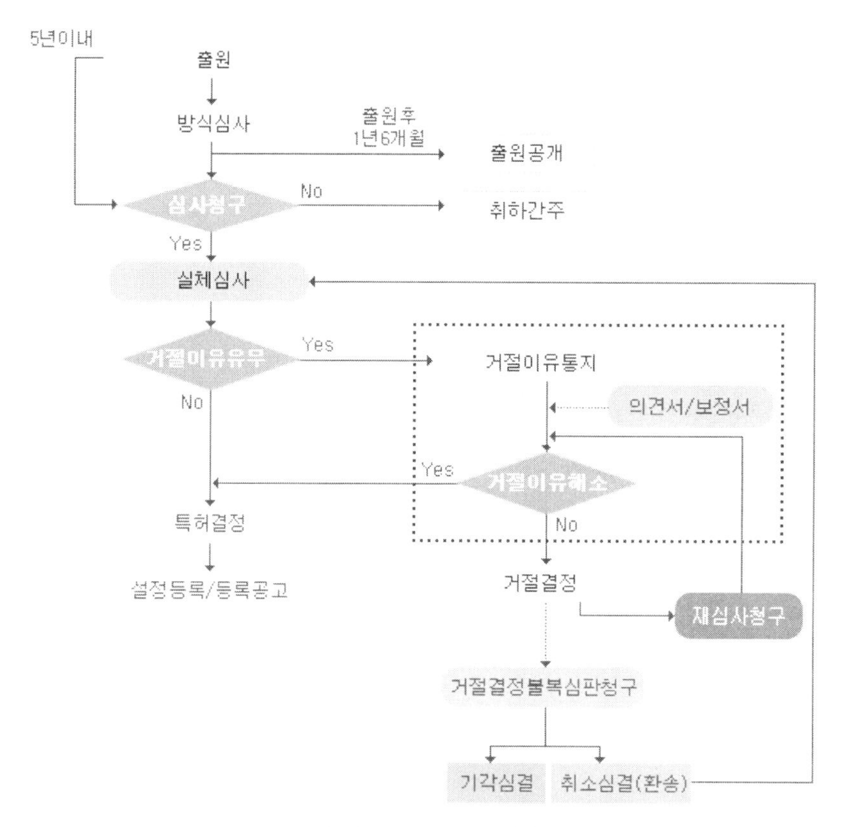

그림 2. 특허 출원 절차

무엇보다도, 기술의 보호 대상 즉, 발명의 보호 대상은 기술의 범위를 규정한 청구범위에 있으며, 이러한 청구범위에 기재된 기술적 사상이 보호를 받는 것이다.

특허 출원 전에는 선행기술조사 및 특허요건심사를 조사하여 타인의 특허권을 확인함으로서 타인의 특허권 침해를 사전에 예방할 수 있으면 안정적 사업 수행도 가능케 한다.

특허제도의 취지는 신규하고 진보된 기술을 발명한자에게 그 발명을 산업상 이용 가능하게 하며, 발명을 공개하여 전체 기술발전을 도움을 주어 산업발전에 기여함과 동시에 그 대가로 일정기간 독점배타권을 인정해 주기 위함이다.

특허 등록의 주요 요건으로는, 산업에 실제로 이용될 수 있는 것(산업상 이용 가능성, industrial applicability), 알려지지 않은 새로운 것(신규성, novelty), 용이하게 발명해 낼 수 없는 것(진보성, nonobviousness), 먼저 출원한 자 우선(선원주의, first-to-file rule)가 있으며, 이외에 정당한 권리자(발명자) 또는 정당한 권리의 양수인의 출원일 것, 명세서의 기재가 법정 요건에 합치할 것(기술의 공개 방식이 적법할 것) 등이 있다.

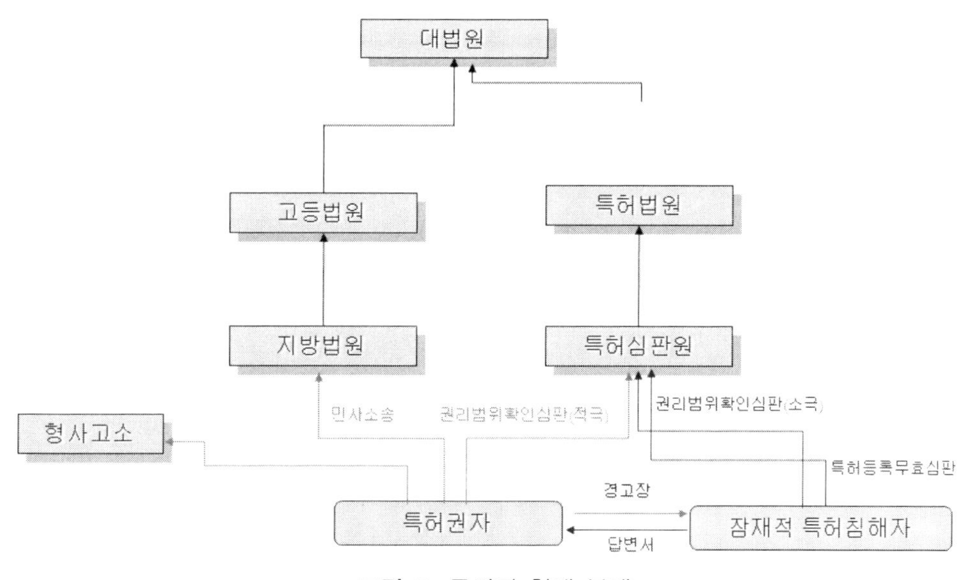

그림 3. 특허권 침해 분쟁

특허 출원에 필요한 서류는 크게 출원서와 첨부서류로 분류된다. 출원서에는 출원인 명칭 및 코드, 대리인 명칭 및 코드, 발명의 명칭, 발명자 인적사항, 신규성 의제/우선권 주장의 내용이 들어간다. 첨부서류에는 명세서, 필요한 도면, 요약서가 있으며, 명세서는 발명과 관련된 내용을 자세히 기술한 것으로, 발명의 명칭, 발명의 상세한 설명, 특허청구 범위, 도면의 간단한 설명 등이 들어간다.

【요약서】

【명세서】

【발명의 명칭】

【발명의 상세한 설명】 >>> 기술문헌

【기술분야】

【배경기술】

【발명의 내용】

【해결하고자 하는 과제】

【과제 해결 수단】

【효과】

【발명의 실시를 위한 구체적 내용】 >> 실시예, 실험 Data

【특허청구범위】 >>>권리서

【청구항 1】

【도면의 간단한 설명】

【도면】

【도 1】

그림 4. 명세서 내용 예시

특허청구범위는 특허에 있어 가장 핵심이 되는 부분이며, 자신의 권리 범위를 스스로 규정한 부분으로 자신 및 제 3자에 대한 약속이기도 하다. 특허 심사과정에스는 선행기술들과의 비교의 기준이 되며, 특허 등록 후에는 특허 침해판단을 위한 비교의 기준이 되면 타인 특허에 대한 회피 설계의 기준이 되기도 한다.

앞에서 언급된 바와 같이 특허권은 특허청의 심사를 통과하여 등록된 날로부터 그 권리가 발생되며, 특허 출원일로부터 20년이 되는 날까지 존속된다.

특히

(i) 위 기간 중에,

(ii) 특허권자의 허락(라이센싱 등) 없이,

(iii) 업(業)으로서,

(iv) 특허 받은 장치, 물건 등을 생산, 사용, 양도, 대여, 수입 등을 하거나

(v) 특허 받은 방법을 사용하거나.

(vi) 특허 받은 방법에 의해서 생산한 물건을 사용, 양도, 대여, 수입 등을 하거나,

(vii) 간접 침해하는 행위

(특허 받은 물건의 생산에만 사용되는 물건을 생산, 양도, 대여, 수입 등을

하거나 특허 받은 방법의 실시에만 사용되는 물건을 생산, 양도, 대여, 수입 등을 하는 행위)를 하면 특허 침해로 판단되며 그 책임을 요한다.

특허검색 사이트

❖한국
KIPRIS www.kipris.or.kr : 무료 / KR, US, JP, EP, CN, PCT 검색
WIPS www.wips.co.kr : 유료 / KR, US, JP. EP, CN, PCT 검색

❖미국
USPTO www.uspto.gov : 무료
Delphion ww.delphion.com : 유료

❖일본 www.ipdl.inpit.go.jp/homepg.ipdl : 무료

❖유럽 ep.espacenet.com/advancedSearch?locale=en_EP : 무료

❖ PCT www.wipo.int/pctdb/en : 무료

그림 5. 특허 검색 사이트

의료기기 뿐만아니라, 모든 설계 및 개발과정에서는 선행특허조사가 반드시 필요하다. 왜냐하면, 선행특허조사로 연구소나 기업의 중복투자 및 중복 연구가 방지되며 조사 내용을 기초로 연구 방향을 재설정할 수 있으며, 새로운 기술 트랜드를 익힐 수 있기 때문이며, R&D의 초기 단계 뿐만 아니라 모든 단계에서 수시로 선행특허조사를 수행할 필요가 있다. 명세서 작성 시에도 선행특허조사를 통하여 등록가능성을 예측하여 불필요한 출원을 방지할 수 있으며, 타인의 특허권을 침해할 우려 또한 미연에 방지할 수 있다.

2. 해외 특허 출원

특허는 특허독립의 원칙(속지주의)에 의해 권리를 획득하고자 하는 나라에 출원하여 그 나라의 특허권을 취득하여야만 독점배타적인 권리를 취득할 수 있으므로 국내에서 특허를 받았다고 해서 해외에서 그 권리행사가 가능한 것은 아니다. 따라서, 권리행사를 원하는 나라에 개별적으로 특허를 출원하여 등록을 받아야만 한다.

해외 특허 출원방법으로는 2가지가 있다. 먼저, 개별 국가별로 각각 출원하는 방

법, 그리고 PCT를 통해 출원하는 방법이 그것이다.

개별국 출원은, 파리조약에 근거하여 국내 출원을 기초로 하여 1년 이내에 개별국에 조약우선권 주장출원이 가능하며, 우선권 주장 시 특허 요건 판단 기준이 국내 출원일로 소급 적용된다.

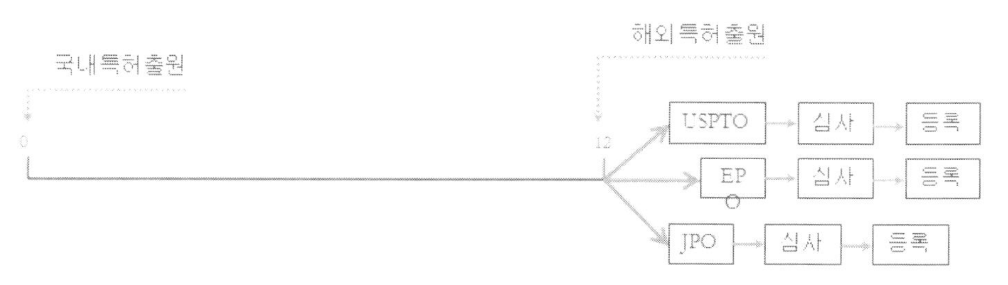

그림 6. 해외 개별국 특허 출원 기한

PCT란 특허협력조약(Patent Cooperation Treaty)의 약자를 말한다. PCT 국제 출원제도라는 것은 PCT, 즉 특허협력조약에 가입한 나라간에 특허를 보다 쉽고 간단하게 획득하기 위해 출원국가를 지정하여 자국특허청에 PCT 국제 출원서를 제출할 경우 각 지정국에 출원한 것으로 인정받을 수 있는 제도이다. (2009년 10월까지 142개국이 가입되어 있다.) 이것은 WIPO 국제 사무국 또는 수리관청에 출원하며 임시적 지위를 확보하는 것이다. 국내출원일로부터 30개월 내에 원하는 국가에 별도로 각국 국내 단계별 진행을 해야하며 별도의 비용과 절차가 필요하다.

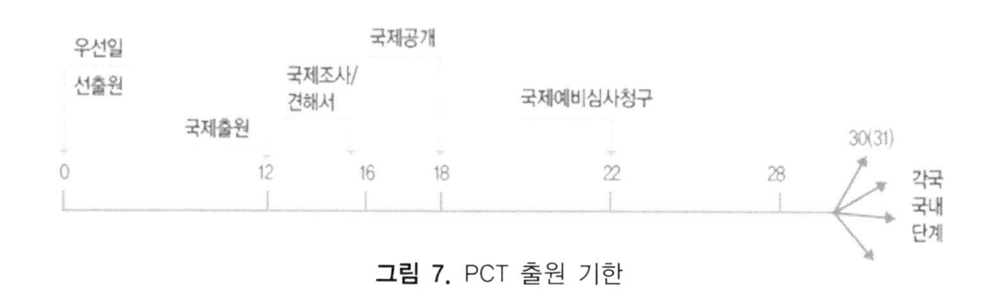

그림 7. PCT 출원 기한

상기 내용을 종합하여 PCT 출원의 장단점을 살펴보면, 출원 국가를 결정하지 못한 경우, 다수 국가의 해외 출원비용을 마련하지 못한 경우 등 시간적 여유를 확보할 필요가 있거나,

국내출원의 심사결과와 국제단계의 심사결과를 통해 특허가능성 예측할 필요가 있는 경우, 여유 시간 동안 각 지정국의 시장성 및 사업성 등을 면밀히 평가할 필요가 있는 경우에는 PCT가 유리할 것이다. 반면, PCT 국제출원 비용을 별도로 부담하여야 하며, 각국의 등록이 지연되어 권리화가 늦어질 수 있다는 단점이 있다.

해외출원 국가가 이미 정해진 경우, 해외출원국이 1~2개 국가로 비교적 적은 경우, 출원준비 시간이 충분한 경우, 조기 등록이 필요한 경우에는 PCT 출원이 아닌, 개별국 직접 출원이 유리하다.

3. 실용신안의 보호 방법

실용신안법은 특허법과 크게 다르지 않으며, 특허의 기술범위는 기계 및 기구를 포함하여 방법이나 물질 등의 다양한 분야에 걸친 기술의 범위가 넓지만, 실용신안은 기계 및 기구적인 기술분야에 한정되고, 보호 대상을 고안이라 하여 특허와 동일한 절차와 대동소이한 양식을 거쳐 진행되며, 존속기간(권리의 유지기간)은 심사에 의한 등록의 시점으로부터 10년간으로 짧다는 차이를 가진다.

4. 디자인의 보호방법

디자인은 후술하는 저작권 중 조각 등의 조형물과 차별되는 것이, 상업적으로 대량 생산이 가능한 유형의 상품에 대한 디자인을 말하며, 이를 보호받기 위해서는 역시. 특허청에서 요구하는 양식에 기재 사항을 기재하고, 사시도(입체도) 또는 입체사진과 육면도(정면, 배면, 평면, 저면, 좌, 우측면의 도면 또는 사진) 및 필요에 따라 디자인의 특징적인 부분에 대한 이해를 돕기위한 사용상태도나 단면도 등을 첨부하여 제출하고, 심사를 거쳐 등록 여부를 받게 된다. 등록이 되면, 위의 특허 또는 실용신안과 마찬가지로 매년 등록 유지에 필요한 년차 등록료를 납부하는 것으로 제한된 존속기간까지 그 디자인에 대한 독점적인 권한이 유지 된다.

5. 상표(서비스표)의 보호방법

상표는 상품의 명칭으로써 독점적인 명칭의 사용으로 다른 동종제품에 대한 오인

혼동을 막고, 제품의 신뢰도 및 이미지를 보호하기 위한 것이고, 서비스표는 상호의 명칭으로써 회사의 이미지 및 신뢰도를 법으로써 보호하기 위한 것으로서, 이들 또한 특허청에서 제안하는 특정 양식과 제품의 분류 또는 서비스 분류(기업의 유형)를 지정하여 출원을 한 후 심사를 거쳐 등록 여부를 받게 된다.

상표와 서비스표는 존속기간이 등록일로부터 10년이지만, 10년이 경과한 때에 그 사용의 독점적인 권한을 유지하기 위해 10년 단위로 갱신출원을 함으로써 계속 유지가 가능하다.

여기서, 위에서 언급한 특허, 실용신안, 디자인, 상표(서비스표)의 경우 모두 심사 과정을 거치는데 심사의 기준은 해당 출원일 이전에 해당 기술 또는 해당 디자인 및 해당 상표(서비스표)가 출원일 이전에 실시 또는 공지되어 있지 않아야 한다는 전제와 보다 특허와 실용신안의 경우 관련기술분야에서 보다 향상된 기술적 가치가 인정되어야만 등록이 이루어진다.

8.2 저작권

저작권(copyright)이란 소설이나 시, 음악, 미술 등 법이 보호대상으로 정하고 있는 저작물을 창작한 사람이 그 창작물을 다른 사람이 복제, 공연, 전시, 방송 또는 전송하는 등 법이 정하고 있는 일정한 방식으로 이용하는 것을 허락하거나 금지할 수 있는 권리를 말한다.

저작권은 창작자만이 갖고 있는 감각 또는 사상의 표현 등에 대하여 보호를 하기 위한 것으로서, 그 유형으로는 소설, 그림, 노래, 사진, 조각, 프로그램, 설계도 등이 있으며, 이들의 보호는 창작자의 창작시점에서부터 시작되어 창작자 사후 50년간 유지된다.

창작시점에 대한 논의가 있을 수 있는데, 신문지상이나, 어느 전시회 또는 인터넷 등을 통해 공표된 시점으로 볼 수도 있고, 문화체육관광부의 저작권 등록과에 제출한 시점을 기준으로 인정될 수도 있다.

8.3 신지식재산권

신지식재산권이란 과학기술의 급속한 발전과 사회여건의 변화에 따라 종래의 지식재산법규의 보호범주에 포함되지 않으나 경제적 가치를 지닌 지적창작물을 의미한다.

지적재산권은 법으로서 정해진 바에 의하면, 특허법에 의한 '특허권', 실용신안법에 의한 '실용신안권', 디자인법에 의한 '디자인권', 상표법에 의한 '상표권(서비스권)' 그리고 저작권법에 의한 '저작권'으로 분류된다.

그리고 인터넷 관련한 권리는 특허법에서 [BM(Business Method)특허라 하여 네트워크 등의 통신기술과 사업 아이디어를 접목한 영업 방법(or 모델) 발명이 있고, 프로그램 등의 알고리즘에 대한 저작권이 존재한다.

8.4 영업비밀

영업비밀(trade sectrts)은 기본적으로 자체적인 방식으로 보호되어야 하는 지적재산권이며, 기업이 보유한 영업비밀이 법으로 보호되는 한편, 다른 기업의 영업비밀을 침해할 경우에는 부정경쟁방지 및 영업비밀보호에 관한 법률에 의해 민사 또는 형사상의 처벌을 받는 법적보호장치이다. 영업비밀은 소중한 정보를 기밀사항으로 간주함으로서 경쟁자가 해당 사항을 습득하고 이용하는 것을 방지한다는 생각에 바탕을 두고 있다.

기업간 경쟁심화 및 산업의 전문화, 세분화와 벤처기업의 창업활성화, 컴퓨터 등 정보통신수단의 발달 등으로 기업이 보유한 각종 정보의 유출가능성은 더욱 커지기 때문에 기업이 보유한 이러한 비밀정보를 법적으로 보호하기 위하여 영업비밀의 요건, 영업비밀침해행위의 유형, 침해시의 법적 구제수단 등을 법으로 규정한다. 영업비밀이란 일반적으로 개인 또는 기업이 영업활동에서 경쟁상의 우위확보를 위하여 많은 비용과 인력 및 시간을 투입하여 개발·축적한 비밀정보로서 기술상 정보뿐만 아니라 경영상의 정보도 포함하며, 특정의 비밀정보가 영업비밀로 보호받기 위해서는 다음 요건을 갖추어야 한다.

① 공연히 알려져 있지 않은 정보여야 한다. 즉 불특정 다수인이 그 정보를 알고 있거나 또는 알 수 있는 상태에 있지 않아야 하는 것을 의미한다.
② 비밀보유자가 당해 정보의 가치를 유지하기 위한 합리적 노력을 하고 있어야 한다. 정보에 접근할 수 있는 사람의 수를 제한하거나 물리적·공간적으로 접근을 제한하고, 비밀표시를 하여 접근하는 자에게 그것이 영업비밀이라는 사실을 주지 또는 비밀준수의무를 부과해야 하며, 영업비밀관리규정·서약서, 취업규칙 등에 비밀지정 및 비밀유지의무 등을 규정하고 있어야 한다.
③ 그 비밀은 생산방법·판매방법·기타 영업활동에 유용한 기술상 또는 경영상의 정보여야 한다. 사회에 부정적인 영향을 주는 정보는 보호되지 않으며, 특정정보가 유용성이 있다고 하기 위해서는 제3자에게도 경제적 가치를 지녀야 한다.

위의 영업비밀이 침해되거나 침해될 우려가 있을 경우에는 법원에 침해행위의 금지 또는 예방을 청구할 수 있으며, 영업상 이익을 침해당하여 손해가 발생한 때에는 손해배상을 청구할 수 있다. 또한, 7년 이하의 징역 또는 이득액의 2배 이상 10배 이하의 벌금, 5년 이하의 징역 또는 이득액의 2배 이상 10배 이하의 벌금, 3년 이하의 징역 또는 3,000만원 이하의 벌금 등 형사적인 구제수단도 있다.

영업비밀의 존속기간은 명확하게 법적 존속기간을 가지고 있지는 않다. 영업비밀 보호는 해당 비밀의 보호에 대한 필요가 유효한 것으로 판단되는 동안 지속적으로 유지된다.

PART

09 의료기기 GMP

9.1 의료기기 GMP 총론

1. 의료기기 GMP의 개념과 필요성

(1) 의료기기 GMP의 개념

- 의료기기 GMP(Good Manufacturing Practice)는 품질이 보증된 의료기기를 제조·판매하기 위하여 제조업소의 구조·설비를 비롯하여 제품의 설계, 원자재의 구입으로부터 제조, 포장, 설치에 이르기까지 공정전반에 걸쳐 조직적으로 관리하고 지켜야할 사항을 규정한 기준을 Hard Ware 및 Soft Ware의 개념을 가지고 있다.

(2) 의료기기 GMP의 도입과 대내외 여건

- 급속한 과학기술의 발전과 사용자의 의료기기에 대한 인식의 향상에 의하여 우수품질의 의료기 공급의 사회적 요청
- 품질이 보증된 우수 의료기기를 제조하기 위해서는 제조업소의 구조·설비를 비롯하여 제품의 설계, 원자재의 구입으로부터 제조, 포장, 설치에 이르기까지 공정전반에 걸쳐 충분한 조직적 관리 하에 의료기기를 생산하는 체제를 확립할

필요가 있음.

- 국제무역 환경의 빠른 변화와 국가간 FTA체결등 시장개방과 글로벌 경쟁의 가속화로 국내의료기기산업의 국제경쟁력 제고를 위하여 도입
- IT/BT/NT/분야와의 복합·동반 성장으로 차세대국가 성장동력 전략산업으로의 기반조성을 위하여 도입의 필요성이 요청됨.
- 소득수준의 향상과, 인구의 고령화, 신기술의 발달, BRICs의 경제발전 등으로 '06년 7,764억불 '15년 2,784억불로 성장이 전망되는 등 세계 의료기기 시장이 급성장하고 있음
- 의료정보의 디지털화와 원격의료(e-Health), 모바일화 등 의료기기의 디지털화가 진행되고 있음
- 중국의료기기산업이 '06년 69억불로 미국, 일본에 이어 세계 3위로 급성장하고 있음

(3) 적용대상

- 의료기기 제조·수입업자
- 임상시험용 의료기기 제조·수입자

(4) 의료기기 GMP 의무화 적용시기

- 신규업소 : 2004. 5. 31부터
- 기존업소 : 2007. 5. 31부터 적용

2. 각국의 의료기기 GMP 비교

(1) GMP 규정

구 분	내 용
국제규격	• ISO 13485 : 2003 - 2002. 9 개정 최종안 확정, 2003. 7 국제규격(1차 개정)으로 공포
미 국	• QSR(Quality System Regulation) - 기존의 GMP에 ISO 9001/13485도입

유 럽	• EN ISO 13485 : 2003 - EN ISO 13485 : 2003과 EN ISO 13485 : 2000은 2006년 7워 폐기
일 본	• 의료기기 제조관리 및 품질관리에 관한 기준 - ISO 13485 : 2003을 기반 *수입판매관리 및 품질관리 규칙은 폐지
한 국	• 의료기기 제조·수입 및 품질관리기준 - ISO 13485를 기본

(2) 등급분류 및 GMP 적용여부

구 분	분 류	GMP 적용 여부
미 국 (총 1,700여종)	Class I : 800(45%) GC, 일부 510(K) : 약 8%	• 약 150여개(20%) 품목 GMP면제
	Class II : 820(47%) GC+HC, 510(K) : 약 91%	
	Class III : 130(8%) GC+SC, PMA	• GMP 적용
유 럽	Class I Class II a Class II b Class III	• Class I (멸균, 측정 의료기기 제외)의 경우 module A(자기 적합선언) 방식 • Class II a, Class II b, Class III의 경우 제조업자가 module 선택
일본 (총 4,044종)	일반의료기기(등급 I) : 1,195 관리의료기기(등급 II) : 1,185 고도관리의료기기(등급 III) : 739 고도관리의료기기(등급 IV) : 325	• 등급분류에 의한 취급상 차이가 없음 • 외국제조소와 국내 제조소의 취급에 있어 차이가 없으며 외국 제조소는 인정, 국내 제조소는 허가
한 국 (총 1,015종)	1등급 : 334종 2등급 : 385종 3등급 : 176종 4등급 : 120종	• 1등급(GMP 일부항목적용) • 2~4등급 : GMP 적용

(3) GMP 심사기관 및 심사 현황

구 분	심 사 기 관	심 사 현 황
미 국	• 규제업무국(ORA)의 지역관리부(ORO)의 QSR inspector가 수행 • AP Inspection(15개)	• 판매허가 후 GMP 심사실시 • 예산 및 인원의 부족으로 70~80%의 업체를 대상으로 실시
일 본	• 신독립행정법인 - 의약품의료기기종합기구 • 제3자 등록기관(TUV UL Japan, JQA, JET, Product Service 등)	• 1등급 : 의약품의료기기 종합기구에 신고 • 2등급 : 제3자 인증 • 3,4등급 : 의약품의료기기 종합기구 심사
유 럽	• 66개의 Notified Body(2004. 6현재) (TUV, SGS, DNV, BSI 등)	• 1등급 일부 및 2,3등급 전체업체를 대상으로 NB의 심사원이 심사
한 국	• 식약청 의료기기품질팀, 품질관리심사기관 합동심사	• 1~4등급 모두를 대상으로 합동심사 실시

(4) 국가별 GMP 의무화 시작 년도 및 심사주기

	시작년도	주 기	정 기
한 국	1997년(권장) 2004년(강제)	2년에 1회 정기심사 3년에 1회 정기심사	품질관리심사기관+식약청 (정기, 수시)
미 국	1987년 1997년(GMP개념추가시행)	2년에 1회 정기심사	FDA AP(Accredit Person)
일 본	1988년(권장) 1995년(강제)	3년에 1회 정기심사 (2005년부터 2년에 1회)	PMDA(3,4등급) AP(2등급)
유 럽	1987년(권장) 1998년(강제)	3년에 1회 정기심사 (평균 1년마다 사후심사)	Notified Body
중 국	2005~2008년까지 위험도 높은 의료기기부터 단계적 시행		

(5) 국가별 의료기기 GMP 심사기준 비교

	한 국	미 국	유 럽	일 본
	의료기기법	FFD&C Art	MDD	약사법
심사기준	의료기기제조 수입 및 품질 관리기준	QSR(Quality System Regulation)	EN ISO 13485	의료기기제조 관리 및 품질관리에 관한 기준
기반 국제기준	ISO 13485			
해외실사제도	별도규정없음	있음	있음	있음

3. 우리나라 GMP 제도비교 및 GMP 적용업소현황

(1) 우리나라 GMP 제도 비교

구 분	의료기기법	약사법	건강기능식품법
제조업 · 수입업 허가	제조업 허가 수입업 허가	제조업 허가	제조업 허가 수입업 허가
품목 인 · 허가	품목제조신고 또는 허가	품목제조 허가 수입품목 허가	품목제조 신고
GMP 기준	• 의료기기 제조 · 수입 및 품질관리기준(식약청 고시)	• 약국 및 의약품등의 제조업 · 수입자와 판매업의 시설 기준령 • 약사법시행규칙	• 우수건강기능식품제조기준(식약청 고시)
의무/자율	• 의무사항 ※다만, 기존 제조 · 수입업자에 대하여는 3년 간 유예(2007년 5월 30일부터 의무 적용)	• 의무사항	• 권고사항
GMP 심사	의료기기품질팀과 품질관리심사기관 합동심사	• 제약협회 사전검토 • 의약품관리와심사	• 건강기능 식품과 심사

(2) GMP 적용업소 현황

• 의료기기 GMP 지정 현황(2004. 5. 31 의무화)

(07. 12. 현재, 단위 : 개소)

구 분	계	04년	05년	06년	07년
계	2,503	21	261	460	1,761
제조	1,332	11	145	281	895
수입	1,171	10	116	179	866

4. 의료기기 GMP 적합성 평가기준

1) 국내 의료기기 GMP와 국제기준의 조화

● 대한민국 의료기기 GMP 제도는 'ISO 13485 : 2003'과 동일

• 미국의 QSR, EU의 EN ISO : 13485 및 일본 JGMP와 동일

• 1등급 의료기기에 대하여는 일부 기준만 적용

• 2007. 5. 31부터 적용되는 사항

- 위험관리 : 7.1라, 7.3.2 가목5
- 소프트웨어 밸리데이션 : 7.5.2.1 라목
- 멸균공정 밸리데이션 : 7.5.2.2

2) GMP vs GIP

의료기기제조 및 품질관리기준 적합성평가기준(고시 별표1)		의료기기수입 및 품질관리기준 적합성평가기준(고시 별표2)
1. 목적		1. 기준서의 작성·비치
2. 적용범위		2. 제품표준서
3. 인용규격 및 용어의 정리		3. 수입관리기준서
4. 품질경영 시스템	4.1 일반 요구사항	4.품질책임자의 지정
	4.2 문서화 요구사항	
5. 경영책임	5.1 경영의지	5. 품질책임자의 임무
	5.2 고객중심	
	5.3 품질방침	
	5.4 기획	
	5.5 책임과 권한 및 의사소통	
	5.6 경영검토	
6. 자원관리	6.1 자원의 확보	6. 수입제품의 품질관리 업무
	6.2 인적자원	
	6.3 기반시설	
	6.4 작업환경	
7. 제품실현	7.1 제품실현의 기획	7. 시정조치
	7.2 고객 관련 프로세스	
	7.3 설계 및 개발	
	7.4 구매	
	7.5 생산 및 서비스 제공	
	7.6 모니터링 및 측정 장비의 관리	
8. 측정, 분석 및 개선	8.1 일반 요구사항	8. 기록
	8.2 모니터링 및 측정	
	8.3 부적합 제품의 관리	
	8.4 데이터의 분석	
	8.5 개선	
		9. 교육

3) GMP/GIP 심사 유의사항

① 적합성평가결과 부적합

- 최초심사 시 "보완필요"판정 항목 기한(3개월)내 미보완
- 재심사시 재차 '보완필요'판정

② 심사분류

- 정기갱신심사(3년 주기)
- 수시심사
- 기타심사(품목군추가 등)
- 외국 제조소 심사

③ 심사 간소화

- GM와 함께 ISO, CE인증 심사 동시 실시 가능
- ISO, CE 등 기인증업소 절차 및 비용 간소화 가능

4) GMP/GIP 심사 지침

① 의료기기 GMP/GIP 기준 중 '교육훈련' 심사지침('07.1)

② 의료기기 GMP/GIP 기준 중 '자가시험' 심사지침('07.1)

③ GMP 기준 중 위험관리 및 밸리데이션 적용 및 심사지침('07.6)

(1) 품질경영시스템의 수립 및 문서화

① GMP 기준에서 요구되는 문서

- 품질메뉴얼 : 조직의 품질경영시스템에 대하여 내부 및 외부적으로 일관성 있는 정보를 제공하는 문서
- 품질경영계획서 : 품질경영시스템을 어떻게 특정제품, 프로젝트 또는 계약에 적용할지를 기술한 문서, 제품표준서 등의 형태
- 절차서, 작업/업무지침서 등 : 제조 및 업무활동과 프로세스를 일관되게 수행하기 위한 방법에 대한 문서

• 기준서, 관련 규정

(2) 품질방침

• 품질에 대한 목표와 의지를 나타내는 품질방침을 설정, 작성 · 관리
  - 최고경영자에 의하여 공식적으로 표명된 품질과 관련한 전반적인 의도 및 방향

(3) 책임과 권한

• 품질책임자를 포함하여 구성원의 책임과 권한 및 상호관계를 정하고 문서로 작성 · 관리
  - 임원, 부서 및 각 개인의 업무분장을 정하여 관리

(4) 품질경영시스템 검토(경영검토)

• 제조업자(대표자)는 정기적으로 품질경영시스템을 검토, 적합성과 실효성을 확보, 이를 기록 · 관리
• 통상적으로 년 1회 이상 실시를 권장, 필요한 경우 추가 경영검토가 필요

(5) 자원관리

• 제조업자는 필요한 인적 · 물적 자원을 파악 · 확보
  - 인적 자원과 전문화된 숙련도
  - 설계/개발 설비 및 제조 설비
  - 시험, 검사설비/기기, 시설물, 자재
  - 기타 : 컴퓨터 소프트웨어, 특허권 등

(6) 품질경영계획(제품표준서)

• 제조업자는 품목별로 품질경영계획을 문서로 작성 · 관리
• 품질경영계획서에 포함되는 내용
  - 제품의 특성, 품질에 대한 특성, 원부자재 규격, 공정순서와 관리항목, 시험 · 검사방법 및 순서, 측정방법, 수명/보증기간, 포장 및 운반조건, 서비스

지침 등에 관한 요구 사항을 포함시킨 형태

(7) 계약검토

- 고객의 주문내용이 무엇인지를 명확하게 문서화 하고, 고객 주문내용을 관련 부서에 전달・검토하는 절차를 수립하여야 함
  ※ 전자문서교환방식에 의하여 이루어진 고객의 요구사항에 대하여 다음 단계의 조치가 안전하게 진행되도록 특별한 주의 검토가 필요

(8) 설계 및 개발 계획

- 설계관리 목적 : 설계 결함은 중요한 품질문제를 발생, 제품화된 후 원인이 발견이 어렵고 큰 손실을가져올 수 있기 때문
- 설계 및 개발 계획서의 내용
  - 설계일정 : 설계 준비, 부품 구매/가공, 시작품(Prototype) 제작, 측정・검사 등의 일정
  - 설계입력 시기
  - 설계확인 시기 : 예상되는 검토, 검증, 타당성확인 실행시기
  - 제품설계에 반영된 안전, 성능 및 신뢰성에 대한 평가 예정시기
  - 제품의 측정, 시험방법 및 허용한계 판정시기
  - 적절한 설계책임자 및 담당자
  - 해당 설계동과 관련된 조직의 내・외부 부서, 개인 등의 상호관계

(9) 설계 및 개발 입력

- 설계입력의 세부 내용
  - 제품개발의 목적, 특징 및 그 의도된 사용
  - 법, 시행령/시행규칙 및 관련 고시 요구사항
  - 적용할 기준 및 규격
  - 제품사양, 제품성능, 기준(허용범위와 한계치)
  - 형식, 구성(조합하여 사용되는 주변기기와의 관계를 포함)
  - 사용조건, 설치조건, 환경조건

- 유지 보수성
- 포장, 취급 및 보관
- 멸균방법
- 불완전, 불명확, 또는 모순되는 요구사항의 해결과 결과(해결시점에 기입)
- 요구사항 설정에 대한 타당성 확인
- 기타 설계특성에 관한 사항 : 고객과의 계약조건 등

(10) 설계 및 개발 출력(결과)

- 설계결과를 나타내는 일반적인 문서
  - 도면 및 부품 목록(Part List) : 부품도, 조립도, 배선도 등
  - 제품규격/시방서
  - Software 사양
  - Test 절차
  - 성능시험 결과
  - 제품설치, 보존에 관한 절차
  - 제조조건 및 제조방법 : 제조공정도, 작업표준 등
  - 포장 시방서
  - 라벨링 : 카탈로그, 사용자설명서/취급설명서 등

(11) 설계 및 개발 검토

- 설계결과의 체계적인 평가
- 설계자/설계팀으로의 피드백
- 설계프로젝트 진행(설계완료까지의 전 과정)에 대한 평가
  - 설계 및 개발 계획의 일정에 따라 진행되고 있는가?
  - 각 단계별 활동이 해당 요구사항의 충족시켜, 다음 단계로 진행해도 되는가?

(12) 설계 및 개발 검증(Verification)

- 설계결과(Output) 설계과정 초기에 규정하였던(또는 갱신되었던) 모든 설계입력 사항(Input)을 충족하고 있는지 그 여부를 확인

(13) 설계 및 개발의 타당성 확인(Validation)

- 사용자, 작동지침/취급설명서, 다른 제품/시스템과의 병용성 및 사용상 제한사항 등을 고려하여 최종제품의 의도된 사용에 적합/충족함을 보증

(14) 설계 및 개발의 변경

- 설계변경 검토에 포함될 사항
  - 변경사유와 이에 따른 대응방법
  - 변경된 내용 시행일(효력 발생일)
  - 변경에 따른 예상효과
  - 변경내용 또는 조건
  - 변경 제안자, 검토자 및 승인자
  - 변경결과의 전달방법 등

(15) 문서관리

- 관리대상
  - 내부문서 및 자료 : 품질 매뉴얼, 문서관리절차서, 제조업자가 문서화한 절차, 도면, 설계결과물, 소프트웨어 등
  - 외부문서 및 자료 : 규격, 고객이 제공한 도면/자료 등

(16) 기록관리

- 기록의 보존기간
  - 제품 출하일 이후 규정된 의료기기의 수명기간 이상의 기간
  - 유효기간이 설정된 경우 그 유효기간에서 1년을 가사한 기간

  ※ 제조업자는 PL(제조물 책임)에서의 관점도 고려하여 기간을 설정할 것

(17) 구매절차

- 품질에 영향을 미치는 구매품이 요구사항에 적합한지 적저히 관리
  - 외주업체 등 공급에 대한 평가와 선정
  - 구매 요구사항의 명확화

- 적절한 검증의 수행
- 입고와(수입검사)절차

(18) 구매자료

• 제조업자는 외주업체 등 공급자에 대하여 구매품의 품질을 보증할 수 있도록 제품의 기술적 요구사항, Calibration 서비스, 특수공정과 시험·검사활동을 포함한 요구사항을 규정한 구매 자료를 작성·관리하여야 함

(19) 구매품의 검증

• 구매품의 검증을 통하여 구매푼이 특정한 요구사항에 적합하다는 증거를 제공

(20) 제품식별 및 추적관리

• 식별표시 방법
  - 제품이나 용기에 마킹(스탬프, 날인), 각인 등 직접 표시
  - 라벨, 스티커, 꼬리표, 카드, 생상표식 등 직간접 부착
  - 간판, 판넬, 위치 지정 등 목시적으로 표시
  - 문서화(검사기록, 교정기록 등에 기록 또는 서명)등
• 식별표시 내용
  - 명칭, 종류, 규격, 호칭 등
  - 로트, 배치, 프로젝트, 과정 등
  - 날짜, 수행자, 수행부서, 위치
  - 고유번호, 바코드, 색깔, 부호, 기호 등
• 추적관리대상 의료기기
  - 시행규칙 제 30조의 규정에 의한 인체이식형 의료기기, 의료기관외의 장소에서 사용되는 생명유지용 의료기기

(21) 제조공정의 관리

• 주의사항
  - 제품 품질에 가장 중요한 특성을 명확히 파악 후, 공정관리 실행이 중요

- 최종검사에 의한 품질보증보다, 공정관리에서 부적합 제품의 발생을 사전에 방지 하는 것이 바람직함.(경제성/생산성)
- 공정관리에는 통계적 기법을 포함하여 재료, 부품, 조립품, 소프트웨어 등의 보관, 취급활동도 적절하게 유지할 필요가 있음
- 구매품 입고, 제조 및 인도까지의 전 과정에서 작업 중의 혼동을 방지
- 공정변수 및 제품 특성 모니터링에 사용되는 측정기들은 정밀정확도를 유지할 것

(22) 특수공정의 관리

- 멸균 Validation(2007. 5. 30부터 의무적용)

(23) 검사 및 시험의 문서화

- 시험 · 검사업무 절차에 언급될 사항
  - 시험 검사방법 및 수단
  - 합부판정기준
  - 기록방법(양식)
  - 검사결과 부적합이 발생했을 때 취할 조치
  - 해당된 경우, 제조업자에게 반입되는 원부자재, 자재별 성분분석기록, 비파괴시험기록 등의 첨부물을 검증하는 절차

(24) 구매품 등 검사 및 시험

- 입고(수입)검사의 검사항목 및 합부판정기준은 외주업체 과거 이력, 품질목표, 품질보증 사항, 부적합 발생경향 또는 고객 불만에 따라 정해짐
  - 합격품질수준(AQL) 등의 통계적 기법이 적용될 수 있음

(25) 공정검사 및 시험

- 공정검사는 부적합의 조기발견과 부적합품의 시기적절한 처리를 위한 것 (최종검사 이전에 모든 부적합품을 파악하여 후속공정에 투입을 방지)

(26) 최종검사 및 시험

- 제품출하 조건
  - 모든 입고(수입)검사, 공정검사 및 최종검사 등의 만족스러운 완료
  - 활동 결과물(검사기록, 관련 자료 및 문서 등)의 검토
  - 품질책임자에 의한 출하 승인

  ※ 최종검사는 반드시 수행되어야 함

(27) 검사 및 시험의 기록

- 부적합품에 대한 측정 결과를 주기적으로 취합·분석, 문제영역을 파악

(28) 검사, 측정 및 시험장비의 관리에 관한 문서화 등

- 측정활동에 사용되는 장비를 어디까지과리할 것인지, 품질에 중요한 영향을 미치는 범위가 어떤 것인지는 품목에 따라 다름
- 시험 검사용 장비는 설정치가 합부판정에 중요한 영향을 미치므로 관리대상

(29) 검사, 측정 및 시험장비의 관리

- 교정/점검기록에 포함되어야 할 일반적인 정보
  - 품명, 제작회사 및 형식
  - 기기 번호
  - 교정/점검 주기
  - 교정/점검 결과치 (보정값 포함)
  - 정밀 정확도(불확도)
  - 교정/점검에 사용된 측정표준(표준기)
  - 교정/점검시의 환경조건
  - 교정/점검자, 교정/점검일자 및 차기 교정/점검일
  - 기타 필요사항

(30) 부적합품의 관리

- 부적합품 관리절차에 포함될 사항
  - 부적합품과 적합품 구별을 위한 부적합품 식별 방법
  - 어떤 제품들이 부적합품에 포함되는지 알기 위한 제품단위(예: 어떤 제조기간 동안, 어떤 제조설비에서, 어떤 공정라인에서, 어떤 로트가)를 결정하고 기록
- 부적합 성격/내용을 평가
  - 부적합품 처리 방법을 결정하고 기록
  - 부적합품 처리 방법에 따른 후속조치(격리 등)
  - 필요한 경우, 부적합품에 의한 영향을 받는 관계자 (고객 포함)에게 통보

(31) 시정조치

- 발견된 부적합/불일치 또는 기타 바람직하지 않은 상황의 원인을 제거하기 위해 취하는 조치

(32) 예방조치

- 잠재적인 부적합/불일치 또는 기타 잠재적으로 바람직하지 않은 상황의 원인을 제거하기 위해 취하는 조치

(33) 표시 및 포장

- 라벨링(Labelling) : 의료기기 또는 그 용기나 포장에 부착되거나, 또는 의료기기에 첨부되도록 작성, 인쇄되거나 또는 도형화(graphic)된 형태
- 취급설명서 또는 서비스 매뉴얼과 같은 문서는 제품을 구성하는 일부로, 그 내용의 확인 및 개정사항의 관리에 유의

(34) 취급, 보관 및 보존

- 취급과 관련하여 다른 제품, 제조환경 및 작업원 오염을 방지하기 위해, 사용된 제품 관리를 위한 특별한 조치들을 확립

(35) 인도

- 추적관리대상 의료기기의 경우 인수자의 주소, 성명, 기타 필요사항을 기록

(36) 설치

- MRI, CT 또는 진단용 방사선 발생장치와 같이 사용될 장소에서 올바르게 작동되도록 준비하는 것
- 제조입자의 대리인 또는 제3자가 설치하는 경우, 설치절치 문서를 제공
  - 수행한 설치 및 확인기록의 작성 유지

(37) 교육훈련

- 신규 직원을 포함한 모든 직원들에게 실시되어야 하는 교육 훈련사항
  - 제품들의 인도된 사용
  - 업무의 불충분 또는 부적절한수행으로 야기될 수 있는 품질문제
  - 위생과 관련한 요구사항들의 설명
  - 고객 불만/고객 피드백의 접수에 관련하여 병행될 절차 등

(38) 부가서비스

- 부가서비스의 유형
  - 무상 수리, 교환, 점검
  - 예비부품 또는 부가 기능의 제공 및 소프트웨어 갱신
  - 사용자/운전자 교육, 정보제공, 기술지원, 애로청취

(39) 고객만족

- 고객 불만 관리체계에 포함될 사항
  - 임무할당 : 접수된 모든 불만의 수집, 검토에 대한 책임권자 지정
  - 불만사항 검토
  - 주요 불만사항의 원인들을 파악할 수 있도록 하는 기록 및 통계적 요약들
  - 취해질 모든 조치 : 반품 및 결함이 있는 제고품의 격길, 처리 또는 재작업
  - 고객과의 서신 및 기타 관련 기록들 보관 : 이들에 대한 보관기간을 정해야 함

(40) 통계적 기법

- 제품의 표본추출(샘플링)방법을 정기적으로 재검토 할 수 있는 절차 수립
  - 부적합품 발생상황, 내부품질감사결과 및 불만처리에 관한 정보 등을 고려

(41) 품질감사 등

① 내부품질감사

- 내부품질감사 결과는 다음과 같은 사항들을 포함하여 기록
  - 발견된 부적합/불일치 사항 및 개선이 필요한 사항
  - 요구되는 시정조치 내용
  - 요구되는 시정초지의 완료 목표일자
  - 시정조치를 이행할 부서 또는 이행 담당자

② 외부품질심사

5. 의료기기 GMP 적합성 평가절차

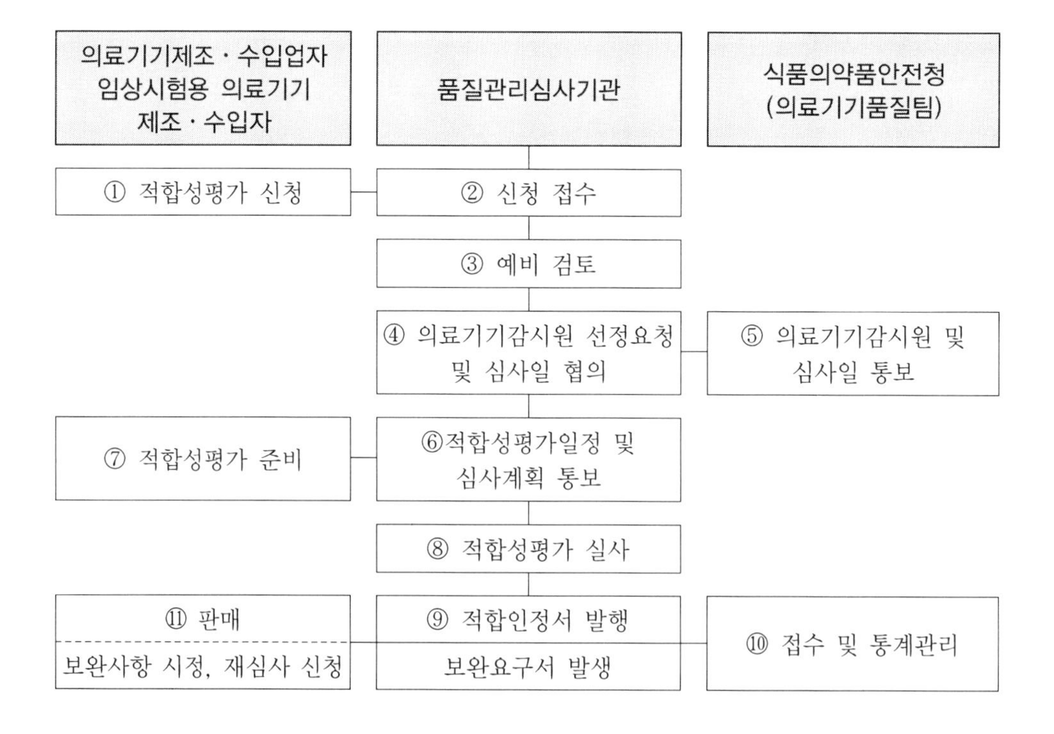

(1) 의료기기 GMP 적합성평가 세부절차

① 적합성평가 신청

- 임상시험용 의료기기의 제조·수입자는 임상실험실시전에, 의료기기제조·수입업자는 의료기기 제조·수입업의 허가 후 제품의 판매전에 품질관리기준의 적합성평가를 받아야 함
- 동일 품목 군에 속하는 제품이라 하더라도 1등급에 2·3·4등급을 추가하거나, 다른 품목군의 의료기기를 추가한 경우 새로이 적합성평가를 받아야 함
  ※ 1등급 의료기기(멸균의료기기는 제외한다)의 경우 별표1「의료기기제조 및 품질관리기준 적합성평가기준 및 평가표」에 있어 제1호(품질매뉴얼은 제외한다.) 제15호, 제16호, 제26호, 제27호, 제31호, 제32호, 제39호의 사항만 적용
- 대표자의 변경으로 품질경영시스템에 중대한 변경이 발생한 경우, 제조·수입업소를 새로운 소재지로 이전한 경우, 제조공정의 변경으로 기준 및 시험방법이 변경된 경우에도 새로이 적합성평가를 받아야 함

〈구비서류〉

- 의료기기 품질관리기준 적합인정 신청서
- 의료기기제조(수입)업 허가증 사본 또는 의료기기조건부제조(수입)업 허가증 사본(임상시험용 의료기기는 제외)
- 품질매뉴얼, 제품표준서 등 품질관리문서
- 그밖에 제품표준서 등 적합성평가에 필요한 자료

※ 의료기기 기술문서 등의 심사결과 통지서 사보는 제출할 필요가 없고 적합성 평가 시 준비하면 됨

② 신청 접수

- 의료기기 품질관리심사기관의 장에게 제출
  - 한국산업기술시험원, 전기전자시험연구원, 화학시험연구원, 생활환경시험연구원

  ※ 4개 품질관리심사기관은 모든 품목 군에 대하여 심사가 가능
- 품질관리심사기관은 신청인이 심사수수료를 납부한 후 신청서를 접수

③ 예비검토

- 품질관리심사기관은 구비서류, 기재사항 등에 대하여 검토
  ※ 의료기기제조(수입)업 허가증 사본 또는 의료기기조건부제조(수입)업 허가증 사본(임상시험용 의료기기는 제외)이 구비되어야 함
- 경미한 보완사항은 신청인에게 통보 후 보완실시

④ 의료기기감시원선정요청 및 심사일 협의

- 품질관리심사기관에서는 신청인이 요청한 심사일을 고려하여 식약청과 의료기기감시원 및 심사일을 협의
  ※ 품질관리심사기관은 적합성평가를 신청받은 날로부터 7일 이내에 식약청에 보고하고 신청인에게 심사일을 통보하여야 함

⑤ 의료기기감시원 및 심사일 통보

- 식약청은 품질관리심사를 위한 의료기기감시원과 심사일을 품질관리심사기관에 통보

⑥ 적합성평가 일정 및 심사계획 통보

- 의료기기감시원과 심사일이 선정된 후 품질관리심사기과는 심사일정 및 심사계획서를 신청인과 식약청에 통보
- 심사계획서(audit plan)은 다음의 사항을 포함하여 작성
  - 심사일자
  - 심사의 범위와 목적
  - 심사단의 구성
  - 세부심사계획 및 소요시간
  - 제조·수입업자 및 품질관리책임자 등 심사 참여인원

⑦ 적합성평가 준비

- 의료기기제조·수입업자, 임상시험용 의료기기 제조·수입자는 적합성평가가 차질 없이 진행될 수 있도록 품질문서, 각종 기록 등을 준비
- 의료기기감시원 및 품질심사원은 적합성 평가를 위한 checklist, 심사일지, 기

타 필요한 문서를 준비

⑧ 적합성평가 실시

• 시작회의

 - 의료기기제조·수입업자, 품질책임자를 포함한 심사에 참여하는 종업원과 의료기기 감시원, 품질심사원 간 소개

 ※ 제조·수입업자, 대표자 또는 경영책임자는 반드시 시작회의, 경영검토 및 종결회의에 참석

 ※ 컨설팅 관계자, 다른 제조·수입업자 등은 원칙적으로 심사에 참여할 수 없음 다만, 적합성평가 대상 제조·수입업자 및 식약청이 동의한 경우 다른 제조·수입업자는 심사에 차명할 수 있음

 - 심사범위 및 목적의 확인

 ※ 제조·수입, 임상시험용 의료기기 여부, 최초심사·재심사 여부 등

 - 심사일정 및 절차에 대한 설명

 - 심사팀과 제조업자 및 수입업자간의 공식적 의사소통 관계 설정

 - 기타 의문사항의 해소

• GMP 적합성평가

 - 심사계획서(audit plan)에 따라 적합성평가 실시

 ※ 현장심사를 포함하여 품질문서 등 품질관리 현황에 대한 심사

• 심사단 종합평가회의

 - 제조·수입업자, 컨설팅 관계자 등이 배제된 상태에서 심사단이 종합평가를 실시

• 종결회의

 - 심사단은 심사 관찰사항 및 보완사항에 대하여 제조·수입업자, 품질책임자 등에게 설명하고, 심사보고서를 정리하여 전달

 - 적합성평가표 작성, 의료기기감시원·품질심사원·대표자의 서명

⑨ 적합인정서/보완요구서 발행

• 종합평가 결과에 대해 품질관리심사기관 내부결재 후 적합인정서 또는 보완요구서를 발행, 식약청으로 통보

⑩ 접수 및 통계관리

• 품질관리심사기관이 보고한 적합인정서/보완요구서를 접수 및 관리

⑪ 판매 · 임상시험/보완사항 시정

• 적합인정서가 발행된 후 의료기기 판매 실시 또는 임상시험 실시
• 보완사항이 있는 경우 3월 이내의 기한을 정하여 보완을 요구하며, 제조 · 수입업자는 기한 내에 보완사항을 시정한 후 재심사 신청

9.2 의료기기 GMP와 의료기기법

1. 의료기기법의 입법배경

의료기기법은 1997년 의료용구제도개선 당시부터 제저으이 필요성이 지속적으로 제기되어 왔다. 당시 보건복지부에서는 제도개선과는 별도로 1008년도에 의료기기법 제정 추진관련 정책연구사업을 실시하였고, 그 결과 현재의 의료기기법과 유사한 형태의 의료기기법 초안이 2000년도에 마련되었다. 이에 따라 식품의약품안전청에서는 2000년 7월 관련업계 간담회를 개최하고 곧바로 보건복지부에 입법요청을 하였다.

그러나 당시 보건복지부에서는 의약분업 실시에 따른 후속조치 등으로 의료기기법 제정추진을 위한 행정환경이 매우 어려운 형편이었다. 그나마 2002년도추진을 목표로 정부입법계획까지 수립하였으나, 이마저도 의약분업의 안정적정착을 위한 홍보사업 등으로 제대로 이루어지지 못하던 차에 국회 내에서 이러한 의료기기법 제정의 필요성을 인식하고 의원입법으로 추진하게 되었다.

그러나 처음부터 국회에서 의원입법으로 추진된 것은 아니며, 아래에서 보는 바와 같이 보건복지부내에서 식품의약품안전청과 여러 차례 검투 후 입법절차를 추진하고자 하였으나 이루어지지 못하였다.

의료기기법 제정의 추진경과는 대체로 다음과 같으며, 당시 국회에서 법안추진에 관심을 가질 무렵 식품의약품안전청에서 작성하여 제출한 설명 자료를 바탕으로 그

당시의 의료기기법 제정의 필요성을 소개하고자 한다.

1) 추진 경과

- 1998. 6. : 의료용구의 제조발전 방안 수립과 연구과제 용역
  - 의뢰기관 : 보건복지부
  - 수행기관 : 산업기술시험원
  - 연구기관 : 1998. 6. 1 ~ 2000. 4. 30 (23개월)
- 2000. 5. : 동연구과제 수행 완료
  - 산업기술시험원에서 연구과제 보건복지부에 제출
- 2007. 7. : 동연구과제 수행과 관련하여 마련한 의료기기법(안) 설명회 개최
  - 제조 및 수입업체, 관련기관 150여명 참석(식품약품안전청 의료기기과 주관)
- 2000. 10. : 의료기기법(안) 마련을 위한 최종 의견 수렴(관련부서 및 단체 등)
  - 식약청내 및 관련단체 등 의견 수렴, 최종 의료기기기법(안) 마련
- 2000. 11. : 식약청 동법(안) 확정, 보건복지부에 제정 건의
  - 동법(안)에 대한 설명회 개최
- 2002. 11. 5 : 의료기기법안 의원입법 추진
  - 발의일자 및 발의자 : 2002. 11. 5, 이원형의원 등 3인
  - 회부일자 : 2002. 11. 6
  - 상정 및 의결일자

    제 236회 국회(임시회)

    제 2차 보건복지위원회(2003. 2. 14) : 상정, 제안 설명, 검토보고, 대체토론, 법안소 위회부

    제238회 국회(임시회)

    제 1차 법안심사소위원회(2003. 4. 3) : 상정, 심의

    제 1차 보건복지위원회(2003. 4. 14) : 상정, 소위원회심사보고, 심의

    제 2차 법안심사소위원회(2003. 4. 14) : 상정, 심의, 수정의결

    제 3차 보건복지위원회(2003. 4. 21) : 상정, 소위원회심사보고, 심의, 수정의결

• 2003. 5. 29 : 의료기기법 제정 · 공포
• 2004. 5. 30 : 의료기기법 시행

2) 의료기기법 제정의 필요성

(1) 의료기기산업의 특성

① 경제적 특성

• 지속적인 성장 산업
  - 인구구조의 고령화
  - 만성질환 중심의 질병구조의 변화
  - 국민의료비의 증가
  - 의료서비스의 변화요구
  ⇒ 의료용구의 지속적 수요증가 전망
• 중소기업형의 고부가가치 산업
  - 다품종 소량생산의 중소기업형 산업
  - 고도의 기술축적이 필요한 고부가가치 산업
  ⇒ 자연자원이 부족한 우리나라 실정에 적합한 산업구조
• 21c 전략적 유망 사업
  - 세계 시장규모의 지속적 성장
    (연평균 성장률 : 5~6%)
  - 보건의료과학기술, 정보통신, 메카트로닉스,
    소재를 주임으로 하는 21세기 4대 전략사업
  ⇒ 집중적인 지원 · 육성이 필요한 산업
• 보호무역장벽의 존재
  - WTO 경제체제 출범이후 『무역상기술장벽협정(TBT)』의 체결에도 불구하고 국가 간 보호무역장벽 존재
  ⇒ 우리나라 국민의 보건 · 위생을 확보하기 위하여 우리 실정에 적합한 선진국 수준의 관리제도 필요

② 기술적 특성

• 기술집약적 산업
  - 의학과 공학이 결합된 고도의 기술축적과 첨단 기술 및 지속적 연구개발 노력이 필요한 산업
• 제품의 안전성 및 유효성 확보 요구
  - 인체의 질병의 진단 · 치료 · 처치 · 예방의 목적에 사용되는 것인만큼 인체에 적용시의 안전성과 유효성은 필수적임
• 제품의 짧은 주기 및 의학적 전문성 요구
  - 의료기술의 발달 및 환자의 요구변화에 의해 제품의 수명주기가 짧음
  - 실제 사용 시의 환경조건에 적합한 제품개발을 위하여 임상적 전문지식의 접목이 요구됨

(2) 국내 의료기기의 산업현황

① 의료기기 · 수입업소 현황

구 분	1998	1999	2000	2001	2002	2003	2004	2005	2006	비 고
제 조	411	478	609	723	938	1,012	1,681	1,783	2,428	
수 입	823	560	644		817	975		1,173	1,345	

② 의료기기 생산 및 수출입 규모

2006년 의료기기 수출액은 7,806억원으로 전년도 대비 9.9% 성장하였다. 반면에 수입은 국내 생산액과 비슷한 수준으로 1조 7,183억원으로 전년도 대비 11.1% 증가한 것으로 나타나고 있다. 의료기기 무역수지는 2005년 8,298억원의 격자에서 2006년에는 11.5% 증가한 2,377억원으로 적자가 확대되었고 무역수지 적자폭은 지속적으로 확대되고 있는 것으로 나타나고 있다. 특히 2003년에는 전년도 대비 24.9% 증가한 6,147억원의 적자를 기록하였으나, 국내 생산액이 -1.6% 성장한 것을 감안한다면 수입의 증가율은 전년도 보다 3배 이상 증가한 것으로 보여진다. 장기간 동안 무역수지 적자폭이 확대되는 것은 단순 · 저가제품의 수출과 고가 의료기기의 수입 증가에 따른 결과이다. 이러한 의료기기 수출입 구조가 변하지 않는다면

무역수지 적자폭의 화대는 앞으로도 더욱 커질 것으로 보인다.

최근 7년간 국내 의료기기 연도별 시장규모

(단위 : 백만원)

구 분	2000년	2001년	2002년	2003년	2004년	2005년	2006년
생산(A)	872,401	1,194,099	1,348,134	1,327,106	1,478,165	1,704,161	1,949,159
수출(B)	523,827	561,673	579,247	614,639	651,503	715,830	780,602
수입(C)	920,297	1,113,959	1,175,324	1,359,243	1,469,583	1,545,686	1,718,351
내수(D)	348,574	632,426	768,887	712,467	826,662	988,331	1,168,557
무역수지(E)	-396,470	-552,286	-596,077	-744,604	-818,080	-829,856	-937,749
시장규모(F)	1,268,871	1,746,385	1,944,211	2,071,710	2,296,245	2,534,017	2,886,908
수입점유율(G)	72.53	63.79	60.45	65.61	64.00	61.00	59.52
시장증가율(%)	-	37.63	11.33	6.56	10.84	10.35	13.93

※ 내수(D) : (A)-(B), 무역수지(E) : (C)-(B). 시장규모(F) : A-B+C, 수입점유율(G)=C/F×100

※ 2002년도 평균환율(매매기준율) : 1254.55, 2003년도 평균환율(매매기준율) : 1191.85, 2004년도 평균환율(매매기준율) : 1143.72, 2005년도 평균환율(매매기준율) : 1024.03, 2006년도 평균환율(매매기준율) : 954.97

또한, 국내시장규모는 2006년 28,869억원으로 5년 동안 48% 증가한 초고속성장을 하였다. 그러나 수입액이 같은 수준으로 성장하고 있는 것이 주요 문제점으로 보인다.

③ 우리나라 의료기기 산업의 발전적 추세

- 국내 생산 의료기기는 주사기, 콘돔 등 부가가치가 낮은 저기술 제품에 치중하여 '98년도 기준 68% 이였으나 '99년도에는 59%로 점차 기술집약적 제품으로 산업구조의 점증적 변화
  - '85년도 이후 초음파영상진단기, 마취기 등 기술집약적 제품을 개발하여 해외시장 진출
  - 최근 MRI 개발에 성공 제조•판매개시
- 이는 1990년대 후반기에 접어들면서, 그 동안 벤처형중소기업기술개발사업, 선도기술개발사업(G7) 및 의료공학기술개발사업 등을 통한 각종 국책지원사업과

기술경쟁력을 기반으로 하는 각종 벤처기업의 성장 등으로 초음파영상진단장치, 레이저수술기 및 MRI 등 고부가가치의 첨단의료기기가 개발되기 시작함.

• 2015년 세계 5대 의료기기국가 진입을 위한 로드맵 발표(2006년)

최근 7년간 실적보고 현황

구 분	생산실적			수출실적			수입실적		
	업소수	품목수	생산금액 (백만원)	업소수	품목수	수출금액 (천만불)	업소수	품목수	수입금액 (천불)
2000년	609	3,175	872,401	–	–	415,700	644	–	730,358
2001년	723	3,913	1,194,099	–	–	445,741	928	–	884,078
2002년	938	4,022	1,348,134	–	–	461,717	817	–	936,849
2003년	1,012	4,992	1,327,106	–	–	515,702	975	–	1,140,448
2004년	1,500	5,862	1,478,165	383	1,834	569,635	997	14,062	1,284,915
2005년	1,596	6,392	1,704,161	422	2,104	699,032	1,157	14,901	1,509,415
2006년	1,624	6,639	1,949,159	435	2,327	817,410	1,281	16,624	1,779,377

(3) 의료기기 관리제도와 산업동향

① 의료기기 산업의 전반적 환경 분석

구 분	내 용
강 점 (Strengh)	• 풍부한 인적자원 • 환경친화형 • 인적자원 의존형 • 고부가가치
약 점 (Weakness)	• 국산 의료용구에 대한 인식부족 • 개별 기업의 개발여력 부족 · 정부의 개발의지 미약
기 회 (Opportunity)	• 의료용구에 대한 사회적 요구의 증대 • 지적소유권에 대한 인식 제고 • 선진국 기술보호 정책 강화 • 벤처기업, 중소기업에 대한 정부지원 강화
위 협 (Threat)	• 선진국 기술보호 정책 강화 • 국가의 경제적 위기 • 선진국의 첨단기술 이전 회피 • OECD 가입에 따른 무역의 불이익

② 관리체계의 전반적 개편

- 질병구조의 변화 및 과학기술의 발달에 따른 의료기기의 다양화·첨단화, 국제무역환경의 변화, OECD 가입 및 WTO 체제 출범 등, 국·내외적 여건 변화에 부응하기 위하여 의료기기의 새로운 관리체계 확립 필요
  ⇒ 1997. 9. 의료기기 관리제도에 관한 전반적 제도 개선 추진
  ⇒ 2004. 5. 의료기기법 시행
  ⇒ 2007. 5. 30. GMP 적합인정 의무적용 시행

③ 국내의료기기 산업의 과거동향

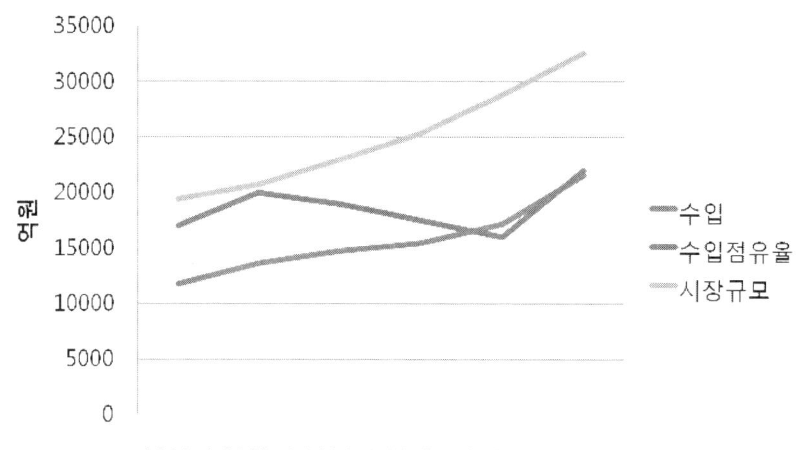

시장 규모에 따른 수입 점유율

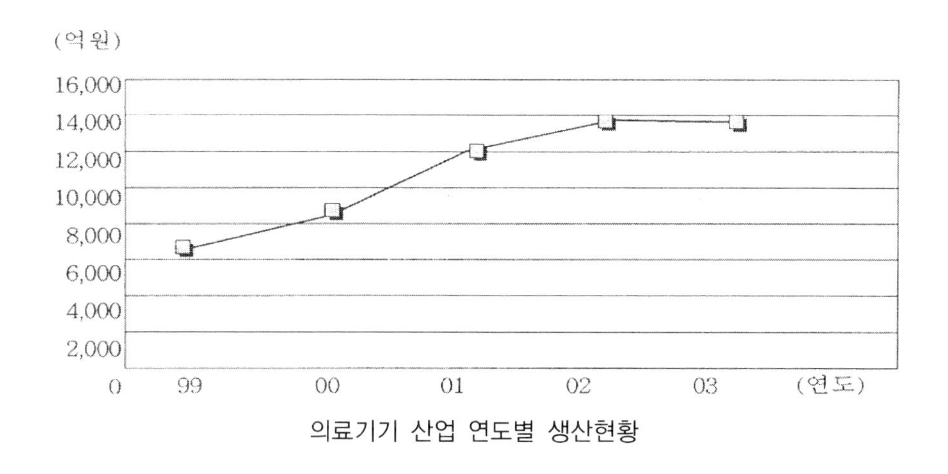

의료기기 산업 연도별 생산현황

2003년 생산액 규모별 업체현황을 살펴보면, 양극화가 뚜렷하게 나타나고 있다. 생산액 기준 100억원 이상 생산한 업체는 25개(2.4%)이며, 의료기기 전체 생산액의 41.6% 차지하고 있다. 반면에 10억원 미만을 생산한 업체는 783(78.4%)이며, 의료기기 전체 생산액의 11.3%를 생산한 1,496억원 수준으로 대부분 영세한 업체들이 단순한 제품들을 생산하고 있는 것으로 나타났다.

④ 의료기기 세계 시장규모 및 발전전망

2006년을 기준으로 세계 의료기기 시장규모는 1,831.7억불로 추정되고 있으며, 표 1에서와 같이 세계 의료기기 시장은 2004~2006년 기간 동안 연평균 11.6%의 높은 성장률을 기록하고 있는 것으로 나타났다. 특히, 2006년에는 전년대비 성장률이 2005년의 두 배가 넘는 16.6%를 기록하여 최근 세계의료기기 시장규모가 급격히 확대되고 있는 것으로 나타났다.

이러한 세계 의료기기 시장의 급격한 확대 추세는 최근의 산업 환경 변화에 따른 영향으로 볼 수 있다. 세계적인 인구고령화 추세에 따라 치매, 중풍, 파킨슨병 등 노인성질환에 대한 치료수요가 빠르게 증가하고 있는데, 세계보건기구(WHO)는 2020년경 고혈압, 당뇨, 관절염 등 만성질환이 전 세계 질병의 70%를 차지할 것이라는 전망을 내놓은 바 있다. 또하느 소득증대 및 생활패턴의 변화로 삶의 질 향상이 미래사회의 화두로 등장하면서 건강증진 및 유지를 위한 의료분야의 지출이 크게 확대되고 있다.

기술발전 측면에서도 BT 신기술 혁신, 관련 융합기술의 발전으로 바이오칩, 생체이식 등 BT · IT · NT가 융합된 고부가가치 신산업, 신상품이 출현하면서 의료기기

표 1. 세계 의료기기 시장규모 현황

(단위 : 억불, %)

구 분	2004년	2005년	2006년	연평균 성장률 (2004~2006)
시장규모	1,471.2	1,570.6	1,831.7	11.6
전년대비 성장률	-	6.8	16.6	-

자료 1 : Espicom, The world Medical Market Fact Book 2004, 2005
2 : Espicom, Medical Market Futures to 2011, 2007
3 : 의료기기산업 실태분석보고서, 한국보건산업진흥원, 2007. 12. 30

표 2. 세계 의료기기 시장규모 전망(2007~2011년)

(단위 : 억불, %)

구 분	2007년	2008년	2009년	2010년	2011년	연평균 성장률 (2007~2011)
시장규모	1,940.5	2,057.1	2,182.3	2,316.7	2,461.2	6.1

자료 : Espicom, Medical Market Futures to 2011, 2007

산업의 영역이 점차 확대되고 있는데, 결과적으로 이러한 산업 환경의 변화가 의료기기시장규모 확대로 나타나고 있다고 하겠다.

한편, 의료기기산업 전문 리서치 기관인 Espicom은 이러한 산업환경 변화 등을 고려하여 세계 의료기기 시장규모가 표 2와 같이 2007년 1,940.5억불에서 2011년 2,461.2억불로로 증가할 것으로 전망하였는데, 2008년 세계 의료기기 시장규모가 2,000억원을 넘어서고, 2007년~2011년 기간 동안의 연평균 성장률은 6.1% 수준을 기록할 것으로 전망하고 있다.

⑤ 지역별 세계 의료기기 시장동향

2006년 세계 의료기기 시장을 지역별로 살펴보면, 표 3에 보는 바와 같이 미국, 캐나다 등 북미 지역이 890.2억불(48.6%)로 세계에서 가장 큰 시장을 형성하고 있고, 다음으로 독일, 영국, 프랑스 등 서유럽 지역이 504.8억불(27.6%), 한국, 중국, 일본 등 아시아 지역이 320.2억불(17.5%)을 기록하고 있다. 이들 3개 지역의 세계시장 점유율이 93.6%로 세계 의료기기 시장의 대부분을 차지하고 있는 반면, 남미, 동유럽, 중동/아프리카 지역은 6.4%(116.6억불)에 불과해 시장규모가 매우 작은 것으로 나타나고 있다.

2006년 지역별 시장규모의 2005년 대비 성장률에서는 중동/아프리카와 서유럽 지역이 각각 52.1%, 46.6%로 타 지역에 비해 매우 크게 증가한 것을 볼 수 있는데, 이러한 성장에 힘입어 서유럽은 세계시장 점유율이 2005년 21.9%에서 2006년 27.6%로 5.7%p 증가하고, 중동/아프리카는 2005년 2.1%에서 2006년 2.7%로 0.6%p 증가하였다. 중미와 남미 지역의 시장규모는 2004년부터 꾸준히 성장하고 있으나, 2006년 타 지역에 비해 낮은 성장으로 인해 세계시장 점유율이 감소한 것을 볼 수 있다.

표 3. 지역별 세계 의료기기 시장규모 현황

(단위 : 억불, %)

구 분	2004년		2005년		2006년		2005년 대비 성장률
	시장규모	비중	시장규모	비중	시장규모	비중	
북 미	772.5	52.5	845.4	53.8	890.2	48.6	5.3
남 미	40.7	2.8	36.3	2.3	37.5	2.0	3.2
서유럽	331.5	22.5	344.4	21.9	504.8	27.6	46.6
아시아	257.1	17.5	272.1	17.3	320.2	17.5	17.7
동유럽	39.5	2.7	39.7	2.5	29.5	1.6	-25.8
중동/아프리카	29.8	2.0	32.6	2.1	49.6	2.7	52.1
합 계	1,471.2	100.0	1,570.6	100.0	1,831.7	100.0	16.6

자료 1 : Espicom, The world Medical Market Fact Book 2004, 2005
2 : Espicom, Medical Market Futures to 2011, 2007

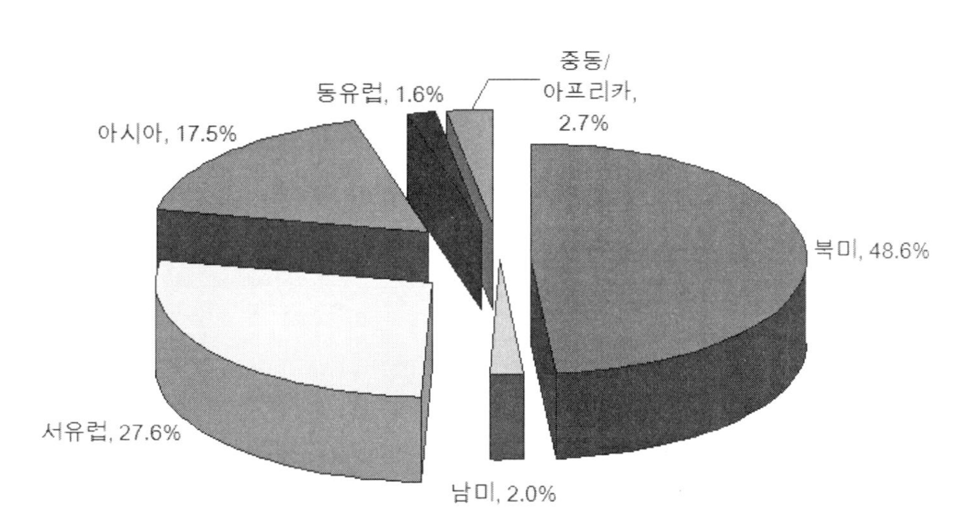

그림 1. 지역별 세계 의료기기 시장 분포(2006년)

자료 : Espicom, Medical Market Futures to 2011, 2007

지역별 의료기기 시장 전망에서는 동유럽이 2007~2011년 기간 동안 연평균 11.4%의 성장률로 가장 빠르게 성장하여 시장규모가 2007년 32.6억불에서 2011년 50.3억불에 이를 것으로 전망하였다. 아시아/태평양은 두 번째로 높은 7.0%의 연평균 성장률로 2011년 447.7억불의 시장규모를 기록할 것으로 전망되었으며, 서유럽도 아시아/태평양과 비슷한 연평균 6.9%의 성장을 통해 2011년 시장규모가 703.3억불에 이를 것으로 전망되었다. 이러한 성장에 힘입어 서유럽의 세계 의료기기 시장 점유율은 2006년 16.5%에서 2011년 18.2%로 증가하는 것으로 나타났다. 반면, 북미는 2006년 51.4%의 시장 점유율을 기록하고 있으나 2011년 46.7%로 시장 점유율이 점차 하락하는 것으로 전망되었다(표 4 참조).

표 4. 지역별 세계 의료기기 시장규모 전망(2007~2011년)

(단위: 억불, %)

구 분	2007년	2008년	2009년	2010년	2011년		연평균 성장률 (2007~2011)
					시장규모	비 중	
북 미	936.4	985.3	1,037.1	1,091.9	1,1501	46.7	5.3
남 미	38.7	40.0	41.3	42.7	44.2	1.8	3.4
서유럽	538.6	575.2	614.6	657.2	703.3	28.6	6.9
아시아/태평양	341.8	365.2	390.5	416.9	447.7	18.2	7.0
동유럽	32.6	36.2	40.3	45.0	50.3	2.0	11.4
중동/아프리카	52.4	55.3	58.5	61.9	65.6	2.7	5.8
합 계	1,940.5	2,057	2,182.3	2,316.7	2,461.2	100.0	6.1

자료 : Espicom, Medical Market Futures to 2011, 2007

⑥ 제품군별 세계 의료기기 시장 동향

그림 2는 2006년의 제품군별 세계 의료기기 시장 현황을 나타내고 있는데, Other instrument & appliances를 제외하면 보철물(Orthopaedic/prosthetic goods) 시장규모가 392.6억불로 세계 의료기기 시장에서 가장 높은 21.4%의 비중을 차지하고 있다. 다음으로 주사기, 주사침 & 카테터(Syrings, needles & catheters)가 249.6억불(13.6%)을 기록하였으며, Electrimedical 188.0억불(10.3%), X-ray apparatus 174.8억불(9.5%) 등이 세계 의료기기 시장에서 차지하는 비중이 높은 제품군으로 나타나고 있다.

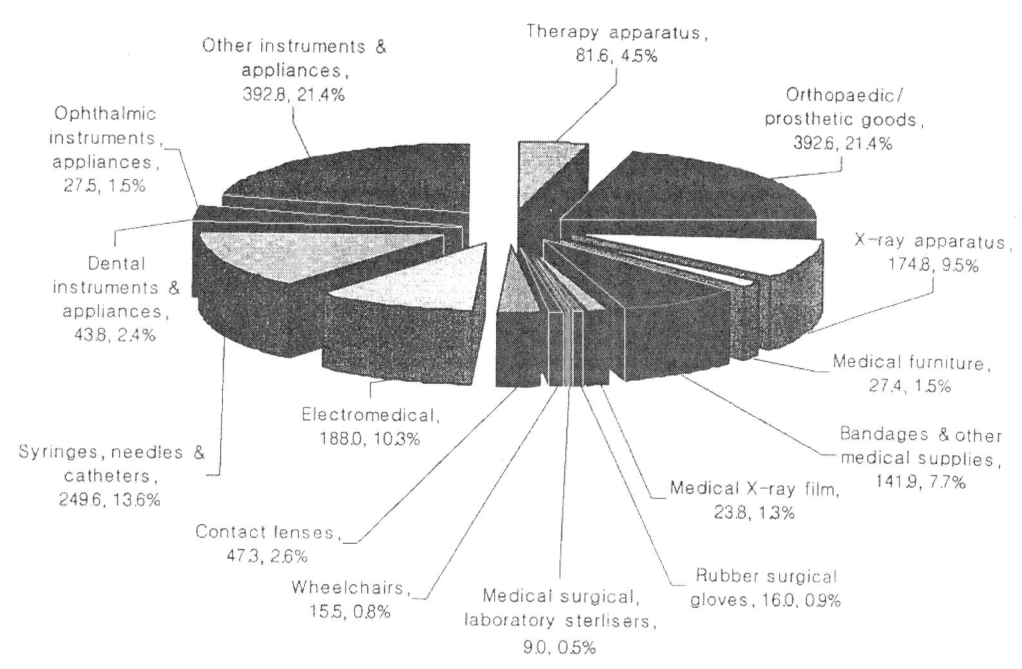

그림 2. 제품군별 세계 의료기기 시장 현황(2006년도) (단위: 억불, %)

제품군별 세계 의료기기 시장 전망은 표 5에서와 같이 2011년 전자의료기, 주사기, 주사침 & 카테터, 치과용 의료기기 등을 포함하는 의료장비(Medical equipment)가 1,188.5억불로 품목군 중 가장 큰 시장을 형성하고, 그 다음으로 보철물(Orthopaedic/prosthetic goods)이 591.6억불, X-ray가 214.7억불의 시장을 형성할 것으로 전망되고 있다.

연평균 성장률이 높은 제품군으로는 콘텍트 렌즈 9.5%, 보철물 8.6%, 주사기, 주사침 & 카테터 7.1% 등의 순으로 나타나고 있다.

한편, Espicom사에서 예측한 제품군별 각 국가의 시장규모 현황은 표 6~표 20에 나타나 있는데, 거의 모든 제품군에 대해서 미국, 일본이 가장 큰 시장규모를 유지할 것으로 예측되고 있다.

표 5. 제품군별 세계 의료기기 시장 전망(2007~2011년)

구 분	2007년	2008년	2009년	2010년	2011년	연평균 성장률
Bandages & other medical supplies	147.6	153.4	159.6	166.0	172.7	4.0
Medical X-ray film	23.7	23.5	23.4	23.3	23.2	-0.5
Rubber surgical gloves	16.0	16.0	16.0	15.9	15.9	-0.1
Medical, surgical, laboratory, sterilisers	9.3	9.7	10.1	10.6	11.0	4.2
Wheelchairs	16.5	17.6	18.7	20.0	21.3	6.6
Contact lenses	51.7	56.6	61.9	67.8	74.2	9.5
Medical equipment	952.3	1,006.0	1,063.1	1,123.8	1,188.5	5.7
Electromedical	198.1	208.8	220.1	232.0	244.8	5.4
Syringes, needles & chatheters	267.0	285.7	305.8	327.5	350.9	7.1
Dntal instruments & appliances	45.8	47.8	50.0	52.3	54.6	4.5
Ophthalmic instruments & appliances	29.0	30.6	32.3	34.1	36.0	5.5
Other instruments & appliances	412.4	433.1	454.9	478.0	502.3	5.0
Therapy apparatus	87.1	93.1	99.5	106.4	113.8	6.9
Orthopaedic/prosthetic goods	425.7	461.8	501.3	544.4	591.6	8.6
X-ray apparatus	182.0	189.5	197.5	205.8	214.7	4.2
Medical furniture	28.6	29.9	31.3	32.8	34.3	4.6
Total	1,940.5	2,057.1	2,182.3	2,316.7	2,461.2	6.1

자료 : Espicom, Medical Market Futures to 2011, 2007

(4) 의료기기법(안) 제정의 필요성

① 의료기기의 산업적 측면

• 규제와 산업발전의 상호보완적 관계

- 의료기기 산업의 발전과 국민보건향상은 일면 상충적인관계에 있는 듯하지만, 제품의 품질향상을 공통부모로 하는 상생의 관계에 있음
- 미국, 일본, 유럽 등 선진외국은 이미 1970년대 후반부터 자국민의 보건·위생을 확보하기 위하여 의료기기의 특성을 고려한 관리 제도를 도입하기 시작함

- 우리나라의 경우 1997년 의료용구에 관한현대적인 관리제도 도입 후 국산의료용구의 품질이 향상되기 시작하였으며, 내수를 위주로 한 생상규모의 증가와 동시에 수출이 꾸준히 증가하기 시작함
- 따라서 국산의료용구의 품질향상을 통한 의료기기 산업의 발전을 도모하기 위하여 의료기기의 특성을 고려한 새로운 관리제도의 도입이 절실히 요구되고 있음

• 국제적인 무역환경의 변화
- 통상문제의 적극적 해결방안
  ‣ 의료기기산업에 대한 보호무역장벽이 여전히 존재하고 있으나, 의료기기에 관한 외국과의 주요 통상문제는 관리수준의 차이에 기인함
- 외국과의 상호인증의 적극적 기반구축
  ‣ 의료기기는 제품의 승인 취득 시 상당한 시간적 비용 및 경제적 비용이 발생함
  ‣ 따라서, 의료기기에 대한 국가 간 보호무역장벽에도 불구하고 미국, 일본, 유럽을 중심으로 의료기기에 관한 상호인증제도를 적극적으로 추진하고 있음

⇒ 국가 간 중복 승인제도에 따른 기업의 부담 경감 및 제품의 신속한 시장 진출을 통한 국민보건 향상
  ‣ 이러한 상호인증협정은 국가 간 의료기기의 품질에 대한 상호 신뢰가 기반이 되며, 의료기기의 품질향상은 관리제도의 선진화가 밑바탕이 되어야 함

② 의료기기의 기술적 측면

• 의료기기의 수요증가에 따른 안전대책 확보
- 질병구조의 변화 및 인구구조의 고령화 등에 따라 의료 환경에서 의약품 보다 의료기기의 수요 의존도가 높아짐에 따라 의료기기에 대한 새로운 안전대책의 확보가 필요

• 의료기기의 특성을 고려한 안전대책 마련
- 의료기기는 의야굼과 달리 의료기관에서 대부분 반복사용이 가능함에 따라,

노후 장비 등에 대한 안전대책 마련이 필요

- 신개발의료기기의 출현
  - 과학기술의 발달에 따라 신개발의료기기가 잇따라 출현함에 따라 제품의 안전성과 유효성을 확보할 수 있는 제도적 장치 마련 필요

③ 국내외 여건의 변화

- 의료기기 국제정합화 기구(Global Harmonization Task Force)
  - 미국, 일본, 유럽, 호주, 캐나다를 중심으로 1992년부터 의료기기에 관한 관리제도의 국제정합화가 추진 중에 있으며
  - 의료기기의 특성을 고려한 새로운 개념의 안전성 · 유효성 확보 방안이 지속적으로 요구됨
  - 이에 따라 각국은 새롭게 요구되는 의료기기에 관한 안전성 · 유효성 확보방안을 자국의규정에 반영시키고 있음

- 의료기기의 다양화 · 첨단화
  - 의료기기는 칼, 가위 등의 단순제품에서 CT, MRI 등 첨단제품에 이르기까지 그 종류와 범위가 다양하며, 제품의 수명주기가 짧아 새로운 제품이 지속적으로 개발되고 있어, 다양한 제품의 종류와 범위에 적합한 관리제도의 개발이 필요함
  - 더욱이 과학기술의 발달에 따라 새로운 개념의 의료기기가 개발됨에 따라 제품의 안전성 · 유효성 확보를 위하여 새로운 평가기술의 개발이 필요함
- 민간중심의 인증제도 추세
  - 인체에 미치는 잠재적 위험성이 높은 의료기기의 경우, 국민의 보건위생상의 위해요소를 방지하기 위하여 정부에서 직접 제품의 안전성과 유효성을 검토하고 있으나,
  - 인체에 미치는 잠재적 위험성이 낮은 의료기기의 경우, 의료기기의 산업발전 측면을 고려하여 미국, 일본 및 유럽 등의 국가에는 민간기관을 중심으로 하는 인증 제도를 도입

④ 약사법에 의한 관리제도의 한계

• 의료기기의 특성에 따른 적정한 관리체계 도입의 한계
  - 의료기기는 의약품과 작용원리와 사용방법 등이 상이함에도 약사법 관련 규정에 의거 '의약품등'으로 일괄 취급됨에 따라, 그 특성에 따른 적정한 관리체계가 사실상 간과되어 왔으며,
  - 한편, 위와 같은 의료기기 관리 제도를 현행 약사법의 테두리 내에서 개정하는 것은,
    ‣ 1953년 약사법 제정 이후 의약품 중심의 안정적인 약사법의 구조가 심각하게 영향을 받을 것이며, 그에 따른 관련 법률체계의 정비는 막대한 시간적, 경제적 비용을 초래할 것으로 예상됨

• 참고로, 미국과 일본은 의약품과 의료기기를 동일한 법률 내에서 규정하고 있으나, 각각 1976년 및 1994년에 의료기기에 관한 규정을 법률의 테두리 내에서 대폭 개정하여 현재에 이르고 있으며,
  - 유럽연합과 호주 및 캐나다 등은 각각 1992년과 1997년에 의료기기에 관한 별도의 관리규정을 입법화항 관리하고 있는 실정임

2. 의료기기법 주요내용 및 해설

1) 총칙(법 제1조 내지 제4조)

(1) 목적

의료기기법은 의료기기의 제조 · 수입 및 판매 등에 관한 사항을 규정함으로써 의료기기의 효율적인 관리를 도모하고 나아가 국민보건향상에 기여함을 목적으로 함

(2) 정의

① 의료기기

사람 또는 동물에게 단독 또는 조합하여 사용되는 기구 · 기계 · 장치 · 또는 이와 유사한 제품으로 다음에 해당하는 제품을 말함

※ 다만, 약사법에 의한 의약품과 의약품 및 장애인복지법 제55조의 규정에 의한 재활보조기구 중 의지(義肢) · 보조기(補助器)를 제외함

• 질병의 진단 · 치료 · 경감 또는 예방의 목적으로처치 사용되는 제품
• 상해 또는 장애의 진단 · 치료 · 경감 또는 보정의 목적으로 사용되는 제품
• 구조 또는 기능의 검사 · 대체 또는 변형의 복적으로 사용되는 제품
• 임신조절의 목적으로 사용되는 제품

② 기술문서

의료기기의 성능 및 안전성 등 품질에 관한 자료로서 당해 품목의 원자재, 구조, 사용목적, 사용방법, 작용원리, 사용 시 주의사항, 시험규격 등이 포함된 문서를 말함

③ 의료기기취급자

의료기기제조업자, 의료기기수입업자, 의료기기수리업자, 의료기기판매업자, 의료기기임대업자, 의료기관개설자(의료법), 동물병원개설자(수의사법)

(3) 의료기기의 등급분류 기준

1등급 : 인체에 직접 접촉되지 아니하거나 접촉되더라도 잠재적 위험성이 거의 없고, 고장이나 이상으로 인하여 인체에 미치는 영향이 경미한 의료기기

2등급 : 사용 중 고장이나 이상으로 인한 인체에 대한 위험성은 있으나 생명의 위험 또는 중대한 기능장애에 직면할 가능성이 적어 잠재적 위험성이 낮은 의료기기

3등급 : 인체내에 일정기간 삽입되어 사용되거나, 잠재적 위험성이 높은 의료기기

4등급 : 인체내에 영구적으로 이식되는 의료기기, 심장 · 중추신경계 · 중앙혈관계 등에 직접 접촉되어 사용되는 의료기기, 동물의 조직 또는 추출물을 이용하거나 안전성 등의 검증을 위한 정보가 불충분한 원자재를 사용한 의료기기

2) 의료기기 제조 등 (제6조 내지 제 17조)

(1) 제조업 허가 및 조건부허가

① 제조업 허가요건

- 의료기기의 제조를 업으로 하고자 하는 자는 제조소별로 식품의약품안전청장의 허가를 받아야 함
- 제조업 허가를 신청하는 때에는 1개 이상의 제조품목허가를 동시에 신청하거나 1개 이상의 제조품목을 동시에 신고하여야 함
- 제조품목허가를 받거나 제조품목신고를 하고자 하는 자는 시설 및 품질관리체계를 갖추어야 함
- 제조품목허가를 받거나 제조품목신고를 하고자 하는 경우에는 기술문서, 시험검사성적서, 임상시험자료 등 필요한 자료를 제출하여야 함

② 조건부 허가요건

- 제조업허가, 제조품목허가 또는 제조품목신고를 함에 있어서 일정한 기간 이내에 시설 및 품질관ㄹ리체계를 갖출 것을 조건으로 허가 또는 신고를 받을 수 있음

③ 제조업허가 제외 대상

- 정신질환자
- 금치산자 · 한정치산자 · 파산자로서 복권되지 아니한 자
- 마약 그 밖의 유독물질의 중독자
- 이 법을 위반하여 금고 이상의 형의 선고를 받고 그 집행이 종료되지 아니하거나 그 집행을 받지 아니하기로 확정되지 아니한 자
- 이 법을 위반하여 제조업허가가 취소된 날부터 1년이 경과되지 아니한 자

(2) 재심사 및 재평가

① 재심사 대상

- 허가를 받고자하는 품목이 작용원리, 성능 또는 사용목적 등에서 이미 허가를

받거나 신고한 품목과 본질적으로 동등하지 아니한 신개발의료기기

- 국내에 대상질환 환자수가 적고 용도상 특별한 효용가치를 갖는 의료기기로서 식품의약품안전청장이 지정하는 희소의료기기에 해당하여 시판 후 안전성과 유효성에 대한 조사가 필요하다고 인정하는 경우

② 재평가 대상

- 제조품목허가를 하거나 제조품목신고를 받은 의료기기 중 안전성 및 유효성에 대하여 재검토가 필요하다고 인정되는 의료기기

(3) 임상시험

① 임상시험계획 승인

- 의료기기로 임상시험을 하고자 하는 자는 임상시험계획서를 작성하여 식품의약품안전청장의 승인을 얻어야 함
- 임상시험에 사용할 목적으로 승인을 얻는 임상시험용 의료기기를 제조 또는 수입하는 경우에는 제조업의 허가 또는 수입업의 허가 없이도 제조 또는 수입할 수 있음
- 임상시험용 의료기기를 제조 또는 수입하고자 하는 경우 적합한 제조시설에서 제조하거나 제조된 의료기기를 수입하여야 함

② 피험자 선정

- 집단시설에 수용중인 자를 임상시험의 피험자로 선정하여서는 아니됨
- 임상시험을 하고자 하는 자는 임상시험의 내용 및 임상시험 중 피험자에게 설명하고 피험자의 동의를 얻어야 함

(4) 제조업자의 준수사항

- 보건위생상 위해가 없도록 제조소의 시설을 위생적으로 관리하고 종업원의 보건위생상태를 철저히 점검할 것
- 작업소에는 위해가 발생할 염려가 있는 물건을 두어서는 아니되며, 작업소에서 국민보건에 유해한 물질이 유출되거나 방출되지 아니하도록 할 것

- 출고된 의료기기가 안전성 및 유효성을 해치거나 품질이 불량한 경우에는 지체 없이 회수하는 등의 시정조치를 취하고 그 결과를 식약청장에게 보고하되, 그 기록을 2년 이상 보전할 것
- 멸균제품인 경우에는 반드시 새로운 용기를 사용할 것
- 허가를 받거나 품목의 안전성 및 유효성과 관련된 새로운 자료나 정보를 알게 된 경우에는 이를 보고하고 필요한 안전대책을 강구할 것
- 의료기기 제조 및 품질관리기준을 준수하고 기준에 적합한 의료기기를 판매할 것
- 제조업자는 전년도의 생산 및 수출실적을 매년 4월 15일까지 식약청장에게 보고하여야 함

(5) 폐업 등의 신고

- 제조업자는 그 제조소를 폐업 또는 휴업하거나 휴업한 제조소를 재개한 때에는 그 폐업 · 휴업 · 재개 또는 변경이 있는 날부터 30일 이내에 이를 식약청장에게 신고하여야 함(휴업기간이 1월 미만인 경우 제외)

(6) 수입업허가

① 허가요건

- 의료기기의 수입을 업으로 하고자 하는 자는 식품의약품안전청장의 허가를 받아야 함
- 수입업 허가를 신청하는 때에는 1개 이상의 품목허가를 동시에 신청하거나 1개 이상의 품목을 동시에 신고하여야 함
- 수입품목허가를 받거나 수입품목신고를 하고자 하는 자는 품질검사를 위한 시설 및 품질관리체계를 갖추어야 함

② 수입자의 준수사항

- 보건위생상 위해가 없도록 영업소의 시설을 위생적으로 관리 할 것
- 출고된 의료기기가 안전성 및 유효성을 해치거나 품질이 불량한 경우에는 지체 없이 회수하는 등의 시정조치를 취하고 그 결과를 식약청에 보고하되, 그 기록

을 2년이상 보존할 것
- 허가를 받거나 신고한 품목과 안전성 및 유효성과 관련된 새로운 자료나 정보를 알게된 경우에는 보고하고 필요한 안전대책을 강구할 것
- 수입 및 품질관리기준을 준수하고 동 기준에 적합함을 판정받은 수입 의료기기를 판매할 것
- 대외무역법에 따라 산업자원부장관이 공고하는 의료기기의 수출입요령과 식약청장이 정하는 수입의료기기의 관리에 관한 규정을 준수할 것
- 중고의료기기를 수입하는 경우에는 시험검사기관의 검사필증을 부착하여 판매할 것
- 수입업자는 전년도의 수입실적을 매년 4월 15일까지 식약청장에게 보고하여야 함

③ 준용규정

- 법 제6조제5항 내지 제7항, 제7조 내지 제9조 및 제11조 내지 제13조의 규정을 준용

(7) 수리업신고

① 신고요건

- 의료기기의 수리를 업으로 하고자 하는 자는 식품의약품안전청장에게 수리업 신고를 하여야 함

※ 다만, 제조품목허가 등을 받은 자가 자사의 제품을 수리하는 경우에는 제외

- 수리업 신고를 하고자 하는 자는 시설 및 품질관리체계를 갖추어야 함

② 수리업자의 준수사항

- 허가를 받거나 신고한 내용과 다르게 변조하여 의료기기를 수리하지 말 것
- 의료기기를 수리한 경우에는 상호 및 주소를 해당 의료기기의 용기 또는 외장에 기재할 것
- 의료기기의 수리를 의뢰한 자에 대하여 수리내역을 문서로 통보할 것
- 시설 및 품질관리체계를 유지할 것

③ 준용규정

• 제6조제6항, 제11조 내지 제13조

(8) 판매업 및 임대업신고

① 신고요건

• 의료기기의 판매를 업으로 하고자 하는 자 또는 임대를 업으로 하고자 하는 자는 영업소마다 영업소 소재지의 시장 · 군수 또는 구청장에게 판매업 또는 임대업 신고를 하여야함

② 신고 예외대상

• 의료기기의 제조업자는 수입업자가 그 제조 또는 수입한 의료기기를 의료기기 취급자에게 판매 또는 임대하는 경우
• 판매업신고를 한 자가 임대업을 하는 경우
• 약국개설자나 의약품도매상이 의료기기를 판매 또는 임대하는 경우
• 보건복지부장과이 정하는 임신조절용 의료기기를 판매하는 경우

③ 판매업자 · 임대업자의 준수사항

• 제조 · 수입 · 판매업자가 아닌 자로부터 의료기기를 구입하지 아니할 것
• 불량의료기기의 처리에 관한 기록을 작성 · 비치하고 이를 1년간 보존할 것
• 업소의 명칭 등을 사용함에 있어서 다음에 해당하는 명칭 또는 표시를 사용하거나 영업소의 표시와 함께 사용하지 아니할 것
  - 제조업자 또는 수입업자의 영업소로 오인하게 할 우려가 있는 명칭 또는 표시
  - 의료기관의 명칭 또는 이와 유사한 명칭
• 다음에 해당하는 의료기기를 판매 또는 임대하거나 판매 또는 임대의 목적으로 저장 · 진열하지 아니할 것
  - 검사필증이 붙어 있지 아니한 것
  - 오염 · 손상되었거나 식약청 또는 지방식약청이 수거 · 폐기를 명한 것
  - 사용기한 또는 유효기간이 지난 것

④ 준용규정

• 제6조제6항, 제11조 및 제13조

3) 의료기기의 취급(법 제18조 내지 제24조)

(1) 기준규격

식품의약품안전청장은 의료기기의 품질에 대한 기준이 필요하다고 인정하는 의료기기에 대하여 그 적용범위, 형상 또는 구조, 시험규격, 기재사항 등을 기준규격으로 정할 수 있음

(2) 용기 등의 기재사항

의료기기의 용기나 외장에는 다음의 사항을 기재하여야 함

• 제조업자 또는 수입업자의 상호와 주소
• 수입품의 경우는 제조원(제조국 및 제조사명)
• 제품명, 형명(모델명), 품목허가(신고)번호
• 제조번호와 제조연월일
• 중량 또는 포장단위

(3) 외부포장 등의 기재사항

의료기기의 용기나 외장에 기재된 위 2)항이 외부의 용기나 포장에 의하여 보이지 아니할 경우에는 외부의 용기나 포장에도 같은 사항을 기재하여야 함

(4) 첨부문서의 기재사항

첨부문서에는 다음의 사항을 기재하여야 함

• 사용방법 및 사용 시 주의사항
• 보수점검이 필요한 경우 보수점검에 관한 사항 등

(5) 기재상의 주의

위 (1) 내지 (4)에 규정된 사항은 다른 문자 · 기사 · 도화 또는 도안보다 쉽게 볼 수 있는 장소에 기재하여야 하고, 한글로 읽기 쉽고 이해하기 쉬운 용어로 정확히 기재하여야 함

(6) 기재 및 광고의 금지

① 의료기기의 용기, 외장, 포장 또는 첨부문서에 당해 의료기기에 관하여 다음 사항을 기재하여서는 아니됨

- 거짓 또는 오해할 염려가 있는 사항
- 품목허가 등을 받지 아니한 성능이나 효능 및 효과
- 보건위생상 위해가 발생할 우려가 있는 사용방법이나 사용기간

② 의료기기의 광고와 관련하여 다음에 해당하는 광고를 하여서는 아니됨

- 의료기기의 명칭 · 제조방법 · 성능이나 효능 및 효과 또는 그 원리에 관한 거짓 또는 과대광고
- 의료기기의 성능이나 효능 및 효과에 관하여 의사 · 치과의사 · 한의사 · 수의사 그 밖의 자가 이를 보증한 것으로 염려가 있는 기사를 사용한 광고
- 의료기기의 성능이나 효능 및 효과에 관하여 암시적 기사 · 사진 · 도안 그 밖의 암시적 방법에 의한 광고
- 의료기기에 관하여 낙태를 암시하거나 외설적인 문서나 도안을 사용한 광고
- 품목허가를 받지 아니하거나 품목신고를 하지 아니한 의료기기의 명칭 · 제조방법 · 성능이나 효능 및 효과에 관한 광고

(7) 일반 행위의 금지

① 품목허가를 받지 아니하거나 품목신고를 하지 아니한 의료기기를 판매 · 임대 · 수여 또는 사용하여서는 아니되며, 수리 · 판매 · 임대 · 수여 또는 사용의 목적으로 제조 · 수입 · 수리 · 저장 또는 진열하여서는 아니됨

② 다음에 해당하는 의료기기를 제조 · 수입 · 판매 또는 임대하여서는 아니됨

• 허가를 받거나 신고한 내용과 다른 의료기기
• 전부 또는 일부가 불결하거나 병원미생물에 오염된 물질 또는 변질이나 변패한 물질로 된 의료기기
• 그 밖에 국민보건에 위해를 끼쳤거나 끼칠 우려가 있는 의료기기

③ 수리업자는 의료기기를 수리할 때 허가받거나 신고한 성능, 구조, 정격, 외관, 치수 등을 변환하여서는 아니됨

④ 의료기관개설자 및 동물병원개설자가 의료기기를 사용하는 때에는 허가받거나 신고한 내용과 다르게 변조 또는 개조하여서는 아니됨

⑤ 수리업자 · 판매업자 · 임대업자는 다음에 해당하는 의료기기를 수리 · 판매 또는 임대하거나 수리 · 판매 또는 임대의 목적으로 저장 · 진열하여서는 아니되며, 의료기관개설자와 동물병원개설자는 이를 구입 · 사용하여서는 아니됨
• 허가를 받거나 신고한 내용과 다르게 제조 · 수입 또는 수리된 의료기기
• 의료기기의 용기, 외장 포장 또는 첨부문서의 기재사항을 위반한 의료기기

⑥ 의료기관개설자는 식품의약품안전청장으로부터 임상시험에 관한 승인을 얻지 아니한 의료기기에 대하여 임상시험에 사용하여서는 아니됨

⑦ 누구든지 의료기기가 아닌 것은 그 외장 · 포장 또는 첨부문서에 의료기기로서 유사한 성능이나 효능 및 효과 등이 있는 것으로 오인될 우려가 있는 표시를 하거나 이와 같은 내용의 광고를 하여서는 아니되며, 이와 같은 의료기기로서 표시되거나 광고된 것을 판매 또는 임대하거나 판매 또는 임대의 목적으로 저장 또는 진열하여서는 아니됨

4) 관리(법 제25조 내지 제27조)

(1) 추적관리대상 의료기기

다음에 해당하는 의료기기에서 사용 중 부작용 또는 결함의 발생으로 인체에 치명적인 위해를 줄 수 있어 소재파악이 필요한 의료기기는 별도로 관리

① 인체 안에 1년 이상 삽입되는 의료기기

- 이식형 인공심장 박동기
- 이식형 인공심장 박동기와 연결되는 영구설치용 전극
- 인공심장판막
- 이식형 심장 충격기

② 생명유지용 의료기기중 의료기관외의 장소에서 사용이 가능한 의료기기

- 인공호흡기(상시 착용하는것에 한함)
- 체외형 인공심장박동기

(2) 기록의 작성 및 보존

① 추적관리대상 의료기기의 제조업자 · 수입업자 · 판매업자 · 임대업자 및 수리업자는 추적 관리대상 의료기기의 제조 · 판매 · 임대 또는 수리내역 등에 대한 기록을 작성하고 보존하여야 함

② 추적관리대상 의료기기를 취급하는 의료기관개설자 및 의료기관에서 종사하는 의사 · 한의사 · 치과의사 등은 추적관리대상 의료기기를 이용하는 환자에 대한 추적이 가능하도록 기록을 작성하여 보존하여야 함

③ 추적관리대상 의료기기의 제조업자 · 수입업자 · 판매업자 · 임대업자 및 수리업자는 의료기기를 사용하는 도중에 사망 또는 인체에 심각한부작용이 발생하였거나 발행할 우려가 있음을 인지한 경우 식품의약품안전청장에게 즉시 보고하고 기록 유지

5) 감독(법 제 28조 내지 35조)

(1) 보고와 감사

식품의약품안전청장, 시장 · 군수 · 구청장은 필요하다고 인정하는 때에 의료기기취급자에게 보고를 하게 하거나 검사를 할 수 있음

(2) 검사명령

당해 의료기기가 국민보건에 위해를 끼칠 우려가 있다고 인정하는 경우에 의료기기 취급자에 대하여 식약청에 등록된 시험검사의 검사를 받을 것을 명령할 수 있음

(3) 폐기명령

법 제24조의 규정을 위반한 의료기기 또는 해당 의료기기의 사용이 국민건강에 중대한 피해를 주거나 치명적 영향을 줄 가능성이 있는 의료기기에 대하여 회수, 폐기 또는 그 밖의 처리를 할 것을 명할 수 있음

(4) 사용중지명령

의료기관개설자 또는 동물병원개설자에 대하여 사용 중인 의료기기가 검사결과 부적합으로 판정되거나 제 30조제1항의 규정에 해당할 우려가 있는 때에는 사용의 중지 또는 수리 등 필요한 조치를 명할 수 있음

(5) 허가 등의 취소와 업무의 정지

법 제32조에서 정하는 규정을 위반한 의료기기취급자에 대하여 허가취소, 영업소 폐쇄, 품목의 제조·수입 및 판매의 금지 또는 업무의 전부 또는 일부의 정지를 명할 수 있음

(6) 과징금처분

의료기기를 이용하는 자에게 심한 불편을 주거나 그 밖에 특별한 사유가 인정되는 때에는 국민건강에 해를 끼치지 아니하는 범위 안에서 업무정지처분에 갈음하여 과징금을 부과할 수 있음

(7) 청문

허가의 취소, 영업소의 폐쇄, 품목의 제조·수입 및 판매의 금지 또는 업무의 전부 또는 일부의 정지를 명하고자 하는 경우 청문을 실시하여야 함

6) 보칙(제 40조 내지 제42조)

(1) 제조업자등의 지위승계

① 제조업자등이 사망하거나 그 영업을 양도한 때 또는 법인인 제조업자등이 합병이 있는 때에는 그 상속인, 영업을 양수한 자 또는 합병 후 존속하는 법인이나 합병에 의하여 설리보디는 법인이 그 제조업자등의 지위를 승계함

② 제조업자등의 지위를 승계한 상속인이 법 제6조제6항에 해당되어 제조업허가를 받을 수 없는 경우에는 상속개시일 부터 6월 이내에 다른 사람에게 양도하여야 함

③ 제조업자등이 허가를 받거나 신고한 의료기기에 대한 영업을 양도한 때에는 그 영업을 양수한 제조업자등은 해당품목의 허가 또는 신고에 관한 제조업 등의 지위를 승계함

(2) 수수료

- 의료기기법 의한 허가를 받거나 신고를 하고자 하는 자는 수수료를 납부하여야 하며, 허가 또는 신고사항을 변경하고자 하는 경우에도 같음

7) 경과조치(법부칙 제2조 내지 제5조)

(1) 허가 등에 관한 경과조치

이 법 시행 당시 종전의 약법에 의하여 의료용구의 제조업허가, 제조품목허가 또는 수입품목허가를 받거나 제조품목 고 또는 수입품목 고를 한 경우와 의료용구 판매업신고를 한 경우에는 이 법에 의하여 허가 또는 신고된 것으로 본다.

(2) 수입헙 허가 및 수리업 신고 등에 관한 경과조치

이 법 시행 전에 의료기기 수입·수리 또는 임대를 업으로 하고 있는 자는 이 법이 시행된 날부터 1년 이내에 제14조 내지 제 17조의 규정에 각각 적합하도록 하여야 한다.

(3) 고시 · 처분 · 명령 · 지정 및 계속 중인 행위에 관한 경과 조치

이 법 시행 전에 약사법에 의하여 행한 고시 · 처분 · 명령 · 지정 그 밖의 행정기관의 행위 또는 각종 신청 · 신고 그 밖의 행정기관에 대한 행위는 그에 해당하는 이 법에 의한 행정기관의 행위 또는 행정기관에 대한 행위로 본다.

(4) 벌칙 등에 관한 경과조치

이 법 시행 전의 약사법에 위반한 행위에 대한 벌칙 또는 과태료의 적용에 있어서는 약사법에 의한다.

3. 의료기기 인 · 허가 절차 안내

1) 의료기기 허가절차 흐름도

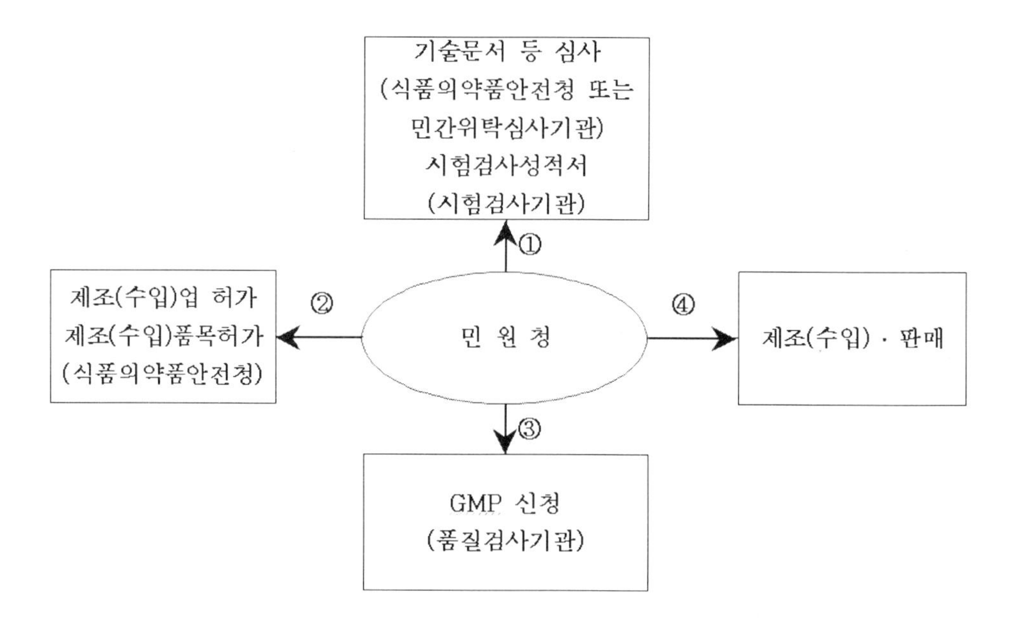

① 제조(수입)하고자 하는 품목에 대한 기술문서 등 심사의뢰 및 시험검사성적서 발급

② 기술문서 심사결과 통지서 및 시험검사성적서를 첨부하여 식약청에 제조(수입)업 허가와 동시에 제조(수입)품목 허가신청

③ 허가증을 교부받은 후 품질검사기관에 GMP요청
④ GMP 실시 후 적합판정을 받은 경우에 한하여 제조(수입) 및 판매 가능

2) 의료기기 허가절차

(1) 의료기기제조업

제조업 허가

근거법령

- 의료기기법 제6조 및 동법시행규칙 제3조

허가대상

- 의료기기의 제조를 업으로 하고자 하는 자

처리절차

- 처리기관 : 식품의약품안전청 종합민원실
- 처리기간 : 25일
- 수 수 료 : 30,000원

구비서류

- 의료기기 제조업 허가신청서[별지 제1호서식]
- 건강진단서로 발행일부터 6월이 경과하지 아니한 것(개인에 한함)
  ※ 정신질환자, 마약 그 밖의 유독물질의 중독자가 아니라는 내용이 있어야 함
- 법인등기부등본 (법인에 한함)
- 제조소의 시설내역서(시설배치도 및 시설, 기구목록)
  ※ 의료기기허가등에 관한 규정 별지 제1호서식에 의하여 작성
- 위탁계약서 사본(제조공정의 일부나 시험을 위탁하는 경우에 한함)

※ 제조업 허가시 유의사항

- 제조업허가를 신청하는 때에는 1개 이상의 제조품목허가를 동시에 신청하거나 1개 이상의 제조품목을 동시에 신고하여야 함

이 신청서는 아래와 같이 처리됩니다.

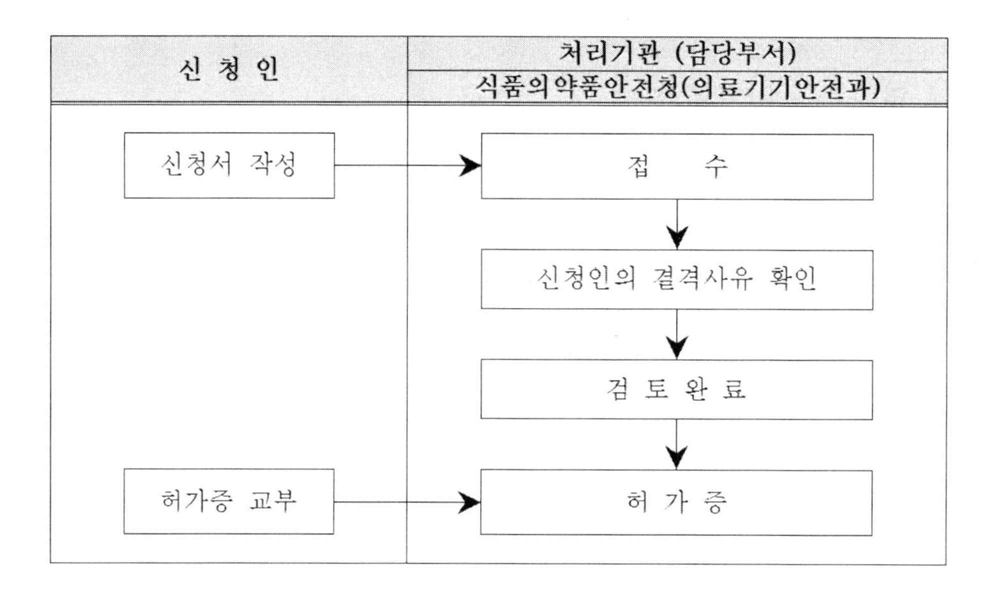

조건부 제조업 허가

● 근거법령

• 의료기기법 제7조 및 동법시행규칙 제8조

● 허가대상

• 의료기기의 제조를 업으로 하고자 하는 자

● 조건부허가사유

• 시설 및 품질관리체계를 갖추지 않은 경우 일정한 기간 내에 시설 및 품질관리 체계에 적합할 것을 조건으로 조건부허가

● 처리절차

• 처리기관 : 식품의약품안전청 종합민원실
• 처리기간 : 25일
• 수 수 료 : 30,000원

구비서류

- 의료기기 제조업 허가신청서 [별지 제1호서식]
- 건강진단서로서 발행일로부터 6월이 경과하지 아니한 것(개인에 한함)
  ※ 정신질환자, 마약 그 밖의 유독물질의 중독자가 아니라는 내용이 있어야 함
- 법인등기부등본(법인에 한함)
- 건물을 신축하여 제조시설을 설치하는 경우에는 대지의 소유권을 확인할 수 있는 서류 또는 임대차계약서 사본
- 기존건물에 제조시설을 설치하는 경우에는 건축물의 소유권을 확인할 수 있는 서류 또는 임대차계약서 사본

이 신청서는 아래와 같이 처리됩니다.

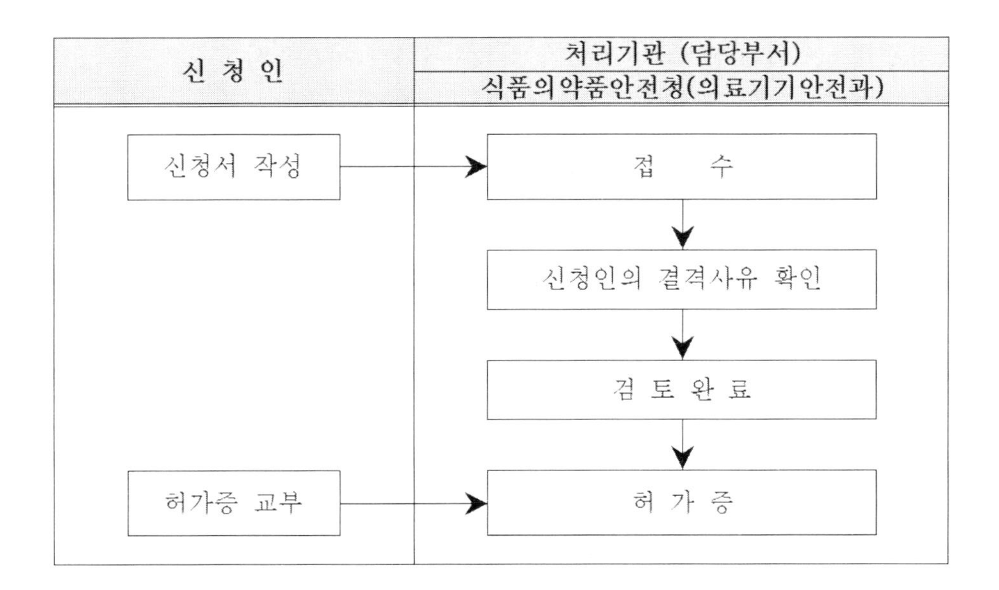

조건부 제조업 허가

근거법령

- 의료기기법 제11조 및 동법시행규칙 제14조

허가변경대상

- 법인의 대표자 또는 제조업소의 명칭 및 상호가 변경된 경우
- 소재지가 변경된 경우

처리절차

- 처리기관 : 식품의약품안전청 종합민원실
- 처리기간 : 15일
- 수수료
  - 대표자 변경(양도 · 양수 · 상속) : 30,000원
  - 소재지 변경 : 20,000원
  - 그 밖의 허가 또는 신고사항의 변경 : 20,000원

구비서류

- 의료기기 영업허가사항 변경허가 신청서 [별지 제20호서식]
- 허가증
- 법인의 대표자 또는 제조업소의 명칭 및 상호의 변경 : 사업자등록증 또는 법인 등기부등본(법인의 경우에 한함)
- 소재지의 변경 : 제조소의 시설내역서 및 위탁계약서 사본(제조공정의 일부나 시험을 위탁하는 경우에 한함)

※ 제조업 변경 허가 시 구비서류 (약법에 의한 기존제조업자의 변경시)

- 대표자 변경
  - 법인 : 법인등기부등본, 품질관리기준적합인정서 원본
- 소재지변경
  - 법인 : 법인등기부등본, 품질관리기준적합인정서 원본, 제조업허가증 원본
  - 개인 : 사업자등록증 품질관리기준석합인정서 원본, 제조업허가증 원본
- 제조업소의 명칭 및 상보변경
  - 법인 : 법인등기부등본, 제조업허가증 원본
  - 개인 : 사업자등록증, 제조업허가증 원본

- 양도양수
  - 법인간 양도양수 : 법인등기등본, 제조관리기준적합인정서 원본, 양도인의 인감증명서, 양도양수계약서(공증을 받아야 하며, 계약서상에 제조업허가 및 제조품목 허가받은 일건서류를 같이 공증 받거나, 제조업허가번호 및 제조품목허가번호 등이 포괄적으로 포함되어야 함), 제조업허가증 원본
  - 개인간 양도양수 : 대표자 건강진단서, 제조관리기준적합인정서 원본, 양도인의 인감증명서, 양도양수계약서(공증을 받아야 하며, 계약서상에 제조업허가 및 제조품목 허가가 받은 일건서류를 같이 공증 받거나, 제조업허가번호 및 제조품목허가번호 등이 포괄적으로 포함되어야 함), 제조업허가증 원본

이 신청서는 아래와 같이 처리됩니다.

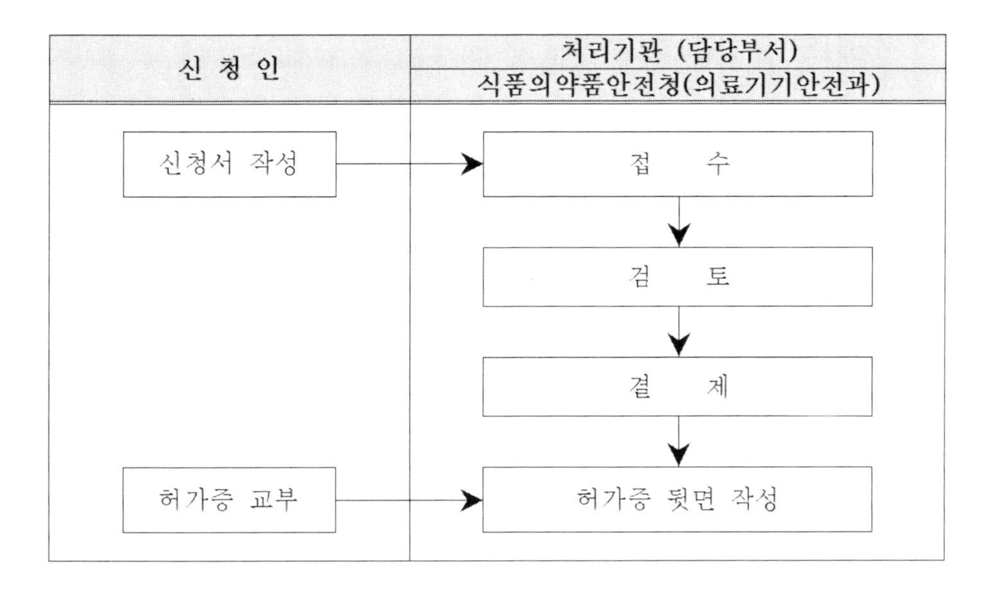

제조품목 허가

근거법령

- 의료기기법 제6조 및 동법시행규칙 제5조

허가대상

- 제조품목허가를 받고자 하는 자

처리절차

- 처리기관 : 식품의약품안전청 종합민원실
- 처리기간
  - 안전성 · 유효성 심사필요 : 80일
  - 기술문서 심사필요 : 65일
  - 기술문서 등 심사불필요 : 10일
- 수수료
  - 안전성 · 유효성 심사필요 : 40,000원
  - 기술문서 심사필요 : 30,000원
  - 기술문서 등 심사불필요 : 10,000원

구비서류

- 의료기기 제조품목허가신청서[별지 제3호서식]
- 기술문서와 안전성 · 유효성에 관한 자료 또는 기술문서 등의 심사결과로서 발행일부터 2년이 경과되지 아니한 것
- 시험검사기관이 발행한 시험검사성적서
- 제조시설내역서 및 위탁계약서 사본(제조공정의 일부나 시험을 위탁하는 경우에 한함)

  ※ 다만, 허가를 받고자 하는 품목이 이미 허가를 받거나 신고한 품목과 원자재, 제조공정 및 품질관리체계가 비슷한 형태로서 식양청장이 정하는 유형군에 속하는 경우는 생략

※ 제조품목 허가시 유의사항

- 형상 및 구조 : 별첨 1로 하여 다음의 내용 포함
  - 개요, 외관 및 구조설명(사진은 칼라), 회로도, 치수 및 중량, 제품의 특성 등

- 원자재 : 별첨 2로 하여 다음의 내용 포함
  - 전기 또는 기계장치인 경우 : 일련번호, 부분품명, 부분품관리번호 또는 원재료명, 규격, 수량, 비고를 표로 작성
  - 의료용품 또는 치과재료인 경우 : 일련번호, 명칭, 원재료 또는 성분 및 분량, 규격 비고를 표로 작성
- 제조방법 : 별첨 3으로 하여 다음의 내용 포함
  - 제조공정도(표로작성), 제조공정도에 대한 자세한 설명
- 사용목적 : 별첨 4로 하여 다음의 내용 포함
  - 사용목적
- 사용방법 : 별첨 5로 하여 다음의 내용 포함
  - 사용전 준비사항, 조작순서 및 사용방법, 사용후 보관방법 등
- 사용시 주의사항 : 별첨 6으로 하여 다음의 내용 포함
  - 사용시 주의사항, 보관조건 등
- 포장단위 : 직접 기재 또는 별첨 7로 하여 기재
- 저장방법 및 유효기간 : 별첨 8로 하여 기재
- 시험 규격 : 시험검사기관에서 적합확인 받은 승인번호 기재

이 신청서는 아래와 같이 처리 됩니다.

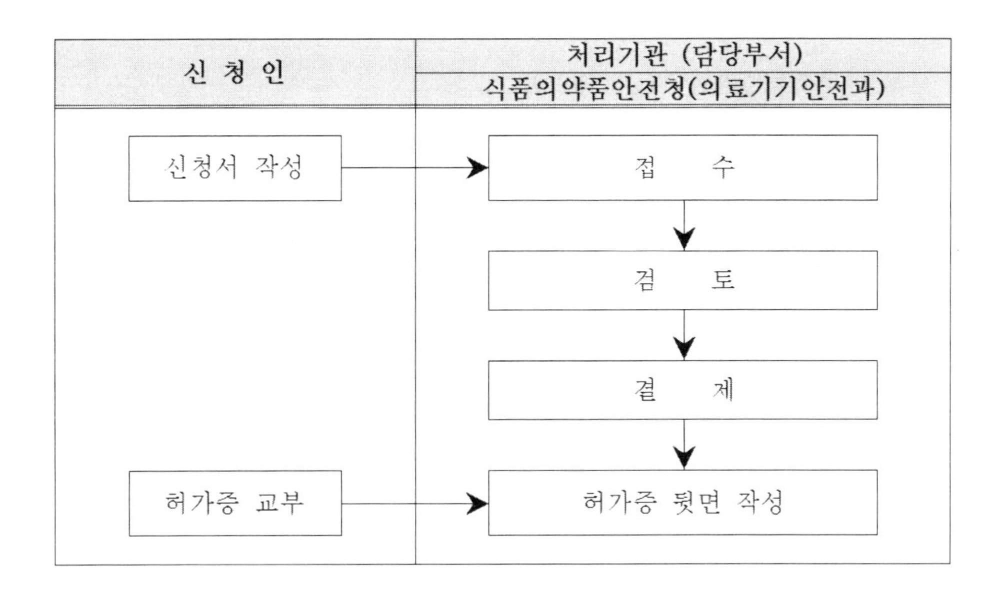

제조품목 신고

근거법령

- 의료기기법 제6조 및 동법시행 규칙 제5조

신고대상

- 제조품목신고를 하고자 하는 자
- 제조품목신고사항을 변경하고자 하는 자

처리절차

- 처리기관 : 지방 식품의약품안전청 의약품감시과
  ※ 의료기기제조업허가와 같이 신청하는 경우에는 식품의약품안전청
- 처리기간 : 10일
- 수 수 료 : 500원

구비서류

- 의료기기 제조품목신고서[별지 제5호서식]
- 제조시설내역서 및 위탁계약서 사본(제조공정의 일부나 시험을 위탁하는 경우에 한함)
- 신고증(제조품목변경신고의 경우)
- 변경사실을 확인할 수 있는 관련서류(제조품목변경신고의 경우)

※ 제조품목 신고시 유의사항

- 제조품목 허가시 유의사항과 같으나 기재사항을 추가
  - 기재사항은 의료기기법 제 19조에 의한 용기 등의 기재사항을 포함하여 작성하여야 함

이 신청서는 아래와 같이 처리됩니다.

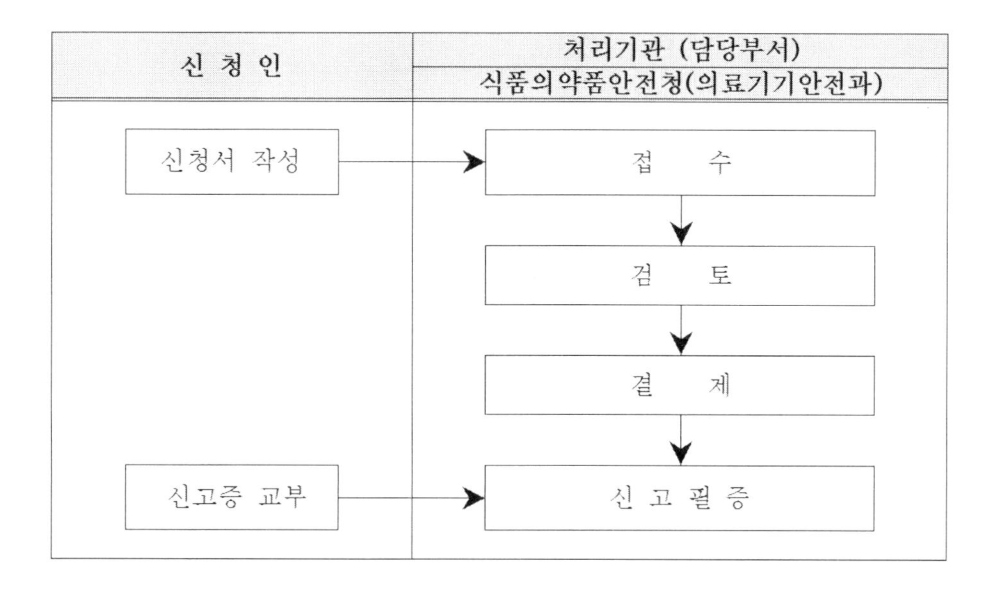

(2) 의료기기수입업

수입업 허가

근거법령

- 의료기기법 제14조 및 동법시행규칙 제17조

허가대상

- 의료기기의 수입을 업으로 하고자 하는 자

처리절차

- 처리기관 : 식품의약품안전청 종합민원실
- 처리기관 : 25일
- 수 수 료 : 30,000원

구비서류

- 의료기기 수입업 허가신청서[별지 제1호서식]

• 건강진단서로서 발행일부터 6월이 경과하지 아니한 것(개인에 한함)
  ※ 정신질환자, 마약 그 밖의 유독물질의 중독자가 아니라는 내용이 있어야 함
• 법인등기부등본(법인에 한함)
• 수입업소의 시설내역서
  - 영업소, 시험실, 창고에 대한 소재지 및 면적(회사 평면도)
  - 실험실 보유 장비(의료기기허가 등에 관한 규정(안) 별지 제1호서식)

> **※ 수입업 허가시 유의사항**
> - 수입업허가를 신청하는 때에는 1개 이상의 품목허가를 동시에 신청하거나 1개 이상의 품목을 동시에 신고하여야 함

이 신청서는 아래와 같이 처리됩니다.

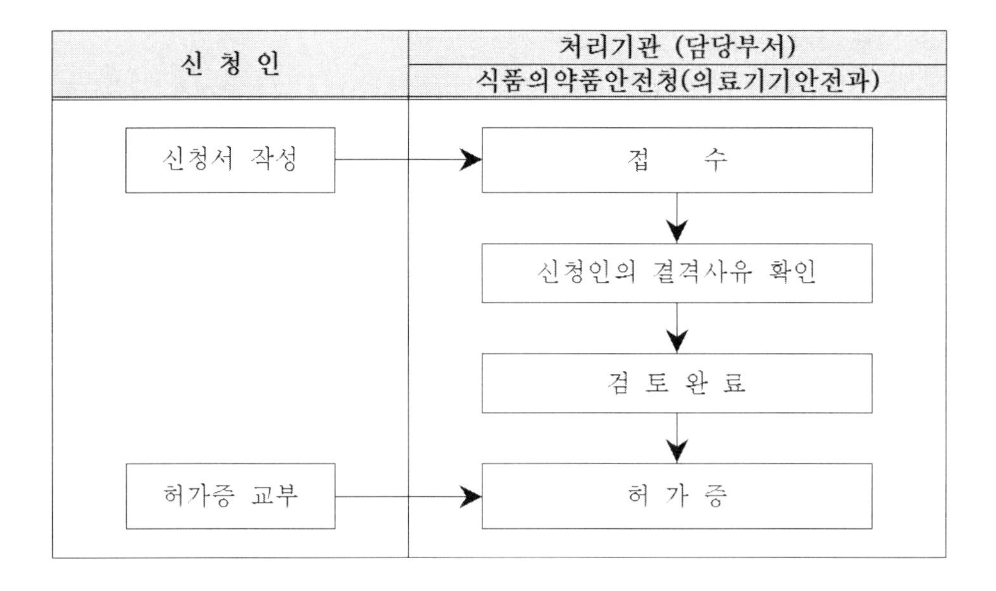

조건부 수입업 허가

근거법령

• 의료기기법 제14조 및 동법시행규칙 제21조

허가대상

• 의료기기의 제조를 업으로 하고자 하는 자

조건부허가사유

• 시설 및 품질관리체계를 갖추지 않은 경우 일정한 기간 내에 시설 및 품질관리체계에 적합할 것을 조건으로 조건부 허가

처리절차

• 처리기관 : 식품의약품안전청 종합민원실
• 처리기간 : 25일
• 수 수 료 : 30,000원

구비서류

• 의료기기 수입업 허가신청서[별지 제1호서식]
• 건강진단서로서 발행일부터 6월이 경과하지 아니한 것(개인에 한함)
※ 정신질환자, 마약 그 밖의 유독물질의 중독자가 아니라는 내용이 있어야 함
• 법인등기부등본(법인에 한함)
• 건물을 신축하여 수입시설을 설치하는 경우에는 대지의 소유권을 확인할 수 있는 서류 또는 임대차계약서 사본
• 기존건물에 수입시설을 설치하는 경우에는 건물의 소유권을 확인할 수 있는 서류 또는 임대차계약서 사본

이 신청서는 아래와 같이 처리됩니다.

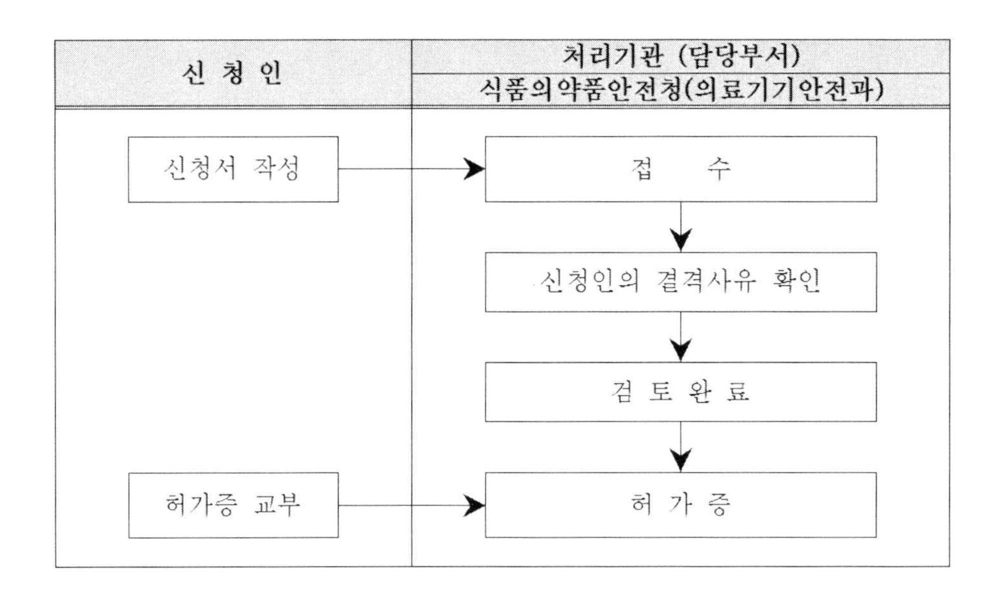

수입업 변경 허가

근거법령

- 의료기기법 제 14조 및 동법시행규칙 제14조

허가변경대상

- 법인의 대표자 또는 수입업소의 명칭 및 상호가 변경된 경우
- 소재지가 변경된 경우

처리절차

- 처리기관 : 식품잉갸품안전청 종합민원실
- 처리기간 : 15일
- 수 수 료 :
  - 대표자 변경(양도 · 양수 · 상속) : 30,000
  - 소재지 변경 : 20,000원
  - 그 밖의 허가 또는 신고사항의 변경 : 20,000원

구비서류

- 의료기기 영업허가사항 변경허가 신청서[별지 제20호서식]
- 허가증
- 법인의 대표자 또는 수입업소의 명칭 및 상호의 변경 : 사업자등록증 또는 법인 등기부등본(법인의 경우에 한함)
- 소재지의 변경 : 수입업소의 시설내역서 및 위탁계약서 사본(시험을 위탁하는 경우에 한함)

이 신청서는 아래와 같이 처리됩니다.

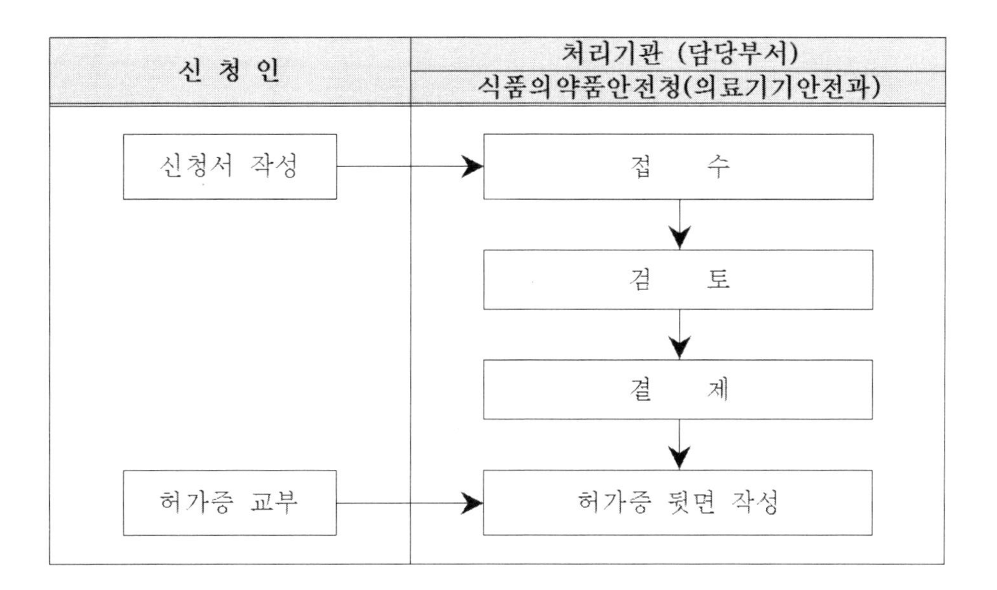

수입품목 허가

근거법령

- 의료기기법 제14조 및 동법시행규칙 제18조

허가변경대상

- 수입품목허가를 받고자 하는 자

처리절차

• 처리기관 : 식품의약품안전청 종합민원실

• 처리기간 :

- 안전성 · 유효성 심사필요 : 80일
- 기술문서 심사필요 : 65일
- 기술문서 등 심사불필요 : 10일

• 수 수 료 :

- 안전성 · 유효성 심사필요 : 40,000원
- 기술문서 심사필요 : 30,000원
- 기술문서 등 심사불필요 : 10,000원

구비서류

• 의료기기 제조 · 수입품목허가신청서[별지 제3호서식]

• 기술문서와 안전성 · 유효성에 관한 자료

※ 다만, 수입하고자 하는 품목이 이미 허가받은 품목과 동일한 제조원(제조국가 · 제조 회사 및 제조소가 동일한 경우를 말함)의 동일제품임을 식약청장이 정하는 바에 따라 입증하는 경우에는 생략가능

• 생산국정부, 생산국정부가 위임한 기관 또는 식약청장이 인정하는 기관에서 해당품목을 제조하는 제조소의 품질관리기준과 동등 이상이거나 국제기준에 적합함을 진정하는 서류

※ 다만, 발행일부터 2년이 경과되지 아니하여야 하며, 유효기간이 있는 것은 유효기간이 경과되지 아니하여야 함

- ISO 9001 : 2000 + ISO 13485 : 2003 / EN ISO 13485 : 2003
- TUV certificate 등
- 기타 인증기관에서 발행한 품질관리인증서는 확인 후 가능여부 판단

• 정부 또는 정부가 위임 · 위탁한 기관에서 당해품목이 적합하게 제조 · 판매되고 있음을 증명하는 서류

※ 다만, 발행일부터 2년이 경과되지 아니하여야 하며, 유효기간이 있는 것은 유효기간이 경과되지 아니하여야 함

이 신청서는 아래와 같이 처리됩니다.

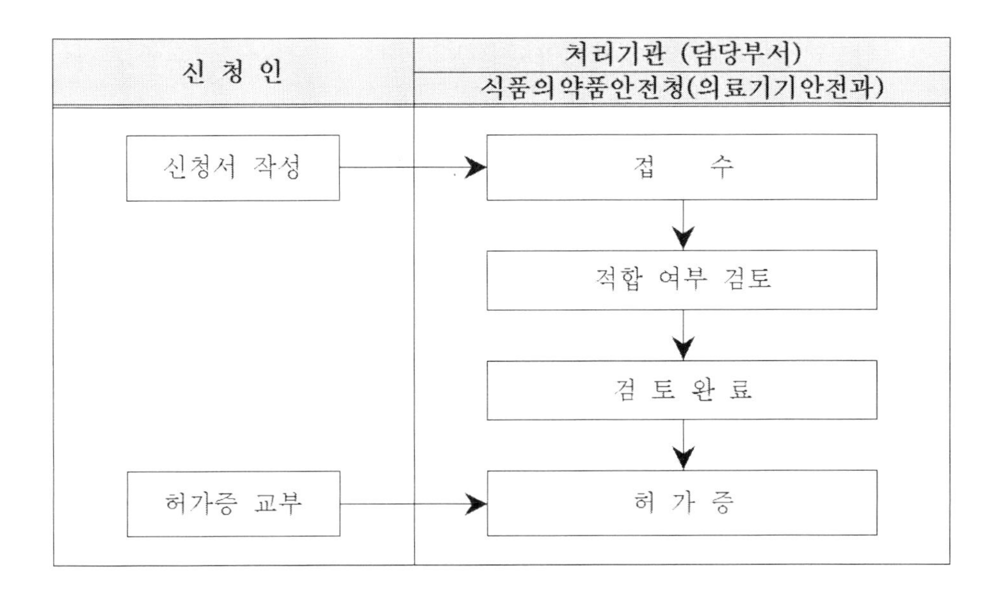

수입품목 신고

근거법령

• 의료기기법 제14조 및 동법시행규칙 제18조

허가대상

• 수입품목신고를 하고자 하는 자

• 수입품목신고사항을 변경하고자 하는 자

처리절차

• 처리기관 : 지방식품의약품안전청 의약품감시과

※ 의료기기수입허가와 동시에 신청하는 경우에는 식품의약품안전청

• 처리기간 : 10일(수입업과 동시에 신청하는 경우 25일)

• 수 수 료 : 500원

구비서류

- 의료기기 제조 · 수입품목신고서[별지 제5호서식]
- 수입업소시설내역서 및 위탁계약서 사본(시험을 위탁하는 경우에 한함)
- 신고증(수입품목변경신고의 경우)
- 변경사실을 확인할 수 있는 관련서류(수입품목변경신고의 경우)

이 신청서는 아래와 같이 처리됩니다.

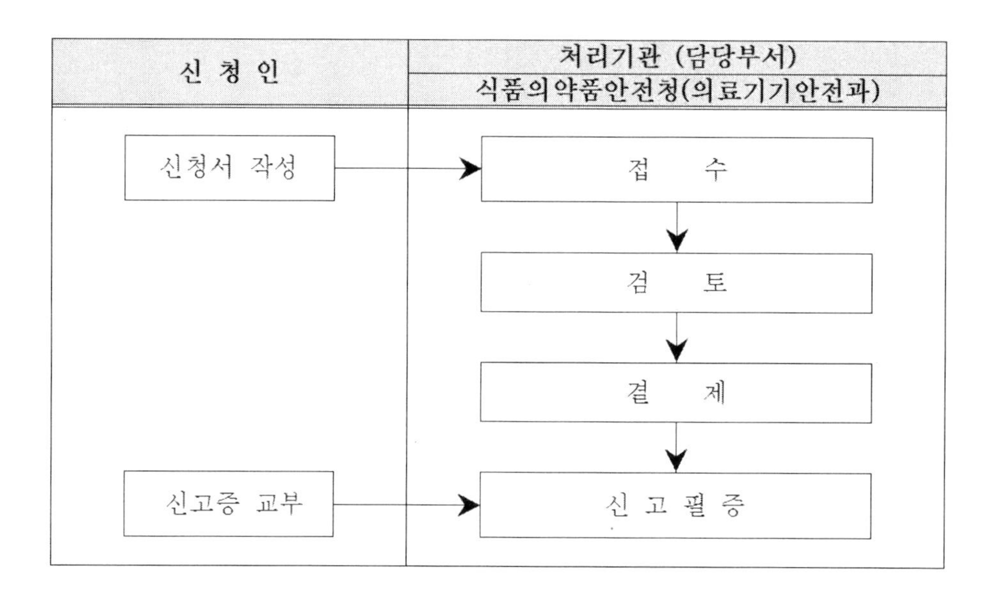

(3) 의료기기수리업

수리업 신고

근거법령

- 의료기기법 제15조 및 동법시행규칙 제22조

신고대상

- 의료기기의 수리를 업으로 하고자 하는 자

※ 단, 제조품목허가 등을 받은 자가 자사의 제품을 수리하는 경우는 제외

처리절차

- 처리기관 : 식품의약품안전청 종합민원실
- 처리기간 : 20일
- 수 수 료 : 30,000원

구비서류

- 의료기기 수리업 신고서[별지 제23호서식]
- 건강진단서로서 발행일부터 6월이 경과하지 아니한 것(개인에 한함)
  ※ 정신질환자, 마약 그 밖의 유독물질의 중독자가 아니라는 내용이 있어야 함
- 법인등기부등본(법인에 한함)
- 시설기준(시설배치도 및 기구목록 포함)

수리업 변경 신고

- 변경신고대상
  - 대표자 변경(양도 · 양수 · 상속)
  - 소재지 변경
  - 그 밖의 신고사항의 변경
- 변경신고기관 : 식품의약품안전청 종합민원실
- 구비서류
  - 의료기기 수리업 신고사항 변경 신고서[별지 25호서식]
  - 신고증
  - 변경사유 및 그 근거서류
- 처리기간 : 15일
- 수수료
  - 30,000원(대표자 변경)
  - 20,000원(소재지 및 그 밖의 전경)

수리업 변경 신고

- 신고대상 : 수리업소를 폐업 · 휴업 · 재개 또는 변경이 있는 경우
- 신고기간 : 사유발생 날부터 30일 이내
  ※ 단, 휴업기간이 1월 미만인 경우는 제외
- 신고기관 : 식품의약품안전청 종합민원실
- 구비서류
  - 의료기기 영업의 휴업 · 폐업 등 신고서 1부[별지 제22호서식]
  - 신고증(폐업의 경우)
  - 신고증 및 휴업사유서(휴업의 경우)
- 처리기간 : 7일
- 수 수 료 : 없음

(4) 기술문서 심사

기술문서 심사의뢰

근거법령

- 의료기기법 제6조 및 동법시행규칙 제7조

신청대상

- 기술문서 등의 심사를 받고자 하는 자

처리절차

- 처리기관 : 식품의약품안전청 종합민원실
- 처리기간 :
  - 안전성 · 유효성 심사대상 : 70일
  - 기술문서 심사대상 : 55일
  - 기술문서 변경심사 : 32일
- 수수료
  - 안전성 · 유효성 심사대상 : 30,000원

- 기술문서 심사대상 : 20,000원
- 기술문서 변경심사 : 20,000원

구비서류

• 기술문서에 관한 자료
  - 사용목적에 관한 자료
  - 물리·화학적 특성에 관한 자료
  - 전기·기계적 안전에 관한 자료
  - 생물학적 안전에 관한 자료
  - 방사선에 관한 안전성 자료
  - 전자파장해에 관한 자료
  - 성능에 관한 자료
  - 제품의 성능 및 안전을 확인하기 위한 시험규격 및 그 설정근거와 실측치에 관한 자료

• 안전성 및 유효성에 관한 자료

  ※ 단, 허가를 받은 품목과 구조·원리·성능·사용목적 및 사용방법이 본질적으로 동등한 품목은 생략할 수 있음

  - 기원 또는 발견 및 개발경위에 관한 자료
  - 안전성에 관한 자료
  - 임상시험에 관한 자료
  - 외국의 사용현황 등에 관한 자료
  - 국내 유사제품과 비교·검토한 자료 및 당해의료기기의 특성에 관한 자료

(5) 임상시험계획의 승인

임상시험계획 승인 신청

근거법령

• 의료기기법 제10조 및 의료기기법시행규칙 제12조·제13조

신청대상

- 의료기기로 임상시험을 하고자 하는 자

처리절차

- 처리기관 : 식품의약품안전청 종합민원실
- 처리기간 : 30일
- 수 수 료 : 없음

구비서류

- 임상시험계획승인신청서[별지 제15호서식]
- 임상시험계획서

  ※ 임상시험계획서에 포함되어야 할 사항 : 임상시험의 명칭, 임상시험실시기관의 명칭 및 소재지, 임상시험의 책임자・담당자 및 공동연구자의 성명 및 직명, 임상시험용 의료기기를 관리하는 관리자의 성명 및 직명, 임상시험의뢰자의 성명 및 주소, 임상시험의 목적 및 배경, 임상시험용 의료기기의 사용목적(대상질환 또는 적응증을 포함), 피험자의 선정기준・제외기준・인원 및 그 근거, 임상시험기간, 임상시험방법(사용량・사용방법・사용기간・병용요법 등), 관찰항목・임상검사항목 및 관찰검사방법, 예측되는 부작용 및 사용 시 주의사항, 중지・탈락기준의 평가기준, 평가방법 및 해석방법(통계분석방법에 의함), 부작용을 포함함), 피의 평가기준・평가방법 및 보고방법, 피험자동의서서식, 피험자 보상에 대한 규약, 임상 시험후 피험자의 진료에 관한 사항, 피험자의 안전보호에 관한 대책, 그 밖에 임상시험을 안전하고 과학적으로 실시하기 위하여 필요한 사항
- 임상시험용 의료기기가 별표 2(제조시설 및 품질관리체계의 기준)의 제조소의 시설기준에 적합한 시설에서 제조되고 있음을 입증하는 자료
- 기술문서 및 안전성・유효성에 관한 자료

이 신청서는 아래와 같이 처리됩니다.

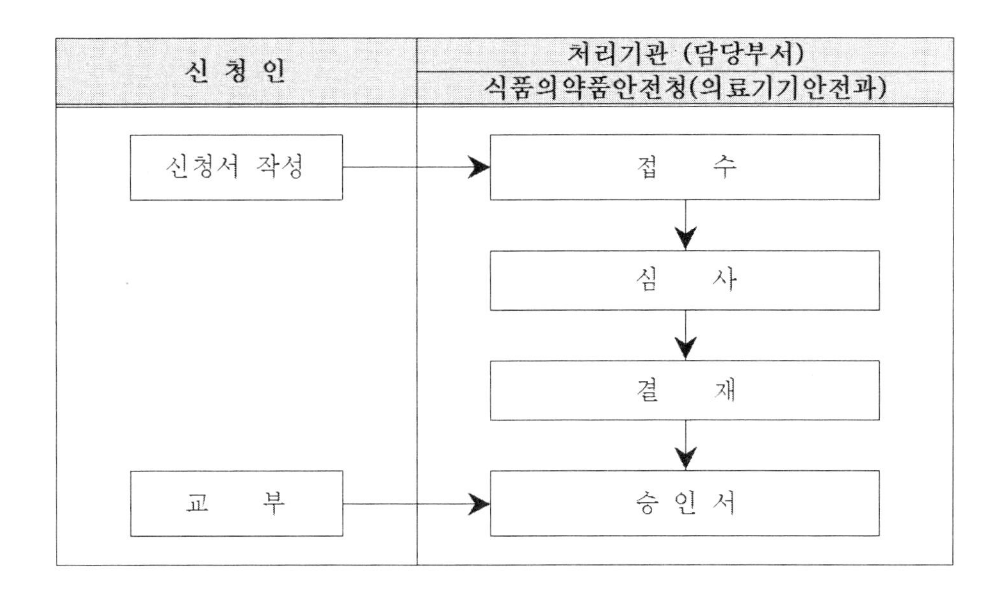

(6) 시료확인

기술문서 심사의뢰

근거법령

- 의료기기허가등에 관한규정 제9조

신청대상

- 수입품목허가를 받기 위하여 검사시료를 수입하고자 하는 경우
- 의료기기 품목지정 및 등급심사, 기술문서 등 심사에 필요한 시료를 수입하고자 하는 경우
- 임상시험계획승인에 따른 임상시험용 시료를 수입하고자 하는 경우

  ※ 시료확인서를 발급받을 수 있는 자는 의료기기수입업자에 한함

처리절차

- 처리기관 : 식품의약품안전청 종합민원실
- 처리기간 : 7일
- 수 수 료 : 없음

● 구비서류

- 의료기기 시료확인서[별지 제2호서식]
- 당해 제품의 형상, 성능, 용도 등을 확인할 수 있는 자료(사용계획서 포함)
- 시험검사 기관에서 발행한 시료요청량 관련 자료

(7) 의료기기 해당여부 확인

의료기기 해당여부 질의

● 근거법령

- 의료기기등급분류 및 지정 등에 관한 규정 제4호

● 신청대상

- 제조 또는 수입하고자 하는 제품이 의료기기에 해당하는지의 여부를 질의하고자 하는 민원인

● 처리절차

- 처리기관 : 식품의약품안전청 종합민원실
- 처리기간 : 7일
- 수 수 료 : 없음

● 구비서류

- 의료기기 해당여부 질의 공문
- 당해 제품의 용도 및 사용목적에 관한 자료
- 당해 제품의 형상 및 구조, 원자재, 성능, 사용목적, 사용방법 등에 관한 자료
- 기타 당해 제품에 대한 규격 등에 관한 자료

9.3 의료기기 GMP와 ISO 13485

1. 국제표준화기구(ISO)

1) ISO 소개

- 명칭 : International Organization for Standardization(국제표준화기구)
- 설립 : 1947년 2월 23일
- 목적 : ISO정관(Statute) 제2조에 명기된 바와 같이 상품 및 서비스의 국제적 교환을 촉진하고, 지적, 과학적, 기술적, 경제적 활동 분야에서의 협력 증진을 위하여 세계의 표준화 및 관련활동의 발전을 촉진시키는 데 있다.
- 지위 : 비정부간 기구
- 중앙사무국 : 스위스 제네바에 위치
- ISO 공용어 : 영어, 불어, 러시아어

2) ISO 규모

- 회원국 : 153개국
- 제정규모 : 14,941종
- 기술위원회 : 총 2,807개
  - 기술위원회 (TC) : 188개
  - 분과위원회 (SC) : 546개
  - 작업반 (WG) : 2,224개
  - 특별그룹 (Ad hoc group) 23개

3) ISO 조직

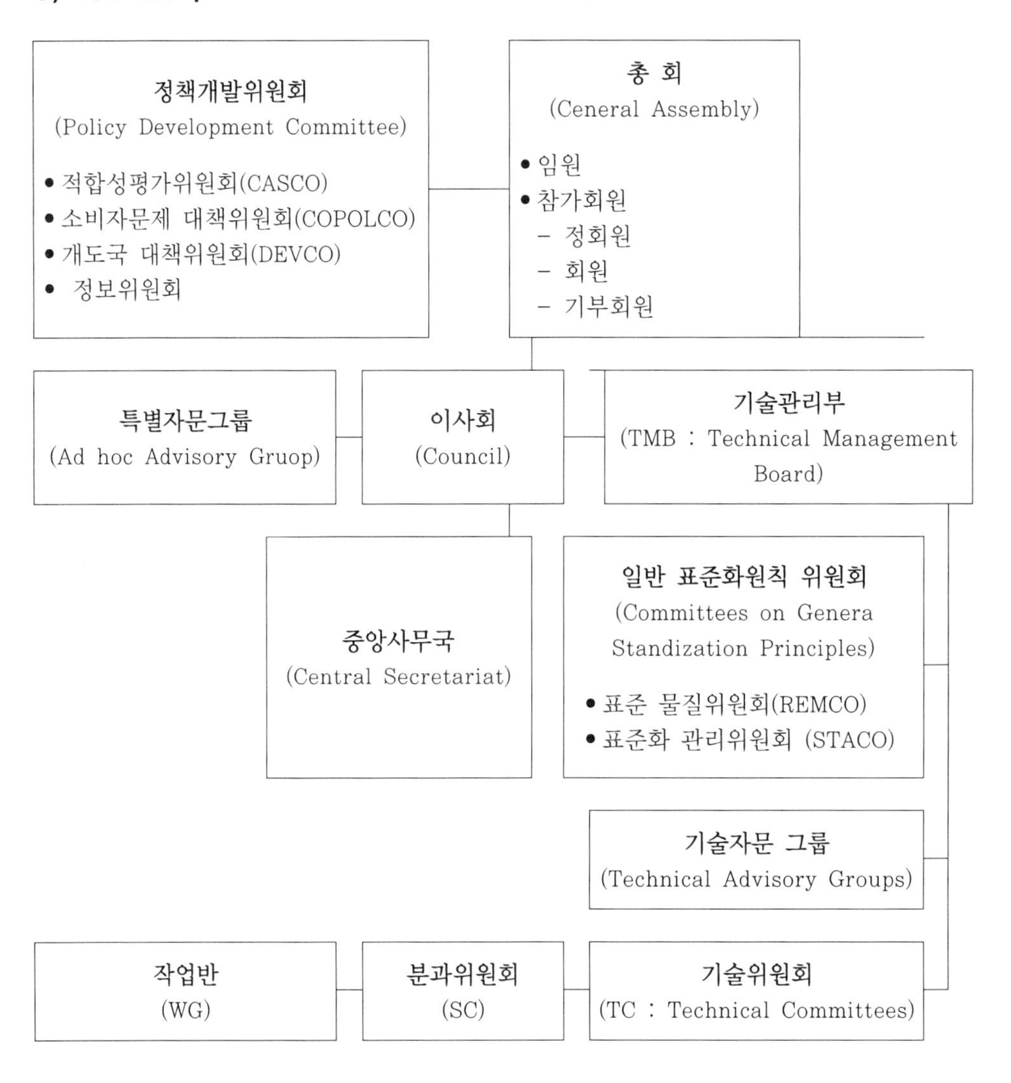

- CASCO : Committee on Conformity Assessment
- COPOLCO : Committee on Consumer Policy
- DEVCO : Development Committee
- INFCO : Committee on Information
- REMCO : Committee on Reference Materials
- STACO : Committee on Standardization principles

4) ISO / TC 210

- 명칭 : Quality management and corresponding general aspects for medical devices
- 목적 : 품질시스템, 품질보증 및 기타 지원기술을 포함하는 의료기기 품질경영 전반에 있어서의 표준화
- 간사국 : USA (ANSI)
- 회원국 : 47개국 (P : 30, O : 17)

[기준 : 2006년 1월]

5) ISO 규격 제정 절차

- NP (New work Proposal) : 신규업무 항목 제안

⬇

- WD (Working Draft) : 작업초안

⬇

- CD (Committee Draft) : 위원회 초안

⬇

- DIS (Draft International Standard) : 질의안(국제규격안)

⬇

- FDIS (Final Draft International Satandard) : 최종국제규격안

⬇

- ISO : 국제 규격

- NP : 국제규격 제정을 위한 신규항목 제안
- WD : 작업반을 구성하고 규격개발 전담자를 선정, ISO/IEC기술 작업지침서에 의거 작업안을 작성
- CD : 작업안을 TC 혹은 SC 회원국들에 회람시켜 승인을 얻는 단계
  (P맴버 2/3이상 찬성을 얻으면 위원회안으로 등록)
- DIS : 위원회안을 TC 혹은 SC 회원국들에 회람시켜 승인을 얻는 단계
  (P맴버 2/3 이상 찬성을 얻으면 중앙사무국에 국제규격안으로 등록)

• 국제규격 : 국제규격안을 전회원국들에게 회람시켜 P맴버의 75% 이상이 찬성을 하거나 또는 반대표가 1/4이하인 경우 ISO 국제규격으로 채택

[주] ISO 규격은 5년에 한 번씩 개정 검토하도록 되어있다.

[주] 국제규격은 강제성을 가지지 않기 때문에 각 국가는 이를 국가규격으로 전환하여 적용한다

[주] DIS는 투표결과 1차에 통과되지 않을 경우, 반대안을 수렴하여 최종안을 만드는데 이를 FDIS(Final DIS)라 표기한다.

[주] 국제규격의 상태가 'ISO/DIS 10013'에서 'ISO 10013'식으로 정식번호가 부여되는데 제안 및 제정되는 순서에 따라 번호를 매기며 현재는 다섯자리(ISO *****)까지 번호가 부여되어 있다.

6) WTO와 국제규격

기술규정 및 표준

- 적용시 내국민 대우, 무차별 원칙
- 제정시 기존 기술규정이나 국제표준 적용

인증제도

- 무역장벽 배재
- 내국민 대우, 무차별 원칙

● 주요내용

- 기술 규정 및 표준

기술규정 및 표준의 채택 체약국(TBT 협정 가입국)들은 수입품목에 대하여 기술 규정 및 표준을 적용할 때 내국민 대우와 무차별 원칙을 적용하여야 하며, 기술 규정 또는 표준의제정이 필요한 경우, 국제 표준이나 국제 기술 규정이 있는 경우에는 그 전부 또는 일부를 적용하여야 한다. 특정 체약국이 기술 규정과 표준을 제정한 경우, 이에 해당하는 국제표준이 없거나 국제 표준과 그 내용이 실질적으로 다른 경우로서 다른 나라의 무역에 중대한 영향을

미칠 수 있는 경우에는 이에 당사국이 숙지할 수 있도록 간행물에 공표하고 WTO 사무국을 통하여 다른 체약국에 통보해야 한다.

- 인증제도

  인증제도는 국제무역에 불필요한 장벽이 되어서는 안 되며, 내국민 대우 및 무차별 원칙을 적용하여야 하고, 체약국들은 채택하려는 인증 제도를 고나보 등에 공표하고 WTO 사무국에 통보하여야 하며, 요청이 있을 경우, 다른 체약국에 해당 제도에 관한 내용의 사본을 송부하여야 한다.

2. 국제정합화 기구(GHTF)

1) 설립배경

- 의료기기 규제와 산업 간의 협력을 위한 미국, 유럽, 캐나다, 일본, 호주 등 5개국의 국제정합화 기구(GHTF, Global Harmonization Task Force)가 1992년 시작되었다.
- 국제정합화기구(GHTF)의 목적은 의료기기의 안전성, 효율성/성능 및 품질을 보장하고 기술혁신을 조장하며, 의료기기의 국가 간 거래에 관한 규제 권한 행사에 있어서 그 차이를 줄이기 위하여 회원국의 규제 당국 책임자와 산업계대표를 위한 포럼을 제공함에 있다.
- 또한 GHTF는 의료기기 규제 체계를 개발 중인 국가가 GHTF 창립국가의 규제 체계와 그 시행에 있어서의 경험으로부터 도움을 받을 수 있도록 정보교환포럼도 제공한다.
- 이를 위해 GHTF는 대륙별로 구성되어있는 지역별기구에 정보제공 및 교육의 사업을 진행하고 있으며 국내에서는 아시아정합화기구인 AHWP(Asia Harmonization Working Party)에 정회원으로 가입하여 활발히 활동하고 있다.
- 아시아정합화기구(AHWP)는 2000년 싱가폴의 탄박사를 정식의장으로 선출하며 회원구성 및 체계를 갖추었으며 기술위원회를 설치하고 기술위원장을 선출하여 본격적인 활동을 시작하였다.
- 아시아직역에서의 의료기기관리제도의 국제적 방향에 조화할 수 있는 길을 권

고하고 연구하며 APEC과 GHTF에 정합하도록 하는 목적을 가진 AHWP는 2004년 4월 타이페이에서 3차 기술위원회를 2002년 싱가폴에서 9차 지역모임을 갖기까지 빠른 정합화의 적응기간을 가져왔다.

• 이에 국내에서는 GHTF의 국제적 조화와 방향에 동참하고 AHWP의 활동에 참가함으로서 의료기기관리제도의 국제화 및 산업진흥의 기틀을 마련할 필요가 있으며, 이에 따라 식약청에서는 2006년 10월 AHWP총회를 서울에서 개최하였으며, 적극적이고 활발한 활동을 통하여 국가의료기기산업의 위상을 높이고 있다.

2) GHTF 현황

발 단

(1) GHTF의 역사

의료기기 규제 기관과 규제 산업 간의 국제 협력에 대한 계획은 1992년에 시작되었으며, 이는 의료기기규제의 시행에 있어서 국가 간의 조화를 이루는 것에 그 목적을 두었다. 그해 가을, 유럽, 미국, 캐나다, 일본의 의료기기 규제 기관과 산업체 관계자들은 프랑스 니스에서 국가 간의 의료기기 규제 시행에 있어서 조화를 이루고자하는 목적을 둔 국제 자문 협력기구 결성에 대해 논의했다.

두 달 후 유럽 연합회의 관계자는 이 회담의 내용을 발전시켜 구상안(working frame work)을 발표하였다. 또한, 현재의 국제정합화기구의 개회를 1993년 1월에 주관하였다.

1993년 – 1994년

국제정합화기구의 제일 우선 사항은 세 개의 '연구단(Study group)'을 세워 각 그룹에게 의료 기기 규제의 개별 양상을 조사하는 임무를 맡겼다.

Study Group 1은 각 회원국의 의료기기 규제 프로그램을 비교하는 임무를 맡았다. Study Group 2는 의약품 제조 및 품질관리기준(GMP) 요건과 국가 규제 당국에서 사용되는 방법론에 대해 재검토하는 임무를 받았으며, Study Group 3는 기존 기기의 설RP 방식을 평가하고 각 기긱의 특징을 기술한 지침서를 개발하는 임무를 맡았다.

1993년 11월 일본 도쿄에서 개회된 국제정합화기구의 두 번째 회담에서, 호주 대표가 기국에 참여하였으며, Study Group 4가 만들어졌다. 이 회담에는 유럽 자유무역 지역(EFTA)의 해당 지역 참가자와 유럽 표준화기구(CEN), 유럽 전기기술표준화 기구(CENELEC), 국제표준화기구(ISO), 그리고 국제보건기구(WHO)가 참석하였다.

1994년 - 1996년

1994년 6워 국제정합화기구는 캐나다 몬트리올에서 세 번째 회담을 가졌다. 이 회담에서, Study Group 1의 역할은 특히 의료기기의 안정성과 효율성에 관련하여 국가 간의 조화를 위한 규제 양상을 제정의 하였다.

다음 회담은 1995년 6월 캐나다의 밴쿠버에서 개최되었다. 이 회담에서 국제정합화기구는 수집된 자료와 부작용을 보고 시스템의 조화 실현성을 검토하여 전 세계 국민의 보건을 강화하려는 목적으로, 현재의 부작용 보고와 시판 후 감시 요건의 재검토에 대해 기구 활동의 초점을 더 넓혀야 할 필요가 있다고 결정하였다.

이 새로운 활동을 위하여 기존의 Study Group 2의 역할과 Study Group 3의 역할이 하나로 통합되었고 새로운 Study Group 2가 만들어 졌다. 게다가 국제정합화기구는 시판 전 제출요건을 위한 규범 양식을 만들고 각국의 제품 표지가 부착 요건 간의 유사함과 차이점을 결정할 것을 Study Group 1에 명하였다.

1996년 10월 포르투갈 리스본에서 열린 회담에서, 국제정합화기구는 기구의 활동 절차를 개발하고 규범화하기 위하여 '운영위원회'결성에 대한 예비 심사를 하였다.

1998년 - 1999년 가을

1998년 2월, 국제정합화기구는 호주 시드니에서 6차 회담을 가졌다. 이 회담에서, 몇 가지 예비 Study Group문서가 제안되었고 다음의 주제를 포함하였다.

a) 국제 공통 기반의 의료 기기에 대한 안전성 및 기능성 필수 원칙
b) 의료 기기 평가에 있어서 규범의 역할
c) 유럽연합, 미국, 일본, 캐나다 그리고 호주의 의료 기기 부작용 보고 체계 비교
d) 의료 기기 사고 보고에 관한 고소 관리
e) 제조업자가 기관에 부작용을 보고함에 있어서 최소한의 데이터 세트를 포함한 (제조업자를 위한) 보고 규칙
f) 의료 기기에 대한 설계 제어 지침
g) 의료 기기 제조업자의 품질 체계에 대한 규제 심사 지침

그러나 협의나 문서 승인에 대한 어떠한 절차도 현재(회의시점)까지 제정되지 않았기 때문에, 이러한 문서가 추후에 시행되지 않을 수 없고 이 같은 절차의 개발이 기구의 다음 업무가 될 것이라고 결정하였다.

같은 회담에서 기구의 의장국을 1998년 2월부터 3년 동안 유럽에서 북미로 옮기기로 결정하였다. 그 후 차례로 호주와 일본이 맡고 그 다음에 유럽으로 옮기게 될 것이다.

의장의 역할로써, 미국은 문서 개발과 분배를 포함한 절차 및 실행 초안을 만들기로 자청하였다.

기구는 또한 ISO/TC 210과 공식 연락 체계를 갖기로 하였다. ISO 기술 위원회는 의료기기의 품질 관리 및 일반적 양상에 대한 책임을 지고 있으며, 품질 체계 규범의 조화를 이루고자 함이 목적이다.

매릴랜드 베데스다에서 열린 7차 회담에서, 절차 및 실행 초안은 일반 회원에게 발표되었으나, 그 문서는 발전 단계에 있는 기구에게 너무 규범적이었다. 이는 캐나다가 의장국인 된 기간 동안 제안되었고, 의견이 조화되었다. 지침 원칙 개발 및 절차 이행을 목적으로 임시특별위원회가 설립되었다. 이는 조직 관리 규범이 제 모습을 갖출 때까지 국제정합화기구의 의장국에 대한 자문 단체로 활동할 권한을 위임받았다.

1999년 가을, 국제정합화기구의 의장국은 캐나다가 맡게 되었다.

1999년 – 2000년 12월

임시특별위원회로 명명된 임시 절차 그룹은 1999년 캐나다 오타와에서 개최 회담을 가졌다. 이 회담에서, 회원들은 '필수 원칙 지침(Guiding Principles)','역할 및 책임 분담(Roles and Responsibilities)' 그리고 '수행 절차(Operating Procedures)'이라는 표제를 단 세 가지 문서 초안에 대해 연구하였다.

국제정합화기구의 Study Group의 연구결과를 이용하고자 하는 이들에게 Study Group의 연구 결과를 정식화하고 보급할 뿐 아니라 기구가 발전하기 위해서는 국제정합화기구 심의에 포함된 모든 문서에 대한 명백한 책임과 관리 규범이 제정될 필요가 있기 때문에, 이들 문서에 대한 연구는 매우 중요하다. 또한, 이는 개입된 규제 관리자와 산업체 대표자들의 관심을 유지하고 기구의 연구 결과가 추후 합법화 되도록 할 것이다.

임시 절차 그룹의 두 번째 회의는 2000년 2월 캘리포니아주 산타클라라에서 개최되었다. 이 회의에서 진행중인 세 가지 초안 문서에 대한 연구를 하였고, 2000년 9월 18~22일로 예정된 8차 국제정합화기구 회담에 앞서 이 문서는 모든 회원이 복고 의견을 제시하도록 게시될 수 있다고 결정하였다.

8차 회담은 30여국에서 200여명의 대표가 참석한 역사상 가장 규모가 컸던 회담으로, 세 가지 부가적인 Study Group 문서를 승인하였을 뿐 아니라, 이 회담에서 또한 세 가지 절차 문서 초안의 수용도 있었다.

이 회담에서 또한, '역할 및 책임분담(Role and Responsibilities)' 문서에 따라 국제정합화기구 운영위원회가 기구의 역할 수행과 목적에 대한 검토를 맡을 것에 대해 합의하였다.

2001년 1월 1일, 국제정합화기구의 의장국은 호주가 되었다.

2001년 1월 – 현재

'수행 절차(Operating Procedures)'문서에 따라, 국제정합화기구 운영위원회의 개최 회담 직후 캐나다와 호주 의약국간의 (의장국)전환 회의가 2001년 3월 개최되었다.

(2) 각 스터디 그룹의 의무 및 역할

Study Group 1	SG1은 현재 사용되고 있는 전 세계의 의료기기 규제체계를 비교하고 이러한 비교로부터 조화하기에 적절하며 동일규제를 만드는데 장애가 되는 요소 및 원칙들을 분리해 내는 의무가 있다. 추가로, 시장화이전제출서류와 조화된 제품 라벨링 요구사항의 표준화된 양식을 개발하는 의무도 지닌다.
Study Group 2	의료기기 감시/시장화이후 감시 SG2는 현재의 이상반응보고서를 검토하고 시장화이후 감시와 다른 형태의 의료기기감시체계를 검토하며 조화된 감시자료 수집 및 보고체계의 관점에서 성숙한 의료기기 관리체계를 갖춘 국가들 가운데서 서로 다른 요구사항들에 대한 분석을 실시한다.
Study Group 3	SG3는 현재 시행되고 있는 성숙한 의료기기 규제체계를 갖고 있는 국가에서 품질체계요구사항들을 점검하고 조화하기에 적절한 부분이 무엇인지 알아낸다.
Study Group4	SG4는 품질체계감시업무(우선적으로 GHTF의 창립국가 가운데서)를 점검하고 의료기기감시절차를 위한 조화된 원칙들을 갖는 안내 문서를 개발한다.
Study Group 5	SG5는 임상안전을 위한 의료기기의 규정된 요구사항들을 촉진시키는 책임이 있으며 임상조사 리포트의 내용과 체제의 조화된 안내서(harmonized guidance)를 발전시키고 일반적으로 사용되었던 조건(임상조사, 임상자료, 임상평가, 임상증거)을 위한 조화된 정의를 성립시키는데 있다.

3. ISO 13485 : 2003 규격 개요

1) 개요

ISO13485 규격은 의료기기를 설계, 개발, 생산, 설치 및 부가서비스를 제공하는 조직의 시스템에 대한 요구사항을 규정한 규격으로서, 조직의 신뢰성이나 능력을 평가하기 위한 기준으로써 사용되고 있다.

의료기기는 사람의 건강, 생명에 관련되어 있기 때문에 대다수의 나라는 관련법규에서 정한 바에 따라 허가를 받아야 의료기기를 자국내에서 판매할 수 있도록 하고 있다. 유럽연합의 경우에는 위원회 지침인 93/42/EEC 에서 정한 바에 따라 의료기기에 CE 마킹을 부착할 것을요구하고 있는데, 이에 따르면 제품등급이 Class I 이외인 의료기기에 대하여는 CE 마킹을 부착하기 위하여 적합성 인증을 받을 때 시스템에 대하여도 승인 받을 것이 요구된다.

이러한 시스템승인의 기준이 되는 것이 ISO13485 규격이다.

또한, 자체적으로 의료기기의 안전성을 심사하는 능력이 충분하지 않은 나라들에서는 비록 공식적으로 채택된 제도는 아닐지라도 CE마킹과 함께 ISO13485 인증을 받은 경우를 인정하는 경우가 적지않아서, 우리나라의 많은 의료기기 조직들이 외국과 의료기기 수출 상담을 진행하는 과정에서 바이어로부터 ISO13485 인증과 CE 마킹 취득을 요청받고 있다.

2000년 12월 15일에 ISO 9001:2000 이 발행되면서 기존에 ISO 9001:1994 규격과 함께 적용되었던 ISO 13485:1996 규격이 ISO 9001:2000 규격과 함께 적용되도록 요구되었고, 그 후에는 2003년 7월 15일에 발행된 ISO 13485:2003 을 단독으로도 적용될 수 있게 되어 현재로서는 두 가지 방법 즉, ISO 13485:1996 + ISO 9001:2000 또는 ISO 13485:2003 으로 적용되고 있다.

ISO13485는 ISO9001규격을 근간으로하고 거기에 의료기기에 대하여 특별히 적용되는 사항을 부가하여 만들어진 규격이다. 이 규격은 1996년에 초판이 발행되어 그 당시의 유효본인 1994년 판 ISO9001 과 함께 사용되어 왔다. 그 후 ISO 9001:2000 이 2000년 12월 15일에 발행되었으나 ISO13485도 적시에 개정되지는 못했기 때문에 일종의 과도기적 성격으로 ISO 13485:1996 + ISO 9001:2000 의 형태로 적용되고 있다. 그러던 것이 2003년 7월15일부로ISO9001규격으로부터 독립된 ISO13485:2003 으로 발행되면서부터 단독규격으로서도 인증심사에 적용되고 있다.

ISO 13485:1996 + ISO 9001:1994 2003년 12월 15일 까지 유효
ISO 13485:1996 + ISO 9001:2000 2000년 12월 15일 부터 유효
ISO 13485:2003 2003년 7월 15일 부터 유효

일반적으로는 ISO규격이 개정되면 그로부터 3년의 유예기간을 거쳐 개정규격이 적용 된다.

그러나, ISO 13485:1996 + ISO 9001:2000 을 ISO 13485:2003 으로 전환하는 기한은 아직공식화 된 바가 없으며, 현재 두 가지 형태가 조직의 선택에 의하여 적용되고 있다.

ISO 9001:2000 은 '일반적인 조직'의 품질경영시스템에 대한 요구사항을 규정하고 있다.

이에 비하여 ISO 13485:2003 은 의료기기 및 관련서비스를 제공하는 조직의 품질경영시스템에 대한 요구사항을 규정함으로써 각국별로 의료기기를 제공하는 조직의 품질경영시스템에 대하여 다르게 적용되는 규제적 요구사항을 통일하려는 의도를 갖고 있다.

의료기기는 사람, 특히 환자에게 사용되며 그 역할이 사람의 생명, 건강에 직접 영향을 미치는 것이다. 그러한 특성으로 인하여 의료기기에 대하여는 일반적인 제품에 비하여 훨씬 '높은 수준의 안전성'이 요구된다. 이를 보장하기 위하여 ISO13485 에서는 의료기기에 대하여 규제적인 의도로 적용되는 특별 요구사항을 포함하고 있다. ISO9001 의 요구사항 중에서 규제적 요구사항으로 채택하기에 부적합한 것은 ISO13485:2003 에서는 제외되었다. 따라서 ISO 13485:2003 만을 적용한 경우에는 ISO 9001:2000 에 대한 적합성을 주장할 수 없으며, 이는 ISO 9001:2000 + ISO13485:1996 을 적용하는 경우와는 다르다.

2) ISO 13485 : 2003 요구사항

ISO 13485 : 2003(E)

Medical devices – Quality management systems

– System requirements for regulatory purposes

ISO 13485 : 2003(E) Contents Foreword	ISO 13485 : 2003(E) 목차 서문
0 Introduction 0.1 General 0.2 Process approach	0 서론 0.1 개요 0.2 프로세스 어프로치

0.3 Relattionship with other standards	0.3 다른 규격과의 관계
0.4 Compatibility with other management systems	0.4 다른 경영 시스템과의 호환성
1 Scope	**1 범위**
1.1 General	1.1 개요
1.2 Application	1.2 적용
2 Normative references	**2 참조규격**
3 Terms and definitions	**3 용어 및 정의**
4 Quality management system	**4 품질 경영 시스템**
4.1 General requirements	4.1 일반요구사항
4.2 Documentation requirement	4.2 문서화 요구사항
5 Management responsibility	**5 경영책임**
5.1 Management commitment	5.1 경영 의지
5.2 Customer focus	5.2 고객 중심
5.3 Quality policy	5.3 품질 방침
5.4 Planning	5.4 기획
5.5 Responsibility, authority and communication	5.5 책임, 권한 및 의사소통
5.6 Management review	5.6 경영검토
6 Resource management	**6 자원관리**
6.1 Provision of resources	6.1 자원확보
6.2 Human resources	6.2 인적자원
6.3 Infrastructure	6.3 기반구조
6.4 Work environment	6.4 업무환경
7 Product realization	**7 제품실현**
7.1 Planning of product realization	7.1 제품실현의 기획
7.2 Customer-related processes	7.2 고객관련프로세스
7.3 Design and development	7.3 설계 및 개발
7.4 Purchasing	7.4 구매
7.5 Production and service provision	7.5 생산 및 서비스 제공
7.6 Control of monitoring and measuring devices	7.6 감시 및 측정 장치의 관리
8 Measurement, analysis and improvement	**8 측정, 분석 및 개선**
8.1 General	8.1 일반사항
8.2 Monitoring and measurement	8.2 감시 및 측정
8.3 Control of nonconforming product	8.3 부적합 제품의 관리
8.4 Analysis of data	8.4 데이터의 분석
8.5 Improvement	8.5 개선
Annex A(informative) Correspondence between ISO 13485 : 2003 and ISO 13485 : 1996 Annex B(informative) Explanation of differences between ISO 13485 : 2003 and ISO 9001 : 2000 Bibliography	부록 A(정보) ISO 13485 : 2003과 ISO 13485 : 1996 간의 대조표 부록 B(정보) ISO 13485: 2003과 ISO 9001 : 2000 간의 차이점 설명 관련규격

4. GMP와 ISO 13485 : 2003의 비교

1) GMP와 ISO 13485의 관계

- 전 세계 의료기기의 90%이상을 생산·소비하고 있는 미국, 일본, EU, 호주, 캐나다에서는 서로간의 이익을 위하여 각국의 정부기관과 주요단체를 구축으로 GHIF에서 의료기기 관리제도의 국제 표준화 작업을 진행하고 있으며, 이미 품질관리기준 분야 등에서는 상당한 진척을 보이고 있다.
- GHIF(Global Harmonization Task Force)는 1992년도에 미국, 일본, 캐나다, 호주, EU의 정부 기관 및 단체가 매 18개월마다 모여 의료기기에 대한 허가, 규격, 조건, 품질관리에 대한 국제적인 조화를 협의하기 위해 구성되었으며, 기본 회원인 5개국(미국, 캐나다, 일본, 호주, EU)에서 의장을 3년씩 교체하기로 98시드니 제6차 총회에서 결정되었다.
- GHTF가 결성된 원칙 중 하나는 주요 제조 및 무역국가 사이의 협력이 안전하고 기능이 우수한 의료기기의 국제적 거래를 손쉽게 하도록 하는데 있다.
- 주요기능 5개 Study Group에서 의료기기 허가, 규제 관련제도, 사후관리제도, 품질시스템, 심사 등에 대한 지침서 작성 및 협의를 하며, 그 중 SG3에서 GMP의 규정을 연구하고 작성하고 있다.
- 제7차 GHTF('99년)회의에서 GHTF와 ISO/TC 210간의 MOU 각서 교환(중복작업금지)
- ISO/TC 176에서 발행한 ISO 9001 : 2000에 조화가 결정됨

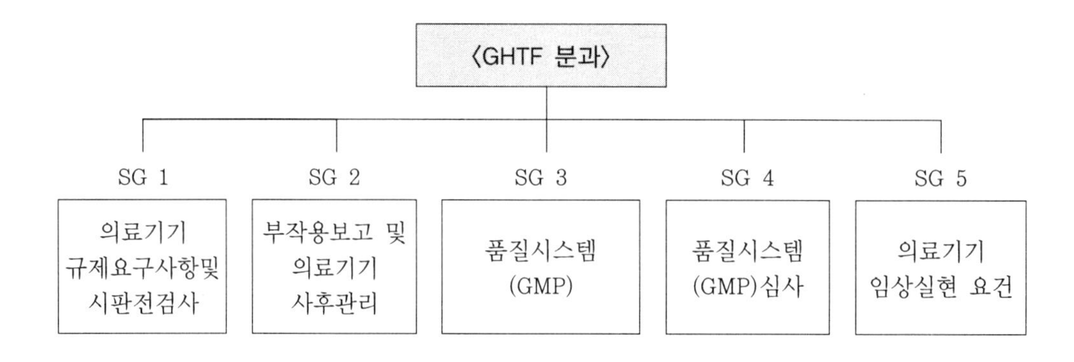

2) GMP와 ISO 13485의 규격비교

* 2005. 11. 24 고시개정 이후에는 GMP요건과 ISO 13485(2003)의 구성이 동일하나, 이전 GMP인정 업체의 이해를 돕기 위하여 구판과 비교를 수록함

(GMP : 2005)	(ISO 13485 : 2003)
제1장 품질경영시스템 1. 품질경영시스템의 수립 및 문서화 제2장 품질경영시스템의 실행	
제1절 품질방침	
2. 품질방침	5.1 경영의지, 5.3 품질방침, 5.4.1 품질목표
3. 책임과 권한	5.5.1 책임 및 권한
4. 품질경영시스템 검토	5.6 경영검토, 8.5개선
5. 자원관리	6.1 자원의 확보 6.2.1 일반사항
6. 품질경영계획	5.4.2 품질경영시스템기획
제2절 계약검토	
7.계약검토	5.2 고객중심 7.2 고객관련 프로세스 7.2.2 제품과 관련된 요구사항의 검토
제3절 설계관리	
8. 설계 및 계발 계획	7.3.1 설계 및 개발 계획
9. 설계 및 개발 입력	7.2.1 제품과 관련된 요구사항 7.3.2 설계 및 개발 입력
10. 설계 및 개발 출력	7.3.3 설계 및 개발 출력
11. 설계 및 개발 검토	7.3.3 설계 및 개발 검토
12. 설계 및 개발 검증	7.3.3 설계 및 개발 검증
13. 설계 및 개발 타당성 확인	7.3.3 설계 및 개발 타당성 확인
14. 설계 및 개발 변경	7.3.3 설계 및 개발 변경의 관리
제4절 문서 및 기록관리	
15. 문서관리	4.2.3 문서관리
16. 기록관리	4.2.4 기록의 관리
제5절 구매 관리	
17. 구매절차	7.4.1 구매프로세스
18. 구매자료	7.4.2 구매정보
19. 구매품의 검증	7.4.3 구매한 제품의 검증

제6절 제품식별 및 추적관리	
20. 제품식별 및 추적관리	7.5.3 식별 및 추적성
제7절 제조공정의 관리	
21. 제조공정의 관리	6.3 기반구조 6.4 추적성
22. 특수공정의 관리	7.5.1 생산 및 서비스 제공 관리 7.5.2 생산 및 서비스 확보 프로세스 타장성 확인
제8절 구매품 및 제품의 시험 검사	
23. 검사 및 시험의 문서화	7.1 제품실현의 기획, 8.1 일반사항(측정, 분석 및 계산)
24. 구동품등 검사 및 시험	7.4.3 구매한 제품의 검증
25. 공정검사 및 시험	8.2.4 제품의 모니터링 및 측정
26. 최종검사 및 시험	8.2.4 제품의 모니터링 및 측정
27. 검사 및 시험의 기록	8.2.4 제품의 모니터링 및 측정
28. 검사, 측정, 및 시험장비의 관리에 관한 문서화 등	7.6 모니터링 및 측정장치의 관리
29. 검사, 측정 및 시험장비의 관리	7.6 모니터링 및 측정장치의 관리
제9절 부적합품의 관리	
30. 적합품의 관리	8.3 부적합 제품의 관리
제10절 시정 및 예방조치	
31. 시정조치	8.5.2 시정조치
32. 예방조치	8.5.3 예방조치
제11절 제품의 표시 및 포장, 취급, 보관 및 보존, 인도에 관한 사항	
33. 표시 및 포장	7.5.5 제품의 보존
34. 취급, 보관 및 보존	7.5.5 제품의 보존
35. 인도	7.5.5 제품의 보존
36. 설치	7.5.1 생산 및 서비스 제공관리
제12절 교육훈련	
37. 교육훈련	6.2 인적자원
제13절 그 밖에 제품의 타당성 확인 등 품질관리에 필요한 사항	
38. 부가서비스	7.5.1 생산 및 서비스 제공관리
39. 고객만족	5.2 고객중심
40. 통계적 기법	8.4 데이터의 분석
41. 품질감사 등	8.2.2 내부감사

9.4 의료기기 GMP 내부품질감사

1. 내부품질감사의 개요

1) 내부 감사의 정의 및 목적

시스템이 효과적으로 잘 유지되고 있는지의 여부를 경영진에게 확인시켜 주기 위해 수행되는 조직자체 스스로의 감사를 말하며, 품질시스템의 제반요건이 품질목표 달성에 효율적이며 적절한가를 판정하고 부적합사항의 감소, 제거, 예방에 필요한 객관적 증거 제공으로 경영자가 조직의 운영을 개선할 목적으로 활용한다.

- 품질시스템 적합성 평가
- 품질시스템 효율성 평가
- 문제점 조사
- 개선/시정 조치 필요성 평가
- 외부감사/심사 대비

2) 내부감사를 실시하는 이유 (중요성)

(1) GMP의 요건

GMP 및 기타 품질시스템 규격에서는 내부품질감사를 통하여 품질시스템에 대한 주기적인 감사를 받도록 규정하고 있다.

(2) 시스템 개발

내부품질감사란 시스템의 결함을 파악하는 것이므로, 품질시스템을 개선함에 있어서 필수불가결하고 강력한 수단이며, 경영에 의해 이용되는 관리수단이기도 하다.

(3) 확인

내부품질감사를 실시함으로써, 문서화된 품질시스템이 효과적으로 시행되고 있는지를 확인하고, 시스템 부적합 사항을 해결하기 위한 시정조치가 효과적으로 시행되고 있는지를 확인할 수 있다.

(4) 자체진단

고객 또는 제3자가 지적하고 보고하기 전에, 사내에서 미리 그 문제점을 찾아내어 시정할 수 있다.

3) 내부품질감사의 특징

- 내부 품질감사는 여러 가지 관점에서 외부감사 및 제3자 심사와 유사하다
- 차이점은 감사자와 피감사가 모두 같은 회사 동료라는 점이다
- 따라서 정형화 된 형식은 필요 없을 지라도 감사자의 독립성 및 객관성에 더욱 어려움이 있을 수 있다.

4) 경영수단 관점에서의 내부 품질감사

(1) 내부 품질감사의 시행사항 및 목적

① 품질경영 상에서의 경영자의 의지가 모든 종업원에

- 이해되고,
- 준수되고 있는지 확인

② 품질시스템의 제반절차가 품질목표 달성에

- 효율적이며,
- 적절하다는 것의 확인 및 판정

③ 제품 품질에서의 부적합 사항의

- 감소,
- 제거,
- 예방 등

④ 품질 문제점들의

- 원인조사,
- 대책수립,
- 시정조치 등
- 근본적인 대책의 수립 및 시정조치 확인

(2) 내부 품질감사와 관련된 경영자의 실행사항

- 주기적인 감사계획의 수립
- 감사의 실시 및 평가에 의한 적절성 여부 확인
- 감사에서 발견된 사항의 검토 및 시정조치에 대한 추적
- 품질시스템 감사결과의 최고경영자로 하여금 검토 및 평가토록 보고
- 경영자 검토 의견사항의 해결방안 수립

5) 품질감사의 구분 및 형식

(1) 품질감사의 구분

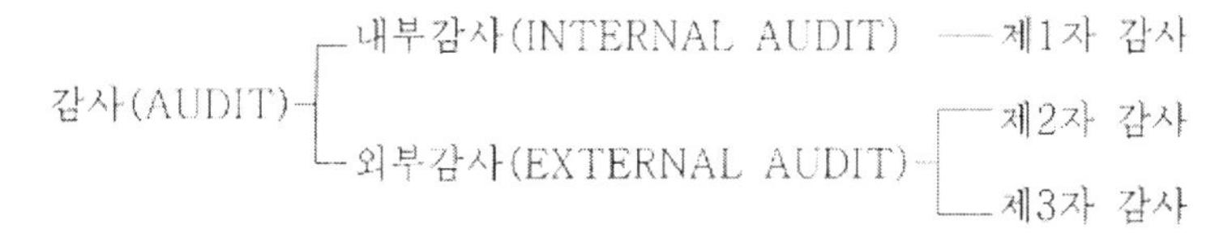

(2) 품질감사의 형식

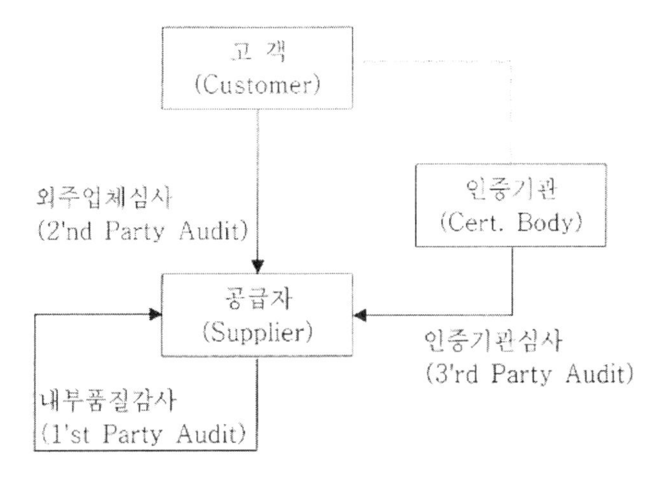

2. 내부 품질 검사

1) 감사관련 주요용어

(1) 품질감사(Quality audit)

품질활동 및 그 결과가 계획과 일치되는지의 여부, 그리고 이들 계획이 효과적으로 실시되고, 목표달성에 적합한 것인지의 여부를 결정하기 위한 체계적이고 독립적인 조사

(2) 감사자(품질) : 심사자(품질) (auditor)

품질감사를 수행하기 위한 자격을 소지한 사람

(3) 피감사자 : 수감자(auditee)

심사대상조직

(4) 의뢰자 : 신청자(client)

심사를 요청하는 개인 또는 조직

(5) 객관적 증거(Objective evidence)

제품 또는 서비스의 품질에 관련된 사실, 또는 품질시스템 요소의 보유 및 그 시행에 관한 사실의 내용, 질적 또는 양적자료 및 기록으로써, 이들은 관찰, 측정 또는 시험에 근거하고 있으며 확인 가능한 것들이다.

(6) 부적합(nonconformity)

규정된 요건에의 불충족

2) 품질 감사의 구분 및 종류

(1) 대상목적별 분류

① 품질시스템 감사(Quality System Audit)

품질시스템 감사란 품질보증계획이 적절히 수립되어 문서화되어 있는지의 여부와, 규정된 요건에 따라 효과적으로 이행되는지를 확인하기 위하여, 절차서 및 점검표에 따라 객관적인 증거의 조사 및 평가로써 수행되는 감사를 말한다.

② 제품감사(Product Quality Audit)

제품감사는 이미 합격된 제품에 대해 재검사, 재시험 또는 관련문서의 재검토로써 이루어지는 감사를 말하며, 제품의 생산 시 사용되었던 동일한 절차, 장비 및 방법으로 해당 요건에의 일치성을 확인하기 위함이다. 제품감사를 통해 제품의 품질을 직접 측정하여 소비자에게 전달된 제품의 품질수준을 미리 확인하고 시험, 검사 등 생산시스템의 효율성 또는 정확성도 평가할 수 있다.

③ 공정 감사(Process Quality Audit)

공점 감사는 설계, 제작 및 시험공정이 관련표준 및 절차에 부합하는 가를 평가하기위하여 실시된다.

즉 관련공정, 장비 및 인원들이 규정된 요건(시간, 온도, 압력, 성분, 전류, 성분조합비율 등)을 만족시키고 있는가를 평가하는 것으로써 주로 멸균, 세척, 용접, 열처리, 비파괴검사, 도장 등 특수공정의 공정들에 해당된다.

(2) 주기별 분류

① 정기감사(Regular Audit)

연초에 수립된 감사일정표에 따라 미리 계획되어 수행되는 감사로써 품질보증프로그램의 모든 요소가 포함된다.

② 추가감사(Additional Audit)

다음과 같은 사유로 인해, 정기 감사 외에 추가적으로 시행되는 감사를 말한다.

• 조직의 변경, 프로그램의 변경 등 시스템 상 중대한 변화가 발생했을 경우
• 품질관련 업무수행 중 중대한 결함이 예상되거나 발생했을 경우
• 시정조치 결과를 확인하기 위해 재감사가 필요한 경우
• 기타 특수사정으로 인해 국한된 목적의 감사를 수행할 필요가 있을 경우

(3) 대상조직별 분류

① 내부품질감사(Internal Audit)

직접적인 관리 하에 있는 자체 조직에 대한품질경영프로그램의 감사를 말한다.

② 외부품질심사(External Audit)

직접적인 관리 하에 있지 않은 다른 조직에 대한 품질경영프로그램의 감사를 하며 주로 식약청과 시험기관의 GMP 적합성 인정심사와 외부인증기관이 심사를 말한다.

(4) 감사 깊이에 따른 분류

① 시스템감사(Quality System Audit)

(1)의 ①항에 기술된 품질시스템 감사를 말한다.

감사의 깊이가 상대적으로 깊지 않으며, 통상 품질경영매뉴얼을 점검대상 문서로 하여 그 적절성 및 이행상의 유효성을 감사한다.

② 실무감사(Compliance Audit) (준수감사)

(1)의 ② 또는 ③항의 제품감사와 공정 감사를 포함한 실무수준의 감사를 말하며, 주로 절차서와 지침서를 대상으로 하여 절차서의 적절성 및 그 이행의 유효성을 감사한다.

(5) 감사의 범위에 따른 분류

① 전체감사(Full Audit)

업무수행에 포함된 모든 행위 및 부서를 포함하며, 업무를 실행해 가는데 있어서의 모든 수행단계를 심사하는 것으로 GMP 최초심사를 말한다.

② 부분감사(Partial Audit)

특별한 관심이 있는 활동(업무) 또는 부서에만 수행하는 심사로 주로 사후관리심사를 말한다.

③ 후속감사(Follow-uo Audit)

앞서 수행한 감사의 시정조치 효과를 검증 및 평가하는 것으로 GMP 심사후, 지적사항에 대한 현장심사를 말한다.

(6) 감사 방법에 따른 분류

① 순방향감사(Down Stream) : 주문 접수에서 출발하여 납품까지 업무순서대로 감사를 실시

② 역방향감사(UP Stream) : 순방향과 반대

③ Random Sampling

④ 부서별 감사 : 한 부서에 관련된 모든 활동에 대한 감사

⑤ 요건별 감사 : 하나의 규격요건에 관련된 모든 사항을 감사

3. 내부품질감사 절차

1) 내부품질감사 절차개요

(1) 감사기본계획 수립

(2) 감사 일정표 작성

(3) 감사원 선정

(4) 감사목적 및 범위 확정

(5) 감사체크리스트 준비

(6) 감사실시 일자 통보

(7) 감사실시

(8) 결과보고 및 기록

(9) 후속조치

2) 감사기본계획 수립

(1) 감사기본계획 수립(품질매뉴얼에 포함시켜도 가능함)

- 감사방식 및 범위
- 감사일정 계획

(2) 사전준비

- 필요한 정보 수집(대내외 정보, 특히 의료기기 관련 최신 법규)

(3) 감사원 확보(자격요건 등 고려)

- 감사원 지정
- 감사원 교육실시(협회의 품질책임자 과정)

3) 감사일정표 작성(년간)

(1) 작성 시 고려해야 할 사항

- 피감사 조직
- 감사형태
- 감사수행장소
- 감사횟수
- 감사소요일수
- 감사자의 인원 및 자격요건
- 감사의 범위 및 깊이
- 피감사 품질보증 프로그램과 과거 감사기록

(2) 작성시 주의해야 할 사항

① 품질시스템 규격요건 관련부서를 망라해야 한다. 감사주관부서도 피감사부서에서 포함시켜야 하며, 독립성을 위해 감사원이 감사주관부서 직원이 아니어야 한다.

② 감사주기는 최소 연 1회로 하는 것이 일반적이다.
부서현황, 중요성, 문제점 이력에 따라 달리 할 수 있으나, 연간 4회 이상 실시할 경우에는 오히려 비생산적이 될 수도 있다.

③ 회사 업무장애를 주지 않도록 짧고 날카롭게 실시하는 것이 원칙이다. 한 부서

당 감사기간은 통상 1일을 초과하지 않도록 하는 것이 좋다. (부서 당 2시간 정도가 적당)

4) 감사원 선정

(1) 감사원 선정시 고려사항

- 감사원의 독립성
- 감사원의 신뢰성
- 감사원의 능력과 자격

(2) 감사원수

- 1인 단독 감사
- 2인 이상 감사팀 구성

※ 주의사항

① 1인 단독감사일 경우 감사원은 피감사 부서의 직원이어서는 독립성이 유지안됨

② 감사원의 신뢰성은 감사원의 자격뿐만 아니라, 감사경험, 사리분별력, 피감사자와의 친근 여부 등을 고려해야 확보될 수 있다.

③ 일반적으로 감사원 단독으로 감사를 실시하나, 감사원 훈련을 위해 2인으로 감사팀을 구성하는 경우도 있다.
GMP 품질시스템 시행초기 또는 정기 감사가 아닌 특별감사의 경우에는 객관성을 위해 2인 이상의 감사팀을 구성하는 경우가 많다.

④ 특히 GMP 품질시스템 시행초기에는 감사의 효율을 높이기 위하여 외부 전문가를 이용할 수도 있다.

5) 감사목적 및 범위확정

(1) GMP 품질시스템 시행초기 - GMP 요구사항 이해

(2) GMP 품질시스템 변경 시 - 변경사항 시행 확인(특히 의료기기 관련 법적 요구사항의 변경시)

(3) 문제점 발견 시 - 근본원인 파악

(4) 품질시스템 수립 후 - 시스템 개선/효율성 제고

※ 고려사항

① 내부품질감사의 목적과 범위는 당해 회사 품질시스템의 성숙도(Maturity) 또는 감사대상 특정부문의 성숙도에 따라 차이가 있다.

② 품질시스템 시행초기의 감사 목적은 피감사자가 품질시스템을 잘 이해하고 있는지, 그들의 업무를 관리하는 수단으로 활용할 수 있는지, 그리고 성실하게 수행하고 있는지를 알아내기 위한 것이다. 따라서 감사체크 리스트는 규정의 요건을 집중적으로 설명하는 것이어야 한다.

6) 체크리스트 준비

(1) 체크리스트 작성자

- 감사원
- 내부품질감사 주관부서

(2) 감사항목

- 고정항목 : 매뉴얼, 절차서 등 고정된 덧 (감사주관부서가 작성)
- 변동항목 : 수시 개정 및 제정이 되고 있는 법적 요구사항, 기타

(3) 참조사항

- 전회감사 결과
- 알려진 품질문제 등

※ 주의사항

① 감사 체크리스트에는 감사의 목표와 범위가 반영되어야 한다.

② 매번 빠짐없이 감사해야 할 항목(고정항목)은 「표준 체크리스트」에 반영시켜 운용하는 것이 좋다.

7) 감사실시 일자 통보

(1) 감사일정표 송부(업무연락서, 협조전 등 발송)

(2) 실시일자 확인(전화, 직접)

(3) 합의시 연기

(4) 현황 조사

※ 주의사항

① 감사대상 부서장에게 감사일정표 사본을 송부하여 사전 통보한다.

② 감사실시 약 2주전에 대상 부서장과 정확한 일자와 시간에 대해 협의를 해야 한다.

③ 제시된 시기가 수용될 수 없는 경우, 합의하에 연기하되 3주 이상 연기되지 않도록 하는 것이 좋다.

④ 감사를 효과적으로 수행하려면, 피감사 부서장의 협조가 필요하므로 불시감사는 바람직하지 못하다.

8) 감사실시

(1) 감사전 회의(시작회의)

- 감사팀 소개
- 감사범위 · 일정 설명

(2) 감사진행

- 품질매뉴얼, 절차서의 적절성 및 이행상태의 확인
- 관련문서 확인
- 현장실사
- 발견된 지적사항에 대한 문서화

(3) 감사후 회의(종료회의)

- 지적사항 검토

• 부적합 보고서 작성
• 지적사항 및 관찰사항의 구두보고

9) 감사실시 세부내용(주의사항)

① 내부 품질감사는 외부감사 또는 제3자 심사와는 달리 공식적인 시작회의는 필요치 않으나, 일정한 형식은 갖추어야 한다.
② 감사원의 감사시작 전에 해당 부서장에게 감사범위를 확인하고 결과보고 회의 시간을 결정한다.
③ 피감사부서 부서장은 본인이 직접 감사원을 안내하거나 감사원을 수행토록 안내자를 지명한다. 피감사부서 직원들이 알고 있는 품질시스템의 시행 상 문제점을 자발적으로 제시하도록 권고하여야 한다.
④ 감사체크리스트에 없는 것이라도 품질시스템 중 감사원이 원하는 부분을 조사할 수 있도록 협조해야 한다.
⑤ 감사원은 발견된 문제점에 대해 반드시 모든 세부사항을 사실적, 객관적 증거를 확인하여야 한다.
⑥ 조사가 끝나면, 결과보고회의에서 구두로 피감사부서장에게 지적사항을 요약하여 알려주어야 한다.

10) 감사결과보고서 및 기록

(1) 감사결과보고서 작성

• 작성 : 감사팀장
• 승인 : 감사주관부서장
• 기재사항
  - 감사참고사항(감사원, 피감사자 일자 등)
  - 목적 및 범위
  - 샘플의 범위
  - 부적합사항
  - 결론

(2) 보고서 배포

- 피감사부서장

(3) 감사기록 보관

- 감사보고서(작성 보고후 주관부서에 송부)
- 체크리스트
- 감사원 메모 등(관찰기록)
- 감사보고서는 보관, 유지, 관리되어야 한다.

11) 후속조치

(1) 절차

※ 참 고

시정조치 방안수정은 피감사 부서장의 책임사항이며, 감사자는 필요시 시정조치 방안에 대해 조언할 수 있다.

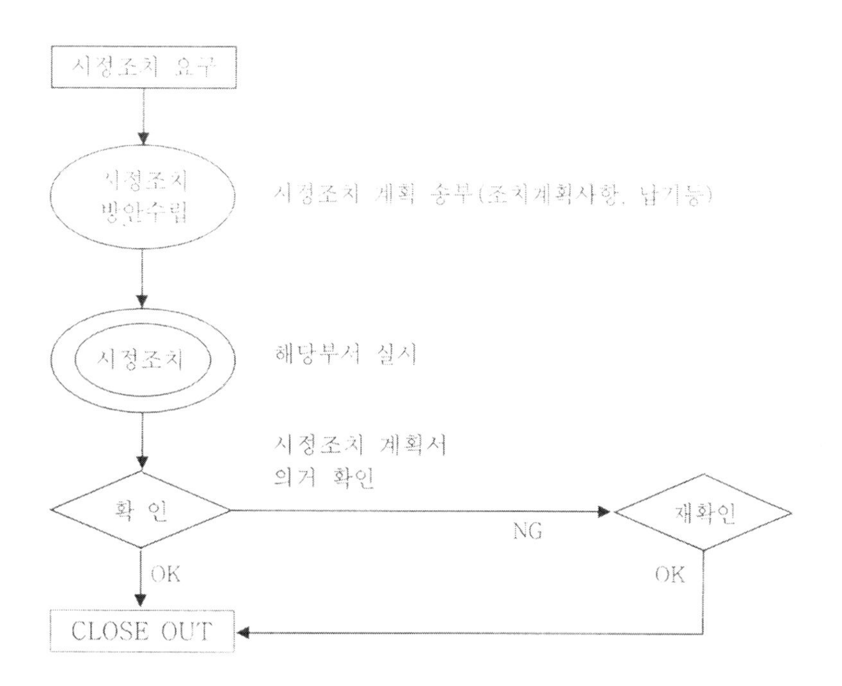

4. 내부품질감사 요령

1) 내부품질감사 절차서의 제정

(1) 감사일정
(감사주기, 대상 부서/대상 업무)

(2) 감사원 배정
(감사원 자격, 독립성)

(3) 감사준비
(체크리스트 작성, 검사전통보)

(4) 감사실시
(체크리스트 활용, 관찰 및 기록, 감사지적 보고서 작성)

(5) 보고 및 후속조치
(감사보고서 작성 및 배포, 시정조치, 확인)

2) 내부품질감사원 자격

(1) 내부품질감사원의 자격기준은 규격으로 정해져 있지 않다.

(2) 다음 사항을 고려하여 공급자 스스로 정해야 한다.
① 학력
② 경력
③ 전문성/자격
④ 화술(話術)
⑤ 감사경험
⑥ 교육훈련 및 시험

3) 감사자 소양

1) 가져야 할 소양	2) 갖지 말아야 할 소양
• 피감사업무에 대한 전반적 이해와 지식 • 판단력 • 끈기 • 감사업무 자체에 대한 흥미 • 강인한 정신력 및 체력 • 예절 • 피검사자의 이야기를 들을 줄 아는 능력 (Good Listener) • 지독한 감사자라는 욕을 감수해낼 수 있는 용기와 의무감 • 문제의식 • 분석력 • 정직성 • 수완(diplomatic)	• 논쟁을 잘 일으킴 • 편견을 가지고 있음 • 게으름 • 쉽게 감화됨 • 융통성이 없음 • 속단하는 경향 • 자신에 대한평판에 주의를 기울임 • 증거 확인 소홀 • 비사교적 • 예의없음

4) 질문요령

(1) 「6하원칙(5W1H)」을 써서 질문한다.

What / Why / When / How / Where / Who

(2) 「예」또는 「아니오」라는 답변이 나오지 않도록 질문한다.

(3) 상대방이 이해를 못하면 다른 쉬운 로 설명하고, 그래도 알아듣지 못하면 다른 관점에서 질문한다.

5) 내부품질감사시 자문자답

(1) 이것이 한건의 사소한 실수는 아닌가?

(2) 이것이 하나의 주제에 대해 자주 일어나는 일이 아닌가?

(3) 감사기준에 근거할 때, 내가 발견한 것이 부적합이라고 할 수 있는 것인가?

(4) 이것이 중대한 사안인가, 아니면 경미한 사안인가?

(5) 내 판단이 정확하다고 어떻게 확신할 수 있는가?

(6) 내 지적사항을 뒷받침할 충분한 객관적 근거가 있는가?

(7) 어떤 시정조치가 필요한가?

(8) 시정조치는 어떻게 처리되는 것이 좋을 것인가?

(9) 보고서가 어떠한 영향을 미칠 것인가?

6) 감사원의 금기사항

(1) 선입관을 가지고 감사에 임한다.

(2) 원칙 없이 끌려 다닌다.

(3) 건성으로 묻고 답변에 관심을 보이지 않는다.

(4) 비현실적인 이야기를 늘어놓는다.

(5) 답변을 거짓말이라고 단정하고 믿지 않는다.

(6) 피감사자를 안다고 공적인 입장을 무시한다.

(7) 직접 확인하지 않고 구두 답변에만 의존한다.

(8) 회계/업무감사와 혼동하지 않는다.

7) 효과적인 감사를 위한 권고사항

(1) 잘못된 점 뿐 아니라 잘된 점도 보고할 것

(2) 내부품질감사를 공식적인 부서의견 전달기회로 삼을것

(3) 감사결과에 따라 개인적인 불이익을 주지말 것

(4) 감사시기를 GMP 적합인정심사 및 사후관리심사 전으로 하여 효율성을 높일 것

(5) 내부감사는 어차피 형식적이라는 고정관념을 버릴 것

(6) 처음 내부품질감사를 실시할 경우에는 전문가의 도움을 구할 것
내부감사는 어차피 형식적이라는 고정관념을 버릴 것

8) 감사기법

(1) 질문

(2) 청취 : 듣고 나서 메모

(3) 확인

- 보여주세요(Show me)

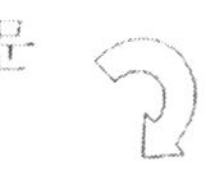

- 믿는다(Believe)
- 객관적 증거를 확보한다(Secure evidence)

(4) 점검대상 : 모든 것을 보고자 하면 아무것도 보지 못함

(5) 토의 :

※ 사소한 사항을 발견해 보고자 하는 것이 감사는 아니다.

9) 감사시의 주의사항

(1) 감사범위 외의 지적사항

(2) 중대 지적사항

(3) 자발적 제보

(4) 고의적 감사 지연책

(5) 속임수

(6) 내부분쟁

10) 검사의 일반사항

(1) Gap1 검토 : GMP 요건과 품질규격서와 품질시스템의 만족여부(문서심사)

(2) Gap2 실사 : 품질시스템과 품질기록 및 실행의 만족 여부(현장심사)

5. 내부품질감사 조직별 책임

1) 감사 수행조직

(1) 주관부서

① 연간 사내 품질감사 계획 수립 및 통보

② 감사 세부 PLAN 수립 및 통보

③ 감사자 자격부여·관리 및 유지

④ 사내 감사관련 교육의 주관
(별도 교육전담부문이 있을 경우에는 그곳과의 협의)

⑤ 감사자 선임

⑥ 감사관련 문서의 유지관리

⑦ 감사관련 규정의 정비유지

⑧ 감사 체크리스트의 유지(제・개정이 포함될 수 있음)

⑨ 감사기간중의 감사 총괄관리, 회의 등 주관

⑩ 감사보고서에 따른 사무관리 (시정조치사항 확인)

(2) 선임 감사자 (감사팀장) : 품질책임자

① 감사자 선발에 대한 지원

② 감사 시행 계획의 수립 지원

③ 감사 체크리스트의 검토 및 승인

④ 감사팀의 지휘 통솔

⑤ 감사진행중 주요 장애사항 해결 및 보고

⑥ 최종 감사보고서의 작성 및 제출

(3) 감사자

① 적절한 심사요건의 적용을위한 체크리스트 작성

② 감사요건의 통지 및 의견조정

③ 부과된 책임에 대한 효과적이고 효율적인 계획 수립 및 실시

④ 감사내용의 문서화

⑤ 감사결과의 보고

⑥ 감사결과 취해진 시정조치의 확인

⑦ 완결된 감사 문서의 유지 관리

⑧ 선임 감시자의 협조 및 지원

2) 피감사자(수감부서)조직

피감사자의 부문장(부서장)은

① 감사의 목적 및 범위에 대하여 관련 직원에 숙지

② 감사팀을 통솔할 책임 담당자 임명(지정)
③ 효과적이고 능률적인 감사를 위해 감사팀에 모든 지원 제공
④ 감사중 필요한 현장출입의 허용 및 객관적 증거자료의 제출
⑤ 감사목표를 달성토록 감사자에게 협조
⑥ 감사지적사항에 대한 시정조치의 일정 및 실시계획 수립

3) 품질부서의 역할 변화 및 방향(QM 측면)

(1) 품질부서의 기존 역할은

① 제품에 대한 검사 및 시험
② 공정불량이나 제품불량의 개선
③ 고객 불만에 대한 임시방편적 처리에 국한한 역할을 담당

(2) 품질부서의 향후 역할은

① 품질경영정책에 대한 전반적 관리
② 품질시스템 전반에 대한 확인 관리(사내 감사)
③ 영업, 설계, 제조, 시험 및 검사, 설치, A/S등 경영 전반에서의 개선 관리
④ 부적합 제품이나 임시방편적인 고객 불만처리가 아니라, 품질시스템 측면에서 경영자에게 검토·보고·지시 등을 통해 근본적인 품질보증이 되도록 하는 역할

6. 내부품질감사 CHECK LIST 작성방법

1) 작성방법

(1) 감사 Check List의 정의

감사 Check List란 감사를 수행할 시 업무를 수월하게 수행하기 위해 감사대상부문에 대한 점검항목을 수록해 놓은 일종의 문서화된 LIST임

- Check List 작성자 : 감사원 또는 감사팀장
- 감사항목 : 고정항목, 변동항목

(2) 감사 Check List

① 이 부서의 주요기능은 무엇인가?(심사자의 경험을 통해서)

② 그 이외에 어느 기능을 수행하고 있는가?

- Man Power, 전문성

③ 일이 잘못되었을 때 이 부서는 어떻게 처리(업무)하고 있는가?

- 일상업무, 특수업무, 위기상황시

(3) Check List 작성요령

① 전체 감사일정을보아 시간 배분(감사시간)

② 무엇을 ┌ 볼것인가 — ┌ LOOK AT
　　　　└ 찾을것인가 — └ LOOK FOR

- 되도록 근본적인 것(막연한 것은 피함)을 본다.
- 잘못되었을 경우 어떻게 하도록 되어 있는 가를 본다.

③ 누구에게 말을 걸을 것인가(질문할 것인가)

(4) 감사 Check List 작성시의 정보원

① QUALITY MANUAL/ 절차서(작업지침서, 제품표준서, 양식 등도 포함할 수 있음)

② 경영 우선 사항

③ 기존의 품질 문제점

④ PREVIOUS AUDIT

⑤ PRODUCT INFORMATION

⑥ CATALOGE

(5) 감사 Check List 사용시의 이점

① 적절히 감사속도를 유지할 수 있다.(시간배분을 적절히 할 수 있다.)

② 감사대상을 분명히 할 수 있다.

③ 감사자료(보고)로써 참고가 된다.

④ 감사자의 LOAD를 감소시킬 수 있다.

(6) 감사 Check List 사용시 주의할 점

① Check List는 참고 항목으로 보아야 한다.

② 중요하다고 생각되는 항목 위주로 보아야 한다.

(7) Check List 작성 예

- 다음은 수입검사(원부자재) 공정의 참고예제이다.

공정(업무)		CHECK 항목	판정	판정에 대한 이유	대담자	대담 시간
부품검사	기초정보	1. 도면의 확보상태는? 2. 중요품질부품 LIST 보유상태는? 3. 업체 LIST는 보유하고 있는가? 4. 검사규격서는 확보되어 있는가?				
	검사규격·관리	1. 검사규격 작성 및 개정시 책임자의 승인(날인)이 되어 있는가? 2. 설계변경에 의한 규격서 변경관리가 되고있는가? (개정란에 명기) 3. 중요부품에 대한 표시는 되어 있는가? (Stamp) 4. 안전규격에 대한 시험항목은 전부 기입되어 있는가? (절연내압 관계로서 외주 검사 포함) 5. 검사방식 및 샘플링방식이 명기되어 있는가? 6. 검사규격 및 기준서는 항상 정비되고 손쉽게 제시하도록 되어 있는가?				
	검사작업	1. 검사는 규격서 내용대로 정확히 실시되는가? 2. 검사용 시료관리는 정확히 하고 있는가? (샘플채취로부터 보관 및 회수까지) 3. 검사상태의 식별표시는 명확히 되고 있는가? 4. 검사장소에 내용불명의 부품은 없는가? 5. 검사용 계측기 및 치구는 점검관리 되고 있는가? (일상점검/교정)				
	검사기록	1. 거사기록은 모든 검사이력이 기재되어 있는가? (검사일, 검사수, 불량수, 불량 내용, 불량로트(LOT) 등) 2. 검사기록은 잘 정리 보관되어 쉽게 제시가 가능한가? 3. 외주 출하성적서는 입수 관리되고 있는가?				

(8) Check List 작성 실습

각자 자기가 근무하고 있는 회사의 부서업무 중에서 주요 공정(또는 업무)한가지만 선정하여 그 공정(업무)에 대한 Check List를 아래의 양식에 준하여 작성하시오.

공정 (또는 업무)	CHECK 항목	시 간	대담자

7. 내부품질감사 지적사항 보고서 작성방법

1) 부적합의 정의

GMP 품질시스템에서 행하고 있는 요건이 원래 그 시스템이 의도했던 요구사항(Requirement)과 일치하지 않을 때의 그 상태를 부적합이라 한다.

2) 부적합 사항의 확보

(1) 부적합사항의 기준

① Major(중대한 불일치 사항)

- Quality Manual, Procedure에 제시된 요구사항의 불일치가 완벽한 시스템 운영의 결함, 실패사항인 경우

② Minor(경미한 불일치 사항)

- Quality Manual, Procedure 사항의 극소한 실수나 주목할 필요성은 있으나 무시한 경우, 또는 실행은 하였으나, 일부 누락된 경우

(2) 부적합 사항이 나타나는 경우

① 의사, 의도가 표준의 요구사항을 만족치 못한 경우

② 실행을 하지 않았을 경우

③ 시스템과 절차가 있고, 실행을 했는데 비효과적이며 목표달성을 못하는 경우

(3) 부적합 사항의 확보방법

※ 감사는 사실에 근거해서 시해오디어야 하고객관적인 사실을 확보해야 함

① 감사받는 측과의 이야기(대화)

② 들은 것을 검증

③ 증거수집

④ 발견시점에서 관찰사항의 명확화

3) 감사지적 보고서 작성

(1) 요구사항(Requirement)의 파악

- GMP 규정
- 회사의 규정(품질메뉴얼, 절차서, 지시서, 제품표준서 등)
- 계약내용, 국가규정, 법규 등 법적 요구사항

(2) 부적합이라는 명백한 증거(Factual Evidence)의 확보

① 부적합의 증거

- 객관적이고 사실적인 증거를 확보할 것

② 부적합 발견시의 처리 ACTION

- 부적합한 것으로 의심이 되면 증거를 확보해야 되는데 그때는 객관적인 증거를

잡아야 함

- 부적합 내용 및 증거를 메모한다.

(3) 부적합 사항기술

- 장소
- 관련문서, 검토한 샘플의 수량
- 검토한 물품(자재, 계측기, 장비, 사람, 방법 등)
- 부적합의 내용

(4) 보고서의 작성

- 요구사항대비 부적합 사항
- 객관적인 증거 첨부
- 작성기준(4C) – Correct, Complete, Clear, Concise

(5) 부적합 사항 작성요령

- 작성방법

Factor → 객관성 → 완벽성 → 추적성

① 회사용어를 써서 감사지적 보고서 작성
② 감사를 받은 사람이 추적할 수 있도록 해야 함
③ 내용을 원하면 볼 수 있도록 해야 함
④ 감사받은 사람이 도움이 될 수 있도록 해야 함
⑤ 간결하게 하여야 한다.

※ Nonconformity는 상대방이 이해하기 쉽도록 이야기한 내용, 근거 등을 쓰고 위배사항이 무엇인가를 제시해 주어야 한다. (GMP 규격, 매뉴얼 NO등 제시)

8. 시정조치

1) 시정조치의 일반적 개요 및 설명

품질시스템에 역행하는 사항을 신속히 식별하여 원인을 규명하고 재발방지를 위한 시정조치를 하기 위한 사항이며, 이에는 시정조치의 절차와 작업 중지 요구절차를 확립하며 중대 사항은 시정조치 요구사항과 결과를 경영층에 보고하며, 결과확인을 위하여 주기적인 감사를 실시하도록 해야 한다.

시정조치의 행위에는 각 책임조직의 중대한 품질 위배사항을 식별하고 시정 조치하는 것, 유사문제의 반복이나 중대 불일치사항의 발견 시에는 원인을 규명하고 재발 방지하도록 경영층에 보고하는 것, 시정조치의 방법과 서류화 및 보고절차가 포함되어야 한다.

그리고 조치결과는 주관부문에서 검토・승인하고 확인한다. 시정조치 요구서와 시정조치 보고서는 별도의 절차서에 따라 행하도록 규정하며, 이는 품질기록으로 유지 관리하도록 한다.

또한, 시정조치 경과사항과 결과를 경영층(사장・임원)에게 보고하여 전사적으로(Management Review)의 요구를 만족시킬 수 있게 된다.

2) 문제의 범위 결정

피감사 부서에서는 "감사에서 발견된 문제는 단지 일부분이다"라는 사실을 명기해야 하며, 이에 대한 수평전개 방법으로 개선을 하여야한다. 가령, 예를 들어

(1) 폐기된 문서가 발견되었을 때

① 다른 문서는?

② 다른 장소는?

하는 심증을 갖고 다른 것(곳)도 찾아내어 시정조치(개선)을 하여야 할 것이다.

(2) 교정되지 않은 계기 발견

① 다른 계기는?

② 다른 부서는?

(3) 승인되지 않은 업체에서 자재구매

① 다른 자재는?

② 미승인업체로부터 자재구매가 가능한가?

③ 업체평가는 수행했는가?

3) 문제의 근본원인 확인

(1) 증상과 근본원인의 구별

(2) 보통 시스템의 결함

4) 시정조치 확인

(1) 제안된 시정조치 검토

(2) 확인

5) 문제개발(지속적 유지와 개선)

(1) 더 많은 시간 필요

(2) 더 광범위한 조사

9. WORK SHOP

다음에 제시하는 문항을 숙독하고 WORK SHEET의 각 물음에 대하여 GMP요건의 조항을 답하시오.

WORK SHOP	

예) 감사원이 구매, 판매, 설계와 생산을 포함한 다수의 문서화된 QA 작업 지침서에 일반적인 결함이 있다고 지적했다.

조항) 1. 품질경영시스템의 수립 및 문서화

1. 감사 수행 도중 감사원이 서류 심사 때 보았던 절차서에 의거, 고객불만기록이 작성되고 있지 않음을 발견했다.

2. 판매 담당 중역이 감사원에게, 대부분의 경우 그는 작업 현장 관리자의 전화를 고객에게 직접 연결해서, 고객의 주문량이 바뀔 경우 고객이 작업 현장 관리자에게 직접 전화로 주문량을 바꿔서 공정이 신속히 진행될 수 있도록 해주었다고 한다.

3. 감사자가 조립 공정을 감사하던 중 한 작업원이 교정필 식별 표시가 부착되지 않은 토크 렌치를 사용하는 것을 발견했다. 현장 관리자와 상의 후, 그 작업원은 자신이 사용한 토크 렌치는 바로 그날ㄴ 구입한 최신상품이며, 새 장비는 검교정을 받을 필요가 없다고 대답했다.

4. 멸균기 제조 공장에서 눈금을 읽기 어려운 공장 실내조명 상태에서 낡은 자와 줄자를 사용하여 많은 측정을 하였다. 장비 관리에 관한 질문을 받았을 때, 피감사자는 줄자는 검교정 시스템에 포함되지 않는다고 말했었다.

5. 출하 대기 중인 제품의 포장박스 (10개 들이)에 LOT No. 표시가 없는 것이 발견되었다. 포장박스 안에 들어있는 단위 제품에도 모두 LOT No.가 없었다.

6. 생산라인의 포장곤정 작업자에게 확인하여 보았더니 LOT No.를 인쇄하는 기계가 고장났기 때문에 그때마다 라인을 중단시킬 수 없으므로, LOT NO.를 찍지 않고 포장했던 것 일거라고 하였다.

7. 검사 절차서/지시서에 따라 LOT No.가 없으면 포장하지 않도록 지시받은 적이 있는지 물었더니, 오히려 전에 중단시켰다가 생산과장에 면박만 받은 적이 있다고 웃으며 대답했다.

8. 그렇다면, LOT No. 표시 기계가 자주 고장 나면 어떤 조치를 취했는가 물었더니, 이러한 사실을 수차례 공무부로 수리를 요청하였다고 하였다. 공무부에서는 자체수리가 불가능해서 기계공급자에게 연락하여 수리토록 하였으나 계속 동일한 고장이 반복되었으므로, 새로운 기계를 구입하려고 품의를 하였으나 비용 때문에 사장님이 결재를 미루고 있다고 하면서 품의서를 내보였다.

9. X사를 방문하여 품의서를 확인해보니 별다른 중대한 문제점이 없었다. 현장을 둘러보기 위해 작업장에 가보니, 조명이 어둡고 연마기에서 나온 먼지가 자욱해서 도저히 참을 수가 없었다. 이러한 악조건 하에서 어떻게 의료기기 조립작업이 이루어지는지 믿어지지 않을 정도였다.

10. 또한 조립공정 옆에 EO가스멸균작업을 하는 멸균기가 있었다. 그곳은 별도의 차단시설과 위험발생시 EO가스가 배출될 수 있도록 하는 안전시설이 전혀 없었으며, 분진이 발생하는 곳에서 멸균포장을 하고 있었다.

10. GMP 요건별 관련문서

적용조항 \ 문서명	관련문서
품질경영관리	
4.1 4.2	품질매뉴얼, 절차서, 품질방침, 품질목표, 문서관리절차서
4.2.1, 4.2.3	문서관리절차서
4.2.4	기록관리절차서
5.1~5.4	품질매뉴얼, 품질절차서, 품질방침, 품질목표
5.6	품질매뉴얼, 경영검토 절차서, 경영검토 계획서, 경영검토 기록
8.2.2	내부감사 절차서, 내부감사 계획서, 내부감사 기록, 경영검토 계획서
5.5	품질매뉴얼, 교육훈련 절차서, 조직도, 부서(장)의 업무분장, 품질 책임자 임명장, 교육훈련 관리기록
6.2	교육훈련 계획서, 교육훈련 관리기록
7.6	교정·점검절차, 시험검사장비 목록, 시험검사장비관리 기록, 교정 계획서, 교정·점검 기록
설계 개발관리	
7.1	품질경영계획서(제품표준서)
7.3.1	설계 및 개발계획서
7.3.2	설계 및 개발계획서
7.3.3	시방서, 설계도면, S/W소스 코드 등
7.3.4	설계 및 개발 검토 기록
7.3.5	설계 및 개발 검토 기록
7.3.6	설계 및 개발 유효성 확인 기록
생산 공정관리	
7.4.1, 7.5.4	외주업체관리 기록
7.5	공정관리 기록
8.2.4	품질경영계획서(제품표준서), 입고검사 기록, 공정검사 기록, 최종검사 기록
7.5.5, 7.5.1.2.3	보관, 포장, 보존 및 인도 절차서, 시설점검 기록, 완제품 입출고 기록
7.5.3	식별 및 추적 관리 절차서
시정 및 예방조치	
8.3	부적합품 관리 절차서, 부적합품 관리 기록
8.5	시정 및 예방조치 절차서, 시정 및 예방조치 기록

PART

10 의료기기법

10.1 의료기기법

의료기기법은 의료기기에 관련된 법으로서 2003년 5월 29일에 제정되어 1년의 경과조직과정을 거쳐 2004년 5월 30일부터 시행되었으며, 그 이전에는 의약품과 함께 약사법에서 관리되었다.

1. 의료기기법과 관련한 하위법령 및 규정

(1) 의료기기법

'의료기기법'은 의료기기의 효율적인 관리를 도모하고 나아가 국민보건 향상에 기여함을 목적으로 의료기기의 제조· 수입 및 판매 등에 관한 의료기기 관리의 전반적인 사항을 규정하고 있다.

(2) 의료기기법 시행령

'의료기기법시행령'은 의료기기 위원회에 관한 사항, 권한과 위임, 과징금의 산정기준 등 의료기기법에서 위임된 사항과 그 시행에 관하여 필요한 사항을 규정하고 있다.

(3) 의료기기법시행규칙

'의료기기법시행규칙'에서는 의료기기법 및 의료기기법시행령에서 위임된 사항과 그 시행에 필요한 사항을 규정하고 있으며, 주요 내용은 등급분류 및 지정에 관한 기준, 제조· 수입업 및 품목허가· 신고 절차 등, 제조· 수입 시설 및 품질관리체계 기준, 기술문서 등의 심사, 재심사 신청, 재평가 방법 및 절차, 임상시험계획 승인 및 실시기준, 제조· 수입업자의 준수사항, 폐업 등의 신고, 수리· 판매· 임대업 신고와 준수사항, 의료기기 용기 및 첨부문서의 기재사항, 의료기기 광고의 범위, 추적관리 대상 의료기기의 지정 및 관리기준, 부작용 보고 및 행정처분 기준 등이다.

그리고, 의료기기법 및 법령에서 식품의약품안전청장이 정하도록 한 규정은 21개 고시이다.

(4) 의료기기 허가 등에 관한 규정

(5) 의료기기품목 및 품목별 등급에 관한 규정

이 규정은 의료기기법 제3조 및 같은 법 시행규칙 제2조의 규정에 따른 의료기기의 품목 및 품목별 등급에 관하여 필요한 사항을 정함을 목적으로 한다.

(6) 의료기기 기술문서 등 심사에 관한 규정

'의료기기 기술문서 등 심사에 관한 규정'에서는 의료기기법시행규칙 제7조 제4항의 규정에 의하여 의료기기기술문서 등 심사에 필요한 세부사항을 정한 규정으로서 심사대상 및 범위, 심사의 신청 및 심사 첨부자료의 요건, 심사의뢰서 작성 및 심사기준 등을 규정하고 있다.

(7) 의료기기 임상시험 계획 승인 지침

'의료기기 임상시험 계획 승인 지침'은 의료기기법 제10조 제1항 및 같은 법 시행규칙 제12조 제4항의 규정에 의한 의료기기 임상시험 계획 승인에 관한 세부사항을 정한 것으로서 제출 자료의 작성방법, 요건 및 면제범위, 변경승인 신청, 임상시험 의료기기의 치료적 사용 및 증례보고 등에 대하여 규정하고 있다.

(8) 의료기기 임상시험 실시기준

'의료기기 임상시험 실시기준'은 의료기기법 제10조 제7항 및 같은 법 시행규칙 제13조 제4항의 규정에 의한 의료기기 임상시험 실시기준에 관한 것으로서 헬싱키 선언에 따라 의료기기 임상시험을 실시하고자 할 때 임상시험의 계획 · 시행 · 실시 · 모니터링 · 자료의 기록 및 분석 · 임상시험 결과보고서 작성 등에 관한 기준을 정함으로써, 정확하고 신뢰성 있는 자료와 결과를 얻고 피험자의 권익보호 및 비밀보장이 적정하게 하도록 함을 목적으로 한다. 주요 내용으로서는 임상시험과 관련된 각 용어의 정의, 임상시험의 계약, 임상시험기관장의 임무, 임상시험 심사위원회, 임상시험자의 요건 및 의무사항, 임상시험 의뢰자의 임무, 피험자의 인권보호, 임상시험용 의료기기의 관리, 임상시험과 관련된 보고 및 기록의 보존 등에 대하여 규정하고 있다.

(9) 의료기기 생산 및 수출 · 수입 · 수리 실적보고에 관한 규정

'의료기기 생산 및 수출 · 수입 · 수리 실적보고에 관한 규정'은 의료기기법 제12조 제2항, 제14조 제5항, 제15조 제4항 및 같은 법 시행규칙 제15조 제2항, 제20조 제2항의 규정에 의하여 의료기기 제조업자, 수입업자 또는 수리업자의 생산 및 수출, 수입, 수리의 실적 보고와 관련한 세부사항을 규정하고 있다.

(10) 의료기기 제조 · 수입 및 품질 관리기준

'의료기기 제조 · 수입 및 품질 관리기준'은 의료기기법 제10조 제6항, 제12조 제1항, 제14조 제5항 및 같은 법 시행규칙 제13조 제1항 제10호, 제15조 제1항 제6호 관련 별표 3, 제20조 제1항 제4호 관련 별표 5의 규정에 의하여 임상시험용 의료기기를 제조 또는 수입하거나 의료기기를 제조 또는 수입함에 있어 준수하여야 하는 품질관리에 관한 세부사항과 품질관리심사기관의 등록절차 · 방법 · 요건 및 관리방법 등에 관하여 필요한 사항을 규정하고 있다.

(11) 의료기기 재평가에 관한 규정

'의료기기 재평가에 관한 규정'은 의료기기법 제9조 제2항 및 같은 법 시행규칙

제11조 제4항의 규정에 의하여 품목허가 또는 품목신고 된 의료기기 중 안전성 및 유효성에 대하여 재평가를 실시함에 있어 재평가 범위와 면제범위, 실시기준, 제출자료의 작성요령 및 각 자료의 요건 등에 관한 세부사항을 규정하고 있다.

(12) 의료기기 부작용 보고 등 안전성 정보 관리에 관한 규정

'의료기기 부작용 보고 등 안전성 정보 관리에 관한 규정'은 의료기기법시행규칙 제15조 제1항, 제20조 제1항, 제32조 제2항의 규정에 의하여 적절한 안전대책을 강구함으로써 국민보건상의 위해를 방지하기 위하여 의료기기 관련 안전성 정보, 부작용의 보고 및 관리에 관한 세부사항을 규정하고 있다.

(13) 의료기기 재심사에 관한 규정

'의료기기 재심사에 관한 규정'은 의료기기법 제8조 및 같은 법 시행규칙 제10조 제5항의 규정에 의하여 재심사 신청 시 첨부자료의 작성요령과 각 자료의 요건, 면제범위 및 심사의 범위· 기준 등에 관한 세부사항을 규정하고 있다.

(14) 의료기기 기준규격

'의료기기 기준규격'은 의료기기법 제18조의 규정에 의하여 의료기기의 품질에 대한 기준으로서 품목별 적용범위, 형상 또는 구조. 시험규격, 기재사항 등을 기준규격으로 정하고 있다.

(15) 의료기기의 생물학적 안전에 관한 공통 기준규격

본 기준규격은 의료기기의 기술문서 작성 및 심사 시 활용되는 규격으로, 의료기기 및 원자재의 안전성과 관련된 생물학적 평가 시험의 선정에 관한 총체적인 지침을 제시하고 있으며, 기술문서 작성자에게 편의를 제공하고, 기술문서 심사의 공정성 및 투명성을 제공함으로써 의료기기의 품질관리에 적정을 기하는 데 그 목적을 두고 있다. 본 기준규격은 권장 기준규격으로서 강제요건이 아니며 제품의 특성에 따라 개별 기준규격을 적용할 수 있다.

(16) 의료기기의 전기 기계적 안전에 관한 공통 기준규격

'의료기기의 전기 기계적 안전에 관한 공통 기준규격'은 의료기기법 제18조의 규정에 의하여 의료기기의 품질에 대한 기준으로서 전기 기계적 안전에 관한 공통적인 기준규격을 정하고 있다.

2. 의료기기 법령정보

의료기기 관련법규 전문은 식품의약품안전청 홈페이지(http://www.kfda.go.kr)에서 얻을 수 있으며, 의료기기법, 의료기기법시행명령 및 의료기기법시행규칙 전문은 법제처 홈페이지(http://www.moleg.go.kr)에서도 얻을 수 있다.

의료기기 관련법규 전반에 따른 의료기기 관리제도 등 주요 규정 내용을 살펴보면 다음과 같다.

10.2 의료기기의 지정규정

'의료기기 품목 및 품목별 등급에 관한 규정'은 의료기기법 제3조 및 같은 법 시행규칙 제2조의 규정에 따른 의료기기의 품목 및 품목별 등급에 관하여 필요한 사항으로서 품목분류의 기준, 품목 및 품목별 등급, 의료기기 해당여부 검토 신청 등에 대한 사항을 규정하고 있다.

1. 의료기기의 정의

의료기기법에 의한 관리대상이 되는 의료기기의 정의는 의료기기법 제2조 제1항에서 규정하고 있으며 그 내용은 다음과 같다.

- 사람 또는 동물의 단독 또는 조합하여 사용되는 기구 · 기계 · 장치 · 재료 또는 이와 유사한 제품으로서 다음 각호의 1에 해당하는 제품을 말한다. 다만, 약사법에 의한 의약품과 의약외품 및 장애인복지법 제65조의 규정에 의한 장애인보

조기구 중 의지, 보조기는 제외한다.

① 질병의 진단 · 치료 · 경감 · 처치 또는 예방의 목적으로 사용되는 제품
② 상해 또는 장애의 진단 · 치료 · 경감 또는 보정의 목적으로 사용되는 제품
③ 구조 또는 기능의 검사 · 대체 또는 변형의 목적으로 사용되는 제품
④ 임신조절의 목적으로 사용되는 제품

2. 의료기기의 등급분류

의료기기의 등급은 인체에 미치는 잠재적 위해성에 따라 다음과 같이 4개의 등급으로 분류되어 있다.

(1) 1등급

인체에 직접 접촉되지 아니하거나 접촉되더라도 잠재적 위험성이 거의 없고, 고장이나 이상으로 인하여 인체에 미치는 영향이 경미한 의료기기

(2) 2등급

사용 중 고장이나 이상으로 인한 인체에 대한 위험성은 있으나 생명의 위험 또는 중대한 기능장애에 직면할 가능성이 적어 잠재적 위험성이 낮은 의료기기

(3) 3등급

인체 내에 일정기간 삽입되어 사용되거나, 잠재적 위험성이 높은 의료기기

(4) 4등급

인체 내 영구적으로 이식되는 의료기기, 심장, 중추신경계, 중앙혈관계 등에 직접 접촉되어 사용되는 기기, 동물의 조직 또는 추출물을 이용하거나 안전성 등의 검증을 위한 정보가 불충분한 원자재를 사용한 의료기기

3. 의료기기의 등급 지정

의료기기를 기구·기계, 장치 및 재료별로 대분류하고, 각 대분류군을 원자재, 제조공정 및 품질관리체계가 비슷한 품목군으로 중분류하며, 각 중분류군을 기능이 독립적으로 발휘되는 품목별로 소분류하여 소분류된 품목별로 등급을 정하여 식품의약품안전청장이 고시하도록 하고 있으며, 동 고시가 의료기기 품목 및 품목별 등급에 관한 규정이다.

10.3 의료기기의 허가 규정

'의료기기 허가 등에 관한 규정'은 의료기기법시행규칙 제5조 제5항 및 제18조 제3항의 규정에 따라 제조 및 수입 의료기기의 허가, 신고 등에 관한 세부사항을 정하고 있으며, 여기에는 의료기기 시험검사기관의 관리에 대한 사항이 포함되어 있다.

1. 제조업 허가

(1) 의료기기의 제조를 업으로 하고자하는 자는 제조소별로 식품의약품안전청장의 제조업 허가를 받아야 하며, 제조업허가를 신청하는 때에는 1개 이상의 제조품목 허가를 동시에 신청하거나 1개 이상의 제조품목을 동시에 신고하여야 한다.

(2) 제조업 허가 신청 시 제출하여야 하는 서류는 다음과 같다.

① 「정신보건법」 제3조 제1호에 따른 정신질환자 및 마약 그 밖의 유독물질의 중독자에 해당하지 아니함을 증명하는 진단서로서 6월이 경과되지 아니한 것(법인의 경우 제외)

② 제조소의 시설내역서

③ 위탁계약서 사본(제조공정 일부 또는 시험위탁의 경우)

(3) 의료기기 제조업 허가를 받을 수 없는 자는 다음과 같다.

① 「정신보건법」 제3조 제1호에 따른 정신질환자. 다만 전문가의 제조업자로서 적합하다고 인정하는 사람은 그러하지 아니하다.

② 금치산자 · 한정치산자 또는 파산자로서 복권되지 아니한 자

③ 마약 그 밖의 유독물질의 중독자

④ 이 법을 위반하여 금고 이상의 형을 선고를 받고 그 집행이 종료되지 아니하거나 그 집행을 받지 아니하기로 확정되지 아니한 자

⑤ 의료기기법을 위반하여 제조업허가가 취소된 날부터 1년이 경과되지 아니한 자

2. 제조품목 허가

(1) 제조품목허가 대상은 2등급 · 3등급 또는 4등급으로 분류한 품목 및 1등급 중 이미 허가를 받거나 신고한 품목과 구조 · 원리 · 성능 · 사용목적 및 사용방법 등이 본질적으로 동등하지 않은 품목이다.

(2) 제조품목허가는 식품의약품안전청장에게 신청서를 제출하여야 하며, 신청시 첨부하여야 할 서류는 다음과 같다.

① 기술문서와 안전성 · 유효성에 관한 자료 또는 기술문서 등 심사결과통지서(2년이 경과되지 아니한 것)

② 시험검사성적서

③ 제조시설내역서 또는 위탁계약서 사본(다만, 유형군이 같을 경우 생략)

3. 의료기기 유형군

(1) 유형군이란 의료기기의 원자재, 제조공정 및 품질관리체계가 비슷한 형태로서 식품의약품안전청장이 정하는 품목의 집단을 말한다. 식품의약품안전청장이 정한 유형군은 다음과 같다.

순번	유형군	해당 의료기기
1	무전원의료기기	전원(일반적인 상용전원, 내부전원, 제조자가 지정하는 특정전원)을 사용하지 않는 의료기기
2	전원의료기기	전원을 사용하는 의료기기
3	방사선사용의료기기	방사선을 발생하거나 사용하는(제조 및 시험 시 방사선을 취급하는 경우를 포함한다) 의료기기
4	광발생의료기기	레이저 등 인체에 중대한 영향을 주는 광(제조 및 시험 시 광의 노출을 피하기 위한 안전시설 및 기구, 작업지침 등이 필요한 경우에 한한다)을 발생하는 의료기기
5	의료용품	의료용품
6	치과재료	치과재료

(2) 다만, 등급이 상위등급이거나, 멸균시설 등 중요한 시설이 추가되는 경우에는 다른 유형군으로 보며, 이미 허가 또는 신고한 유형군이 당해 제품에 해당하는 유형군의 시설 및 품질관리체계를 포함하고 있는 경우에는 동일 유형군으로 인정한다.

4. 제조품목 신고

제조품목신고대상은 1등급 중 이미 허가를 받거나 신고한 품목과 구조·원리·성능·사용목적 및 사용방법 등이 본질적으로 동등한 품목으로서 관할 지방식품의약품안전청장에게 신고서를 제출하여야 하며, 첨부서류는 시설내역서 또는 위탁계약서이다. 다만, 유형군이 같을 경우에는 신고서만 제출하면 된다.

5. 조건부 허가

(1) 조건부로 제조업허가를 받고자 할 경우에는 식품의약품안전청장에게 신청하여야 하며 신청시 제출서류는 다음과 같다.

① 진단서로서 6월이 경과되지 아니한 것

② 법인등기부등본(법인의 경우)

③ 건물을 신축할 경우에는 대지의 소유권을 확인할 수 있는 서류 또는 임대

차계약서 사본

④ 기존건물을 사용할 경우에는 건축물의 소유권을 확인할 수 있는 서류 또는 임대차계약서 사본

(2) 조건부 제조품목 허가를 받고자 하는 경우에도 식품의약품안전청장에게 신청하여야 하며 신청시 제출서류는 다음과 같다.

① 기술문서와 안전성·유효성에 관한 자료 또는 기술문서 등 심사결과통지서(2년이 경과되지 아니한 것)

② 시험검사성적서 : 조건부 제조품목신고를 하고자 하는 경우에는 신고서만 관할지방식품의약품안전청장에게 제출하면 된다.

(3) 조건부 허가 또는 신고를 한 자는 조건을 이행하게 된 경우 조건 이행 사실을 식품의약 품안전청장에게 통보하면, 식품의약품안전청장 또는 관할지방식품의약품안전청장은 20일 이내에 조건이행 여부 확인하고 조건부를 정식 허가증 등으로 바꾸어 교부한다.

6. 의료기기 재심사

(1) 의료기기 재심사 대상은 허가를 받고자 하는 품목이 작용원리, 성능 또는 사용목적 등에서 이미 허가를 받거나 신고한 품목과 본질적으로 동등하지 아니한 신개발의료기기 또는 국내에 대상질환 환자수가 적고 용도상 특별한 효용가치를 갖는 의료기기로서 식품의약품안전청장이 지정하는 희소의료기기에 해당하여 시판 후 안전성과 유효성에 대한 조사가 필요하다고 인정하는 경우에 제조품목허가 시 재심사를 받을 것을 명한다.

(2) 재심사대상 의료기기의 제조업자는 당해 품목의 제조품목허가일부터 4년 내지 7년 이내의 범위에서 식품의약품안전청장이 품목허가 시 정하는 기간 내에 재심사를 신청하여야 하며, 신청서류는 다음과 같다.

① 국내 시판 후의 안전성 및 유효성에 관한 조사자료

② 부작용 및 안전성에 관한 국내·외 자료

③ 국내· 외 판매현황 및 외국의 허가현황에 관한 자료

(3) 의료기기 재심사의 방법 및 절차는 다음과 같으며. 세부사항은 식품의약품안전청장이 고시하도록 하고 있다.

① 재심사신청을 받은 경우 6월 이내에 의료기기위원회의 심의를 거쳐 재심사 실시, 재심사 결과 통지

② 재심사결과를 통지 받은 제조· 수입업자는 통지 일로부터 30일 이내에 재심사 결과에 따른 조치

7. 의료기기 재평가

(1) 식품의약품안전청장은 제조품목허가를 하거나 제조품목신고를 받은 의료기기 중 안전성 및 유효성에 대하여 재검토가 필요하다고 인정되는 의료기기에 대하여 재평가를 실시할 수 있다.

(2) 식품의약품안전청장은 의료기기에 대한 재평가를 실시하고자 하는 때에는 의료기기위원 회의 심의를 거쳐 재평가 대상품목을 결정한 후 다음 사항을 공고하여야 한다.

① 재평가 대상품목

② 재평가 신청기간

③ 재평가에 필요한 제출자료의 내용

[주의] 이 경우, 재평가 대상품목에 속하는 의료기기의 제조업자는 재평가 신청기간 내에 의료기기재평가신청서에 재평가에 필요한 자료를 첨부하여 식품의약품안전청장에게 제출하여야 한다.

(3) 재평가의 신청을 받은 식품의약품안전청장은 당해 품목에 대한 재평가를 실시하고, 그 결과에 대하여 재평가 대상품목의 제조업자가 의견을 제출할 수 있도록 재평가결과 시안을 1월 이상 열람시킨 후 재평가 결과를 공고하여야 한다.

(4) 재평가와 관련하여 제출자료의 작성요령, 각 자료의 요건과 면제범위 및 재평

가범위와 실시기준 등에 관한 세부사항은 식품의약품안전청장이 정하여 고시하도록 하고 있다.

8. 의료기기 임상시험

(1) 의료기기로 임상시험을 하고자 하는 자는 임상시험계획서를 작성하여 식품의약품안전청장의 승인을 받아야 한다.

(2) 임상시험계획의 승인을 얻고자 하는 자는 임상시험계획승인신청서에, 승인을 얻은 임상시험계획을 변경하고자 하는 자는 임상시험계획변경승인신청서에 임상시험계획승인서와 다음의 서류 및 자료를 첨부하여 식품의약품안전청장에게 제출하여야 한다. 다만, 임상시험계획변경의 승인을 신청하는 경우에는 식품의약품안전청장이 정하여 고시하는 바에 따라 제2호 내지 제4호의 자료 중 그 전부 또는 일부를 제출하지 아니할 수 있다.

① 임상시험계획서 또는 임상시험변경계획서

② 임상시험용 의료기기가 별표 2의 제조소의 시설기준에 적합한 시설에서 제조되고 있음을 입증하는 자료

③ 제7조 제2항의 규정에 의한 기술문서 등에 관한 자료

④ 임상시험실시기관의 승인서

(3) 임상시험계획서에 포함되어야 할 사항은 다음과 같다.

① 임상시험의 명칭

② 임사시험실시기관의 명칭 및 소재지

③ 임상시험의 책임자・담당자 및 공동연구자의 성명 및 직명

④ 임상시험용 의료기기를 관리하는 관리자의 성명 및 직명

⑤ 임상시험의뢰자의 성명 및 주소

⑥ 임상시험의 목적 및 배경

⑦ 임상시험용 의료기기의 사용목적(대상질환 또는 적응증을 포함한다)

⑧ 피시험자의 선정기준・제외기준・인원 및 그 근거

⑨ 임상시험기간

⑩ 임상시험방법(사용량 · 사용방법 · 사용기간 · 병용요법 등을 포함한다)
⑪ 관찰항목 · 임상검사항목 및 관찰검사방법
⑫ 예측되는 부작용 및 사용시 주의사항
⑬ 중지 · 탈락 기준
⑭ 성능의 평가기준, 평가방법 및 해석방법(통계분석방법에 의한다)
⑮ 부작용을 포함한 안전성의 평가기준 · 평가방법 및 보고방법
⑯ 피험자동의서 서식
⑰ 피해자 보상에 대한 규약
⑱ 임상시험 후 피의자의 진료에 관한 사항
⑲ 피험자의 안전보호에 관한 대책
⑳ 그 밖에 임상시험을 안전하고 과학적으로 실시하기 위하여 필요한 사항

(4) 식품의약품안전청장은 제출된 임상시험계획승인신청서를 검토하여 적합하다고 인정되는 경우에는 신청인에게 임상시험계획승인서를 교부하고, 임상시험계획변경의 승인을 하는 경우에는 승인서의 변경 및 처분사항란에 변경사항을 기재한다.

(5) 임상시험계획의 승인 또는 변경승인 신청시 제출자료의 작성요령, 면제되는 자료의 범위, 승인요건 · 기준 및 절차 등에 대한 세부사항은 식품의약품안전청장이 정하여 고시하도록 하고 있다.

(6) 임상시험실시기준은 다음과 같다.
① 임상시험계획서에 의하여 안전하고 과학적인 방법으로 실시할 것
② 식품의약품안전청장이 지정하는 임상시험실시기관에서 실시할 것
③ 임상시험의 책임자는 전문지식과 윤리적 소양을 갖추고 해당 의료기기의 임상시험을 실시하기에 충분한 경험이 있는 자중에서 선정할 것
④ 임상시험의 내용 및 임상시험 중 피험자에게 발생할 수 있는 건강상의 피해에 대한 보상 내용과 절차 등을 피험자에게 설명하고 식품의약품안전청장이 정하는 바에 따라 동의서를 받을 것. 다만, 피험자의 이해능력 · 의사표현능력의 결여 등의 사유로 동의를 받을 수 없는 경우에는 친권자 또는

후견인 등의 동의를 받아야 한다.

⑤ 피험자의 안전대책을 강구할 것

⑥ 임상시험용 의료기기는 임상시험외의 목적에 사용하지 아니할 것. 다만, 말기암 등 생명을 위협하는 중대한 질환을 가진 환자에게 사용하는 경우 등 식품의약품안전청장이 정하는 경우에는 그러하지 아니하다.

⑦ 임상시험은 임상시험계획의 승인 또는 변경승인을 얻은 날부터 2년 이내에 개시할 것

⑧ 임상시험전에 식품의약품안전청장이 정하는 바에 따라 임상시험자자료집을 임상시험자에게 제공할 것

⑨ 안전성 및 성능과 관련된 새로운 자료 또는 정보 등을 입수한 때에는 지체없이 이를 임상시험자에게 통보하고 그 반영여부를 검토할 것

⑩ 임상시험용 의료기기는 별표 3에 의한 의료기기 제조 및 품질관리기준에 따라 적합하게 제조된 것을 사용할 것

⑪ 그 밖에 식품의약품안전청장이 임상시험의 적정한 실시를 위하여 정하는 사항을 준수할 것

(7) 임상시험을 하는 자는 매년 2월말까지 임상시험실시사항을 식품의약품안전청장에게 보고하고, 임상시험을 종료한 때에는 종료일부터 20일 이내에 보고

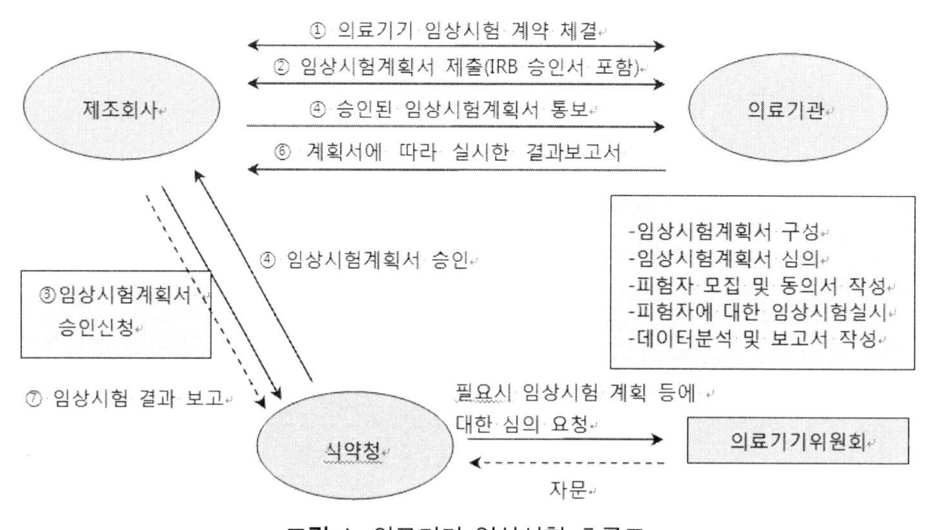

그림 1. 의료기기 임상시험 흐름도

서를 식품의약품안전청장에게 제출하여야 하며, 임상시험을 종료한 자는 임상시험계획서와 임상시험실시에 관한 기록 및 자료를 임상시험의 종료일부터 10년간 보존하여야 한다.

(8) 그 밖에 임상시험실시에 관한 세부기준과 임상시험실시기관의 지정기준 등에 관한 세부사항은 식품의약품안전청장이 정하여 고시하도록 하고 있다.

9. 제조업자의 준수사항

(1) 보건위생상 위해가 없도록 제조소의 시설을 위생적으로 관리하고 종업원의 보건위생상태를 철저히 점검할 것
(2) 작업소에는 위해가 발생할 염려가 있는 물건을 두어서는 아니되며, 작업소에서 국민보건에 유해한 물질이 유출되거나 방출되지 아니하도록 할 것
(3) 출고된 의료기기가 안전성 및 유효성을 해치거나 품질이 불량한 경우에는 지체없이 회수하는 등의 시정조치를 취하고 그 결과를 식품의약품안전청장에게 보고하되, 그 기록을 2년 이상 보존할 것
(4) 멸균 제품인 경우에는 반드시 새로운 용기를 사용할 것
(5) 허가를 받거나 신고한 품목의 안전성 및 유효성과 관련된 새로운 자료나 정보(의료기기의 사용에 의한 부작용 발생사례를 포함한다)를 알게 된 경우에는 식품의약품안전청장이 정하는 바에 따라 이를 보고하고 필요한 안전대책을 강구할 것
(6) 의료기기법시행규칙 별표 3에 의한 “의료기기 제조 및 품질관리기준”을 준수하고, 동기준에 적합함을 판정 받은 의료기기를 판매할 것
(7) 전년도의 생산 및 수출실적을 매년 4월 15일까지 식품의약품안전청장이 정하여 고시하는 바에 따라 식품의약품안전청장에게 보고할 것

10. 폐업 등의 신고

제조ㆍ수입업자가 폐업ㆍ휴업 또는 재개신고를 하고자 하는 경우에는 식품의약품안전청장에게 신고를 하여야 하며, 신고시 제출서류는 다음과 같다.

(1) 폐업의 경우 : 허가증, 모든 제조품목허가증과 제조품목신고증
(2) 휴업의 경우 : 제조업하가증

11. 수입업 허가

(1) 의료기기의 수입을 업으로 하고자 하는 자는 식품의약품안전청장이 수입업허가를 받아야 하며, 수입업허가를 신청하는 때에는 1개 이상의 수입품목허가를 동시에 신청하거나 1개 이상의 수입품목을 동시에 신고하여야 한다.

(2) 수입업 허가 신청시 제출하여야 하는 서류는 다음과 같다.
① 법 제6조 제6항 제1호(정신질환자 관련) 및 제3호(마약 등 중독자 관련)에 해당하지 아니함을 증명하는 진단서로서 6월이 경과되지 아니한 것(법인의 경우 제외)
② 수입업소의 시설내역서

(3) 의료기기 수입업허가를 받을 수 없는 자는 의료기기 제조업 허가를 받을 수 없는 자와 동일하다.

12. 수입품목 허가

(1) 수입품목허가 대상은 제조품목허가 대상과 마찬가지로 2등급・3등급 또는 4등급으로 분류한 품목 및 1등급 중 이미 허가를 받거나 신고한 품목과 구조・원리・성능・사용목적 및 사용방법 등이 본질적으로 동등하지 않은 품목이다.

(2) 수입품목허가는 식품의약품안전청장에게 신청서를 제출하여야 하며, 신청시 첨부하여야 할 서류는 다음과 같다. 다만, 이미 허가 받은 제품과 동일 제품일 경우 제1호 및 제2호는 제출하지 아니한다.
① 기술문서와 안전성・유효성에 관한자료 또는 기술문서등심사결과통지서(2년이 경과되지 아니한 것)
② 시험검사성적서
③ 제조시설내역서 또는 위탁계약서 사본(다만, 유형군이 같을 경우 생략)

④ 의료기기 제조 및 품질관리 기준과 동등 이상이거나 국제기준에 적합함을 인정하는 서류

⑤ 정부 또는 정부가 위임 · 위탁한 기관에서 당해 품목이 적합하게 제조 · 판매되고 있음을 증명하는 서류. 다만, 발행일부터 2년이 경과되지 아니하여야 하며, 유효기간이 있는 것은 유효기간이 경과되지 아니하여야 한다.

[참고] 동일제품이란 동일 제조원(제조국가 · 제조회사 및 제조소가 동일한 경우)의 동일한 제품을 말하며, 이에 대한 해당여부를 검토받고자 하는 경우에는 확인 받고자 하는 자는 이미 허가 받은 당해 제품과 동일함을 입증할 수 있는 자료(제조 · 판매증명서, 제품안내서 등)를 첨부하여 식품의약품안전청장에게 신청하면 되고, 이 경우 식품의 약품안전청장은 검토사항에 대한 결과를 10일 이내에 통지하게 된다.

13. 수입품목 허가신청시 제출서류 중 인정되는 외국 제조소의 품질관리실태 적합인정서류

(1) 생산국 정부 또는 생산국 정부에서 위임한 기관에서 발행한 것으로서, 당해 제조소가 의료기기법시행규칙 별표 3에 의한 의료기기 제조 및 품질관리 기준과 동등하거나 또는 그 이상의 기준에 적합함을 인정하는 서류

(2) 식품의약품안전청장이 인정하는 기관(BSI, TUV, UL, CSA, DNV 등)에서 발행한 것으로서, 당해 제조소가 시행규칙 별표 3에 의한 의료기기 제조 및 품질관리 기준과 동등하거나 또는 그 이상의 기준에 적합함을 인정하는 서류

(3) 식품의약품안전청에 등록된 품질관리심사기관에서 시행규칙 별표 3의 의료기기 제조 및 품질관리기준에 따라 심사하여 발급한 "품질관리기준적합안전서"

(4) 생산국 정부에서 당해 품목을 의료기기로 정하지 아니한 경우 또는 1등급 의료기기(멸균 의료기기 제외)인 경우에는 식품의약품안전청장이 인정하는 기관(KTL, BSI, TUV, UL, CSA, DNV 등)에서 발행한 ISO 9001 적합인정 서류

(5) 1등급 의료기기(멸균의료기기 제외)인 경우에는 당해 품목에 대한 시험검사 성적서 등 적정한 품질관리시험을 실시하고 있음이 인정되는 서류

(6) 수입품목 허가신청시 제출서류중 인정되는 제조 · 판매증명서의 요건은 의료

기기의 제조회사명, 제조소 소재지, 제품명 및 형명 등이 명기되어야 하며, 제조국 정부에서 품목허가 등의 제도가 없거나 상이하여 명기사항 중 일부가 생략되거나 제조·판매증명서를 제출할 수 없는 등의 경우에는 제조국 정부에서 발행한 입증자료나 관련 근거규정을 제출할 수 있다.

14. 수입품목 신고

수입품목신고대상은 1등급 중 이미 허가를 받거나 신고한 품목과 구조·원리·성능·사용목적 및 사용방법 등이 본질적으로 동등한 품목으로서 다음의 서류를 첨부하여 관할지방식품의약품안전청장에게 신고하면 된다.

(1) 시설내역서 또는 위탁계약서 사본(다만, 유형군이 같을 경우 생략)
(2) 의료기기 제조 및 품질관리기준과 동등 이상이거나 국제기준에 적합함을 인정하는 서류
(3) 제조· 판매증명서

15. 수입업자의 준수사항

(1) 보건위생상 위해가 없도록 영업소의 시설을 위생적으로 관리할 것
(2) 출고된 의료기기가 안전성 및 유효성을 해치거나 품질이 불량한 경우에는 지체없이 회수하는 등의 시정조치를 취하고 그 결과를 식품의약품안전청장에게 보고하되, 그 기록을 2년 이상 보존할 것
(3) 허가를 받거나 신고한 품목의 안전성 및 유효성과 관련된 새로운 자료나 정보(의료기기의 사용에 관한 부작용 발생사례를 포함한다)를 알게 된 경우에는 식품의약품안전청장이 정하는 바에 따라 보고하고 필요한 안전대책을 강구할 것
(4) 별표 5에 의한 수입 및 품질관리기준을 중수하고, 동 기준에 적합함을 판정받은 수업의료기기를 판매할 것
(5) 대외무역법 제15조의 규정에 따라 산업자원부장관이 공고하는 의료기기의 수출입요령과 식품의약품안전청장이 정하는 수입의료기기의 관리에 관한 규정을 준수할 것

(6) 중고의료기기를 수입하는 경우에는 시험검사기관의 검사 필증을 부착하여 판매할 것
(7) 전년도의 수입실적을 매년 4월 15일까지 식품의약품안전청장이 정하는 바에 따라 식품의약품안전청장에게 보고할 것. 다만, 전자무역촉진에관한법률 제2조 제6호의 규정에 의한 전자문서교환방식으로 표준통관예정보고를 한 경우에는 이를 보고하지 아니할 수 있음

16. 수리업의 신고

의료기기의 수리를 업으로 하고자 하는 자는 식품의약품안전처장에게 다음의 서류를 첨부하여 신고하면 된다.

- 법 제6조 제6항 제1호 및 제3호에 해당하지 아니함을 증명하는 진단서로서 6월이 경과되지 아니한 것(법인의 경우 제외)

17. 수리업의 변경 · 폐업 등의 신고

(1) 신고한 사항을 변경하고자 하는 경우에는 신고증과 변경사유 및 그 근거서류(전자문서로 된 신고서 포함)를 첨부하여 식품의약품안전청장에게 제출
(2) 폐업 · 휴업하고자 하는 자는 신고서(전자문서로 된 신고서 포함)에 신고증을 첨부하여, 재개신고를 하고자 하는 자는 신고서(전자문서로 된 신고서 포함)를 식품의약품안전청장에게 제출

18. 수리업자의 준수사항

(1) 허가를 받거나 신고한 내용과 다르게 변조하여 의료기기를 수리하지 말 것
(2) 수리업자가 의료기기를 수리한 경우에는 상호 및 주소를 해당 의료기기의 용기 또는 외장에 기재할 것
(3) 수리업자는 의료기기의 수리를 의뢰한 자에 대하여 수리내역을 문서로 통보할 것
(4) 시설 및 품질관리체계를 유지할 것

19. 판매업 또는 임대업의 신고

의료기기의 판매나 임대를 업으로 하고자 하는 자는 신고서(전자문서로 된 신고서에 포함)에 제3조 제1항 제1호의 규정에 의한 서류(전자문서를 포함)를 첨부하여 시장·군수 또는 구청장에게 제출

20. 판매업 또는 임대업의 변경·폐업 등의 신고

(1) 변경신고서(전자문서로 된 신고서 포함)에 해당 신고증을 첨부하여 시장·군수 또는 구청장에게 제출
(2) 폐업·휴업하고자 하는 자는 신고서에 신고증(전자문서로 된 신고서 포함)을 첨부하여, 재개신고를 하고자 하는 신고서(전자문서로 된 신고서 포함)를 시장·군수 또는 구청장에게 제출

21. 판매업자·임대업자의 준수사항

(1) 제조·수입·판매업자가 아닌 자로부터 의료기기를 구입하지 아니할 것. 다만, 폐업하는 의료기관으로부터 구입하는 경우에는 그러하지 아니함

(2) 불량의료기기의 처리에 관한 기록을 작성·비치하고 이를 1년간 보존할 것

(3) 업소명칭 등을 사용함에 있어서 다음 각목에 규정된 표시를 고유명칭으로 하거나 영업소의 표시와 함께 사용하지 아니할 것
① 제조업자 또는 수입업자의 영업소로 오인하게 할 우려가 있는 표시
② 의료법에 의한 의료기관의 명칭 또는 이와 유사한 명칭으로 표시

(4) 다음 각목의 1에 해당하는 의료기기를 판매 또는 임대하거나, 판매 또는 임대의 목적으로 저장·진열하지 아니할 것
① 중고의료기기의 경우 검사 필증이 붙어있지 아니한 것
② 오염·손상되었거나 식품의약품안전청장 또는 관할지방식품의약품안전청장이 수거·폐기 할 것을 명한 것
③ 사용기한이나 유효기간이 지난 것

22. 용기 등의 기재사항

(1) 제조업자 또는 수입업자의 상호와 주소
(2) 수입품의 경우는 제조원(제조국 및 제조사명)
(3) 제품명, 형명(모델명), 품목허가(신고)번호
(4) 제조번호와 제조연월일
(5) 중량 또는 포장단위

[참고] 그 면적이 좁거나 용기 또는 외장에 모두 기재할 수 없을 경우 외부의 용기나 외부의 포장 또는 첨부문서에 기재 : 이 경우, 제품명, 제조·수입업자의 상호는 당해 의료기기의 용기나 외장에 기재

23. 첨부문서의 기재사항

(1) 사용방법 및 사용시 주의사항, 보수점검이 필요한 경우 보수점검에 관한 사항, 제 18조의 규정에 의하여 식품의약품안전청장이 기재하도록 정하는 사항
(2) "의료기기"라는 표시
(3) 제품의 사용목적
(4) 보관 또는 저장방법
(5) 1회용인 경우 '일회용'이라는 표시
(6) 모든 공정 위탁의 경우, 제조업자 또는 수입업자의 상호와 주소
(7) 낱개모음으로 한 개씩 사용할 수 있도록 포장하는 경우 최소단위명에 형명과 제조회사명
(8) 멸균 후 재사용이 가능한 의료기기인 경우 그 청소, 소독, 포장, 재멸균 방법과 재사용횟수의 제한내용을 포함하여 재사용을 위한 적절한 절차에 대한 정보
(9) 의료기기가 의학적 치료목적으로 방사선을 방출하는 경우, 방사선의 특성·종류·강도 및 확산 등에 관한 사항
(10) 그 밖에 의료기기의 특성 등 기술정보에 관한 사항

[참고] 제1호 내지 제7호의 사항을 용기 또는 외장이나 포장에 기재한 경우에는 첨부문서에 그 기재를 생략할 수 있음

24. 임상시험용 의료기기의 첨부문서 기재사항

(1) "임상시험용"이라는 표시
(2) 제품의 형명
(3) 제조번호 및 제조일자
(4) 보관(저장)방법
(5) 제조업자 또는 수입업자의 상호(위탁제조 또는 수입의 경우에는 제조원과 국가명 포함)
(6) "임상시험용 외의 목적으로 사용할 수 없음"이라는 표시

25. 기재사항의 표시방법

의료기기의 용기나 외장의 기재사항, 외부포장 등의 기재사항, 첨부문서의 기재사항은 다음과 같이 하여야 한다.

(1) 한글로 기재하여야 함
(2) 한글과 같은 크기의 한자 또는 외국어를 함께 기재할 수 있음
다만, 수출용 의료기기에 대하여는 그 수출대상국의 외국어로 기재할 수 있음
(3) 점자표기 병행이 가능함

26. 의료기기의 광고의 범위 등

금지되는 광고는 다음과 같다.

(1) 의사 · 치과의사 · 한의사 · 약사 또는 기타의 자가 의료기기를 지정 · 공인 · 추천 · 지도 또는 사용하고 있다는 내용 등의 광고. 다만, 국민보건을 위하여 국가 · 지방자치단체 기타 공공단체가 이를 지정하여 사용하고 있는 사실을 광고하는 경우에는 그러하지 아니함
(2) 외국제품을 국내제품으로 또는 국내제품을 외국제품으로 오인하게 할 우려가 있는 광고
(3) 효능이나 성능을 광고함에 있어서 사용 전 · 후의 비교 등으로 그 사용결과를

표시 또는 암시하거나 적응증상을 위협적인 표현으로 표시 또는 암시하는 광고

(4) 사실유무와 관계없이 다른 제품을 비방하거나 비방한다고 의심되는 광고

(5) 사용자의 감사장 또는 체험담을 이용하거나 구입・주문쇄도 그 밖에 이와 유사한 표현을 사용한 광고

(6) 효능・효과를 광고함에 있어서 "이를 확실히 보증한다"라는 내용 등의 광고 또는 "최고", "최상" 등의 절대적 표현을 사용한 광고

(7) 의료기기를 의료기기가 아닌 것으로 오인하게 할 우려가 있는 광고

(8) 의료기기의 효능・효과 또는 사용목적과 관련되는 병의 증상이나 수술장면을 위협적으로 표시하는 광고

[주의] 의료기기를 광고하고자 하는 자는 금지된 광고에 해당되는지 여부에 관하여 식품의약품안전청장이 정하는 바에 따라 사전에 심사를 의뢰할 수 있음

27. 추적관리

추적관리대상 의료기기는 다음과 같다.

(1) 인체 안에 1년 이상 삽입되는 의료기기

① 이식형 인공심장 박동기

② 이식형 인공심장 박동기와 연결되는 영구 설치용 전극

③ 인공심장판막

④ 이식형 심장충격기

⑤ 이식형 의약품주입기

⑥ 그 밖에 식약청장이 소재파악의 필요성이 있다고 정하여 고시하는 의료기기

(2) 생명유지용 의료기기 중 의료기관 이외의 장소에서 사용이 가능한 의료기기

① 인공호흡기(상시착용에 한함)

② 체외형 인공심장박동기

③ 그 밖에 식약청장이 소재파악의 필요성이 있다고 정하여 고시하는 의료기기

(3) 의료기기의 품목을 허가하는 경우에는 그 품목허가증에 추적관리대상 의료기

기라고 기입한다.

(4) 추적관리 대상의료기기 취급자별 기록사항은 다음과 같다.

① 취급자(제조 · 수입 · 판매 · 임대 · 수리업자)

㉠ 형명별 · 제조단위별 제조 · 수입량 및 제조 · 수입일시(제조 · 수입업자에 한함)

㉡ 형명별 · 제조단위별 판매 또는 임대수량, 판매 또는 임대일시 및 판매업자 또는 임대업자의 상호와 주소

㉢ 그 밖에 보건위생상 위해발생을 방지하기 위하여 필요한 사항

② 사용자(의료기관 개설자 및 의사 · 한의사 · 치과의사 등)

㉠ 추적관리대상 의료기기를 사용하는 환자의 성명, 주소, 생년월일 및 성별

㉡ 추적관리대상 의료기기의 명칭 및 제조번호 또는 이를 갈음한 것

㉢ 추적관리대상 의료기기를 사용한 연월일

㉣ 사용 의료기관의 명칭 및 소재지

㉤ 그 밖에 보건위생상 위해발생을 방지하기 위하여 필요한 사항

(5) 식품의약품안전청장의 자료제출의 요구 후 10일 이내에 자료를 제출하여야 하며, 기록에 대한 비밀을 보장하고 사용 환자 사망 및 추적관리의 필요성이 없게 될 경우까지 기록을 보존하여야 한다.

28. 부작용 보고

의료기기취급자는 의료기기를 사용하는 도중에 사망 또는 심각한 부작용이 발생하였거나 발생할 우려가 있음을 인지한 경우 다음과 같이 식품의약품안전청장에게 보고하고 그 기록을 2년간 보존하여야 하며, 부작용 보고 및 관리에 관한 세부사항은 식품의약품안전청장이 정하여 고시하도록 되어 있다.

(1) 사망이나 생명에 위협을 주는 부작용이 발생한 경우, 7일 이내에 보고하고, 상세한 내용은 이후 8일 이내에 추가로 보고

(2) 입원 또는 입원기간의 연장이 필요한 경우, 회복이 불가능하거나 심각한 불구 또는 기능저하를 초래하는 경우, 선천적 기형 또는 이상을 초래하는 경우는 15일 이내에 보고

29. 등급의 재분류 신청 및 지정절차

(1) 식품의약품안전청장은 이해관계인 등의 신청이 있거나 재분류의 필요가 있다고 인정되는 경우에는 의료기기위원회의 심의를 거쳐 품목별 등급을 재분류할 수 있도록 하고 있다.

(2) 식품의약품안전청장이 재분류를 하는 때에는 잠재적 위해성의 정도와 다음의 기준에 의한 타당성을 검토하여야 한다.

① 품목별 설명내용과 해당 의료기기의 사용목적, 용도, 원리, 특성 및 기능 등이 유사한 동일 품목에 해당되는지 여부

② 이미 분류되어 지정·관리되는 품목과 비교하여 안전성 및 성능이 충분히 확보되어 있는지 여부

(3) 등급의 재분류를 신청하고자하는 자는 의료기기법시행규칙 별지 제33호서식의 신청서에 다음의 자료를 첨부하여 식품의약품안전청장에게 제출하여야 한다.

① 기술문서 등에 관한 자료

② 재분류 대상 의료기기와 유사한 다른 의료기기와의 구조·원리, 성능, 사용목적, 사용방법 등 기술적 특성의 비교·분석에 관한 자료

(4) 다목의 규정에 따라 등급의 재분류 신청을 받은 식품의약품안전청장은 이를 90일 이내에 심사·결정한 후 그 결과를 신청인에게 통보하고, 이를 고시하도록 하고 있다.

30. 제조시설 및 품질관리체계의 기준

(1) 제조소의 시설

제조업자는 제조소에 다음의 시설 및 기구를 갖추고 이를 유지하여야 하며, 정기

적으로 점검하여 의료기기의 제조 및 품질관리에 지장이 없도록 하여야 한다.

① 제조작업을 행하는 작업소
② 원료·자재 및 제품의 품질관리를 행하는 시험실
③ 원료·자재 및 제품을 보관하는 보관소
④ 제조 및 품질관리에 필요한 시설 및 기구

(2) 제조소의 시설기준

제조소에는 다음의 기준에 적합한 작업소와 보관소를 두어야 한다.

① 작업소
㉠ 쥐·해충·먼지 등을 막을 수 있는 시설을 할 것
㉡ 멸균을 요하는 제품을 제조하는 작업소의 천장은 먼지가 떨어질 우려가 없도록 마무리되어야 하고, 바닥과 벽은 매끄럽게 하여 먼지나 오물을 쉽게 제거할 수 있게 하여야 하며, 천장·바닥·벽의 표면은 소독액의 분무세척에 견딜 수 있도록 되어 있을 것
㉢ 작업소에는 작업대를 두고, 멸균을 요하는 제품을 제조하는 경우에는 멸균시설을 둘 것

② 보관소에는 원료·자재 및 제품을 위생적이고 안전하게 보관할 수 있도록 설비할 것

③ 제조공정 및 시험의 위탁범위 : 제조업자는 의료기기의 제조공정 또는 시험을 다음 기준에 해당하는 자에게 위탁할 수 있으며, 이 경우 제1호의 규정에 의한 제조소의 시설 중 위탁한 공정에 관련된 제조시설 및 기구나 시험에 관련된 시설 및 기구를 갖추지 아니할 수 있다.
㉠ 제조공정을 수탁할 수 있는 자의 범위
ⓐ 위탁하고자 하는 품목과 동일한 유형군에 속하는 품목에 대하여 의료기기법시행규칙 별표 3에 의한 의료기기 제조 및 품질관리기준에 적합함을 판정 받은 제조업자
ⓑ 의료기기 외의 제조업자로서 자동에어로졸충전·연필제조·가스주입·

도금 · 주물 · 단조(鍛造) · 판금 · 사출(寫出) · 인쇄 · 코팅 · 도장 · 멸균 · 직조 · 타면(打綿) · 설계에 관한 공정을 수행하는 자

ⓒ 의료기기 외의 물품제조업자로서 부분품 또는 부품의 제조를 전문으로 하는 자

㉡ 품질관리를 위한 시험검사를 수탁할 수 있는 자의 범위

ⓐ 의료기기법시행규칙 별표 3에 의한 의료기기 제조 및 품질관리기준에 적합함을 판정받은 제조업자

ⓑ 의료기기법 제29조의 규정에 의한 식품의약품안전청에 등록된 의료기기 시험검사기관

31. 의료기기 제조 및 품질관리기준

(1) 품질경영시스템

제조업자는 제조 및 품질관리를 위하여 조직, 책임, 절차, 공정 및 자원 등을 효율적으로 관리하기 위한 품질경영시스템을 수립하고 품질매뉴얼 등의 문서로 작성하여야 한다.

(2) 품질경영시스템의 문서화 및 실행

제조업자는 다음 사항에 대한 절차와 방법 등 세부내용을 문서화하고 그에 따라 품질경영시스템을 실행하여야 한다.

① 품질방침
② 계약검토
③ 설계관리
④ 문서 및 자료관리
⑤ 구매관리
⑥ 제품의 식별 및 추적관리
⑦ 제조공정의 관리
⑧ 구매품 및 제품의 시험검사

⑨ 부적합품의 관리
⑩ 측정장비의 관리
⑪ 시정 및 예방조치
⑫ 제품의 취급, 보관, 포장, 보존 및 인도에 관한 사항
⑬ 교육훈련
⑭ 그 밖에 제품의 타당성확인(validation) 등 제조 및 품질관리에 필요한 사항

(3) 책임과 권한

제조업자는 품질에 영향을 미칠 수 있는 구성원에 대하여 그 책임과 권한, 구성원 간 상호관계를 정하고 이를 문서화하여야 한다.

(4) 품질책임자의 지정

제조업자는 조직의 관리자 중 한 사람을 품질책임자로 지정하여 다음의 업무를 수행하도록 하여야 하며, 품질책임자가 업무를 수행하는데 지장을 주어서는 아니 된다.

① 제조소의 품질관리에 관한 업무
② 제조소의 품질관리 결과의 평가 및 제품의 출하여부 결정
③ 이 기준에 따른 품질경영시스템의 확립・시행 및 유지

(5) 품질기록의 관리

① 제조업자는 제조 및 품질관리를 실행하는 데 필요한 각종 기록의 식별, 수집, 색인, 열람, 파일링(filing), 보관, 유지 및 폐기에 대한 절차를 문서로 작성하여 관리하여야 한다.
② 모든 품질기록은 손상, 손실 또는 열화를 방지할 수 있는 시설 내에서 즉시 검색이 가능하도록 보관하여야 한다.

(6) 품질감사 등

① 내부품질감사 : 제조업자는 이 기준의 적합성 유지를 위하여 내부품질감사의

계획 및 실행을 위한 절차를 문서로 작성하고 정기적으로 수행하여야 하며, 그 수행결과는 제조 및 품질관리에 활용하여야 한다.

② 외부품질감사 : 제조업자는 의료기기법시행규칙 제15조 제1항 제6호의 규정에 의한 제조 및 품질관리기준의 준수상황을 식품의약품안전청장이 정하여 고시하는 바에 따라 정기심사를 받아야 한다.

(7) 적합성평가

① 의료기기법시행규칙 제15조 제 1항 제6호의 규정에 의하여 이 기준에 적합함을 인정 받거나 또는 준수상황에 대한 정기심사를 받고자 하는 자는 식품의약품안전청장에 등록된 의료기기 품질관리심사기관의 장에게 식품의약품안전청장이 정하는 바에 따라 신청서를 제출하여야 한다.

② 품질관리심사기관의 장은 적합인정 또는 정기심사를 신청한 업소에 대하여 식품의약품안전청 소속 의료기기 감시원 1인을 포함한 심사단을 구성하여 서류검토 및 합동심사를 실시하여야 한다.

③ 품질관리심사기관의 장은 나목(?)에 의한 서류검토 및 합동시사 결과, 이 기준에 적합하다고 인정하는 경우에는 식품의약품안전청장이 정하는 바에 따라 "품질관리기준적합인정서"를 발급하여야 하고 그 결과를 식품의약품안전청장이 정하는 바에 따라 "품질관리기준적합인정서"를 발급하여야 하고 그 결과를 식품의약품안전청장에게 보고하여야 한다.

④ 식품의약품안전청장은 품질관리심사기관이 보고한 내용에 따라 관련 규정에 의한 행정조치를 취해야 한다.

(8) 세부기준

식품의약품안전청장은 제조 및 품질관리에 관한 세부사항과 의료기기의 시설 및 품질관리체계를 심사·평가하기 위한 품질관리심사기관의 등록에 필요한 절차·방법·요건 및 관리방법과 이 기준에서 정하지 아니한 사항을 정하여 고시하도록 하고 있다.

32. 품질검사시설 및 품질관리체계의 기준

(1) 수입업소의 시설

수입업자는 수입업소에 다음 각목의 시설 및 기구를 갖추고 유지하여야 하며, 이를 정기적으로 점검하여 의료기기의 수입 및 품질관리에 지장이 없도록 하여야 한다.

① 수입업무를 행하는 영업소
② 제품을 보관하는 창고
③ 품질관리를 위한 시험이 필요한 경우 시험실과 당해 시험에 필요한 시험시설. 다만, 시험을 위탁하는 경우 위탁시험에 관련된 시험실 또는 시험시설을 갖추지 아니할 수 있다.

(2) 수입업소의 시설기준

수입업소의 시설은 다음의 기준에 적합하여야 한다.

① 제품의 수입 시 상태를 유지할 수 있는 시설을 둘 것
② 저온보관시설 또는 빛 가림을 위한 시설을 할 것(제품의 저온보관이 필요하거나 빛을 받는 경우에는 제품의 기능에 지장이 있는 제품의 경우에 한한다)
③ 보관방법이 정하여진 품목을 취급하는 경우에는 그 조건을 유지할 수 있는 시설을 설치할 것

33. 수입 및 품질관리기준 주요내용

(1) 기준서의 종류

수입업자는 수입의료기기의 품질관리를 적절히 이행하기 위하여 제품표준서 및 수입관리기준서를 작성하여 비치하여야 한다.

(2) 제품표준서

수입업자는 제품표준서를 품목마다 작성하여야 하며, 제품표준서에는 다음 각목의 사항이 포함되어야 한다.

① 의료기기의 품명 및 형명
② 수입의료기기의 제조업자명 및 제조국명
③ 형상 및 구조 · 완제품의 자가품질관리시험규격
④ 법 제19조 내지 법 제22조의 규정에 의하여 의료기기 용기등에 기재하여야 할 사항
⑤ 설치방법 및 순서(설치관리가 필요한 의료기기에 한한다)
⑥ 멸균방법 · 멸균기준 및 멸균판정에 관한 사항(멸균 의료기기에 한한다)
⑦ 제품설명서의 재정자 및 재정연월일(개정한 경우에는 개정자 · 개정연월일 및 개정사유를 기재한다)

(3) 수입관리기준서

수입관리기준서에는 다음 각목의 사항이 포함되어야 한다.

① 제품관리 및 시험검사에 관한 사항
② 시험검사결과 판정 및 불합격품의 처리에 관한 사항
③ 시험검사시설의 관리에 관한 사항
④ 수입의료기기의 제조업자와의 연락방법
⑤ 수입의료기기 제조업자의 제조 및 품질관리상황에 대한 확인사항
⑥ 수입관리기준서의 제정자 및 제정연월일(개정한 경우 개정자 · 개정연월일 및 개정사유를 기재한다)

(4) 품질책임자의 지정

수입업자는 수입업소마다 1인 이상의 품질책임자를 두어 품질관리에 관한 업무를 수행하도록 하고, 2인 이상의 품질책임자를 둔 때에는 그 업무를 분장하여 책임의 한계를 명확하게 하여야 한다.

(5) 품질책임자의 임무

품질책임자는 다음 각목의 사항을 이행하여야 한다.

① 품질관리를 적절히 이행하기 위하여 제품표준서 및 수입관리기준서를 비치 ·

활용하여야 한다.

② 가목의 서류를 기준으로 하여 작업지시서를 작성하고, 기준에 적합하게 운영되고 있는지 여부를 점검·확인하여야 한다,

③ 수입의료기기의 제조업자가 적정한 제조 및 품질관리를 하고 있는지 여부를 확인하여야 한다.

(6)수입제품의 품질관리업무

① 수입의료기기의 표시사항 및 포장에 대하여 적합여부를 확인하고, 그 기록을 작성하여야 한다.

② 수입의료기기 및 부속품의 보관·출하에 대하여 관리기록을 작성하여야 한다.

③ 수입의료기기의 당해 제조소의 품질관리실태에 대한 적합성을 확보하기 위하여 생산국의 정부, 생산국의 정부가 위임한 기관, 또는 식품의약품안전청장이 인정하는 기관에서 해당 수입의료기기를 제조하는 제조소의 품질관리실태가 별표 3의 의료기기제조및품질관리기준과 동등이상이거나 국제기준에 적합함을 인정하는 서류로서 2년이 경과되지 아니한 것(유효기간이 기재된 것은 유효기간 이내의 것)을 비치하여야 한다.

④ 제품보관시설을 점검하여 그 기록을 작성하여야 한다.

⑤ 수입의료기기가 중고품일 경우에는 시험검사기관의 검사필증이 붙은 것이 아니면 출하하지 말아야 한다.

(7) 외부품질심사

수입업자는 의료기기법시행규칙 제20조 제1항 제5호의 규정에 의한 수입 및 품질관리기준의 준수상황을 식품의약품안전청장이 정하여 고시하는 바에 따라 정기심사를 받아야 한다.

(8) 시정조치

수입업자는 의료기기의 품질에 관하여 불만이 발생한 경우 수입관리자가 그에 대한 원인규명과 시정조치를 취할 수 있도록 관련절차를 마련하고 이를 이행하여야 한다.

(9) 기록

수입업자는 다음 각목의 기록을 작성하여 관리하여야 한다.

① 제6호의 수입제품의 품질관리업무에 관련된 기록
② 시정조치에 관한 기록
③ 그 밖에 이 기준에 의한 업무처리에 관한 기록

(10) 교육

수입업자는 작업원이 맡은 업무를 효과적으로 수행하고 수입의료기기에 대한 품질을 확보할 수 있도록 작업원에 대하여 품질관리에 관한 교육계획을 수립하고 문서로 작성하여 관리하여야 한다.

(11)적합성 평가

① 의료기기법시행규칙 제20조 제1항 제4호의 규정에 따라 이 기준에 적합함을 인정 받거나 준수여부에 대한 정기심사를 받고자 하는 자는 품질관리심사기관의 장에게 식품의약품안전청장이 정하여 고시하는 바에 따라 신청서를 제출하여야 한다.
② 품질관리심사기관의 장은 적합인정 또는 정기심사를 신청한 수입업소에 대하여 식품의약품안전청 소속 의료기기감시원 1인을 포함한 심사단을 구성하여 서류검토 및 합동심사를 실시하여야 한다.
③ 품질관리심사기관의 장은 나목에 의한 서류검토 및 합동심사 결과, 이 기준에 적합하다고 인정하는 경우에는 식품의약품안전청장이 정하는 바에 따라 "수입품질관리기준적합인정서"를 발급하여야 하고 그 결과를 식품의약품안전청장에게 보고하여야 한다.
④ 식품의약품안전청장은 품질관리심사기관이 보고한 내용에 따라 관련 규정에 의한 행정조치를 취하여야 한다.

(12) 세부기준

이 기준에서 정하지 아니한 세부사항은 식품의약품안전청장이 정하여 고시하도록 하고 있다.

34. 수리업의 시설 및 품질관리체계 기준 주요내용

(1) 시설관리

수리업자는 당해 의료기기의 수리 및 시험에 필요한 시설 및 기구를 갖추어야 한다.

(2) 수리관리 기록서

수리업자는 수리관리기록을 품목마다 작성하여야 하며, 수리관리기록서에는 다음 사항이 포함되어야 한다.

① 의료기기의 품명 및 형명
② 의료기기의 제조업자(수입업자)명 및 제조국
③ 제조연월일 및 수리연월일
④ 점검확인결과서
⑤ 주요수리내용
⑥ 수리시설의 관리에 관한 기록

(3) 책임기술자의 임명

수리업자는 수리업무를 책임 관리하는 자로서 수리하는 의료기기의 분야에 관하여 적합한 자격을 가진 책임기술자를 두어야 한다.

(4) 책임기술자의 임무

① 수리관리기록서의 작성 · 비치 및 활용
② 수리 작업 후 적정하게 수리 되었는지 여부의 확인 · 점검
③ 수리 후 결과에 대한 품질보증을 위한 점검확인과 그 결과의 기록 · 유지

(5) 시정조치

수리업자는 수리한 의료기기의 품질에 관하여 불만이 발생한 경우 책임기술자로

하여금 그에 대한 원인규명과 시정조치를 취할 수 있도록 하는 절차를 정하고 이를 이행하여야 한다.

(6) 기록

다음 기록을 작성하고 이를 유지하여야 한다.

① 수리관리 업무에 관련된 기록
② 시험검사장비를 포함한 수리시설에 관한 기록
③ 시정조치에 관한 기록
④ 그 밖에 이 기준에 의한 업무처리에 관한 기록

10.4 의료기기의 생물학적 안전

'의료기기의 생물학적 안전에 관한 공통 기준규격' 의료기기법 제18조의 규정에 의하여 의료기기의 품질에 대한 기준으로서 생물학적 안전에 관한 공통적인 기준규격을 정하고 있다. 본 기준규격은 의료기기의 기술문서 작성 및 tal사 시 활용되는 규격으로, 의료기기 및 워자재의 안전성과 관련된 생물학적 평가시험의 선전에 관한 총채적인 지침을 제시하고 있으며, 기술문서 작성자에게편의를 제공하고, 기술문서 심사의 공정성 및 투명성을 제공함으로써 의료기기의 품질관리에 적정을 기하는데 그 목적을 두고 있다. 본 기준규격은 귀장 기준규격으로서 강제요건이 아니며 제품의 특성에 따라 개별 기준규격을 적용할 수 있다.

1 의료기기의 생물학적 평가에 적용되는 일반 원리

(1) 사람에게 사용하고자 하는 의료기기나 원자재를 선정하고 평가하기 위해서는 체계적인 평가 프로그램이 필요하다.
평가의 설계 시 관련 정보에 입각한 결정을 해야 하며, 원자재와 시험과정에 대한 다양한 선택들의 장·단점을 고려하고 그 사항을 기록하여야 한다. 완제품 사용이 적합하고 안전하다는 것을 보증하기 위해 평가 프로그램은 생물학적 평가를 포함하도록 해야 한다. 생물학적 안전성 평가는, 다양한 물질 및 이용 가능한 시험방법의 장/단점을 고려하여 전문적인 결정을 내릴 수 있고 관련지식과 경험이 풍부한 평가자가 계획하고, 수행하며, 문서화해야 한다.

(2) 의료기기의 제조에 사용되는 원자재의 선택에 있어서 원자재의 성질(화학적, 독성학적, 물리학적, 전기적, 형태적, 기계적 성질 등)과 특성이 사용목적에 적합한가를 우선적으로 고려하여야 한다.

(3) 다음은 의료기기의 생물학적 평가와 관련하여 고려해야 할 사항이다.
① 제조에 사용되는 원자재
② 공정과정에서의 첨가물, 혼합물, 잔류물
③ 용해물(leachable substances)
④ 분해산물(degradation products)
⑤ 완제품에서의 기타 구성성분 및 구성성분의 상호작용
⑥ 완재품의 성질과 특성
※ 생물학적 평가 이전에 완제품에서 용출될 수 있는 화학물질(extractable chemical)에 대한 정성 및 정량 평가가 이루어져야 한다.

(4) 생물학적 평가에 사용되는 시험방법과 시험결과의 분석에는 의료기기 또는 부분품이 인체와 접촉하는 빈도, 시간, 접촉상태, 원자재의 화학적 성분 등이 고려되어야 한다. 이 원리에 따라 의료기기를 분류하여 적절한 시험을 선정한다. 본 시험규격은 재료 또는 완제품에 대하여 행하는 시험에 적용된다.

(5) 광범위한 생물학적 위해에는 다음이 포함될 수 있다.
① 단기적 영향(급성독성시험, 피부, 안구 및 점막에 대한 자극성시험, 감작성시험, 용혈성 및 혈전형성[thrombogenicity]시험 등이 포함된다.
② 장기적 혹은 특정한 독성영향(아만성[24시간 이상 시험동물 수명의 10% 이내로 1회 노출 또는 반복 노출 시켰을 때 나타나는 독성] 및 만성독성시험, 감작성시험, 유전독성시험, 발암성시험, 최기형성[배 발생 시 기형형성]을 포함한 생식독성시험 등이 포함된다)

(6) 모든 잠재적인 생물학적 위해는 각각의 원자재 및 완제품에 대하여 고려되어야 하지만, 모든 잠재적 위해에 대해서 시험이 필요하거나 시행되어야 함을 의미하는 것은 아니다.

(7) 체외 혹은 체내시험은 최종 사용용도를 근거하여 설정되어야 하며, 충분한 지식을 갖춘자가 우수시험실관리기준(good laboratory practice)에 적합하게 시행하여야 한다. 체내 시험을 시행하기 위전에 체외시험이 선행되어야 한다. 시험결과는 독립적으로 분석할 수 있는 범위까지 분석하고, 분석한 자료는 보관하여야 한다.

(8) 다음 사항 중 한 가지 이상에 해당된다면 생물학적 재평가가 고려되어야 한다.
① 제품 원자재의 출처나 사양의 변화
② 조성, 공정, 1차 포장 또는 멸균방법에 대한 변화
③ 저장중인 완제품의 변화
④ 제품의 사용목적의 변화
⑤ 사람에게 사용되었을 때 부작용이 발생할 수 있다는 증거가 있는 경우

(9) 본 기준규격에 의한 생물학적 평가는 의료기기의 제조에 사용되는 원자재 성분의 특성과 유동성, 비임상시험, 임상시험, 시판 후 발생되는 부작용 등이 고려되어야 한다.

2. 의료기기의 분류

(1) 접촉의 특성에 따른 분류

① 비접촉형 의료기기

환자의 인체에 직접 혹은 간접적으로 접촉하지 않는 의료기기와 본 기준규격에 포함되지 않는 의료기기를 말한다.

② 표면접촉형 의료기기

다음과 같이 인체에 접촉하는 의료기기를 말한다.

㉠ **피부** : 피부(손상되지 않은 피부)에만 접촉하는 의료기기(의료용 전극[electrodes], 외부 보철물[external prostheses] 등)

㉡ **점막** : 점막과 접촉하는 의료기기{콘택트렌즈, 요도카테터, 질 내벽 및 내부 장기 관련 의료기기[위 튜브(stomach tubes), 에스(S)자 결장경(sigmoidoscopes), 결장경(colonoscopes), 위내시경(gastroscopes)], 기관용 튜브(endotracheal tubes, Tracheal tube), 기관지경(bronchoscopes), 치과용 충전재, 치과교정용 장치, 자궁내 피임기구 등}

㉢ **파열된 혹은 외상 표면** : 파열되거나 손상된 표면과 접촉하는 의료기기(궤양, 화상, 육아조직의 드레싱 혹은 치료기구 및 폐쇄형 첩포 등)

③ 체내외 연결형 의료기기(External communicating devices)

다음과 같이 인체에 접촉하여 인체에 삽입된 상태에서 외부와 연결되는 의료기기를 말한다.

㉠ **혈액과 간접적으로 접촉** : 혈관의 한 지점에서 접촉하여 혈관계 입구의 도관역할을 하는 의료기기(수액세트, 수혈세트 등)

㉡ **조직, 뼈 및 상아질계와 접촉** : 조직, 뼈 및 상아질계와 접촉하는 의료기기(복강경, 관절경, 치과용 시멘트, 치과용 충전재 및 피부 스테플 등)

㉢ **순환 혈액과 접촉** : 순환하는 혈액과 접촉하는 의료기기(혈관내 카테터, 인공심장 박동기 전극, 산소공급기, 체외 산소공급 튜브 및 부속품, 투석기, 투석기 튜브 및 부속품 등)

④ 체내 이식형 의료기기(Implant devices)

다음과 같이 인체에 접촉하는 의료기기를 말한다.

㉠ **뼈** : 주로 뼈와 접촉하는 의료기기(정형외과용 핀, 플레이트, 인공관절, 인공뼈, 골시멘트, 및 골내에 사용하는 의료기기 등)

㉡ **조직** : 주로 조직 또는 조직액(tissue fluid)과 접촉하는 의료기기(인공심장박동기, 주입-배액용 튜브 · 카테터, 근육신경 센서 및 자극기, 인공힘줄, 인공유방, 인공후두, 의료용 클립 등)

㉢ **혈액** : 주로 혈액과 접촉하는 의료기기(인공심장박동기전극, 인공동정맥관, 인공심장판막, 인공혈관, 약물주입 카테터 및 심실 보조기구 등)

표 1. 초기 생물학적 평가 시험

의료기기 분류			생물학적 시험							
인체 접촉의 특성		접촉시간 A(≤24시간) B(24시간 ~30일) C(>30일)	세포 독성 시험	감작성 시험	자극성 시험 (피내 반응 시험)	급성 전신 독성 시험	아급성 독성 시험	유전 독성 시험	이식 시험	혈액 적합성 시험
분류	접촉부위									
표면 접촉 의료 기기	피부	A	×	×	×					
		B	×	×	×					
		C	×	×	×					
	점막	A	×	×	×					
		B	×	×	×	○	○		○	
		C	×	×	×	○	×	×	○	
	파열된 표면 또는 외상 표면	A	×	×	×	○				
		B	×	×	×	○	○		○	
		C	×	×	×	○	×	×	○	
인체 에 삽입 되는 의료 기기	간접적인 혈액경로	A	×	×	×	×				×
		B	×	×	×	×	○			×
		C	×	×	○	×	×	×	○	×
	조직, 뼈 상아질+	A	×	×	×	○				
		B	×	×	×	×	×	×	×	
		C	×	×	×	×	×	×	×	
	순환혈액	A	×	×	×			○^		×
		B	×	×	×	×	×	×	×	×
		C	×	×	×	×	×	×	×	×
이식 용 의료 기기	조직/뼈	A	×	×	×	○				
		B	×	×	×	×	×	×	×	
		C	×	×	×	×	×	×	×	
	혈액	A	×	×	×	×	×			×
		B	×	×	×	×	×	×	×	×
		C	×	×	×	×	×	×	×	×

× = ISO 규격에서 지정한 시험

○ = 지정된 시험 외에 추가로 적용될수 있는 시험

Note +조직액과 피하공간을 포함함

Note ^ 체외연결관에 사용되는 모든 의료기기를 뜻함

(2) 접촉기간에 따른 분류

인체에 접촉하는 기간에 따라 다음과 같이 분류된다.

① **제한접촉** : 24시간 이내에 1회 혹은 반복 노출하는 의료기기
② **지속접촉** : 24시간 이상 30일 이내에 1회 혹은 반복 노출하는 의료기기
③ **영구접촉** : 접촉기간이 30일을 초과하며 1회 노출 혹은 반복 노출되는 의료기기

의료기기 또는 원자재가 2개 이상의 접촉기간 분류에 해당되면 보다 엄격한 시험기준이 적용되어야 한다. 반복 노출이 발생되는 의료기기에 대한 분류를 할 때는 잠재적인 누적효과와 노출이 지속되는 시간을 고려하여야 한다.

10.5 의료기기 안전성 유효성 심사

1. 「안전성 · 유효성 심사」의 대상 품목

(1) 이미 허가받은 사항 중 의료기기의 설계, 재료, 화학적 구성요소, 에너지원, 제조과정 등 제품의 안전성이나 유효성에 영향을 미치는 변경허가를 받고자 하는 품목
(2) 신개발의료기기와 법 제3조 및 식품의약품안전청장(이하 "식약청장"이라 한다)이 정한 의료기기품목별등급에 관한규정 제2조의 규정에 의한 4등급 품목

표 2. 안전성 유효성 심사시 첨부자료 목록

구분	심사대상	첨부 서류
안전성 · 유효성 심사	• 신개발의료기기 • 기허가품목과 상이(사용목적, 작용 원리, 원자재 등)하여 안전성 · 유효성에 영향을 미치는 의료기기	기술문서 심사 첨부자료 및 허가 자료 추가 가. 기원 및 개발경위에 관한 자료 나. 안전성에 관한 자료 다. 임상시험성적에 관한 자료 라. 외국의 사용현황 등에 관한 자료 마. 비교검토 및 특성에 관한 자료

중 안전성 · 유효성이 확인되지 아니한 의료기기

(3) (2)에 해당하는 수출용, 군수용 또는 관수용 의료기기를 국내 시판용으로 허가 조건을 변경하고자 하는 경우로서 이미 허가받은 제품과 본질적으로 동등하지 아니한 품목

2. 안전성 · 유효성 심사에 관한 자료

(1) 기원 또는 발견 및 개발경위에 관한 자료

당해 제품을 개발하기 위하여 적용한 원리, 사용방법, 제조방법 등에 대한 과학적인 타당성을 입증할 수 있는 자료

(2) 안정성에 관한 자료

① 안정성 또는 내구성(멸균 의료기기의 경우 멸균한 재질의 경시변화에 관한 사항 포함)에 관한 시험결과로서 개요 및 저장방법, 사용기한 설정 여부 등에 관한 자료

② 각 시험(장기보존시험, 가속시험, 가혹시험 등)에 대한 시험조건, 측정항목, 보존기간에 대한 자료와 시험방법, 시험결과 등에 관한 자료

(3) 임상시험성적에 관한 자료

① 식약청장의 승인을 받은 임상시험계획서에 의하여 식약청장이 지정한 임상시험기관에서 실시되고, 임상시험기관의 장이 발급한 자료

② 당해 의료기기의 개발국에서 허가 당시 제출되어 평가된 모든 자료(임상시험성적자료 등)로서 개발국 정부 또는 정부가 허가 업무를 위임한 등록기관이 제출받았거나 승인하였음을 확인한 자료 또는 이를 공증한 자료

③ 전문학회지에 게재된 자료

(4) 외국의 사용현황 등에 관한 자료

외국에서의 사용현황과 제조품목허가 경위와 관련한 자료

(5) 국내 · 외 유사제품과의 비교검토 및 당해 의료기기의 특성에 관한 자료

구조 · 원리, 사용목적, 사용방법 등에 관하여 유사의료기기와의 비교 · 검토한 자료 및 기존 다른 의료기기와 차별되는 당해 의료기기만의 성능 및 특성에 관한 자료

10.6 의료기기 기준 및 심사방법 · 심사규정

1. 기술문서의 정의

"기술문서"란 의료기기의 성능 및 안전성 등 품질에 관한 자료로서 당해품목의 원자재, 구조, 사용목적, 사용방법, 작용원리, 사용시 주의사항, 시험규격 등이 포함된 문서로서 심사의뢰서와 구비서류로 구성(의료기기법 제2조 정의)되며, 심사대상과 구비서류에 따라 「기술문서 변경 심사」와 「안전성 · 유효성 심사」로 분류됨

2. 「기술문서 심사」의 대상

의료기기법(이하 "법"이라 한다) 제6조, 제11조 및 제14조의 규정에 의하여 제조 또는 수입품목허가(변경허가를 포함)를 받고자 하는 의료기기 중 아래의 안전성 · 유효성 대상품목을 제외한 의료기기

(1) 의료기기 기술문서 등 심사의뢰서(의료기기법시행규칙 별지 제7호 서식)

(2) 기술문서 등 심사 첨부 자료

구분	심사대상	첨부 서류
기술문서 (변경)심사	2, 3, 4등급	가. 사용목적에 관한 자료 나. 물리 화학적 특성에 관한 자료 다. 전기 기계적 안전에 관한 자료 라. 생물학적 안전에 관한 자료 마. 방사선에 관한 안전성 자료 바. 전자파장해에 관한 자료 사. 성능에 관한 자료 아. 시험규격 및 실측치에 관한 자료

3. 의료기기기술문서 심사의뢰서 작성방법

(1) 제품명

① 품목명은 식약청장이 지정한 의료기기품목 및 품목별등급에 관한 규정에 명시된 사항에 맞을 경우 그 품목명 품목분류번호 및 등급을 기재

② 형명은 심사대상 제품의 형명을 기재

③ 조합의료기기 및 복합구성의료기기의 경우에는 각각의 의료기기별로 주된 사용목적 및 상위등급에 따라 기재

(2) 형상 및 구조

① 개요를 포함하여 형상 · 구조 · 중량 및 치수 등을 기재하며 제품이 액상 또는 분말인 경우에는 외관상 특징을 기재하고 제품의 칼라사진을 첨부

② 전기 · 기계적 원리를 이용하는 의료기기의 경우에는 제1호의 규정에 의한 형상 · 구조 · 중량 및 치수 이외의 각 부분의 기능, 작동원리, 전기적 정격, 전격에 대한 보호형식 및 보호정도, 안전장치 등을 기재하고, 전기 · 기계적 안전성을 검증할 수 있는 전기회로도 및 작동계통도 등을 첨부

(3) 원자재 : 아래 표에 따라 작성할 것

〈 의료용품 또는 치과재료 〉

일련번호	명칭	원재료 또는 성분 및 분량	규격	비고

〈 전기 또는 기계장치 〉

일련번호	부분품명	원재료 또는 성분 및 분량	규격	수량	비고

(4) 제조방법

① 제조방법은 위탁공정 검사공정 q및 멸균공정 등을 포함하는 제조공정의 흐름

에 따라 기재하며 각 공정에 대한 설명을 기재

② 수입의료기기에 대한 제조방법의 경우 '제조원의 제조방법에 따른다.'라고 기재할 수 있다.

③ 멸균의료기기의 제조방법의 경우 멸균방법 멸균조건 및 포장방법을 부가하여 기재

(5) 성능 및 사용목적

① 성능은 제품의 기능적 특성과 규격(성능)을 기재

② 사용목적은 제조자가 의도한 제조 및 사용목적에 따라 기재

(6) 조작방법 또는 사용방법

사용 전의 준비사항, 조작방법, 사용방법 사용 후의 보관 및 관리 방법을 기재하며, 특히 사용 전 멸균을 해야 하는 경우에는 그 멸균조건 및 방법을 정확히 기재

(7) 사용시 주의사항

경고의 표시와 의료기기의 특성을 고려한 사용대상 연령 · 사용대상 성별 · 사용대상 인체상태에 대한 주의사항, 전문의의 처방에 따른 사용상의 주의사항 및 사용상의 부주의에 따른 치명적인 부작용, 사고발생 등에 대한 주의사항 등을 기재하고, 안전사고의 예방이 필요한 사항이 있는 경우에는 이를 반드시 기재

(8) 포장단위, 저장방법, 유효기간

당해 제품의 품질을 유지하기 위하여 특정 저장이나 멸균 등의 관리가 필요한 의료기기인경우에는 안전성이 보장될 수 있도록 구체적인 저장방법(저장조건 등) 및 사용기간(유효기간)을 명기

(9) 시험규격

당해 제품의 특성에 따라 아래의 의료기기 시험항목 중에서 필요한 시험항목을 선정하고, 이에 따른 시험기준 및 방법을 기재

① 검액 조제조건 : 당해 의료기기의 안전성 확보를 위하여 물리·화학적 특성에 관한 시험 규격 및 생물학적 안전성 시험규격을 설정할 경우에는 검액 조제조건을 설정

② 물리 화학적 특성에 관한 시험 : 인체에 접촉 삽입되거나 인체에 주입하는 체액 또는 약물 등에 접촉하는 부분에 사용되는 의료기기 또는 의료기기의 부분품에 대해서는 화학구조시험 등 물리·화학적 특성에 관한 시험규격을 설정

③ 전기 기계적 안전성에 관한 시험 : 전기를 사용하는 의료기기에 대한 전기 기계적 안전을 검증하기 위해 필요한 시험규격

④ 생물학적 안전성에 대한 시험 : 인체에 접촉 삽입되거나 인체에 주입하는 혈액·체액 또는 약물 등에 접촉하는 의료기기의 안전성을 검증하기 위해 필요한 시험규격

⑤ 방사선에 관한 안전성 시험 : 방사선을 이용하는 의료기기는 구조와 관련된 방사선 안전에 관한 시험규격

⑥ 전자파장해에 관한 시험 : 전자파의 장해에 관한 시험이 필요한 의료기기의 경우 전자파에 관한 시험규격

⑦ 성능에 관한 시험 : 당해 의료기기의 기능, 성능 및 품질의 검증에 필요한 시험규격

⑧ 기타 안전성 유효성의 확인에 필요한 시험 : 당해 의료기기의 특성에 따라 멸균 및 멸균 잔류가스 등의 검증에 필요한 시험규격

4. 의료기기 기술문서

(1) 기술문서 심사에 관한 자료

① 사용목적에 관한 자료 : 당해 제품의 사용원리, 사용범위, 용도, 사용목적 등에 관한 자료

② 물리 화학적 특성에 관한 자료

㉠ 인체에 접촉 삽입되거나 인체에 주입하는 혈액·체액 또는 약물 등에 접촉하는 의료기기의 경우 해당 부분에 대한 물리·화학적 특성 및 안전성에 관한 자료

㉡ 치과재료 또는 고분자재료 등을 이용하는 의료기기의 경우 해당 재료에 대한 화학구조, 적외흡수, 자외흡수, 워자흡광, 융점, 비점, 내구성, 경도, 색조, 용출물, 표면특성 등의 물리·화학적 특성 및 안전성에 관한 자료

③ 전기 기계적 안전에 관한 자료 : 전기를 사용하는 의료기기의 경우에는 식약청장이 정한 의료기기의 전기·기계적 안전에 관한 공통기준규격이나 이와 동등 이상의 기준규격(IEC, ISO)에 의하여 실시한 시험(별도의 품목별 기준규격이 있는 의료기기에 대하여 추가로 실시한 시험을 포함)으로서 그 시험항목, 시험방법, 시험조건, 기준치, 시험결과, 시험시설, 시험책임자 등을 포함한 자료

④ 생물학적 안전에 관한 자료 : 인체에 접촉 삽입되거나 인체에 주입하는 혈액, 채액 또는 약물 등에 접촉으로 인하여 생물학적 안전이 요구되는 경우, 당해 의료기기 도는 의료기기의 부분품에 대하여 식약청장이 정한 의료기기의 생물학적 안전에 관한 공통기준규격이나 이와 동등 이상의 기준규격(ISO, JIS, ASTM 등)에 의하여 실시한 시험으로서 그 시험항목, 시험방법, 시험조건, 기준치, 시험결과, 시험시설, 시험책임자 등을 포함한 자료

⑤ 방사선에 관한 안전성 자료 : 방사선을 이용하는 의료기기이거나 방사선에 노출되는 등 당해 의료기기가 방사선에 관한 안전성이 요구되는 부분품의 경우는,

⑥ 전자파장해에 관한 자료 : 전자파 장해에 대하여 안전성이 요구되는 당해 의료기기 또는 의료기기 부분품에 대한 전자파장해에 관한 적합성을 시험한 자료

⑦ 성능에 관한 자료 : 당해 제품의 기능, 성능, 유효기간(사용시간), 동물실험 등을 포함한 전임상 성능시험 등을 검증한 자료

⑧ 제품의 성능 및 안전을 확인하기 위한 시험규격 및 그 설정 근거와 실측치에 관한 자료

5. 의료기기 기술문서 등 심사 기준

(1) 의료기기 기술문서 등 심사의뢰서의 내용에 대한 적정성 검토
(2) 첨부자료의 종류, 범위 또는 요건 등에 대한 적정성 검토

부 록

01 의료기기법

제1장 총칙(總則)

제1조(목적) 이 법은 의료기기의 제조·수입 및 판매 등에 관한 사항을 규정함으로써 의료기기의 효율적인 관리를 도모하고 나아가 국민보건 향상에 기여함을 목적으로 한다.

제2조(정의) ①이 법에서 "의료기기"라 함은 사람 또는 동물에게 단독 또는 조합하여 사용되는 기구·기계·장치·재료 또는 이와 유사한 제품으로서 다음 각호의 1에 해당하는 제품을 말한다. 다만, 약사법에 의한 의약품과 의약외품 및 「장애인복지법」 제65조에 따른 장애인보조기구중 의지(義肢)·보조기(補助器)를 제외한다.〈개정 2007.4.11〉

1. 질병의 진단·치료·경감·처치 또는 예방의 목적으로 사용되는 제품
2. 상해 또는 장애의 진단·치료·경감 또는 보정의 목적으로 사용되는 제품
3. 구조 또는 기능의 검사·대체 또는 변형의 목적으로 사용되는 제품
4. 임신조절의 목적으로 사용되는 제품

②이 법에서 "기술문서"라 함은 의료기기의 성능 및 안전성 등 품질에 관한 자료로서 당해 품목의 원자재, 구조, 사용목적, 사용방법, 작용원리, 사용시 주의사항, 시험규격 등이 포함된 문서를 말한다.

③이 법에서 "의료기기취급자"라 함은 의료기기를 업무상 취급하는 다음 각호의

1에 해당하는 자로서 이 법에 의하여 허가를 받거나 신고를 한 자와 의료법에 의한 의료기관개설자 및 수의사법에 의한 동물병원개설자를 말한다.

1. 의료기기제조업자
2. 의료기기수입업자
3. 의료기기수리업자
4. 의료기기판매업자
5. 의료기기임대업자

제3조(등급분류와 지정) ① 식품의약품안전청장은 의료기기의 사용목적과 사용시 인체에 미치는 잠재적 위해성 등의 차이에 따라 체계적·합리적 안전관리를 할 수 있도록 의료기기의 등급을 분류하여 지정하여야 한다.

② 제1항의 규정에 의한 의료기기의 등급분류 및 지정에 관한 기준 및 절차 등에 관하여 필요한 사항은 보건복지부령으로 정한다.〈개정 2008.2.29, 2010.1.18〉

제4조(다른 법률과의 관계) 이 법에도 불구하고 진단용 방사선발생장치와 특수의료장비의 설치·운영에 대하여는 「의료법」 제37조·제38조 및 「수의사법」 제17조의3·제17조의4에 따른다.

[전문개정 2010.1.25]

제2장 의료기기위원회

제5조(의료기기위원회) ① 보건복지부장관 또는 식품의약품안전청장의 자문에 응하여 다음 각호의 사항을 조사·심의하기 위하여 보건복지부에 의료기기위원회를 둔다.〈개정 2008.2.29, 2010.1.18〉

1. 의료기기의 기준규격에 관한 사항
2. 의료기기의 재심사·재평가에 관한 사항
3. 추적관리대상 의료기기에 관한 사항
4. 의료기기의 등급분류 및 지정에 관한 사항
5. 그 밖에 의료기기에 관한 중요사항

② 의료기기위원회의 구성 및 운영 등에 관하여 필요한 사항은 대통령령으로 정한다.

제3장 의료기기의 제조 등

제1절 제조업

제6조(제조업의 허가 등) ①의료기기의 제조를 업으로 하고자 하는 자는 제조소별로 식품의약품안전청장의 제조업허가를 받아야 한다.

② 제1항의 규정에 의하여 제조업허가를 받은 자(이하 "제조업자"라 한다)는 제조하고자 하는 의료기기에 대하여 품목별로 제조허가를 받거나 제조신고를 하여야 한다.

③ 제1항의 규정에 의한 제조업허가를 신청하는 때에는 제2항의 규정에 의한 1개 이상의 제조품목허가를 동시에 신청하거나 1개 이상의 제조품목을 동시에 신고하여야 한다.

④ 제2항의 규정에 의하여 제조품목허가를 받거나 제조품목신고를 하고자 하는 자는 보건복지부령이 정하는 바에 따라 시설 및 품질관리체계를 갖추어야 한다. 〈개정 2008.2.29, 2010.1.18〉

⑤ 제조업자는 제2항의 규정에 의하여 제조품목허가를 받거나 제조품목신고를 하고자 하는 경우에는 보건복지부령이 정하는 바에 의하여 기술문서, 시험검사성적서, 임상시험자료 등 필요한 자료를 식품의약품안전청장에게 제출하여야 한다.〈개정 2008.2.29, 2010.1.18〉

⑥ 다음 각호의 1에 해당하는 자는 의료기기의 제조업허가를 받을 수 없다.〈개정 2005.3.31, 2007.10.17〉

1. 「정신보건법」 제3조제1호에 따른 정신질환자. 다만, 전문의가 제조업자로서 적합하다고 인정하는 사람은 그러하지 아니하다.
2. 금치산자·한정치산자 또는 파산선고를 받은 자로서 복권되지 아니한 자
3. 마약 그 밖의 유독물질의 중독자
4. 이 법을 위반하여 금고 이상의 형의 선고를 받고 그 집행이 종료되지 아니하거나 그 집행을 받지 아니하기로 확정되지 아니한 자
5. 이 법을 위반하여 제조업허가가 취소된 날부터 1년이 경과되지 아니한 자

⑦ 제1항의 규정에 의한 제조업허가 및 제2항의 규정에 의한 제조품목허가 또는

제조품목신고의 대상 · 절차 · 기준 · 조건 및 관리 등에 관하여 필요한 사항은 보건복지부령으로 정한다.〈개정 2008.2.29, 2010.1.18〉

제7조(조건부허가 등) ①식품의약품안전청장은 제조업허가, 제조품목허가 또는 제조품목신고를 함에 있어서 일정한 기간 이내에 제6조제4항의 규정에 적합할 것을 조건으로 이를 허가하거나 신고를 받을 수 있다.

② 제1항의 규정에 의한 조건부허가 등에 관하여 필요한 사항은 보건복지부령으로 정한다.〈개정 2008.2.29, 2010.1.18〉

제8조(신개발의료기기 등의 재심사) ①식품의약품안전청장은 제6조제2항의 규정에 의하여 허가를 받고자 하는 품목이 작용원리, 성능 또는 사용목적 등에서 이미 허가를 받거나 신고한 품목과 본질적으로 동등하지 아니한 신개발의료기기 또는 국내에 대상질환 환자수가 적고 용도상 특별한 효용가치를 갖는 의료기기로서 식품의약품안전청장이 지정하는 희소의료기기에 해당하여 시판후 안전성과 유효성에 대한 조사가 필요하다고 인정하는 경우 제조품목허가시 재심사를 받을 것을 명할 수 있다.

② 제1항의 규정에 의한 재심사대상 의료기기의 제조업자는 당해 품목의 제조품목허가일부터 4년 내지 7년 이내의 범위에서 식품의약품안전청장이 정하는 기간 이내에 재심사를 신청하여야 한다. 이 경우 사용성적에 관한 자료, 부작용사례 그 밖에 보건복지부령이 정하는 자료를 첨부하여야 한다.〈개정 2008.2.29, 2010.1.18〉

③ 제1항 및 제2항의 규정에 의한 재심사의 방법 · 절차 · 시기 등에 관하여 필요한 사항은 보건복지부령으로 정한다.〈개정 2008.2.29, 2010.1.18〉

제9조(재평가) ①식품의약품안전청장은 제6조제2항의 규정에 의하여 제조품목허가를 하거나 제조품목신고를 받은 의료기기중 안전성 및 유효성에 대하여 재검토가 필요하다고 인정되는 의료기기에 대하여 재평가를 실시할 수 있다.

② 제1항의 규정에 의한 재평가의 방법 · 절차 및 기준 등에 관하여 필요한 사항은 보건복지부령으로 정한다.〈개정 2008.2.29, 2010.1.18〉

제10조(임상시험계획의 승인 등) ①의료기기로 임상시험을 하고자 하는 자는 임상시험계획서를 작성하여 식품의약품안전청장의 승인을 얻어야 한다. 임상시험계획서를 변경하고자 하는 때에도 또한 같다.

② 임상시험에 사용할 목적으로 제1항의 규정에 의하여 승인을 얻은 임상시험용 의료기기를 제조 또는 수입하는 경우에는 제6조 및 제14조의 규정에 불구하고 이를 제조 또는 수입할 수 있다.

③ 제1항의 규정에 의하여 임상시험을 하고자 하는 자는 사회복지시설 등 보건복지부령이 정하는 집단시설에 수용 중인 자(이하 이 항에서 "수용자"라 한다)를 임상시험의 피험자로 선정하여서는 아니된다. 다만, 임상시험의 특성상 수용자를 피험자로 하는 것이 불가피한 경우로서 보건복지부령이 정하는 기준에 해당하는 경우에는 그러하지 아니하다.〈개정 2008.2.29, 2010.1.18〉

④ 식품의약품안전청장은 제1항의 규정에 의한 임상시험이 국민보건위생상 큰 위해를 미치거나 미칠 우려가 있다고 인정하는 경우 임상시험의 변경・취소 그 밖에 필요한 조치를 취할 수 있다.

⑤ 제1항의 규정에 의한 임상시험을 하고자 하는 자는 임상시험의 내용 및 임상시험중 피험자에게 발생할 수 있는 건강상의 피해에 대한 보상내용과 절차 등을 피험자에게 설명하고 피험자의 동의를 얻어야 한다.

⑥ 제2항의 규정에 의한 임상시험용 의료기기를 제조 또는 수입하고자 하는 자는 보건복지부령이 정하는 적합한 제조시설에서 제조하거나 제조된 의료기기를 수입하여야 한다.〈개정 2008.2.29, 2010.1.18〉

⑦ 제1항 및 제5항의 규정에 의한 임상시험계획에 포함될 사항・피험자의 동의내용・시기 및 방법・임상시험실시기준 등에 관하여 필요한 사항은 보건복지부령으로 정한다.〈개정 2008.2.29, 2010.1.18〉

제11조(변경허가 등) ①제조업자는 제6조제1항 또는 제2항의 규정에 의하여 허가받은 사항 또는 신고한 사항에 변경이 있는 경우에는 식품의약품안전청장에게 변경허가를 받거나 변경신고를 하여야 한다.

② 제1항의 규정에 의한 변경허가 또는 변경신고의 절차 및 기준 등에 관하여 필요한 사항은 보건복지부령으로 정한다.〈개정 2008.2.29, 2010.1.18〉

제12조(제조업자의 의무) ① 제조업자는 제6조제4항의 규정에 의한 시설 및 품질관리체계를 유지하여야 하며, 그 밖에 제조 및 품질관리(자가시험을 포함한다) 또는 생산관리에 관하여 보건복지부령이 정하는 사항을 준수하여야 한다.〈개정 2008.2.29, 2010.1.18〉

② 제조업자는 보건복지부령이 정하는 바에 따라 의료기기의 생산실적 등을 식품의약품안전청장에게 보고하여야 한다.<개정 2008.2.29, 2010.1.18>

제13조(폐업 등의 신고) 제조업자는 그 제조소를 폐업 또는 휴업하거나 휴업한 제조소를 재개한 때, 그 밖에 보건복지부령이 정하는 사항에 변경이 있을 때에는 그 폐업·휴업·재개 또는 변경이 있은 날부터 30일 이내에 이를 식품의약품안전청장에게 신고하여야 한다. 다만, 휴업기간이 1월 미만인 경우에는 그러하지 아니한다.<개정 2008.2.29, 2010.1.18>

제2절 수입업

제14조(수입업 허가 등) ①의료기기의 수입을 업으로 하고자 하는 자는 식품의약품안전청장의 수입업허가를 받아야 한다.

② 제1항의 규정에 의하여 수입업허가를 받은 자(이하 "수입업자"라 한다)는 수입하고자 하는 의료기기에 대하여 품목별로 수입허가를 받거나 수입신고를 하여야 한다.

③ 제1항의 규정에 의한 수입업허가를 신청하는 때에는 1개 이상의 품목허가를 동시에 신청하거나 1개 이상의 품목을 동시에 신고하여야 한다.

④ 제2항의 규정에 의하여 수입품목허가를 받거나 수입품목신고를 하고자 하는 자는 보건복지부령이 정하는 바에 의하여 품질검사를 위한 시설 및 품질관리체계를 갖추어야 한다. 다만, 보건복지부령이 정하는 경우에는 그러하지 아니하다.<개정 2008.2.29, 2010.1.18>

⑤ 제6조제5항 내지 제7항, 제7조 내지 제9조 및 제11조 내지 제13조의 규정은 제1항 내지 제4항의 규정에 의하여 수입되는 의료기기 또는 그 수입업자에 대하여 준용한다. 이 경우 "제조"는 "수입"으로, "제조업자"는 "수입업자"로 본다.

제3절 수리업

제15조(수리업의 신고) ① 의료기기의 수리를 업으로 하고자 하는 자(이하 "수리업자"라 한다)는 보건복지부령이 정하는 바에 따라 식품의약품안전청장에게 수리업

신고를 하여야 한다. 다만, 제6조제2항의 규정에 의한 제조품목허가 등을 받은 자가 자사의 제품을 수리하는 경우에는 그러하지 아니하다.〈개정 2008.2.29, 2010.1.18〉

② 제1항의 규정에 의하여 신고를 하고자 하는 자는 보건복지부령이 정하는 바에 따라 시설 및 품질관리체계를 갖추어야 한다.〈개정 2008.2.29, 2010.1.18〉

③ 제1항의 규정에 의한 수리업의 신고를 수리함에 있어 대상품목·기준 및 조건 등에 관하여 필요한 사항은 보건복지부령으로 정한다.〈개정 2008.2.29, 2010.1.18〉

④ 제6조제6항, 제11조 내지 제13조의 규정은 제1항의 규정에 의한 신고에 대하여 준용한다. 이 경우 "제조"는 "수리"로, "제조업자"는 "수리업자"로 본다.

제4절 판매업 및 임대업

제16조(판매업 등의 신고) ① 의료기기의 판매를 업으로 하고자 하는 자(이하 "판매업자"라 한다) 또는 임대를 업으로 하고자 하는 자(이하 "임대업자"라 한다)는 영업소마다 보건복지부령이 정하는 바에 의하여 영업소 소재지의 시장·군수 또는 구청장(자치구의 구청장을 말한다. 이하 같다)에게 판매업 또는 임대업신고를 하여야 한다.〈개정 2008.2.29, 2010.1.18〉

② 다음 각호의 1에 해당하는 경우에는 제1항의 규정에 의한 신고를 아니할 수 있다.〈개정 2007.4.6, 2008.2.29, 2010.1.18〉

1. 의료기기의 제조업자나 수입업자가 그 제조 또는 수입한 의료기기를 의료기기 취급자에게 판매 또는 임대하는 경우
2. 제1항의 규정에 의한 판매업신고를 한 자가 임대업을 하는 경우
3. 약국개설자나 의약품도매상이 의료기기를 판매 또는 임대하는 경우
4. 보건복지부령이 정하는 임신조절용 의료기기 및 의료기관 이외의 장소에서 사용되는 자가진단용 의료기기를 판매하는 경우

③ 제6조제6항, 제11조 및 제13조의 규정은 제1항의 규정에 의한 신고에 대하여 준용한다. 이 경우 "제조"는 "판매 또는 임대"로, "제조업자"는 "판매업자 또는 임대업자"로 본다.

제17조(판매업자 등의 준수사항) 이 법의 규정에 의하여 의료기기를 판매 또는 임대할 수 있는 자는 보건복지부령이 정하는 바에 의하여 영업소에서의 의료기기 품질확보방법 그 밖의 판매질서 유지에 관한 사항을 준수하여야 한다.〈개정 2008.2.29, 2010.1.18〉

제4장 의료기기의 취급 등

제1절 기준

제18조(기준규격) 식품의약품안전청장은 의료기기의 품질에 대한 기준이 필요하다고 인정하는 의료기기에 대하여 그 적용범위, 형상 또는 구조, 시험규격, 기재사항 등을 기준규격으로 정할 수 있다.

제2절 기재사항 및 광고

제19조(용기 등의 기재사항) 의료기기의 용기나 외장에는 다음 각호의 사항을 기재하여야 한다. 다만, 보건복지부령이 정하는 용기나 외장의 경우에는 그러하지 아니하다.〈개정 2008.2.29, 2010.1.18〉

1. 제조업자 또는 수입업자의 상호와 주소
2. 수입품의 경우는 제조원(제조국 및 제조사명)
3. 제품명, 형명(모델명), 품목허가(신고)번호
4. 제조번호와 제조년월일
5. 중량 또는 포장단위

제20조(외부포장 등의 기재사항) 의료기기의 용기나 외장에 기재된 제19조의 사항이 외부의 용기나 포장에 의하여 보이지 아니할 경우에는 외부의 용기나 포장에도 같은 사항을 기재하여야 한다.

제21조(첨부문서의 기재사항) 의료기기의 첨부문서에는 다음 각호의 사항을 기재하여야 한다.〈개정 2008.2.29, 2010.1.18〉

1. 사용방법 및 사용시 주의사항

2. 보수점검이 필요한 경우 보수점검에 관한 사항

3. 제18조의 규정에 의하여 식품의약품안전청장이 기재하도록 정하는 사항

4. 그 밖에 보건복지부령으로 정하는 사항

제22조(기재상의 주의) 제19조 내지 제21조에 규정된 사항은 다른 문자·기사·도화 또는 도안보다 쉽게 볼 수 있는 장소에 기재하여야 하고, 보건복지부령이 정하는 바에 의하여 한글로 읽기 쉽고 이해하기 쉬운 용어로 정확히 기재하여야 한다.〈개정 2008.2.29, 2010.1.18〉

제23조(기재 및 광고의 금지 등) ①의료기기의 용기, 외장, 포장 또는 첨부문서에 당해 의료기기에 관하여 다음 각호의 사항을 기재하여서는 아니된다.

1. 거짓 또는 오해할 염려가 있는 사항

2. 제6조제2항 또는 제14조제2항의 규정에 의한 품목허가 등을 받지 아니한 성능이나 효능 및 효과

3. 보건위생상 위해가 발생할 우려가 있는 사용방법이나 사용기간

② 누구든지 의료기기의 광고와 관련하여 다음 각호의 1에 해당하는 광고를 하여서는 아니된다.〈개정 2006.10.4〉

1. 의료기기의 명칭·제조방법·성능이나 효능 및 효과 또는 그 원리에 관한 거짓 또는 과대광고

2. 의료기기의 성능이나 효능 및 효과에 관하여 의사·치과의사·한의사·수의사 그 밖의 자가 이를 보증한 것으로 오해할 염려가 있는 기사를 사용한 광고

3. 의료기기의 성능이나 효능 및 효과에 관하여 암시적 기사·사진·도안 그 밖의 암시적 방법에 의한 광고

4. 의료기기에 관하여 낙태를 암시하거나 외설적인 문서나 도안을 사용한 광고

5. 제6조제2항 또는 제14조제2항의 규정에 의하여 품목허가를 받지 아니하거나 품목신고를 하지 아니한 의료기기의 명칭·제조방법·성능이나 효능 및 효과에 관한 광고

6. 제23조의2제1항의 규정에 따른 심의를 받지 아니하거나 심의 받은 내용과 다른 내용의 광고

③ 제1항 및 제2항의 규정에 의한 의료기기의 기재 및 광고의 범위 등에 관하여 필요한 사항은 보건복지부령으로 정한다.〈개정 2008.2.29, 2010.1.18〉

제23조의2(광고의 심의) ①의료기기의 광고를 하고자 하는 자는 식품의약품안전청장이 정한 심의기준, 방법 및 절차에 따라 식품의약품안전청장의 심의를 받아야 한다.

② 식품의약품안전청장은 제1항의 규정에 따른 심의에 관한 업무를 보건복지부령이 정하는 단체에 위탁할 수 있다.〈개정 2008.2.29, 2010.1.18〉

[본조신설 2006.10.4]

제3절 취급

제24조(일반행위의 금지) ①누구든지 제6조제2항 또는 제14조제2항의 규정에 의하여 품목허가를 받지 아니하거나 품목신고를 하지 아니한 의료기기를 판매·임대·수여 또는 사용하여서는 아니되며, 수리·판매·임대·수여 또는 사용의 목적으로 제조·수입·수리·저장 또는 진열하여서는 아니된다.

② 다음 각호의 1에 해당하는 의료기기를 제조·수입·판매 또는 임대하여서는 아니된다.〈개정 2006.10.4〉

1. 제6조제2항 또는 제14조제2항의 규정에 의하여 허가를 받거나 신고한 내용과 다른 의료기기
2. 전부 또는 일부가 불결하거나 병원미생물에 오염된 물질 또는 변질이나 변패한 물질로 된 의료기기
3. 그 밖에 국민보건에 위해를 끼쳤거나 끼칠 우려가 있는 경우로서 식품의약품안전청장 또는 시장·군수·구청장이 제30조 내지 제32조의 규정에 따라 폐기·사용중지·허가취소 등을 명한 의료기기

③ 수리업자는 의료기기를 수리할 때에는 제6조제2항 또는 제14조제2항의 규정에 의하여 허가받거나 신고한 성능, 구조, 정격, 외관, 치수 등을 변환하여서는 아니된다.

④ 의료기관개설자 및 동물병원개설자가 의료기기를 사용하는 때에는 제6조제2항 또는 제14조제2항의 규정에 의하여 허가받거나 신고한 내용과 다르게 변조 또는 개조하여서는 아니된다.

⑤ 수리업자·판매업자 또는 임대업자는 다음 각호의 1에 해당하는 의료기기를

수리 · 판매 또는 임대하거나 수리 · 판매 또는 임대의 목적으로 저장 · 진열하여서는 아니 된다.〈개정 2006.10.4〉

1. 제6조제2항, 제14조제2항 또는 제15조제1항의 규정에 의하여 허가를 받거나 신고한 내용과 다르게 제조 · 수입 또는 수리된 의료기기

2. 제23조제1항의 규정을 위반한 의료기기

⑥ 의료기관개설자는 제10조의 규정에 의하여 식품의약품안전청장으로부터 임상시험에 관한 승인을 얻지 아니한 의료기기에 대하여는 이를 임상시험에 사용하여서는 아니된다.

⑦ 누구든지 의료기기가 아닌 것은 그 외장 · 포장 또는 첨부문서에 의료기기로서 유사한 성능이나 효능 및 효과 등이 있는 것으로 오인될 우려가 있는 표시를 하거나 이와 같은 내용의 광고를 하여서는 아니되며, 이와 같은 의료기기로서 표시되거나 광고된 것을 판매 또는 임대하거나 판매 또는 임대의 목적으로 저장 또는 진열하여서는 아니된다.

제5장 관리

제25조(추적관리대상 의료기기) ①식품의약품안전청장은 다음 각호의 1에 해당하는 의료기기에서 사용중 부작용 또는 결함의 발생으로 인체에 치명적인 위해를 줄 수 있어 소재파악의 필요성이 있는 의료기기(이하 "추적관리대상 의료기기"라 한다)는 별도로 정하여 관리할 수 있다.

1. 인체안에 1년 이상 삽입되는 의료기기

2. 생명유지용 의료기기중 의료기관외의 장소에서 사용이 가능한 의료기기

② 제1항의 규정에 의한 추적관리대상 의료기기의 지정 · 관리기준 등에 관하여 필요한 사항은 보건복지부령으로 정한다.〈개정 2008.2.29, 2010.1.18〉

제26조(기록의 작성 및 보존 등) ①추적관리대상 의료기기의 제조업자 · 수입업자 · 판매업자 · 임대업자 및 수리업자(이하 이 조에서 "취급자"라 한다)는 추적관리대상 의료기기의 제조 · 판매(구입을 포함한다) · 임대 또는 수리내역 등에 대한 기록을 작성하고 보존하여야 하고, 추적관리대상 의료기기를 취급하는 의료기관

개설자 및 의료기관에서 종사하는 의사·한의사·치과의사 등 (이하 이 조에서 "사용자"라 한다)은 추적관리대상 의료기기를 이용하는 환자에 대한 추적이 가능하도록 기록을 작성하고 보존하여야 한다.

② 취급자 및 사용자는 식품의약품안전청장의 자료제출요구 등의 명령에 정당한 사유없이 이를 거부할 수 없다.

③ 제1항의 규정에 의한 기록의 작성 및 보존 등에 관하여 필요한 사항은 보건복지부령으로 정한다.〈개정 2008.2.29, 2010.1.18〉

제27조(부작용 관리 등〈개정 2008.12.26〉) ①의료기기취급자는 의료기기를 사용하는 도중에 사망 또는 인체에 심각한 부작용이 발생하였거나 발생할 우려가 있음을 인지한 경우에는 이를 식품의약품안전청장에게 즉시 보고하고 그 기록을 유지하여야 한다.

② 의료기기의 제조업자·수입업자·수리업자·판매업자 및 임대업자(이하 "제조업자등"이라 한다)는 의료기기가 품질불량 등으로 인체에 위해를 끼치거나 끼칠 위험이 있다는 사실을 알게 되었을 때에는 지체 없이 해당 의료기기를 회수하거나 회수에 필요한 조치를 하여야 한다. 이 경우 제조업자 및 수입업자는 인체에 미치는 부작용 등을 고려하여 보건복지부령으로 정하는 바에 따라 회수계획을 수립하여 미리 식품의약품안전청장에게 보고하여야 한다.〈개정 2008.12.26, 2010.1.18〉

③ 식품의약품안전청장은 제2항 후단에 따른 의료기기 회수계획을 보고받으면 제조업자 또는 수입업자에게 회수계획을 공표하도록 명할 수 있다.〈신설 2008.12.26〉

④ 식품의약품안전청장, 특별자치도지사 또는 시장·군수·구청장은 제2항에 따른 회수 또는 회수에 필요한 조치를 성실히 이행한 제조업자등에게 보건복지부령으로 정하는 바에 따라 제32조에 따른 행정처분을 감면할 수 있다.〈신설 2008.12.26, 2010.1.18〉

⑤ 제1항에 따른 부작용 보고의 절차 및 내용, 제2항에 따른 회수기준, 회수절차·방법 및 회수계획에 포함되어야 할 사항과 제3항에 따른 공표방법 등에 관하여 필요한 사항은 보건복지부령으로 정한다.〈신설 2008.12.26, 2010.1.18〉

제6장 감독

제28조(보고와 검사 등) ①식품의약품안전청장, 시장・군수 또는 구청장은 필요하다고 인정하는 때에는 의료기기취급자에게 필요한 보고를 하게 하거나 관계공무원으로 하여금 의료기기를 취급하는 의료기관, 공장・창고 또는 점포나 사무소 그 밖에 의료기기를 업무상 취급하는 장소에 출입하여 그 시설 또는 관계장부나 서류 그 밖의 물건의 검사 또는 관계인에 대한 질문을 하게 하거나 제30조제1항의 규정에 해당한다고 의심이 되는 물품 또는 의료기기의 품질검사를 위하여 필요한 물품을 시험에 필요한 최소량에 한하여 수거하게 할 수 있다.

② 제1항의 규정에 의하여 출입・검사・질문・수거를 하고자 하는 공무원은 그 권한을 표시하는 증표를 지녀야 하고 관계인에게 이를 내보여야 한다.

③ 제1항 및 제2항의 경우에 관계공무원의 권한・직무의 범위 및 증표 등에 관하여 필요한 사항은 보건복지부령으로 정한다.〈개정 2008.2.29, 2010.1.18〉

제29조(검사명령) 식품의약품안전청장은 당해 의료기기가 국민보건에 위해를 끼칠 우려가 있다고 인정하는 경우에 관련 의료기기취급자에 대하여 식품의약품안전청에 등록된 시험검사기관의 검사를 받을 것을 명할 수 있다.

제30조(폐기명령 등) ①식품의약품안전청장, 시장・군수 또는 구청장은 의료기기의 제조업자등에 대하여 제24조의 규정을 위반하여 판매・저장・진열・제조 또는 수입한 의료기기 또는 해당 의료기기의 사용이 국민건강에 중대한 피해를 주거나 치명적 영향을 줄 가능성이 있는 것으로 인정되는 의료기기에 대하여 회수나 공중위생상의 위해를 방지할 수 있는 방법에 의하여 폐기 또는 그 밖의 처치를 할 것을 명할 수 있다.〈개정 2008.12.26〉

② 식품의약품안전청장, 시장・군수 또는 구청장은 제1항의 규정에 의한 명령을 받은 자가 그 명령을 이행하지 아니한 때 또는 국민보건을 위하여 긴급한 때에는 관계공무원으로 하여금 당해 물품을 폐기하게 하거나 봉함 또는 봉인 등 그 밖의 필요한 처분을 하게 할 수 있다.

③ 제28조제2항의 규정은 제2항의 경우에 이를 준용한다.

제31조(사용중지명령 등) 식품의약품안전청장, 시장・군수 또는 구청장은 의료기관개설자 또는 동물병원개설자에 대하여 사용중인 의료기기가 제29조의 규정에

의하여 검사를 받아 부적합으로 판정되거나 제30조제1항의 규정에 해당할 우려가 있는 때에는 당해 의료기기의 사용의 중지 또는 수리 등 필요한 조치를 명할 수 있다.

제32조(허가 등의 취소와 업무의 정지) ① 제조업자등이 다음 각호의 1에 해당하는 때에 의료기기의 제조업자·수입업자 및 수리업자에 대하여는 식품의약품안전청장이, 판매업자 및 임대업자에 대하여는 시장·군수 또는 구청장이 허가의 취소, 영업소의 폐쇄, 품목의 제조·수입 및 판매의 금지 또는 보건복지부령이 정하는 기간 이내의 범위에서 그 업무의 전부 또는 일부의 정지를 명할 수 있다. 다만, 제4호의 경우에 그 제조업자 또는 수입업자에게 귀책사유가 없고 그 의료기기의 원재료, 구조 등의 변경에 의하여 그 허가 또는 신고의 목적을 달성할 수 있다고 인정하는 때에는 이의 변경만을 명할 수 있다.〈개정 2008.2.29, 2008.12.26, 2010.1.18〉

1. 제6조제6항제1호 내지 제4호에 해당하게 된 때
2. 제6조제6항제5호에 해당하는 사항이 있음이 판명된 때
3. 제7조제1항에 의한 조건을 이행하지 아니한 때
4. 제8조 및 제9조에 의한 재심사 또는 재평가결과 안전성·유효성이 확립되지 아니한 때
5. 이 법 또는 이 법에 의한 명령을 위반한 때
6. 국민보건에 위해를 끼쳤거나 또는 끼칠 염려가 있는 의료기기 및 그 성능이나 효능 및 효과가 없다고 인정되는 의료기기를 제조·수입·판매·수리 또는 임대한 때
7. 제27조제1항을 위반하여 부작용 발생 사실을 보고하지 아니하거나 기록을 유지하지 아니한 때
8. 제27조제2항을 위반하여 회수 또는 회수에 필요한 조치를 하지 아니하거나 회수계획을 보고하지 아니한 때

② 제조업자·수입업자 또는 수리업자가 제12조제1항(제14조제5항 및 제15조제4항에서 준용하는 경우를 포함한다)의 규정에 적합하지 아니하게 된 때에도 제1항과 같다.

③ 제1항 및 제2항의 규정에 의한 행정처분의 기준은 보건복지부령으로 정한다.

〈개정 2008.2.29, 2010.1.18〉

제33조(과징금처분) ①식품의약품안전청장, 시장·군수 또는 구청장은 의료기기취급자가 제32조제1항 또는 제2항의 규정에 해당하는 경우로서 업무정지처분이 의료기기를 이용하는 자에게 심한 불편을 주거나 그 밖에 특별한 사유가 인정되는 때에는 국민건강에 해를 끼치지 아니하는 범위안에서 대통령령이 정하는 바에 의하여 업무정지처분에 갈음하여 5천만원 이하의 과징금을 부과할 수 있다.

② 제1항의 규정에 의하여 과징금을 부과하는 위반행위의 종별·정도 등에 따른 과징금의 금액·징수방법 등에 관하여 필요한 사항은 대통령령으로 정한다.

③ 식품의약품안전청장, 시장·군수 또는 구청장은 과징금의 징수를 위하여 필요한 때에는 다음 각 호의 사항을 기재한 문서로 관할 세무관서의 장에게 과세정보의 제공을 요청할 수 있다.〈신설 2007.1.3〉

1. 납세자의 인적사항
2. 사용목적
3. 과징금 부과기준이 되는 매출금액에 관한 자료

④ 식품의약품안전청장, 시장·군수 또는 구청장은 제1항의 규정에 따른 과징금을 납부하여야 할 자가 납부기한 이내에 이를 납부하지 아니한 때에는 대통령령이 정하는 바에 따라 제1항의 규정에 따른 과징금부과처분을 취소하고 제32조제1항 또는 제2항의 규정에 따른 업무정지처분을 하거나 국세 또는 지방세 체납처분의 예에 따라 이를 징수한다. 다만, 제13조의 규정에 따른 폐업 등으로 제32조제1항 또는 제2항의 규정에 따른 업무정지처분을 할 수 없는 때에는 국세 또는 지방세 체납처분의 예에 따라 이를 징수한다.〈개정 2007.1.3〉

⑤ 제1항 및 제4항의 규정에 의하여 과징금으로 징수한 금액은 국가 또는 징수기관이 속한 지방자치단체에 귀속된다.〈개정 2007.1.3〉

제34조(청문) 식품의약품안전청장, 시장·군수 또는 구청장은 제32조의 규정에 의한 허가의 취소, 영업소의 폐쇄, 품목의 제조·수입 및 판매의 금지 또는 업무의 전부 또는 일부의 정지를 명하고자 하는 경우에는 청문을 실시하여야 한다.

제35조(의료기기감시원) ①제28조제1항 및 제30조제2항의 규정에 의한 관계공무원의 직무를 집행하게 하기 위하여 식품의약품안전청, 시·군 ·구(자치구를 말한다. 이하 같다)에 의료기기감시원을 둔다.

② 제1항의 규정에 의한 의료기기감시원은 식품의약품안전청, 시·군·구 소속 공무원중에서 식품의약품안전청장, 시장·군수 또는 구청장이 임명한다.

③ 제1항 및 제2항의 규정에 의한 의료기기감시원의 자격·임명·직무범위 등에 관하여 필요한 사항은 보건복지부령으로 정한다.〈개정 2008.2.29, 2010.1.18〉

제7장 보칙

제36조(의료기기산업의 발전을 위한 연구개발) 식품의약품안전청장은 의료기기 품질평가 기반구축, 의료기기 기준 규격화사업 지원, 그 밖에 의료기기산업의 발전을 위한 연구개발 사업을 한국보건산업진흥원법에 의한 한국보건산업진흥원에 위탁하고 이에 필요한 비용을 지원할 수 있다.

제37조(권한의 위임·위탁) ①식품의약품안전청장은 이 법에 의한 권한의 일부를 대통령령이 정하는 바에 의하여 지방식품의약품안전청장, 시장·군수·구청장 또는 보건소장에게 위임할 수 있다.

② 식품의약품안전청장은 제29조의 규정에 의한 검사업무중 일부를 대통령령이 정하는 바에 의하여 의료기기의 시험검사업무를 담당하는 법인·단체에 위탁할 수 있다.

제38조(제출자료의 보호) ①식품의약품안전청장은 제6조 내지 제9조, 제11조 및 제14조의 규정에 의하여 제출된 자료에 대하여 이를 제출한 자가 자료의 보호를 문서로 요청하는 경우에는 이를 공개하여서는 아니된다. 다만, 자료를 공개하는 것이 공익상 필요하다고 인정한 경우에는 그러하지 아니하다.

② 제1항의 규정에 의하여 보호를 요청한 제출자료를 열람·검토한 자는 이로 인하여 취득한 내용을 외부에 공개하여서는 아니된다.

제39조(동물용의료기기에 대한 특례) 이 법의 규정에 의한 식품의약품안전청장의 소관사항중 동물용으로 전용할 것을 목적으로 하는 의료기기에 관하여는 이를 농림수산식품부장관의 소관으로 하며, 이 법의 해당 규정중 "식품의약품안전청장"은 "농림수산식품부장관"으로, "보건복지부령"은 "농림수산식품부령"으로 본다. 이 경우 농림수산식품부장관이 농림수산식품부령을 발할 때에는 식품의약품안전

청장과 협의하여야 한다.〈개정 2008.2.29, 2010.1.18〉

제40조(제조업자등의 지위승계 등) ① 제조업자등이 사망하거나 그 영업을 양도한 때 또는 법인인 제조업자등의 합병이 있는 때에는 그 상속인, 영업을 양수한 자 또는 합병후 존속하는 법인이나 합병에 의하여 설립되는 법인이 그 제조업자등의 지위를 승계한다. 다만, 그 영업을 양수한 자 또는 합병후 존속하는 법인이나 합병에 의하여 설립되는 법인이 제6조제6항에 해당하는 경우에는 그러하지 아니한다.

② 제1항의 규정에 의하여 제조업자등의 지위를 승계한 상속인이 제6조제6항에 해당하는 경우에는 상속개시일부터 6월 이내에 다른 사람에게 이를 양도하여야 한다.

③ 제조업자등이 허가를 받거나 신고한 의료기기에 대한 영업을 양도한 때에는 그 영업을 양수한 제조업자등은 해당품목의 허가 또는 신고에 관한 제조업 등의 지위를 승계한다.

제41조(허가·신고 등의 갱신) 의료기기의 제조업자등은 보건복지부령이 정하는 바에 의하여 그 허가증 또는 신고수리서를 갱신하여야 한다.〈개정 2008.2.29, 2010.1.18〉

제42조(수수료) 다음 각 호의 어느 하나에 해당하는 자는 보건복지부령이 정하는 바에 따라 수수료를 납부하여야 한다.〈개정 2008.2.29, 2010.1.18〉

1. 이 법에 따른 허가를 받거나 신고를 하고자 하는 자
2. 이 법에 따른 허가 또는 신고 사항을 변경하고자 하는 자
3. 제23조의2의 규정에 따라 의료기기에 대한 광고심의를 받고자 하는 자

[전문개정 2006.10.4]

제8장 벌칙

제43조(벌칙) ①제24조제1항의 규정을 위반한 자는 5년 이하의 징역 또는 2천만원 이하의 벌금에 처한다.

② 제1항의 형은 병과할 수 있다.

제44조(벌칙) ①다음 각 호의 어느 하나에 해당하는 자는 3년 이하의 징역 또는 1천만원 이하의 벌금에 처한다.〈개정 2006.10.4〉

1. 제10조제1항 · 제3항 · 제5항 · 제6항, 제11조제1항(제14조제5항 및 제15조제4항에서 준용하는 경우를 포함한다), 제12조제1항, 제16조제1항, 제23조제1항 · 제2항, 제24조제2항 내지 제7항 또는 제38조제2항의 규정을 위반한 자
2. 제30조제2항의 규정에 따라 관계 공무원이 행하는 폐기 · 봉함 · 봉인 등 그 밖의 필요한 처분을 거부 · 방해하거나 기피한 자

② 제1항의 형은 병과할 수 있다.

제45조(벌칙) 다음 각호의 1에 해당하는 자는 500만원 이하의 벌금에 처한다.〈개정 2006.10.4〉

1. 제12조제2항, 제17조, 제19조 내지 제22조, 제26조제1항 · 제2항 또는 제27조제1항의 규정을 위반한 자
2. 제28조제1항 또는 제32조제1항 · 제2항의 규정에 따른 관계 공무원의 출입 · 수거 · 폐쇄 또는 그 밖의 처분을 거부 · 방해하거나 기피한 자
3. 제29조, 제30조제1항, 제31조 또는 제32조제1항 · 제2항의 규정에 따른 검사 · 폐기 · 사용중지 · 업무정지 등의 명령을 위반한 자

제46조(양벌규정) 법인의 대표자 또는 법인이나 개인의 대리인 · 사용인 그 밖의 종업원이 그 법인 또는 개인의 업무에 관하여 제43조 내지 제45조의 위반행위를 한 때에는 행위자를 벌하는 외에 그 법인 또는 개인에 대하여도 각 해당 조의 벌금형을 과한다.

제47조(과태료) ①제13조(제14조제5항 · 제15조제4항 및 제16조제3항에서 준용하는 경우를 포함한다) 또는 제41조의 규정을 위반하여 폐업등의 신고를 하지 아니하거나 허가증 · 신고수리서의 갱신을 하지 아니한 자는 100만원 이하의 과태료에 처한다.

② 제1항의 규정에 의한 과태료는 보건복지부령이 정하는 바에 의하여 식품의약품안전청장, 시장 · 군수 또는 구청장(이하 "부과권자"라 한다)이 부과 · 징수한다.〈개정 2008.2.29, 2010.1.18〉

③ 제2항의 규정에 의한 과태료처분에 불복이 있는 자는 그 처분의 고지를 받은 날부터 30일 이내에 부과권자에게 이의를 제기할 수 있다.

④ 제2항의 규정에 의한 과태료처분을 받은 자가 제3항의 규정에 의하여 이의를 제기한 때에는 부과권자는 지체없이 관할법원에 그 사실을 통보하여야 하며, 그 통보를 받은 관할법원은 비송사건절차법에 의한 과태료의 재판을 한다.
⑤ 제3항의 규정에 의한 기간 이내에 이의를 제기하지 아니하고 과태료를 납부하지 아니한 때에는 국세 또는 지방세 체납처분의 예에 의하여 이를 징수한다.

부칙 〈제6909호,2003.5.29〉

제1조(시행일) 이 법은 공포후 1년이 경과한 날부터 시행한다.
제2조(허가 등에 관한 경과조치) 이 법 시행 당시 종전의 약사법에 의하여 의료용구의 제조업허가, 제조품목허가 또는 수입품목허가를 받거나 제조품목신고 또는 수입품목신고를 한 경우와 의료용구 판매업신고를 한 경우에는 이 법에 의하여 허가 또는 신고된 것으로 본다.
제3조(수입업 허가 및 수리업 신고 등에 관한 경과조치) 이 법 시행전에 의료기기의 수입·수리 또는 임대를 업으로 하고 있는 자는 이 법이 시행된 날부터 1년 이내에 제14조 내지 제17조의 규정에 각각 적합하도록 하여야 한다.
제4조(고시·처분·명령·지정 및 계속중인 행위에 관한 경과조치) 이 법 시행전에 약사법에 의하여 행한 고시·처분·명령·지정 그 밖의 행정기관의 행위 또는 각종 신청·신고 그 밖의 행정기관에 대한 행위는 그에 해당하는 이 법에 의한 행정기관의 행위 또는 행정기관에 대한 행위로 본다.
제5조(벌칙 등에 관한 경과조치) 이 법 시행전의 약사법에 위반한 행위에 대한 벌칙 또는 과태료의 적용에 있어서는 약사법에 의한다.
제6조(다른 법률의 개정) ①약사법 중 다음과 같이 개정한다.
제2조제1항중 "醫藥品·醫藥外品 및 醫療用具"를 "의약품·의약외품"으로 하고, 동조제9항을 삭제한다.
제26조제1항중 "醫藥品 및 醫療用具"를 "의약품"으로 하고, 동조제5항중 "醫藥品·醫藥外品 또는 醫療用具"를 "의약품 또는 의약외품"으로 하고, 동조제6항중 "醫藥品 또는 醫療用具"를 "의약품"으로 한다.
제26조의4제1항중 "의약품 또는 의료용구"를 "의약품"으로 하고, 동조제5항중 "

의약품·의료용구"를 "의약품"으로 한다.
제27조제1항중 "醫藥品등의 製造業"을 "의약품의 제조업"으로 한다.
제29조제3항중 "醫療用具 또는 第2條第7項第1號에 해당하는 物品만을 製造하는 醫藥外品의 製造業者"를 "제2조제7항제1호에 해당하는 물품만을 제조하는 의약외품의 제조업자"로 한다.
제42조를 삭제한다.
제44조제2항중 "醫藥外品 또는 醫療用具"를 "의약외품"으로 한다.
제5절(제60조 및 제61조)을 삭제한다.
제63조제4항중 "醫藥品 또는 醫療用具"를 "의약품"으로 한다.
제69조제1항중 "醫藥品 또는 醫療用具"를 각각 "의약품"으로 한다.
제72조의6제1항중 "醫藥品·醫藥外品 또는 醫療用具"를 "의약품 또는 의약외품"으로 한다.
제76조제1항중 "第41條第2項, 第42條第1項, 第54條 또는 第63條"를 "제41조제2항, 제54조 또는 제63조"로 한다.
제77조제1호중 "第57條(第59條에서 준용하는 경우를 포함한다), 第58條 또는 第60條"를 "제57조(제59조에서 준용하는 경우를 포함한다) 또는 제58조"로 한다.
② 기업활동규제완화에관한특별조치법중 다음과 같이 개정한다.
제55조의 제목 "(醫療用具 檢査對象品目의 緩和)"를 "(의료기기 사전검사대상품목의 심의)"로 하고, 동조중 "藥事法 第2條第9項의 規定에 의한 醫療用具"를 "의료기기법 제2조제1항의 규정에 의한 의료기기"로, "藥事法 第31條第1項의 規定"을 "의료기기법 제12조제1항의 규정"으로 한다.
③ 보건의료기본법중 다음과 같이 개정한다.
제4조제3항중 "食品·醫藥品·醫療用具 및 化粧品"을 "식품·의약품·의료기기 및 화장품"으로 한다.
④ 보건의료기술진흥법중 다음과 같이 개정한다.
제2조제1항제2호중 "의료용구"를 "의료기기"로 하고, 동조제3항을 다음과 같이 한다.
③ 제1항제1호의 규정에 의한 "의료기기"라 함은 의료기기법 제2조제1항에 규정된 것을 말한다.

⑤ 보건환경연구원법중 다음과 같이 개정한다.

제5조제1항제2호중 "藥事法에 의한 醫藥品·醫藥部外品·化粧品·醫療用具 및 衛生用品"을 "약사법에 의한 의약품·의약외품, 화장품법에 의한 화장품, 의료기기법에 의한 의료기기"로 한다.

⑥ 여신전문금융업법중 다음과 같이 개정한다.

제31조의 제목 "(藥事法상의 特例)"를 "(의료기기법상의 특례)"로 하고, 동조제1항중 "醫療用具"를 "의료기기"로, "藥事法 第34條第3項"을 "의료기기법 제14조제4항"으로 하고, 동조제2항중 "醫療用具"를 "의료기기"로, "藥事法 第42條"를 "의료기기법 제16조"로 한다.

⑦ 의료기사등에관한법률중 다음과 같이 개정한다.

제29조를 다음과 같이 한다.

제29조(다른 법률과의 관계) 이 법에 의한 안경업소의 등록 및 그 취소 등에 대하여는 의료기기법 제16조 및 제32조의 규정을 적용하지 아니한다.

⑧ 전파법중 다음과 같이 개정한다.

제57조제1항제7호를 다음과 같이 한다.

7. 의료기기법에 의한 품목허가를 받은 의료기기

⑨ 한국보건산업진흥원법중 다음과 같이 개정한다.

제6조제4호중 "食品·食品添加物·醫藥品 및 醫療用具"를 "식품·식품첨가물·의약품 및 의료기기"로 한다.

부칙(채무자 회생 및 파산에 관한 법률) 〈제7428호,2005.3.31〉

제1조(시행일) 이 법은 공포 후 1년이 경과한 날부터 시행한다.

제2조 내지 제4조 생략

제5조(다른 법률의 개정) ①내지 ⑼생략

⑽ 의료기기법 일부를 다음과 같이 개정한다.

제6조제6항제2호중 "파산자"를 "파산선고를 받은 자"로 한다.

⑾내지 ⑭ 략

제6조 생략

부칙 〈제8037호,2006.10.4〉

①(시행일) 이 법은 공포 후 6개월이 경과한 날부터 시행한다.

②(광고의 심의에 관한 적용례) 제23조의2의 개정규정은 이 법 시행 후 최초로 행하는 의료기기의 광고부터 적용한다.

부칙 〈제8202호,2007.1.3〉

①(시행일) 이 법은 공포 후 6개월이 경과한 날부터 시행한다.

②(과징금부과처분에 관한 적용례) 제33조제4항의 개정규정은 이 법 시행 후 최초로 과징금부과처분을 받는 자부터 적용한다.

부칙 〈제8335호,2007.4.6〉

이 법은 공포 후 3개월이 경과한 날부터 시행한다.

부칙(의료법) 〈제8366호,2007.4.11〉

제1조(시행일) 이 법은 공포한 날부터 시행한다. 〈단서 생략〉

제2조 내지 제19조 생략

제20조(다른 법률의 개정) ①내지 ⑩ 생략

⑪의료기기법 일부를 다음과 같이 개정한다.

제4조 중 "의료법 제32조의2"를 "「의료법」 제37조"로 한다.

⑫내지 ⑰ 생략

제21조 생략

부칙(障碍人福祉法) 〈제8367호,2007.4.11〉

제1조(시행일) 이 법은 공포 후 6개월이 경과한 날부터 시행한다.

제2조 내지 제4조 생략

제5조(다른 법률의 개정) ①내지 ⑦ 생략

⑧의료기기법 일부를 다음과 같이 개정한다.

제2조제1항 각 호 외의 부분 단서 중 "장애인복지법 제55조의 규정에 의한 재활보조기구"를 "「장애인복지법」 제65조에 따른 장애인보조기구"로 한다.

⑨내지 ⑬ 생략

제6조 생략

부칙 〈제8649호,2007.10.17〉

이 법은 공포 후 6개월이 경과한 날부터 시행한다.

부칙(정부조직법) 〈제8852호,2008.2.29〉

제1조(시행일) 이 법은 공포한 날부터 시행한다. 다만, 제31조제1항의 개정규정 중 "식품산업진흥"에 관한 부분은 2008년 6월 28일부터 시행하고, 부칙 제6조에 따라 개정되는 법률 중 이 법의 시행 전에 공포되었으나 시행일이 도래하지 아니한 법률을 개정한 부분은 각각 해당 법률의 시행일부터 시행한다.

제2조부터 제5조까지 생략

제6조(다른 법률의 개정) ①부터 ⑷⑻까지 생략

⑷⑻① 의료기기법 일부를 다음과 같이 개정한다.

제3조제2항, 제6조제4항·제5항·제7항, 제7조제2항, 제8조제2항 후단·제3항, 제9조제2항, 제10조제3항 본문 및 단서·제6항·제7항, 제11조제2항, 제12조제1항·제2항, 제13조 본문, 제14조제4항 본문 및 단서, 제15조제1항 본문·제2항·제3항, 제16조제1항·제2항제4호, 제17조, 제19조 각 호 외의 부분 단서, 제21조제4호, 제22조, 제23조제3항, 제23조의2제2항, 제25조제2항, 제26조제3항, 제27조제2항, 제28조제3항, 제32조제1항 각 호 외의 부분 본문·제3항, 제35조제3항, 제39조 전단, 제41조, 제42조 각 호 외의 부분, 제47조제2항 중 "보건복지부령"을 각각 "보건복지가족부령"으로 한다.

제5조제1항 각 호 외의 부분 중 "보건복지부장관"을 "보건복지가족부장관"으로 한다.

제5조제1항 각 호 외의 부분 중 “보건복지부”를 “보건복지가족부”로 한다.

제39조 전단 및 후단 중 “농림부장관”을 각각 “농림수산식품부장관”으로 한다.

제39조 전단 및 후단 중 “농림부령”을 각각 “농림수산식품부령”으로 한다.

(482)부터 (760)까지 생략

제7조 생략

부칙 〈제9185호,2008.12.26〉

이 법은 공포 후 6개월이 경과한 날부터 시행한다.

부칙(정부조직법) 〈제9932호,2010.1.18〉

제1조(시행일) 이 법은 공포 후 2개월이 경과한 날부터 시행한다. 〈단서 생략〉

제2조 및 제3조 생략

제4조(다른 법률의 개정) ①부터 (92)까지 생략

(93) 의료기기법 일부를 다음과 같이 개정한다.

제3조제2항, 제6조제4항·제5항·제7항, 제7조제2항, 제8조제2항 후단·제3항, 제9조제2항, 제10조제3항 본문 및 단서·제6항·제7항, 제11조제2항, 제12조제1항·제2항, 제13조 본문, 제14조제4항 본문 및 단서, 제15조제1항 본문·제2항·제3항, 제16조제1항·제2항제4호, 제17조, 제19조 각 호 외의 부분 단서, 제21조제4호, 제22조, 제23조제3항, 제23조의2제2항, 제25조제2항, 제26조제3항, 제27조제2항 후단·제4항·제5항, 제28조제3항, 제32조제1항 각 호 외의 부분 본문·제3항, 제35조제3항, 제39조 전단, 제41조, 제42조 각 호 외의 부분, 제47조제2항 중 “보건복지가족부령”을 각각 “보건복지부령”으로 한다.

제5조제1항 각 호 외의 부분 중 “보건복지가족부장관”을 “보건복지부장관”으로 한다.

제5조제1항 각 호 외의 부분 중 “보건복지가족부”를 “보건복지부”로 한다.

(94)부터 (137)까지 생략

제5조 생략

부칙(수의사법) 〈제9950호,2010.1.25〉

①(시행일) 이 법은 공포 후 1년이 경과한 날부터 시행한다.

② 및 ③ 생략

④(다른 법률의 개정) 의료기기법 일부를 다음과 같이 개정한다.

제4조를 다음과 같이 한다.

제4조(다른 법률과의 관계) 이 법에도 불구하고 진단용 방사선발생장치와 특수의료장비의 설치 · 운영에 대하여는 「의료법」 제37조 · 제38조 및 「수의사법」 제17조의3 · 제17조의4에 따른다.

부 록

02 의료기기 제조 · 수입 및 품질관리기준

식품의약품안전청고시 제2005-14호('05.03.16 제정)
식품의약품안전청고시 제2005-69호('05.11.21 개정)
식품의약품안전청고시 제2007- 7호('07.02.07 개정)
식품의약품안전청고시 제2008-11호('08.02.22 개정)
식품의약품안전청고시 제2009-36호('09.06.17 개정)
식품의약품안전청고시 제2009-68호('09.08.20 개정)
식품의약품안전청고시 제2009-203호('09.12. 22개정)

제1장 총칙

제1조(목적) 이 기준은 「의료기기법」 제10조제6항, 제12조제1항, 제14조제5항 및 같은법시행규칙 제13조제1항제10호, 제15조제1항제6호 관련 별표 3, 제20조제1항제4호 관련 별표 5에 따라 임상시험용 의료기기를 제조하거나 의료기기를 제조 또는 수입함에 있어 준수하여야 하는 품질관리에 관한 세부사항과 품질관리심사기관의 등록절차 · 방법 · 요건 및 관리방법 등에 관하여 필요한 사항을 정함을 목적으로 한다.

제2조(정의) 이 기준에서 사용하는 용어의 뜻은 다음과 같다. 다만, 이 기준에서 정의하지 아니한 것은 「산업표준화법」에 따른 한국산업규격 품질경영시스템-기본사항 및 용어(KS A 9000:2001)에 따른다.

1. "품질경영시스템"이라 함은 제품의 품질관리를 위하여 조직, 책임, 절차, 공정 및 자원 등을 효율적으로 관리하기 위한 경영시스템을 말한다.
2. "품질책임자"라 함은 의료기기의 품질관리 및 품질경영시스템의 확립, 수행 및 유지업무를 하는 자를 말한다.
3. "고객"이라 함은 제조업자 또는 수입업자의 제품을 제공받는 의료기기취급자 및 사용자 등을 말한다.
4. "멸균의료기기"라 함은 제조공정에서 멸균을 하는 의료기기로서 제품의 용기 또는 포장 등에 "멸균" 또는 "STERILE"의 문자, 멸균방법 또는 멸균연월일 등 멸균품임을 표시하여야 하는 제품을 말한다.
5. "추적성(traceability)"이라 함은 제품의 원자재 및 구성부품의 출처, 품질관리 이력, 판매처 및 소재 등에 대하여 파악하고 관리하는 것을 말한다.
6. "제조단위" 또는 "로트(Lot)"라 함은 동일한 제조조건하에서 제조되고 균일한 특성 및 품질을 갖는 완제품, 구성부품 및 원자재의 단위를 말한다.
7. "특채(concession)"라 함은 법적 요구사항을 만족하고 있으나 안전성 및 유효성과 직접 관련이 없는 경미한 부적합 사항을 가진 특정 제품 등에 대하여 사용하거나 출고하는 것에 대한 서면승인을 말한다.
8. "서비스"라 함은 판매된 의료기기의 보수, 점검, 수리 및 정보제공 등을 말한다.
9. "권고문(advisory notice)"이라 함은 제조업자가 의료기기의 판매후 제품의 사용, 변경, 반품 또는 폐기와 관련하여 추가정보 또는 조치를 권고하기 위하여 발행된 서한을 말한다.
10. "고객불만"이라 함은 유통중인 의료기기의 식별, 품질, 내구성, 신뢰성, 안전성 및 유효성과 관련된 결함에 대하여 고객이 서면·구술 또는 정보통신망 등을 통하여 제기하는 내용을 말한다.
11. "품질심사원"이란 「품질경영및공산품안전관리법」(이하 이 조에서 "법"이라 한다) 제7조에 따른 품질경영체제인증심사원등록기준(이하 이 조에서 "등록

기준"이라 한다) 및 「산업표준화법시행규칙」 제6조에 따른 의료기기분야의 심사원으로서 품질관리심사기관에 소속되어 의료기기 품질관리 심사업무를 수행하는 자를 말한다.

12. "선임품질심사원"이라 함은 법 및 등록기준에 의한 의료기기분야의 선임심사원으로서 품질관리심사기관에 소속되어 의료기기 품질관리 심사업무를 수행하는 자를 말한다.
13. "의료기기전문심사관(이하 "전문심사관"이라 한다)"이란 식품의약품안전청에 등록된 의료기기품질관리심사기관 소속 품질심사원 또는 선임품질심사원 중 심사 경력, 전문 교육과정 이수 등 별표 3에서 정하는 요건을 갖춘 자를 말한다.
14. "기술전문가"란 이 기준에서 요구하는 자격을 구비한 기술전문가로서 「의료기기법시행규칙」 별표 3 제7호나목 또는 별표 5 제11호나목의 심사단에 편성되어 의료기기품질관리심사 업무의 자문활동을 수행하는 자를 말한다.

제3조(적용범위) 이 기준의 적용대상은 다음 각 호와 같다.

1. 「의료기기법」(이하 "법"이라 한다) 제6조제2항 및 같은법시행규칙(이하 "시행규칙"이라 한다) 제5조제1항제3호에 따라 제조품목허가를 받거나 신고를 하려는 자
2. 법 제10조제6항 및 시행규칙 제13조제1항제10호에 따라 임상시험용 의료기기를 제조하고자 하는 자
3. 법 제12조제1항 및 시행규칙 제15조제1항제6호에 따라 적합성평가를 받고자 하는 의료기기제조업자(단, 수출만을 목적으로 제조하는 의료기기의 경우에는 적용하지 아니할 수 있다)
4. 법 제14조제2항 및 시행규칙 제18조제1항제3호에 따라 수입품목허가를 받거나 신고하려는 자
5. 법 제14조제5항 및 시행규칙 제20조제1항제4호에 따라 적합성평가를 받고자 하는 의료기기수입업자
6. 법 제12조, 제14조 및 시행규칙 제15조제1항제6호 관련 별표 3, 제20조제1항제4호 관련 별표 5에 따라 식품의약품안전청에 등록된 품질관리심사기관

제4조(적합성평가기준) ①시행규칙 별표 3에 따른 의료기기 제조 및 품질관리기준에 대한 적합성평가기준 및 평가표는 별표 1과 같다. 다만, 다음 각 호와 같이 별표 1 중 일부만 적용할 수 있다.

1. 임상시험용 의료기기를 제조하는 경우 6.1, 6.2, 6.3, 6.4, 7.1, 7.3, 7.4.3, 7.5, 7.6, 8.2.4.1, 8.3
2. 1등급 의료기기(멸균의료기기는 제외한다)의 경우 4.1, 4.2, 5.5, 6.4, 7.1, 7.4, 7.5, 7.6, 8.2.1, 8.2.4, 8.3, 8.5
3. 제5조제2항 중 다른 품목군의 의료기기를 추가하는 경우 4.1, 4.2, 6.1, 6.2, 6.3, 6.4, 7.1, 7.2, 7.3, 7.4, 7.5, 7.6, 8.2.4, 8.3
4. 제5조제3항 중 대표자의 변경(법인내 대표자 변경은 제외)의 경우 4.1, 4.2, 5.1, 5.2, 5.3, 5.4, 5.5, 5.6, 6.1, 6.2, 7.5.1, 8.2.4.1, 8.5
5. 제5조제3항 중 소재지 변경의 경우 4.1, 4.2, 6.1, 6.3, 6.4, 7.5, 7.6, 8.2.4, 8.3, 8.5

②시행규칙 별표 5에 따른 의료기기 수입 및 품질관리기준에 대한 적합성평가기준 및 평가표는 별표 2와 같다.

제2장 적합성평가

제5조(품질관리기준 적합성평가 신청) ①제3조 각 호의 자가 품질관리기준의 적합성평가를 받고자 하는 경우 식품의약품안전청에 등록된 의료기기품질관리심사기관(이하 "품질관리심사기관"이라 한다)의 장에게 별지 제1호서식에 의한 신청서에 다음 각 호의 자료를 첨부하여 제출하여야 한다. 이 경우 품목허가 또는 신고한 제품에 대한 1개 제조단위 또는 1회 수입 이상의 품질관리 실적(법 제6조제2항 또는 제14조제2항을 위하여 제조 또는 수입된 시험용 의료기기의 제조 또는 수입 품질관리실적 포함)이 있어야 한다.

1. 시행규칙 제3조 및 제17조에 따른 의료기기제조(수입)업허가증 사본 또는 시행규칙 제8조제3항 및 제21조에 따른 의료기기조건부제조(수입)업허가증 사본(임상시험용 의료기기는 제외)

2. 다음 각 목에 의한 적합성평가에 필요한 자료

가. 품질매뉴얼, 수입관리기준서, 작업지시서, 제품표준서 등 품질관리문서

나. 그 밖에 제품설명서, 외국제조소의 품질관리실태 적합인정 서류 등 적합성평가에 필요한 자료

②품질관리기준 적합성평가는 「의료기기허가등에관한규정」(식품의약품안전청 고시) 별표 4 의료기기의 품목군에 따라 받아야 한다. 다만, 동일 품목군에 속하는 품목이라도 1등급 의료기기에 2・3・4등급 의료기기의 품목허가를 새로 받을 때는 품질관리기준 적합성평가를 다시 받아야 한다.

③의료기기제조업자는 다음 각 호의 어느 하나에 해당하는 경우 새로 품질관리기준 적합성평가를 받아야 한다.

1. 대표자의 변경(법인내 대표자 변경 제외)
2. 소재지 변경(제품의 품질과 관계가 적은 단순 창고・시험실 등의 변경 제외)
3. 제조공정의 위탁범위를 변경하거나 멸균방법을 변경하는 등 제조공정의 중대한 변경

제6조(적합성평가의 실시) ①품질관리심사기관의 장은 제5조에 따라 품질관리기준 적합성평가를 신청 받은 경우 신청 받은 날로부터 7일 이내에 식품의약품안전청장에게 보고하고 신청인에게 심사일을 통보하여야 한다.

②품질관리심사기관의 장은 품질관리기준 적합성평가를 신청 받은 날로부터 30일 이내(재심사의 경우에는 15일 이내)에 적합성평가를 실시하고 그 결과를 신청인에게 문서로 통지하여야 한다. 다만, 부득이한 사유로 동 기간내에 처리할 수 없는 때에는 미리 신청인에게 지연사실을 알려주어야 한다.

③품질관리심사기관의 장 및 식품의약품안전청장은 제2항에 따라 적합성평가를 실시한 경우 별지 제2호서식 또는 별지 제3호서식에 의한 적합인정서(이하 "적합인정서"라 한다)를 교부하여야 하며, 보완사항이 있는 경우에는 품질관리심사기관의 장이 다음 각호에 따라 조치하여야 한다.

1. 적합성평가 결과 현장 재심사가 필요한 중대한 보완사항이 있는 경우 적합성평가를 실시한 날로부터 3월 이내의 기한을 정하여 보완요구한 후 현장재심사를 실시하고, 현장 재심사가 필요하지 아니한 경미한 보완사항이 있는 경우에

는 적합성 평가를 실시한 날로부터 20일이내의 기한을 정하여 보완요구한 후, 제출된 보완(시정) 결과에 대하여 서류재심사 실시

2. 제1호에 따른 보완 요구 기한내에 보완되어 재심사 신청이 이루어지지 아니한 경우 부적합 통보

④품질관리심사기관의 장은 제3항에 따른 적합성평가 결과를 적합성평가를 실시한 날로부터 7일 이내에 별지 제4호서식에 의하여 식품의약품안전청장에게 보고하여야 한다.

제7조(정기갱신심사 등) ①시행규칙 별표 3 제6호나목 및 별표 5 제7호에 따라 의료기기 제조업자 및 수입업자는 갱신심사로서 3년에 1회 이상 정기적으로 외부품질심사(이하 '정기갱신심사'라 한다)를 받아야 하며, 필요한 경우에는 동 정기갱신심사 이외에 수시로 외부품질심사(이하 '수시심사'라 한다)를 받을 수 있다.

②제1항에 따라 정기갱신심사를 받고자 하는 의료기기 제조업자 및 수입업자는 이 기준에 의하여 교부 받은 적합인정서에 기재된 유효기한이 만료되는 날로부터 60일 전에 품질관리심사기관에 별지 제1호서식의 신청서를 제출하여야 하며, 수시심사를 받고자 하는 의료기기제조업자 및 수입업자의 경우도 신청기관 및 신청서식은 정기갱신심사와 같다.

③품질관리심사기관의 장은 정기갱신심사를 신청하여야 할 자가 제2항에 따른 신청기한까지 이를 신청하지 아니한 경우에는 해당 업소명, 대표자 등을 식품의약품안전청장에게 보고하여야 한다.

제7조의2(정기갱신심사의 실시) ①정기갱신심사의 신청 및 처리절차 등은 제6조의 규정을 준용한다.

②정기갱신심사 결과에 따른 유효기간은 적합인정서 발행일자로부터 기산한다. 다만 종전의 적합인정서에 기재된 유효기한 이후에 정기갱신심사 적합인정서가 발급되는 경우에는 종전의 유효기한이 만료되는 날로부터 기산한다.

제7조의3(적합인정의 표시) 의료기기제조업자와 별지 제1호서식에서 정하는 외국제조및품질관리적합인정을 받은 수입업자는 이 기준에 의하여 교부 받은 별지 제

2호서식의 적합인정서에 기재된 품목(제품명)에 한하여 별표 4에 따라 적합인정 표시를 할 수 있다.

제8조(ISO 13485 심사 등의 동시 실시) 제5조 및 제7조에 따라 품질관리기준의 적합성평가를 받고자 하는 자가 ISO 13485, CE 인증 등에 대한 심사를 함께 신청한 경우 품질관리기준의 적합성평가와 ISO 13485, CE 인증 등에 대한 심사를 동시에 실시할 수 있다.

제3장 품질관리심사기관

제9조(등록) ①품질관리심사기관으로 등록하고자 하는 자는 별지 제5호서식에 의한 신청서에 다음 각 호의 서류를 첨부하여 식품의약품안전청장에 제출하여야 한다.

1. 정관(법인인 경우에 한함)
2. 사업계획서
3. 별표 3의 품질관리심사기관 관리운영기준에 적합함을 입증하는 자료

②식품의약품안전청장은 제1항에 따라 등록신청을 받은 경우 별표 3의 품질관리심사기관 관리운영기준에 적합한지의 여부를 심사하여 적합한 경우에는 별지 제6호서식에 의한 등록증을 발급하고 등록대장에 등록사항(법인명, 대표자, 소재지, 사업자등록번호, 등록조건)을 기재하여야 한다.

③식품의약품안전청장은 제2항에 따라 품질관리심사기관의 심사를 위하여 필요한 경우 세부심사기준을 정할 수 있다.

④식품의약품안전청장은 품질관리심사기관의 심사를 위하여 "의료기기품질관리심사기관평가자문위원회"를 구성·운영할 수 있다.

제10조(품질관리심사기관의 업무 등) ①품질관리심사기관의 업무는 다음 각 호와 같다.

1. 다음 각 목의 기준 준수여부의 심사

 가. 의료기기 제조 및 품질관리기준(시행규칙 별표 3)

나. 수입 및 품질관리기준(시행규칙 별표 5)

2. 제1호에 따라 적합인정을 받은 자에 대한 정기갱신심사

3. 품질심사원의 심사능력 제고 등 품질관리심사에 관한 연구

4. 그밖에 품질관리심사에 관하여 필요한 사항

②품질관리심사기관의 장은 품질관리심사에 관한 중요사항을 심의하기 위하여 관련 기관, 관계 전문가, 이해관계자 등으로 구성된 의료기기품질관리심의위원회를 설치 · 운영할 수 있다.

③제2항에 따라 의료기기품질관리심의위원회의 구성과 운영에 관하여 필요한 사항은 품질관리심사기관의 장이 식품의약품안전청장의 승인을 받아 따로 정한다.

제11조(세부운영규정의 승인) 품질관리심사기관의 장은 품질관리심사를 위하여 필요한 세부운영규정을 식품의약품안전청장의 승인을 받아 따로 정할 수 있다.

제12조(보고) 품질관리심사기관의 장은 품질관리기준 적합성평가 실적을 별지 제7호 및 제8호서식에 의하여 분기별로 분기 종료후 10일 이내에 식품의약품안전청장에게 보고하여야 된다. 다만, 식품의약품안전청장의 별도 요구가 있을 때에는 요구일로부터 7일 이내에 보고나 자료제출을 하여야 한다.

제13조(평가 등 지도·감독) ①식품의약품안전청장은 품질관리심사기관이 별표 3 품질관리심사기관 관리운영기준에 적합하게 운영되고 있는지의 여부를 매년마다 평가하는 등 품질관리심사업무가 적정하게 수행되도록 지도 · 감독하여야 한다.

②식품의약품안전청장은 제1항에 따른 평가를 실시하기 위하여 필요한 경우 평가위원회를 구성 · 운영할 수 있다.

제14조(처분) ①식품의약품안전청장은 품질관리심사기관이 다음 각 호의 어느 하나에 해당하는 경우에는 시정을 명할 수 있다.

1. 제12조에 따른 보고에 응하지 아니한 경우

2. 제13조제1항에 따른 평가 및 지도 · 감독결과 시정이 필요한 경우

②식품의약품안전청장은 품질관리심사기관이 다음 각 호의 어느 하나에 해당되

는 경우에는 1년 이내의 기간을 정하여 업무정지를 명할 수 있다.

1. 제1항에 따른 식품의약품안전청장의 명령을 위반한 경우
2. 법 및 관련 법령을 위반한 경우
3. 의료기기의 품질심사업무를 위법부당하게 처리한 경우
4. 품질관리심사기관으로서의 업무를 수행할 수 없다고 인정되는 경우

제15조(재검토기한) 「훈령ㆍ예규 등의 발령 및 관리에 관한 규정」(대통령훈령 제248호)에 따라 이 고시 발령 후의 법령이나 현실여건 변화 등을 검토하여 이 고시를 폐지하거나 개정 등의 조치를 하여야 하는 기한은 2012년 8월 24일까지로 한다.

부 칙〈2005. 3. 16〉

제1조(시행일) 이 기준은 고시한 날부터 시행한다.

제2조(우수의료용구제조및품질관리기준 적합업소에 대한 경과조치) 이 기준 시행당시 종전의 우수의료용구제조및품질관리기준(식품의약품안전청 고시 제1998-35호, 1998.4.16.)에 의하여 우수의료용구제조및품질관리기준 적합인증을 받은 의료기기 제조업자는 이 기준 제6조의 규정에 의한 정기심사 완료전까지 이 기준에 적합한 것으로 본다.

제3조(의료용구 조사기관에 대한 경과조치) 이 기준 시행당시 종전의 의료용구의허가등에관한규정(식품의약품안전청 고시 제2003-48호, 2003. 10.13.)에 의하여 의료용구 조사기관으로 식품의약품안전청에 등록된 기관은 제8조의 규정에 의한 의료기기 품질관리심사기관으로 등록한 것으로 본다.

부 칙 〈2005. 11. 21〉

제1조(시행일) 이 기준은 고시한 날부터 시행한다.

제2조(의료기기 제조 및 품질관리기준 적합성평가기준에 대한 경과조치) [별표 1] 의료기기 제조 및 품질관리기준 적합성평가기준 및 평가표에 있어 7.1.라, 7.3.2 가목 5), 7.5.2.1 라목, 7.5.2.2에 대하여는 2007년 5월 30일 부터 시행한다.

부　칙 〈2007. 2. 7〉

제1조(시행일) ①이 기준은 고시한 날부터 시행한다. 다만, 제7조의2 규정은 2007년 6월 1일부터 시행한다.

제2조(경과조치) ①이 고시 시행전에 품질관리심사기관에 접수된 의료기기품질관리기준적합인정신청서에 대한 심사는 종전의 고시에 의한다.

②이 고시 시행당시 종전의 고시에 따라 의료기기품질관리심사기관으로 등록한 자는 2007년 5월 30일까지 [별표 3] 품질관리심사기관관리운영기준에 적합하도록 하여야 한다.

부　칙 〈2008. 2. 22〉

제1조(시행일) 이 기준은 2008년 3월 1일부터 시행한다.

부　칙 〈2009. 6. 17〉

제1조(시행일) 이 기준은 고시한 날부터 시행한다.

부　칙 〈2009. 8. 20〉

제1조(시행일) 이 기준은 2009년 8월 30일부터 시행한다.

부　칙 〈제2009-203호, 2009.12. 22〉

제1조(시행일) 이 기준은 고시한 날부터 시행한다.

[별표 1]

의료기기 제조 및 품질관리기준 적합성평가기준 및 평가표

(제4제1항 관련)

1. 목적

이 기준은 의료기기제조업자가 의료기기의 설계・개발, 생산, 설치 및 서비스를 제공함에 있어 적용되는 품질경영시스템의 요구사항을 규정하는 것을 목적으로 한다.

2. 적용범위

의료기기의 특성으로 인하여 7. 제품실현의 어떠한 요구사항이 적용되지 아니하는 경우 제조업자는 품질경영시스템에 이를 포함시키지 아니할 수 있다. 다만, 제조업자는 이러한 적용제외가 정당함을 입증하여야 한다.

3. 인용규격 및 용어의 정의

이 기준을 적용함에 있어 용어의 정의는 산업표준화법에 의한 한국산업규격 품질경영시스템-기본사항 및 용어(KS A 9000:2001)에 의한다.

4. 품질경영시스템

4.1 일반 요구사항

가. 제조업자는 이 기준의 요구사항에 따라 품질경영시스템을 수립, 문서화, 실행 및 유지하여야 하며 품질경영시스템의 효과성을 유지하여야 한다.

나. 제조업자는 다음 사항을 실행하여야 한다.

1) 품질경영시스템에 필요한 프로세스를 파악하고 조직 전반에 적용

2) 프로세스 순서 및 상호작용의 결정

3) 프로세스에 대한 운영 및 관리가 효과적임을 보장하는데 필요한 기준 및 방법의 결정

4) 프로세스의 운영 및 모니터링을 지원하는데 필요한 정보와 자원이 이용 가능하도록 보장

5) 프로세스의 모니터링, 측정 및 분석

6) 계획된 결과를 달성하기 위하여 필요한 조치를 실행하고 프로세스의 효과성을 확보

다. 제조업자는 이 기준의 요구사항에 적합하게 프로세스를 관리하여야 한다.

라. 제품의 적합성 요구사항에 영향을 미치는 어떠한 프로세스를 위탁하는 경우 제조업자는 이러한 프로세스가 관리됨을 보장하여야 한다. 또한 위탁한 프로세스에 대한 관리는 품질경영시스템 내에서 확인되어야 한다.

4.2 문서화 요구사항

4.2.1 일반 요구사항

가. 품질경영시스템의 문서화에는 다음 사항이 포함되어야 한다.

1) 문서화하여 표명된 품질방침 및 품질목표

2) 품질매뉴얼

3) 이 기준이 요구하는 문서화된 절차

4) 프로세스의 효과적인 기획, 운영 및 관리를 보장하기 위하여 조직이 필요로 하는 문서

5) 이 기준에서 요구하는 품질기록

6) 그 밖에 관련 규정에 명시된 다른 문서화 요구사항

나. 이 기준에서 어떠한 요구사항, 절차, 활동 또는 특별한 조치가 문서화되도록 규정한 경우 제조업자는 이를 실행하고 유지하여야 한다.

다. 제조업자는 의료기기의 각 품목 및 형명 별로 제품의 규격 및 품질경영시스템 요구사항이 규정된 문서를 포함한 파일을 수립하고 유지하여야 한다. 또한 이러한 문서에는 제조공정 전반 및 해당되는 경우 설치 및 서비스에 대하여

규정하여야 한다.

4.2.2 품질매뉴얼

가. 제조업자는 다음 사항을 포함한 품질매뉴얼을 수립하고 유지하여야 한다.
 1) 적용 제외 또는 비적용 되는 세부내용 및 그 정당성을 포함한 품질경영시스템의 적용범위
 2) 품질경영시스템을 위하여 수립된 문서화된 절차 및 이에 대한 참조문서
 3) 품질경영시스템 프로세스의 상호작용에 대한 기술

나. 품질매뉴얼은 품질경영시스템에서 사용되는 문서의 구조를 간략하게 명시하여야 한다.

4.2.3 문서관리

가. 품질경영시스템에 필요한 문서는 관리되어야 한다. 품질기록은 문서의 특별한 형식이며 4.2.4의 요구사항에 따라 관리되어야 한다.

나. 다음 사항의 관리에 필요한 문서화된 절차를 수립하여야 한다.
 1) 발행 전에 문서의 적절성을 검토, 승인
 2) 필요시 문서의 검토, 갱신 및 재승인
 3) 문서의 변경 및 최신 개정 상태가 식별됨을 보장
 4) 적용되는 문서의 해당 본이 사용되는 장소에서 이용 가능함을 보장
 5) 문서가 읽기 쉽고 쉽게 식별됨을 보장
 6) 외부출처 문서가 식별되고 배포상태가 관리됨을 보장
 7) 효력이 상실된 문서의 의도되지 않는 사용을 방지하고, 어떠한 목적을 위하여 보유할 경우에는 적절한 식별방법을 적용

다. 제조업자는 최초 승인권자 또는 다른 권한이 지정된 자에 의하여 문서의 변경이 검토되고 승인되도록 하여야 한다.

라. 제조업자는 효력이 상실된 관리문서의 최소 1부를 제품의 사용기한에 상응하는 기간동안 보유하여야 한다. 이 기간은 최소한 5년 이상이어야 하며 시판 후 2년 이상이어야 한다.

4.2.4 기록관리

가. 품질경영시스템의 효과적인 운영과 요구사항에 적합함을 입증하는 기록을 작성하고 유지하여야 한다. 기록은 읽기 쉽고, 쉽게 식별되고 검색이 가능하도록 유지하여야 한다. 품질기록의 식별, 보관, 보호, 검색, 보존기간 및 처리에 필요한 관리방법을 규정한 문서화된 절차를 수립하여야 한다.

나. 모든 품질기록은 손상, 손실 또는 열화를 방지할 수 있는 시설 내에서 즉시 검색이 가능하도록 보관하여야 한다.

다. 제조업자는 품질기록을 제품의 사용기한에 상응하는 기간동안 보유하여야 한다. 이 기간은 최소한 5년 이상이어야 하며 시판 후 2년 이상이어야 한다.

5. 경영책임

5.1 경영의지

가. 제조업자는 다음에 의하여 품질경영시스템을 수립 및 실행하고 효과성이 유지되고 있음을 입증하여야 한다.

1) 법적 요구사항 및 고객 요구사항 충족의 중요성에 대한 내부 의사소통
2) 품질방침의 수립
3) 품질목표의 수립을 보장
4) 경영검토의 수행
5) 자원이 이용 가능함을 보장

5.2 고객중심

제조업자는 고객 요구사항이 결정되고 충족됨을 보장하여야 한다.

5.3 품질방침

제조업자는 품질방침이 다음과 같음을 보장하여야 한다.

1) 조직의 목적에 적절할 것
2) 품질경영시스템의 요구사항을 준수하고 효과성을 유지하기 위한 실행의지를 포함할 것

3) 품질목표의 수립 및 검토를 위한 틀을 제공할 것
4) 조직 내에서 의사소통 되고 이해될 것
5) 지속적인 적절성을 위하여 검토될 것

5.4 기 획

5.4.1 품질목표

제조업자는 제품에 대한 요구사항을 충족시키는데 필요한 사항을 포함한 품질목표가 조직 내의 관련 기능 및 계층에서 수립됨을 보장하여야 한다. 품질목표는 측정이 가능하여야 하며 품질방침과 일관성이 있어야 한다.

5.4.2 품질경영시스템 기획

제조업자는 다음 사항을 보장하여야 한다.

1) 품질경영시스템의 기획은 품질목표뿐만 아니라 4.1 일반 요구사항을 충족시킬 수 있도록 수행할 것
2) 품질경영시스템에 대한 변경이 계획되고 수행될 때 품질경영시스템의 완전성(integrity)을 유지할 것

5.5 책임과 권한 및 의사소통

5.5.1 책임과 권한

제조업자는 책임과 권한이 규정되고 문서화되어 조직 내에서 의사소통됨을 보장하여야 한다. 제조업자는 품질에 영향을 미치는 업무를 관리, 수행 및 검증하는 모든 직원의 상호관계를 수립하고, 이러한 업무를 수행하는데 필요한 권한과 독립성을 보장하여야 한다.

5.5.2 품질책임자

제조업자는 다른 책임과 무관하게 다음 사항을 포함하는 책임과 권한을 갖는 사람을 조직의 관리자 중에서 선임하여야 한다.

1) 제조소의 품질관리에 관한 업무

2) 제조소의 품질관리 결과의 평가 및 제품의 출하여부 결정
3) 품질경영시스템에 필요한 프로세스가 수립되고 실행되며 유지됨을 보장
4) 제조업자에게 품질경영시스템의 성과 및 개선의 필요성에 대하여 보고
5) 조직 전체에 걸쳐 법적 요구사항 및 고객 요구사항에 대한 인식의 증진을 보장

5.5.3 내부 의사소통

제조업자는 조직 내에서 적절한 의사소통 프로세스가 수립되고, 품질경영시스템의 효과성에 대하여 의사소통이 이루어지고 있음을 보장하여야 한다.

5.6 경영검토

5.6.1 일반 요구사항

가. 제조업자는 품질경영시스템의 지속적인 적합성, 적절성 및 효과성을 보장하기 위하여 계획된 주기로 검토하여야 한다. 경영검토에서는 품질방침 및 품질목표를 포함하여, 품질경영시스템 변경의 필요성 및 개선의 가능성에 대한 평가가 이루어져야 한다.
나. 경영 검토에 관한 기록을 유지하여야 한다.

5.6.2 검토입력

경영검토의 입력사항은 다음 정보를 포함하여야 한다.

1) 감사결과
2) 고객 피드백
3) 프로세스의 성과 및 제품의 적합성
4) 예방조치 및 시정조치 상태
5) 이전의 경영검토에 따른 후속조치
6) 품질경영시스템에 영향을 줄 수 있는 변경
7) 개선을 위한 제안
8) 신규 또는 개정된 법적 요구사항

5.6.3 검토출력

경영검토의 출력에는 다음과 관련한 모든 결정사항 및 조치를 포함하여야 한다.

1) 품질경영시스템 및 프로세스의 효과성 유지를 위하여 필요한 개선
2) 고객 요구사항과 관련된 제품의 개선
3) 자원의 필요성

6. 자원관리

6.1 자원의 확보

제조업자는 다음 사항을 위하여 필요한 자원을 결정하고 확보하여야 한다.

1) 품질경영시스템의 실행 및 효과성의 유지
2) 법적 및 고객 요구사항의 충족

6.2 인적자원

6.2.1 일반 요구사항

제품 품질에 영향을 미치는 업무를 수행하는 인원은 학력, 교육훈련, 숙련도 및 경험에 있어 적격하여야 한다.

6.2.2 적격성, 인식 및 교육훈련

제조업자는 다음 사항을 실행하여야 한다.

1) 제품 품질에 영향을 미치는 업무를 수행하는 인원에게 필요한 능력을 결정
2) 이러한 필요성을 충족시키기 위한 교육훈련의 제공 또는 그 밖의 조치
3) 취해진 조치의 효과성을 평가
4) 조직의 인원들이 품질목표를 달성함에 있어 자신의 활동의 관련성과 중요성 및 어떻게 기여하는지 인식함을 보장
5) 학력, 교육훈련, 숙련도 및 경험에 대한 적절한 기록을 유지

6.3. 기반시설(infrastructure)

가. 제조업자는 제품 요구사항에 대한 적합성을 확보함에 있어 필요한 기반시설을 결정, 확보 및 유지하여야 한다. 기반시설은 해당되는 경우 다음을 포함한다.

1) 건물, 업무 장소 및 관련된 부대시설
2) 프로세스 장비(하드웨어 및 소프트웨어)
3) 운송, 통신 등 지원 서비스

나. 제조업자는 기반시설의 유지활동 또는 이러한 활동의 부족으로 인하여 제품 품질에 영향을 미칠 수 있는 경우 주기를 포함하여 유지활동에 대한 문서화된 요구사항을 수립하여야 한다.

다. 이러한 유지활동의 기록을 보관하여야 한다.

6.4 작업환경

제조업자는 제품 요구사항에 대한 적합성을 확보함에 있어 필요한 작업환경을 결정하고 관리하여야 한다. 특히, 다음의 요구사항을 적용하여야 한다.

1) 제조업자는 작업원이 제품 또는 작업환경과 접촉하여 제품 품질에 유해한 영향을 미칠 우려가 있는 경우 작업원의 건강, 청결 및 복장에 대한 요구사항을 수립, 문서화하고 유지하여야 한다.
2) 제조업자는 환경조건이 제품품질에 유해한 영향을 미칠 우려가 있는 경우 작업환경 조건에 대한 문서화된 요구사항을 수립하고 이러한 환경조건을 모니터링하고 관리하기 위한 문서화된 절차 또는 작업지침서를 수립하여야 한다.
3) 제조업자는 특별한 환경조건에서 임시적으로 작업하는 모든 인원이 적절하게 교육훈련을 받도록 하거나 훈련된 인원이 감독하도록 보장하여야 한다.
4) 해당되는 경우 다른 제품, 작업환경 또는 작업원에 대한 오염을 방지하기 위하여 오염되었거나 오염 가능성이 있는 제품의 관리를 위한 특별한 조치계획을 수립하고 문서화하여야 한다.

7. 제품실현

7.1 제품실현의 기획

가. 제조업자는 제품실현에 필요한 프로세스를 계획하고 개발하여야 한다. 제품실현의 기획은 품질경영시스템의 다른 프로세스 요구사항과 일관성이 있어야 한다.

나. 제조업자는 제품실현의 기획에 있어 해당되는 경우 다음 사항을 결정하여야 한다.

1) 품질목표 및 제품에 대한 요구사항
2) 제품에 대하여 요구되는 프로세스의 수립, 문서화 및 특정한 자원 확보의 필요성
3) 제품에 요구되는 특별한 검증, 유효성 확인, 모니터링, 시험검사 활동 및 적합 판정 기준
4) 제품실현 프로세스 및 그 결과의 산출물이 요구사항에 충족함을 입증하는데 필요한 기록

다. 이러한 기획의 출력은 조직의 운영방식에 적절한 형태여야 한다.

라. 제조업자는 제품실현 전반에 있어 위험관리에 필요한 요구사항을 문서화 하여야 한다. 위험관리로 작성된 기록은 유지하여야 한다.

7.2 고객 관련 프로세스

7.2.1 제품과 관련된 요구사항의 결정

제조업자는 다음 사항을 결정하여야 한다.

1) 인도 및 인도 후 활동에 대한 요구사항을 포함한 고객이 규정한 요구사항
2) 고객이 언급하지는 않았으나 알았을 경우 명시한 사용 또는 의도한 사용을 위하여 필요한 요구사항
3) 제품과 관련된 법적 요구사항
4) 그 밖에 제조업자가 결정한 추가 요구사항

7.2.2 제품과 관련된 요구사항의 검토

가. 제조업자는 제품과 관련된 요구사항을 검토하여야 한다. 이러한 검토는 제조업자가 고객에게 제품을 공급하기로 결정 또는 약속하기 전에 수행되어야 하며 다음 사항을 보장하여야 한다.

1) 제품에 대한 요구사항을 정하고 문서화할 것

2) 이전에 제시한 것과 상이한 계약 또는 주문 요구사항이 해결될 것

3) 제조업자가 정해진 요구사항을 충족시킬 능력을 가지고 있을 것

나. 검토 및 수반되는 조치에 대한 결과의 기록은 유지되어야 한다.

다. 고객이 요구사항을 문서화하여 제시하지 않는 경우 제조업자는 수락 전에 고객 요구사항을 확인하여야 한다.

라. 제품 요구사항이 변경되는 경우 제조업자는 관련 문서를 수정하고 관련된 인원이 변경된 요구사항을 인식하도록 하여야 한다.

7.2.3 고객과의 의사소통

제조업자는 다음 사항과 관련하여 고객과의 의사소통을 위한 효과적인 방법을 결정하고 실행하여야 한다.

1) 제품정보

2) 변경을 포함하여 문의, 계약 또는 주문의 취급

3) 고객 불만을 포함한 고객 피드백

4) 권고문

7.3. 설계 및 개발

7.3.1 설계 및 개발 계획

가. 제조업자는 설계 및 개발에 대한 문서화된 절차를 수립하여야 한다.

나. 제조업자는 제품에 대한 설계 및 개발을 계획하고 관리하여야 한다.

다. 설계 및 개발 계획기간 동안 제조업자는 다음 사항을 결정하여야 한다.

1) 설계 및 개발 단계

2) 각 설계 및 개발 단계에 적절한 검토, 검증, 유효성 확인 및 설계이관 활동

3) 설계 및 개발 활동에 대한 책임과 권한

라. 제조업자는 효과적인 의사소통 및 책임의 명확성을 위하여 설계 및 개발에 참여하는 서로 다른 그룹간의 연계성을 관리하여야 한다.

마. 계획의 출력물은 문서화하여야 하고 해당되는 경우 설계 및 개발 진행에 따라 갱신하여야 한다.

7.3.2 설계 및 개발 입력

가. 다음 사항을 포함하여 제품 요구사항에 관련된 입력을 결정하고 기록을 유지하여야 한다.

1) 의도된 사용에 필요한 기능, 성능 및 안전 요구사항

2) 적용되는 법적 요구사항

3) 적용 가능한 경우, 이전의 유사한 설계로부터 도출된 정보

4) 설계 및 개발에 필수적인 기타 요구사항

5) 위험관리 출력물

나. 이러한 입력의 적정성을 검토하고 승인하여야 한다. 요구사항은 완전해야 하고 불명확하거나 다른 요구사항과 상충되지 않아야 한다.

7.3.3 설계 및 개발 출력

가. 설계 및 개발 프로세스의 출력은 문서화하여야 하고 설계 및 개발 입력사항과 비교하여 검증이 가능한 형태로 제공되어야 하며 배포 전에 승인되어야 한다.

나. 설계 및 개발 출력은 다음과 같아야 한다.

1) 설계 및 개발 입력 요구사항을 충족시킬 것

2) 구매, 생산 및 서비스 제공을 위한 적절한 정보를 제공할 것

3) 제품 적합판정 기준을 포함하거나 인용할 것

4) 안전하고 올바른 사용에 필수적인 제품의 특성을 규정할 것

다. 설계 및 개발 출력의 기록을 유지하여야 한다.

7.3.4 설계 및 개발 검토(review)

가. 다음 목적을 위하여 적절한 단계에서 설계 및 개발에 대한 체계적인 검토가

계획된 방법에 따라 수행되어야 한다.

1) 요구사항을 충족시키기 위한 설계 및 개발 결과의 능력에 대한 평가
2) 문제점 파악 및 필요한 조치의 제시

나. 이러한 검토에는 설계 및 개발 단계에 관련되는 책임자뿐만 아니라 기타 전문가가 포함되어야 한다.

다. 검토 및 필요한 조치에 대한 기록은 유지되어야 한다.

7.3.5 설계 및 개발 검증(verification)

설계 및 개발 출력이 입력 요구사항을 충족하도록 보장하기 위하여 계획된 방법에 따라 검증이 수행되어야 한다. 검증 및 결과의 기록은 유지되어야 한다.

7.3.6 설계 및 개발 유효성 확인(validation)

가. 결과물인 제품이 요구사항에 적합함을 보장하기 위하여 계획된 방법에 따라 설계 및 개발의 유효성 확인이 수행되어야 한다. 유효성 확인은 제품의 인도 또는 실행 전에 완료되어야 한다.

나. 유효성 확인결과 및 필요한 조치의 결과에 대한 기록은 유지되어야 한다.

다. 제조업자는 설계 및 개발 유효성 확인을 위하여 법령에서 요구하는 경우 임상시험 및 성능평가를 수행하여야 한다.

7.3.7 설계 및 개발 변경의 관리

가. 설계 및 개발의 변경을 파악하고 기록을 유지하여야 한다. 변경 사항에 대하여 검토, 검증 및 유효성 확인을 하여야 하며 해당되는 경우 실행 전에 승인하여야 한다. 설계 및 개발 변경의 검토는 구성부품 및 이미 인도된 제품에 대한 영향의 평가를 포함하여야 한다.

나. 변경검토 및 필요한 조치의 결과에 대한 기록은 유지되어야 한다.

7.4. 구매

7.4.1 구매 프로세스

가. 제조업자는 구매한 제품이 규정된 요구사항에 적합함을 보장하는 문서화된 절차를 수립하여야 한다.

나. 공급자 및 구매품에 적용되는 관리의 방식과 정도는 제품실현 및 최종 제품에 대한 영향에 따라 달라져야 한다.

다. 제조업자는 요구사항에 일치하는 제품을 공급할 수 있는 능력을 근거로 하여 공급자를 평가하고 선정하여야 한다. 선정, 평가 및 재평가에 대한 기준을 정하여야 한다.

라. 평가 및 필요한 조치의 결과에 대한 기록은 유지되어야 한다.

7.4.2 구매정보

가. 구매정보에는 해당되는 경우 다음 사항을 포함하여 구매할 제품에 대하여 기술하여야 한다.

1) 제품, 절차, 프로세스, 시설 및 장비의 승인에 대한 요구사항

2) 인원의 자격인정에 대한 요구사항

3) 품질경영시스템 요구사항

나. 제조업자는 공급자와 의사소통하기 전에 규정된 구매 요구사항의 적정성을 보장하여야 한다.

다. 제조업자는 추적성이 요구되는 범위까지 문서 및 기록 등 관련 구매정보를 유지하여야 한다.

7.4.3 구매품의 검증

가. 제조업자는 구매한 제품이 규정된 요구사항에 적합함을 보장하는데 필요한 시험검사 또는 그 밖의 활동을 수립하고 실행하여야 한다.

나. 제조업자 또는 고객이 공급자 현장에서 검증하고자 하는 경우 제조업자는 검증 계획 및 제품의 출하 방법을 구매정보에 명시하여야 한다.

다. 검증기록은 유지하여야 한다.

7.5 생산 및 서비스 제공

7.5.1 생산 및 서비스 제공 관리

7.5.1.1 일반 요구사항

가. 제조업자는 관리된 조건하에서 생산 및 서비스 제공을 계획하고 수행하여야 한다. 관리된 조건은 해당되는 경우 다음 사항을 포함하여야 한다.

1) 제품의 특성을 규정한 정보의 이용 가능성
2) 문서화된 절차 및 요구사항, 작업 지시서, 필요한 경우 참고문헌(reference materials) 및 측정절차서의 이용 가능성
3) 적절한 장비의 사용
4) 모니터링 및 측정 장비의 사용 가능성과 사용
5) 모니터링 및 측정의 실행
6) 출고, 인도 및 인도 후 활동의 실행
7) 표시 및 포장 작업을 위하여 정해진 활동의 실행

나. 조직은 7.5.3에 규정된 범위까지 추적성을 제공하고, 생산 및 판매 승인된 수량을 식별할 수 있도록 의료기기의 각 lot / batch별 기록을 수립·유지하여야 한다. 그 기록은 검증되고 승인되어야 한다.

7.5.1.2 생산 및 서비스 제공 관리에 대한 특별 요구사항

7.5.1.2.1 제품 청결 및 오염관리

제조업자는 다음에 해당하는 경우 제품의 청결에 대한 요구사항을 수립, 문서화하고 유지하여야 한다. 다만, 제품이 1) 또는 2)에 적합하게 세척되는 경우 6.4의 1) 및 2)의 요구사항은 세척공정 이전에 적용하지 아니한다.

1) 멸균 및/또는 그 사용 이전에 제조업자에 의하여 세척(clean)되는 제품
2) 멸균 및/또는 그 사용 이전에 세척 공정(cleaning process)을 필요로 하는 비멸균 상태로 공급되는 제품
3) 비멸균 상태로 공급되며, 그 청결이 사용상 중요한 제품
4) 공정에서의 사용물질(process agents)이 제조과정에서 제품으로부터 제거되는 것

7.5.1.2.2 설치 활동

가. 해당되는 경우 제조업자는 의료기기의 설치 및 검증에 대한 허용기준(acceptance criteria)을 포함하는 문서화된 요구사항을 수립하여야 한다.

나. 고객이 제조업자 또는 지정된 대리인(agent)외에 다른 자에 의한 설치를 허용한 경우 제조업자는 설치 및 검증에 대한 문서화된 요구사항을 수립하여야 한다.

다. 제조업자 또는 지정된 대리인이 수행한 설치 및 검증 기록은 유지하여야 한다.

7.5.1.2.3 서비스 활동

가. 서비스가 규정된 요구사항인 경우 제조업자는 서비스 활동의 수행과 규정된 요구사항을 충족하는지 검증하는 문서화된 절차, 작업지침서, 참고문헌 및 측정절차서를 적절하게 유지하여야 한다.

나. 제조업자가 수행한 서비스 활동 기록은 유지되어야 한다.

7.5.1.3 멸균 의료기기에 대한 특별 요구사항

제조업자는 각 멸균 lot / batch에 사용된 멸균공정의 매개변수(parameter)에 대한 기록을 유지하여야 한다. 멸균기록은 의료기기의 각 제조 lot / batch를 추적할 수 있어야 한다.

7.5.2 생산 및 서비스 제공 프로세스의 유효성 확인(Validation)

7.5.2.1 일반 요구사항

가. 제조업자는 결과로 나타난 출력이 후속되는 모니터링 또는 측정에 의하여 검증될 수 없는 모든 생산 및 서비스 제공 프로세스에 대하여 유효성을 확인하여야 한다. 유효성 확인에는 제품의 사용 또는 서비스 인도 후에만 불일치가 나타나는 모든 프로세스를 포함한다.

나. 유효성 확인을 통하여 계획된 결과를 달성하기 위한 프로세스의 능력을 입증하여야 한다.

다. 제조업자는 해당되는 경우 다음을 포함하는 프로세스에 대한 절차를 수립하여야 한다.

1) 프로세스의 검토 및 승인에 있어 규정된 기준
2) 장비의 승인 및 인원의 자격인정
3) 특정한 방법 및 절차의 사용
4) 기록에 대한 요구사항
5) 유효성 재확인(revalidation)

라. 제조업자는 규정된 요구사항을 충족하기 위하여 제품의 성능에 영향을 미치는 컴퓨터 소프트웨어 적용(소프트웨어 및/또는 적용의 변경을 포함)의 유효성 확인을 위한 문서화된 절차를 수립하여야 한다. 이러한 소프트웨어 적용에 있어 최초 사용 전에 유효성을 확인하여야 한다.

마. 유효성 확인 결과 기록은 유지되어야 한다.

7.5.2.2 멸균 의료기기에 대한 특별 요구사항

가. 제조업자는 멸균공정의 유효성 확인을 위한 문서화된 절차를 수립하여야 한다.

나. 멸균공정은 최초 사용 전에 유효성을 확인하여야 한다.

다. 각 멸균공정의 유효성 확인 결과 기록은 유지되어야 한다.

7.5.3 식별 및 추적성

7.5.3.1 식별

가. 제조업자는 제품실현의 모든 단계에 걸쳐 적절한 수단으로 제품을 식별하여야 하고 이러한 제품 식별을 위한 문서화된 절차를 수립하여야 한다.

나. 제조업자는 반품된 의료기기가 식별되고 적합한 제품과 구별됨을 보장하는 문서화된 절차를 수립하여야 한다.

7.5.3.2 추적성

7.5.3.2.1 일반 요구사항

가. 제조업자는 추적성에 대한 문서화된 절차를 수립하여야 한다. 이러한 절차는 추적성의 범위 및 요구되는 기록에 관하여 규정하여야 한다.

나. 추적성이 요구사항인 경우 제조업자는 제품의 고유한 식별을 관리하고 기록하여야 한다.

7.5.3.2.2 추적관리대상 의료기기에 대한 특별 요구사항

가. 추적성의 범위를 설정함에 있어, 제조업자는 규정된 요구사항에 적합하지 아니한 제품을 유발시킬 수 있는 부품, 원자재 및 작업환경 조건의 기록을 포함시켜야 한다.

나. 제조업자는 추적이 가능하도록 대리인 또는 판매업자가 판매 기록을 유지하고 이러한 기록이 조사시 이용가능 하도록 요구하여야 한다.

다. 제조업자는 출고된 제품 인수자(package consignee)의 성명과 주소 기록을 유지하여야 한다.

7.5.3.3 제품상태의 식별

가. 제조업자는 모니터링 및 측정 요구사항과 관련하여 제품의 상태를 식별하여야 한다.

나. 제품의 생산, 보관, 설치 및 서비스의 전 과정에서 요구되는 시험검사를 통과(또는 승인된 특채에 따라 출하)한 제품만이 출고(dispatch), 사용 또는 설치됨을 보장하도록 제품의 식별상태를 유지하여야 한다.

7.5.4 고객자산

제조업자는 관리 하에 있거나 사용 중에 있는 고객자산에 대하여 주의를 기울여야 한다. 제조업자는 제품으로 사용하거나 제품화하기 위하여 제공된 고객자산을 식별, 검증, 보호 및 안전하게 유지하여야 한다. 고객자산이 분실, 손상 또는 사용하기에 부적절한 것으로 판명된 경우 이를 고객에게 보고하고 기록을 유지하여야 한다.

7.5.5 제품의 보존

가. 제조업자는 내부 프로세스 및 의도한 목적지로 제품을 인도하는 동안 제품의 적합성 유지를 위한 문서화된 절차 또는 작업지침을 수립하여야 한다.

나. 이러한 보존은 식별, 취급, 포장, 보관 및 보호를 포함하여야 하며 제품을 구성하는 부품에도 적용하여야 한다.

다. 제조업자는 제한된 사용기한이나 특수한 보관조건이 요구되는 제품에 대하여 문서화된 절차 또는 작업지침을 수립하여야 한다. 이러한 특수 보관조건은 관리되고 기록되어야 한다.

7.6. 모니터링 및 측정 장비의 관리

가. 제조업자는 제품이 규정된 요구사항에 적합함을 입증하기 위하여 수행되어야 할 모니터링 및 측정 활동과 필요한 장비를 결정하여야 한다.

나. 제조업자는 모니터링 및 측정과 관련한 요구사항에 일치하는 방법으로 모니터링 및 측정활동이 수행됨을 보장하는 문서화된 절차를 수립하여야 한다.

다. 유효한 결과를 보장하기 위하여 필요한 경우 측정 장비는 다음과 같아야 한다.

1) 국제 기준 또는 국가 기준에서 인정하는 측정표준에 의하여 사용 전 및 일정 주기로 교정 또는 검증하여야 한다. 이러한 표준이 없는 경우 교정 또는 검증에 사용한 근거를 기록할 것

2) 필요한 경우 조정이나 재조정 할 것

3) 교정 상태를 결정할 수 있도록 식별할 것

4) 측정 결과를 무효화시킬 수 있는 조정으로부터 보호 할 것

5) 취급, 보전 및 보관하는 동안 손상이나 열화로부터 보호할 것

라. 제조업자는 장비가 요구사항에 적합하지 아니한 것으로 판명된 경우 이전의 측정 결과에 대하여 유효성을 평가하고 기록하여야 한다. 제조업자는 장비 및 영향을 받은 제품에 대하여 적절한 조치를 취하여야 한다. 교정 및 검증 결과에 대한 기록은 유지되어야 한다.

마. 컴퓨터 소프트웨어가 규정된 요구사항에 대한 모니터링 및 측정에 사용되는 경우 소프트웨어의 성능이 의도된 적용에 적합한지 확인하여야 한다. 이는 최초 사용 전에 확인되어야 하며 필요한 경우 재확인 되어야 한다.

8. 측정, 분석 및 개선

8.1 일반 요구사항

가. 제조업자는 다음 사항에 필요한 모니터링, 측정, 분석 및 개선 프로세스를

계획하고 실행하여야 한다.

1) 제품의 적합성 입증

2) 품질경영시스템의 적합성 보장

3) 품질경영시스템의 효과성 유지

나. 측정, 분석 및 개선에는 통계적 기법을 포함한 적용 가능한 방법 및 사용범위에 대한 결정을 포함하여야 한다.

8.2 모니터링 및 측정

8.2.1 피드백

가. 제조업자는 품질경영시스템 성과 측정의 하나로서 고객 요구사항을 충족시켰는지 여부에 대한 정보를 모니터링 하여야 한다.

나. 이러한 정보의 획득 및 활용 방법을 결정하여야 한다.

다. 제조업자는 품질 문제의 조기 경보를 제공하는 피드백 시스템과 시정 및 예방조치 프로세스로의 입력을 위한 문서화된 절차를 수립하여야 한다.

라. 제품의 안전성 및 유효성과 관련된 새로운 자료나 정보를 알게 된 경우에는 식품의약품안전청장이 정하는 바에 따라 이를 보고하고 필요한 안전대책을 강구하여야 한다.

8.2.2 내부감사

가. 제조업자는 다음 사항을 결정하기 위하여 계획된 주기로 내부감사를 실시하여야 한다.

1) 품질경영시스템이 계획된 결정사항, 제조업자가 설정한 품질경영시스템 요구사항 그리고 이 기준의 요구사항을 충족시키는지 여부

2) 효과적으로 실행되고 유지되는지 여부

나. 제조업자는 감사 대상 프로세스 및 분야의 상태와 중요성뿐만 아니라 이전 감사의 결과를 고려하여 감사 프로그램을 계획하여야 한다. 감사 기준, 범위, 주기 및 방법을 정하여야 한다. 감사 프로세스의 객관성 및 공정성이 보장되도록 감사자를 선정하고 감사를 실시하여야 한다. 감사자는 자신의 업무에

대하여 감사를 실시하여서는 아니 된다.

다. 감사의 계획, 실시, 결과의 보고 및 기록유지에 대한 책임과 요구사항에 대하여 문서화된 절차에 규정하여야 한다.

라. 감사대상 업무에 책임을 지는 관리자는 발견된 부적합 및 원인을 제거하기 위한 조치가 적시에 취해질 수 있도록 보장하여야 한다. 후속조치는 취해진 조치의 검증 및 검증 결과의 보고를 포함하여야 한다.

8.2.3 프로세스의 모니터링 및 측정

제조업자는 품질경영시스템 프로세스에 대한 모니터링 및 해당되는 경우 측정을 위한 적절한 방법을 적용하여야 한다. 이 방법은 계획된 결과를 달성할 수 있는 프로세스의 능력을 입증하여야 한다. 계획된 결과가 달성되지 못한 경우 제품의 적합성이 보장될 수 있도록 적절한 시정 및 시정조치가 이루어져야 한다.

8.2.4 제품의 모니터링 및 측정

8.2.4.1 일반 요구사항

가. 제조업자는 제품에 대한 요구사항이 충족됨을 검증하기 위하여 제품의 특성을 모니터링 및 측정하여야 한다. 이는 계획된 결정사항 및 문서화된 절차에 따라 제품실현 프로세스의 적절한 단계에서 수행되어야 한다.

나. 합격판정 기준에 적합하다는 증거를 유지하여야 한다. 기록에는 제품의 출하를 승인한 인원을 표시하여야 한다.

다. 계획된 절차가 만족스럽게 완료되기 전에 제품이 출고 또는 서비스가 제공되어서는 아니 된다.

8.2.4.2 추적관리대상 의료기기에 대한 특별 요구사항

제조업자는 모든 시험검사를 수행하는 인원을 식별하고 기록하여야 한다.

8.3 부적합 제품의 관리

가. 제조업자는 의도하지 않은 사용 또는 인도를 방지하기 위하여 요구사항에 적합하지 않은 제품이 식별되고 관리됨을 보장하여야 한다. 부적합 제품의 처

리에 대한 관리 및 관련 책임과 권한은 문서화된 절차로 규정되어야 한다.

나. 제조업자는 부적합 제품을 다음의 방법으로 처리하여야 한다.

1) 발견된 부적합의 제거를 위한 조치 실시

2) 특채 하에 사용, 출고 또는 수락을 승인

3) 본래 의도된 사용 또는 적용을 배제하는 조치의 실시

다. 제조업자는 부적합 제품이 법적 요구사항을 충족하는 경우에만 특채가 허용됨을 보장하여야 한다. 특채 승인자를 식별할 수 있도록 기록을 유지하여야 한다.

라. 특채를 포함하여 부적합 상태와 취해진 모든 후속조치에 대한 기록은 유지되어야 한다.

마. 부적합 제품이 시정된 경우 요구사항에 적합함을 입증할 수 있도록 재검증되어야 한다.

바. 부적합 제품이 인도 또는 사용 후 발견되면 제조업자는 부적합의 영향과 잠재적 영향에 대한 적절한 조치를 취하여야 한다. 제품의 재작업(1회 이상)이 필요한 경우 제조업자는 최초 작업지침서와 동일한 권한 및 승인 절차에 따라 작업지침서에 재작업 프로세스를 문서화하여야 한다. 작업지침서의 권한 부여 및 승인 이전에 제품의 재작업으로 인한 모든 부정적인 영향에 대하여 결정하고 문서화하여야 한다.

8.4 데이터의 분석

가. 제조업자는 품질경영시스템의 적합성과 효과성을 입증하고 효과성의 개선여부를 평가하기 위하여 적절한 데이터를 결정, 수집 및 분석하는 문서화된 절차를 수립하여야 한다.

나. 데이터의 분석에 있어 모니터링 및 측정의 결과로부터 그리고 다른 관련 출처로부터 생성된 데이터를 포함하여야 한다.

다. 데이터의 분석은 다음에 관한 정보를 제공하여야 한다.

1) 피드백

2) 제품 요구사항에 대한 적합성

3) 예방조치에 대한 기회를 포함한 프로세스 및 제품의 특성과 경향

4) 공급자

라. 데이터 분석결과에 대한 기록은 유지되어야 한다.

8.5 개선

8.5.1 일반 요구사항

가. 제조업자는 품질방침, 품질목표, 감사 결과, 데이터분석, 시정조치 및 예방조치, 경영검토 등의 활용을 통하여 품질경영시스템의 지속적인 적절성 및 효과성을 보장하고 유지하는데 필요한 모든 변경을 식별하고 실행하여야 한다.

나. 제조업자는 권고문의 발행 및 실행에 대한 문서화된 절차를 수립하여야 한다.

다. 이러한 절차는 어떤 경우에서도 실행이 가능하여야 한다.

라. 모든 고객 불만 조사 기록을 유지하여야 한다. 조사결과 조직 외부에서의 활동으로 인하여 고객 불만이 발생된 것으로 판명된 경우 조직 내·외부간에 관련 정보를 교환하여야 한다.

마. 고객 불만에 대한 시정 및 예방조치를 실행하지 않는 경우 그 근거는 승인되고 기록되어야 한다.

바. 제조업자는 부작용 보고에 관한 문서화된 절차를 수립하여야 한다.

8.5.2 시정조치

가. 제조업자는 부적합의 재발 방지를 위하여 부적합의 원인을 제거하기 위한 조치를 취하여야 한다.

나. 시정조치는 당면한 부적합의 영향에 대하여 적절하여야 한다.

다. 문서화된 절차에는 다음을 위한 요구사항을 정하여야 한다.

1) 부적합의 검토(고객 불만 포함)

2) 부적합 원인의 결정

3) 부적합의 재발 방지를 보장하기 위한 조치의 필요성에 대한 평가

4) 해당되는 경우 문서개정을 포함한 필요한 조치의 결정 및 실행

5) 모든 조사 및 취해진 조치의 결과를 기록

6) 취해진 시정조치 및 그 효과성에 대한 검토

8.5.3 예방조치

가. 제조업자는 부적합의 발생방지를 위하여 잠재적 부적합의 원인을 제거하기 위한 예방조치를 결정하여야 한다. 예방조치는 잠재적인 문제의 영향에 대하여 적절하여야 한다.

나. 문서화된 절차에는 다음 요구사항이 규정되어야 한다.

1) 잠재적 부적합 및 그 원인 결정
2) 부적합의 발생을 방지하기 위한 조치의 필요성에 대한 평가
3) 필요한 조치의 결정 및 실행
4) 모든 조사 및 취해진 조치의 결과를 기록
5) 취해진 예방조치 및 그 효과성에 대한 검토

의료기기 품질관리기준 적합성 평가표

<table>
<tr><td>업 소 명</td><td colspan="3"></td><td>업허가번호</td><td></td></tr>
<tr><td>대 표 자</td><td colspan="3"></td><td>품 질 책 임 자</td><td></td></tr>
<tr><td>소 재 지</td><td colspan="5">(☎) (FAX)</td></tr>
<tr><td>적용기준</td><td colspan="5">□ 제조 및 품질관리기준 적합인정 □ 수입 및 품질관리기준 적합인정
□ 외국 제조 및 품질관리기준 적합인정 □ 임상시험용 의료기기</td></tr>
<tr><td>심사구분</td><td colspan="5">□ 최초심사 □ 정기갱신심사 □ 재심사
□ 수시심사 □ 기타( )</td></tr>
<tr><td rowspan="3">심사품목</td><td>품 목 군</td><td colspan="4"></td></tr>
<tr><td>제 품 명
(품목명 및 형명)</td><td colspan="4"></td></tr>
<tr><td>등 급</td><td colspan="4"></td></tr>
<tr><td rowspan="3">심 사 단</td><td>의료기기감시원</td><td colspan="4"></td></tr>
<tr><td>품 질 심 사 원</td><td colspan="4"></td></tr>
<tr><td>품질관리심사기관</td><td colspan="4"></td></tr>
<tr><td rowspan="3">심사결과</td><td>총평가항목수</td><td>A(적절함)</td><td>B(보완필요)</td><td>C(부적절함)</td><td>D(해당없음)</td></tr>
<tr><td></td><td></td><td></td><td></td><td></td></tr>
<tr><td>종 합 평 가</td><td colspan="4">□ 적 합 □ 부 적 합
□ 보 완(. . . 까지 □ 서류재심사, □ 현장재심사)</td></tr>
</table>

의료기기 제조·수입 및 품질관리기준 제6조에 따른 적합성 평가 결과입니다.

년 월 일

의료기기감시원 : (인)

품 질 심 사 원 : (인)

대 표 자 : (인)

품질관리기준 요구사항	심 사 기 준	심사결과				비고
		A	B	C	D	
4. 품질경영시스템 4.1 일반 요구사항	가. 제조업자는 이 기준의 요구사항에 따라 품질경영시스템을 수립, 문서화, 실행 및 유지하여야 하며 품질경영시스템의 효과성을 유지하여야 한다. 나. 제조업자는 다음 사항을 실행하여야 한다. 1) 품질경영시스템에 필요한 프로세스를 파악하고 조직 전반에 적용 2) 프로세스 순서 및 상호작용의 결정 3) 프로세스에 대한 운영 및 관리가 효과적임을 보장하는데 필요한 기준 및 방법의 결정 4) 프로세스의 운영 및 모니터링을 지원하는데 필요한 정보와 자원이 이용 가능하도록 보장 5) 프로세스의 모니터링, 측정 및 분석 6) 계획된 결과를 달성하기 위하여 필요한 조치를 실행하고 프로세스의 효과성을 확보 다. 제조업자는 이 기준의 요구사항에 적합하게 프로세스를 관리하여야 한다. 라. 제품의 적합성 요구사항에 영향을 미치는 어떠한 프로세스를 위탁하는 경우 제조업자는 이러한 프로세스가 관리됨을 보장하여야 한다. 또한 위탁한 프로세스에 대한 관리는 품질경영시스템 내에서 확인되어야 한다.					
4.2 문서화 요구사항 4.2.1 일반 요구사항	가. 품질경영시스템의 문서화에는 다음 사항이 포함되어야 한다. 1) 문서화하여 표명된 품질방침 및 품질목표 2) 품질매뉴얼 3) 이 기준이 요구하는 문서화된 절차 4) 프로세스의 효과적인 기획, 운영 및 관리를 보장하기 위하여 조직이 필요로 하는 문서 5) 이 기준에서 요구하는 품질기록 6) 그 밖에 관련 규정에 명시된 다른 문서화 요구사항 나. 이 기준에서 어떠한 요구사항, 절차, 활동 또는 특별한 조치가 문서화되도록 규정한 경우 제조업자는 이를 실행하고 유지하여야 한다. 다. 제조업자는 의료기기의 각 품목 및 형명 별로 제품의 규격 및 품질경영시스템 요구사항이 규정된 문서를 포함한 파일을 수립하고 유지하여야 한다. 또한 이러한 문서에는 제조공정 전반 및 해당되는 경우 설치 및 서비스에 대하여 규정하여야 한다.					
4.2.2 품질매뉴얼	가. 제조업자는 다음 사항을 포함한 품질매뉴얼을 수립하고 유지하여야 한다. 1) 적용 제외 또는 비적용 되는 세부내용 및 그 정당성을 포함한 품질경영시스템의 적용범위 2) 품질경영시스템을 위하여 수립된 문서화된 절차 및 이에 대한 참조문서 3) 품질경영시스템 프로세스의 상호작용에 대한 기술 나. 품질매뉴얼은 품질경영시스템에서 사용되는 문서의 구조를 간략하게 명시하여야 한다.					

품질관리기준 요구사항	심 사 기 준	심사결과				비고
		A	B	C	D	
4.2.3 문서관리	가. 품질경영시스템에 필요한 문서는 관리되어야 한다. 품질기록은 문서의 특별한 형식이며 4.2.4의 요구사항에 따라 관리되어야 한다. 나. 다음 사항의 관리에 필요한 문서화된 절차를 수립하여야 한다. 1) 발행 전에 문서의 적절성을 검토, 승인 2) 필요시 문서의 검토, 갱신 및 재승인 3) 문서의 변경 및 최신 개정 상태가 식별됨을 보장 4) 적용되는 문서의 해당 본이 사용되는 장소에서 이용 가능함을 보장 5) 문서가 읽기 쉽고 쉽게 식별됨을 보장 6) 외부출처 문서가 식별되고 배포상태가 관리됨을 보장 7) 효력이 상실된 문서의 의도되지 않는 사용을 방지하고, 어떠한 목적을 위하여 보유할 경우에는 적절한 식별방법을 적용 다. 제조업자는 최초 승인권자 또는 다른 권한이 지정된 자에 의하여 문서의 변경이 검토되고 승인되도록 하여야 한다. 라. 제조업자는 효력이 상실된 관리문서의 최소 1부를 제품의 사용기한에 상응하는 기간동안 보유하여야 한다. 이 기간은 최소한 5년 이상이어야 하며 시판 후 2년 이상이어야 한다.					
4.2.4 기록관리	가. 품질경영시스템의 효과적인 운영과 요구사항에 적합함을 입증하는 기록을 작성하고 유지하여야 한다. 기록은 읽기 쉽고, 쉽게 식별되고 검색이 가능하도록 유지하여야 한다. 품질기록의 식별, 보관, 보호, 검색, 보존기간 및 처리에 필요한 관리방법을 규정한 문서화된 절차를 수립하여야 한다. 나. 모든 품질기록은 손상, 손실 또는 열화를 방지할 수 있는 시설 내에서 즉시 검색이 가능하도록 보관하여야 한다. 다. 제조업자는 품질기록을 제품의 사용기한에 상응하는 기간동안 보유하여야 한다. 이 기간은 최소한 5년 이상이어야 하며 시판 후 2년 이상이어야 한다.					
5. 경영책임 5.1 경영의지	가. 제조업자는 다음에 의하여 품질경영시스템을 수립 및 실행하고 효과성이 유지되고 있음을 입증하여야 한다. 1) 법적 요구사항 및 고객 요구사항 충족의 중요성에 대한 내부 의사소통 2) 품질방침의 수립 3) 품질목표의 수립을 보장 4) 경영검토의 수행 5) 자원이 이용 가능함을 보장					
5.2 고객중심	제조업자는 고객 요구사항이 결정되고 충족됨을 보장하여야 한다.					
5.3 품질방침	제조업자는 품질방침이 다음과 같음을 보장하여야 한다. 1) 조직의 목적에 적절할 것 2) 품질경영시스템의 요구사항을 준수하고 효과성을 유지하기 위한 실행의지를 포함할 것 3) 품질목표의 수립 및 검토를 위한 틀을 제공할 것 4) 조직 내에서 의사소통 되고 이해될 것 5) 지속적인 적절성을 위하여 검토될 것					

품질관리기준 요구사항	심 사 기 준	심사결과				비고
		A	B	C	D	
5.4 기획 5.4.1 품질목표	제조업자는 제품에 대한 요구사항을 충족시키는데 필요한 사항을 포함한 품질목표가 조직 내의 관련 기능 및 계층에서 수립됨을 보장하여야 한다. 품질목표는 측정이 가능하여야 하며 품질방침과 일관성이 있어야 한다.					
5.4.2 품질경영시스템 기획	제조업자는 다음 사항을 보장하여야 한다. 1) 품질경영시스템의 기획은 품질목표뿐만 아니라 4.1 일반 요구사항을 충족시킬 수 있도록 수행할 것 2) 품질경영시스템에 대한 변경이 계획되고 수행될 때 품질경영시스템의 완전성(integrity)을 유지할 것					
5.5 책임과 권한 및 의사소통 5.5.1 책임과 권한	제조업자는 책임과 권한이 규정되고 문서화되어 조직 내에서 의사소통됨을 보장하여야 한다. 제조업자는 품질에 영향을 미치는 업무를 관리, 수행 및 검증하는 모든 직원의 상호관계를 수립하고, 이러한 업무를 수행하는데 필요한 권한과 독립성을 보장하여야 한다.					
5.5.2 품질책임자	제조업자는 다른 책임과 무관하게 다음 사항을 포함하는 책임과 권한을 갖는 사람을 조직의 관리자 중에서 선임하여야 한다. 1) 제조소의 품질관리에 관한 업무 2) 제조소의 품질관리 결과의 평가 및 제품의 출하여부 결정 3) 품질경영시스템에 필요한 프로세스가 수립되고 실행되며 유지됨을 보장 4) 제조업자에게 품질경영시스템의 성과 및 개선의 필요성에 대하여 보고 5) 조직 전체에 걸쳐 법적 요구사항 및 고객 요구사항에 대한 인식의 증진을 보장					
5.5.3 내부 의사소통	제조업자는 조직 내에서 적절한 의사소통 프로세스가 수립되고, 품질경영시스템의 효과성에 대하여 의사소통이 이루어지고 있음을 보장하여야 한다.					
5.6 경영검토 5.6.1 일반 요구사항	가. 제조업자는 품질경영시스템의 지속적인 적합성, 적절성 및 효과성을 보장하기 위하여 계획된 주기로 검토하여야 한다. 경영검토에서는 품질방침 및 품질목표를 포함하여, 품질경영시스템 변경의 필요성 및 개선의 가능성에 대한 평가가 이루어져야 한다. 나. 경영 검토에 관한 기록을 유지하여야 한다.					
5.6.2 검토입력	경영검토의 입력사항은 다음 정보를 포함하여야 한다. 1) 감사결과 2) 고객 피드백 3) 프로세스의 성과 및 제품의 적합성 4) 예방조치 및 시정조치 상태 5) 이전의 경영검토에 따른 후속조치 6) 품질경영시스템에 영향을 줄 수 있는 변경 7) 개선을 위한 제안 8) 신규 또는 개정된 법적 요구사항					

품질관리기준 요구사항	심 사 기 준	심사결과				비고
		A	B	C	D	
5.6.3 검토출력	경영검토의 출력에는 다음과 관련한 모든 결정사항 및 조치를 포함하여야 한다. 1) 품질경영시스템 및 프로세스의 효과성 유지를 위하여 필요한 개선 2) 고객 요구사항과 관련된 제품의 개선 3) 자원의 필요성					
6. 자원관리 6.1 자원의 확보	제조업자는 다음 사항을 위하여 필요한 자원을 결정하고 확보하여야 한다. 1) 품질경영시스템의 실행 및 효과성의 유지 2) 법적 및 고객 요구사항의 충족					
6.2 인적자원 6.2.1 일반 요구사항	제품 품질에 영향을 미치는 업무를 수행하는 인원은 학력, 교육훈련, 숙련도 및 경험에 있어 적격하여야 한다.					
6.2.2 적격성, 인식 및 교육훈련	제조업자는 다음 사항을 실행하여야 한다. 1) 제품 품질에 영향을 미치는 업무를 수행하는 인원에게 필요한 능력을 결정 2) 이러한 필요성을 충족시키기 위한 교육훈련의 제공 또는 그 밖의 조치 3) 취해진 조치의 효과성을 평가 4) 조직의 인원들이 품질목표를 달성함에 있어 자신의 활동의 관련성과 중요성 및 어떻게 기여하는지 인식함을 보장 5) 학력, 교육훈련, 숙련도 및 경험에 대한 적절한 기록을 유지					
6.3 기반시설(infrastructure)	가. 제조업자는 제품 요구사항에 대한 적합성을 확보함에 있어 필요한 기반시설을 결정, 확보 및 유지하여야 한다. 기반시설은 해당되는 경우 다음을 포함한다. 1) 건물, 업무 장소 및 관련된 부대시설 2) 프로세스 장비(하드웨어 및 소프트웨어) 3) 운송, 통신 등 지원 서비스 나. 제조업자는 기반시설의 유지활동 또는 이러한 활동의 부족으로 인하여 제품 품질에 영향을 미칠 수 있는 경우 주기를 포함하여 유지활동에 대한 문서화된 요구사항을 수립하여야 한다. 다. 이러한 유지활동의 기록을 보관하여야 한다.					
6.4 작업환경	제조업자는 제품 요구사항에 대한 적합성을 확보함에 있어 필요한 작업환경을 결정하고 관리하여야 한다. 특히, 다음의 요구사항을 적용하여야 한다. 1) 제조업자는 작업원이 제품 또는 작업환경과 접촉하여 제품 품질에 유해한 영향을 미칠 우려가 있는 경우 작업원의 건강, 청결 및 복장에 대한 요구사항을 수립, 문서화하고 유지하여야 한다. 2) 제조업자는 환경조건이 제품품질에 유해한 영향을 미칠 우려가 있는 경우 작업환경 조건에 대한 문서화된 요구사항을 수립하고 이러한 환경조건을 모니터링하고 관리하기 위한 문서화된 절차 또는 작업지침서를 수립하여야 한다. 3) 제조업자는 특별한 환경조건에서 임시적으로 작업하는 모든 인원이 적절하게 교육훈련을 받도록 하거나 훈련된 인원이 감독하도록 보장하여야 한다. 4) 해당되는 경우 다른 제품, 작업환경 또는 작업원에 대한 오염을 방지하기 위하여 오염되었거나 오염 가능성이 있는 제품의 관리를 위한 특별한 조치계획을 수립하고 문서화하여야 한다.					

품질관리기준 요구사항	심 사 기 준	심사결과				비고
		A	B	C	D	
7. 제품실현 7.1 제품실현의 기획	가. 제조업자는 제품실현에 필요한 프로세스를 계획하고 개발하여야 한다. 제품실현의 기획은 품질경영시스템의 다른 프로세스 요구사항과 일관성이 있어야 한다. 나. 제조업자는 제품실현의 기획에 있어 해당되는 경우 다음 사항을 결정하여야 한다. 1) 품질목표 및 제품에 대한 요구사항 2) 제품에 대하여 요구되는 프로세스의 수립, 문서화 및 특정한 자원 확보의 필요성 3) 제품에 요구되는 특별한 검증, 유효성 확인, 모니터링, 시험검사 활동 및 적합 판정 기준 4) 제품실현 프로세스 및 그 결과의 산출물이 요구사항에 충족함을 입증하는데 필요한 기록 다. 이러한 기획의 출력은 조직의 운영방식에 적절한 형태여야 한다. 라. 제조업자는 제품실현 전반에 있어 위험관리에 필요한 요구사항을 문서화 하여야 한다. 위험관리로 작성된 기록은 유지하여야 한다.					
7.2 고객 관련 프로세스 7.2.1 제품과 관련된 요구사항의 결정	제조업자는 다음 사항을 결정하여야 한다. 1) 인도 및 인도 후 활동에 대한 요구사항을 포함한 고객이 규정한 요구사항 2) 고객이 언급하지는 않았으나 알았을 경우 명시한 사용 또는 의도한 사용을 위하여 필요한 요구사항 3) 제품과 관련된 법적 요구사항 4) 그 밖에 제조업자가 결정한 추가 요구사항					
7.2.2 제품과 관련된 요구사항의 검토	가. 제조업자는 제품과 관련된 요구사항을 검토하여야 한다. 이러한 검토는 제조업자가 고객에게 제품을 공급하기로 결정 또는 약속하기 전에 수행되어야 하며 다음 사항을 보장하여야 한다. 1) 제품에 대한 요구사항을 정하고 문서화할 것 2) 이전에 제시한 것과 상이한 계약 또는 주문 요구사항이 해결될 것 3) 제조업자가 정해진 요구사항을 충족시킬 능력을 가지고 있을 것 나. 검토 및 수반되는 조치에 대한 결과의 기록은 유지되어야 한다. 다. 고객이 요구사항을 문서화하여 제시하지 않는 경우 제조업자는 수락 전에 고객 요구사항을 확인하여야 한다. 라. 제품 요구사항이 변경되는 경우 제조업자는 관련 문서를 수정하고 관련된 인원이 변경된 요구사항을 인식하도록 하여야 한다.					
7.2.3 고객과의 의사소통	제조업자는 다음 사항과 관련하여 고객과의 의사소통을 위한 효과적인 방법을 결정하고 실행하여야 한다. 1) 제품정보 2) 변경을 포함하여 문의, 계약 또는 주문의 취급 3) 고객 불만을 포함한 고객 피드백 4) 권고문					

품질관리기준 요구사항	심 사 기 준	심사결과				비고
		A	B	C	D	
7.3 설계 및 개발 7.3.1 설계 및 개발 계획	가. 제조업자는 설계 및 개발에 대한 문서화된 절차를 수립하여야 한다. 나. 제조업자는 제품에 대한 설계 및 개발을 계획하고 관리하여야 한다. 다. 설계 및 개발 계획기간 동안 제조업자는 다음 사항을 결정하여야 한다. 1) 설계 및 개발 단계 2) 각 설계 및 개발 단계에 적절한 검토, 검증, 유효성 확인 및 설계이관 활동 3) 설계 및 개발 활동에 대한 책임과 권한 라. 제조업자는 효과적인 의사소통 및 책임의 명확성을 위하여 설계 및 개발에 참여하는 서로 다른 그룹간의 연계성을 관리하여야 한다. 마. 계획의 출력물은 문서화하여야 하고 해당되는 경우 설계 및 개발 진행에 따라 갱신하여야 한다.					
7.3.2 설계 및 개발 입력	가. 다음 사항을 포함하여 제품 요구사항에 관련된 입력을 결정하고 기록을 유지하여야 한다. 1) 의도된 사용에 필요한 기능, 성능 및 안전 요구사항 2) 적용되는 법적 요구사항 3) 적용 가능한 경우, 이전의 유사한 설계로부터 도출된 정보 4) 설계 및 개발에 필수적인 기타 요구사항 5) 위험관리 출력물 나. 이러한 입력의 적정성을 검토하고 승인하여야 한다. 요구사항은 완전해야 하고 불명확하거나 다른 요구사항과 상충되지 않아야 한다.					
7.3.3 설계 및 개발 출력	가. 설계 및 개발 프로세스의 출력은 문서화하여야 하고 설계 및 개발 입력사항과 비교하여 검증이 가능한 형태로 제공되어야 하며 배포 전에 승인되어야 한다. 나. 설계 및 개발 출력은 다음과 같아야 한다. 1) 설계 및 개발 입력 요구사항을 충족시킬 것 2) 구매, 생산 및 서비스 제공을 위한 적절한 정보를 제공할 것 3) 제품 적합판정 기준을 포함하거나 인용할 것 4) 안전하고 올바른 사용에 필수적인 제품의 특성을 규정할 것 다. 설계 및 개발 출력의 기록을 유지하여야 한다.					
7.3.4 설계 및 개발 검토(review)	가. 다음 목적을 위하여 적절한 단계에서 설계 및 개발에 대한 체계적인 검토가 계획된 방법에 따라 수행되어야 한다. 1) 요구사항을 충족시키기 위한 설계 및 개발 결과의 능력에 대한 평가 2) 문제점 파악 및 필요한 조치의 제시 나. 이러한 검토에는 설계 및 개발 단계에 관련되는 책임자뿐만 아니라 기타 전문가가 포함되어야 한다. 다. 검토 및 필요한 조치에 대한 기록은 유지되어야 한다.					

품질관리기준 요구사항	심 사 기 준	심사결과				비고
		A	B	C	D	
7.3.5 설계 및 개발 검증(verification)	설계 및 개발 출력이 입력 요구사항을 충족하도록 보장하기 위하여 계획된 방법에 따라 검증이 수행되어야 한다. 검증 및 결과의 기록은 유지되어야 한다.					
7.3.6 설계 및 개발 유효성 확인(validation)	가. 결과물인 제품이 요구사항에 적합함을 보장하기 위하여 계획된 방법에 따라 설계 및 개발의 유효성 확인이 수행되어야 한다. 유효성 확인은 제품의 인도 또는 실행 전에 완료되어야 한다. 나. 유효성 확인결과 및 필요한 조치의 결과에 대한 기록은 유지되어야 한다. 다. 제조업자는 설계 및 개발 유효성 확인을 위하여 법령에서 요구하는 경우 임상시험 및 성능평가를 수행하여야 한다.					
7.3.7 설계 및 개발 변경의 관리	가. 설계 및 개발의 변경을 파악하고 기록을 유지하여야 한다. 변경사항에 대하여 검토, 검증 및 유효성 확인을 하여야 하며 해당되는 경우 실행 전에 승인하여야 한다. 설계 및 개발 변경의 검토는 구성부품 및 이미 인도된 제품에 대한 영향의 평가를 포함하여야 한다. 나. 변경검토 및 필요한 조치의 결과에 대한 기록은 유지되어야 한다.					
7.4 구매 7.4.1 구매 프로세스	가. 제조업자는 구매한 제품이 규정된 요구사항에 적합함을 보장하는 문서화된 절차를 수립하여야 한다. 나. 공급자 및 구매품에 적용되는 관리의 방식과 정도는 제품실현 및 최종 제품에 대한 영향에 따라 달라져야 한다. 다. 제조업자는 요구사항에 일치하는 제품을 공급할 수 있는 능력을 근거로 하여 공급자를 평가하고 선정하여야 한다. 선정, 평가 및 재평가에 대한 기준을 정하여야 한다. 라. 평가 및 필요한 조치의 결과에 대한 기록은 유지되어야 한다.					
7.4.2 구매정보	가. 구매정보에는 해당되는 경우 다음 사항을 포함하여 구매할 제품에 대하여 기술하여야 한다. 1) 제품, 절차, 프로세스, 시설 및 장비의 승인에 대한 요구사항 2) 인원의 자격인정에 대한 요구사항 3) 품질경영시스템 요구사항 나. 제조업자는 공급자와 의사소통하기 전에 규정된 구매 요구사항의 적정성을 보장하여야 한다. 다. 제조업자는 추적성이 요구되는 범위까지 문서 및 기록 등 관련 구매정보를 유지하여야 한다.					
7.4.3 구매품의 검증	가. 제조업자는 구매한 제품이 규정된 요구사항에 적합함을 보장하는데 필요한 시험검사 또는 그 밖의 활동을 수립하고 실행하여야 한다. 나. 제조업자 또는 고객이 공급자 현장에서 검증하고자 하는 경우 제조업자는 검증 계획 및 제품의 출하 방법을 구매정보에 명시하여야 한다. 다. 검증기록은 유지하여야 한다.					

품질관리기준 요구사항	심 사 기 준	심사결과				비고
		A	B	C	D	
7.5 생산 및 서비스 제공 7.5.1 생산 및 서비스 제공 관리 7.5.1.1 일반 요구사항	가. 제조업자는 관리된 조건하에서 생산 및 서비스 제공을 계획하고 수행하여야 한다. 관리된 조건은 해당되는 경우 다음 사항을 포함하여야 한다. 1) 제품의 특성을 규정한 정보의 이용 가능성 2) 문서화된 절차 및 요구사항, 작업 지시서, 필요한 경우 참고문헌(reference materials) 및 측정절차서의 이용 가능성 3) 적절한 장비의 사용 4) 모니터링 및 측정 장비의 사용 가능성과 사용 5) 모니터링 및 측정의 실행 6) 출고, 인도 및 인도 후 활동의 실행 7) 표시 및 포장 작업을 위하여 정해진 활동의 실행 나. 조직은 7.5.3에 규정된 범위까지 추적성을 제공하고, 생산 및 판매 승인된 수량을 식별할 수 있도록 의료기기의 각 lot / batch별 기록을 수립·유지하여야 한다. 그 기록은 검증되고 승인되어야 한다.					
7.5.1.2 생산 및 서비스 제공 관리에 대한 특별 요구사항 7.5.1.2.1 제품 청결 및 오염관리	제조업자는 다음에 해당하는 경우 제품의 청결에 대한 요구사항을 수립, 문서화하고 유지하여야 한다. 다만, 제품이 1) 또는 2)에 적합하게 세척되는 경우 6.4의 1) 및 2)의 요구사항은 세척공정 이전에 적용하지 아니한다. 1) 멸균 및/또는 그 사용 이전에 제조업자에 의하여 세척(clean)되는 제품 2) 멸균 및/또는 그 사용 이전에 세척 공정(cleaning process)을 필요로 하는 비멸균 상태로 공급되는 제품 3) 비멸균 상태로 공급되며, 그 청결이 사용상 중요한 제품 4) 공정에서의 사용물질(process agents)이 제조과정에서 제품으로부터 제거되는 것					
7.5.1.2.2 설치 활동	가. 해당되는 경우 제조업자는 의료기기의 설치 및 검증에 대한 허용기준(acceptance criteria)을 포함하는 문서화된 요구사항을 수립하여야 한다. 나. 고객이 제조업자 또는 지정된 대리인(agent)외에 다른 자에 의한 설치를 허용한 경우 제조업자는 설치 및 검증에 대한 문서화된 요구사항을 수립하여야 한다. 다. 제조업자 또는 지정된 대리인이 수행한 설치 및 검증 기록은 유지하여야 한다.					
7.5.1.2.3 서비스 활동	가. 서비스가 규정된 요구사항인 경우 제조업자는 서비스 활동의 수행과 규정된 요구사항을 충족하는지 검증하는 문서화된 절차, 작업지침서, 참고문헌 및 측정절차서를 적절하게 유지하여야 한다. 나. 제조업자가 수행한 서비스 활동 기록은 유지되어야 한다.					
7.5.1.3 멸균의료기기에 대한 특별 요구사항	제조업자는 각 멸균 lot / batch에 사용된 멸균공정의 매개변수(parameter)에 대한 기록을 유지하여야 한다. 멸균기록은 의료기기의 각 제조 lot / batch를 추적할 수 있어야 한다.					

품질관리기준 요구사항	심 사 기 준	심사결과				비고
		A	B	C	D	
7.5.2 생산 및 서비스 제공 프로세스의 유효성 확인(validation) 7.5.2.1 일반 요구사항	가. 제조업자는 결과로 나타난 출력이 후속되는 모니터링 또는 측정에 의하여 검증될 수 없는 모든 생산 및 서비스 제공 프로세스에 대하여 유효성을 확인하여야 한다. 유효성 확인에는 제품의 사용 또는 서비스 인도 후에만 불일치가 나타나는 모든 프로세스를 포함한다. 나. 유효성 확인을 통하여 계획된 결과를 달성하기 위한 프로세스의 능력을 입증하여야 한다. 다. 제조업자는 해당되는 경우 다음을 포함하는 프로세스에 대한 절차를 수립하여야 한다. 1) 프로세스의 검토 및 승인에 있어 규정된 기준 2) 장비의 승인 및 인원의 자격인정 3) 특정한 방법 및 절차의 사용 4) 기록에 대한 요구사항 5) 유효성 재확인(revalidation) 라. 제조업자는 규정된 요구사항을 충족하기 위하여 제품의 성능에 영향을 미치는 컴퓨터 소프트웨어 적용(소프트웨어 및/또는 적용의 변경을 포함)의 유효성 확인을 위한 문서화된 절차를 수립하여야 한다. 이러한 소프트웨어 적용에 있어 최초 사용 전에 유효성을 확인하여야 한다. 마. 유효성 확인 결과 기록은 유지되어야 한다.					
7.5.2.2 멸균의료기기에 대한 특별 요구사항	가. 제조업자는 멸균공정의 유효성 확인을 위한 문서화된 절차를 수립하여야 한다. 나. 멸균공정은 최초 사용 전에 유효성을 확인하여야 한다. 다. 각 멸균공정의 유효성 확인 결과 기록은 유지되어야 한다.					
7.5.3 식별 및 추적성 7.5.3.1 식별	가. 제조업자는 제품실현의 모든 단계에 걸쳐 적절한 수단으로 제품을 식별하여야 하고 이러한 제품 식별을 위한 문서화된 절차를 수립하여야 한다. 나. 제조업자는 반품된 의료기기가 식별되고 적합한 제품과 구별됨을 보장하는 문서화된 절차를 수립하여야 한다.					
7.5.3.2 추적성 7.5.3.2.1 일반 요구사항	가. 제조업자는 추적성에 대한 문서화된 절차를 수립하여야 한다. 이러한 절차는 추적성의 범위 및 요구되는 기록에 관하여 규정하여야 한다. 나. 추적성이 요구사항인 경우 제조업자는 제품의 고유한 식별을 관리하고 기록하여야 한다.					
7.5.3.2.2 추적관리대상 의료기기에 대한 특별 요구사항	가. 추적성의 범위를 설정함에 있어, 제조업자는 규정된 요구사항에 적합하지 아니한 제품을 유발시킬 수 있는 부품, 원자재 및 작업환경 조건의 기록을 포함시켜야 한다. 나. 제조업자는 추적이 가능하도록 대리인 또는 판매업자가 판매 기록을 유지하고 이러한 기록이 조사시 이용가능 하도록 요구하여야 한다. 다. 제조업자는 출고된 제품 인수자(package consignee)의 성명과 주소 기록을 유지하여야 한다.					
7.5.3.3 제품상태의 식별	가. 제조업자는 모니터링 및 측정 요구사항과 관련하여 제품의 상태를 식별하여야 한다. 나. 제품의 생산, 보관, 설치 및 서비스의 전 과정에서 요구되는 시험검사를 통과(또는 승인된 특채에 따라 출하)한 제품만이 출고(dispatch), 사용 또는 설치됨을 보장하도록 제품의 식별상태를 유지하여야 한다.					

품질관리기준 요구사항	심 사 기 준	심사결과				비고
		A	B	C	D	
7.5.4 고객자산	제조업자는 관리 하에 있거나 사용 중에 있는 고객자산에 대하여 주의를 기울여야 한다. 제조업자는 제품으로 사용하거나 제품화하기 위하여 제공된 고객자산을 식별, 검증, 보호 및 안전하게 유지하여야 한다. 고객자산이 분실, 손상 또는 사용하기에 부적절한 것으로 판명된 경우 이를 고객에게 보고하고 기록을 유지하여야 한다.					
7.5.5 제품의 보존	가. 제조업자는 내부 프로세스 및 의도한 목적지로 제품을 인도하는 동안 제품의 적합성 유지를 위한 문서화된 절차 또는 작업지침을 수립하여야 한다. 나. 이러한 보존은 식별, 취급, 포장, 보관 및 보호를 포함하여야 하며 제품을 구성하는 부품에도 적용하여야 한다. 다. 제조업자는 제한된 사용기한이나 특수한 보관조건이 요구되는 제품에 대하여 문서화된 절차 또는 작업지침을 수립하여야 한다. 이러한 특수 보관조건은 관리되고 기록되어야 한다.					
7.6 모니터링 및 측정 장비의 관리	가. 제조업자는 제품이 규정된 요구사항에 적합함을 입증하기 위하여 수행되어야 할 모니터링 및 측정 활동과 필요한 장비를 결정하여야 한다. 나. 제조업자는 모니터링 및 측정과 관련한 요구사항에 일치하는 방법으로 모니터링 및 측정활동이 수행됨을 보장하는 문서화된 절차를 수립하여야 한다. 다. 유효한 결과를 보장하기 위하여 필요한 경우 측정 장비는 다음과 같아야 한다. 1) 국제 기준 또는 국가 기준에서 인정하는 측정표준에 의하여 사용 전 및 일정 주기로 교정 또는 검증하여야 한다. 이러한 표준이 없는 경우 교정 또는 검증에 사용한 근거를 기록할 것 2) 필요한 경우 조정이나 재조정 할 것 3) 교정 상태를 결정할 수 있도록 식별할 것 4) 측정 결과를 무효화시킬 수 있는 조정으로부터 보호 할 것 5) 취급, 보전 및 보관하는 동안 손상이나 열화로부터 보호할 것 라. 제조업자는 장비가 요구사항에 적합하지 아니한 것으로 판명된 경우 이전의 측정 결과에 대하여 유효성을 평가하고 기록하여야 한다. 제조업자는 장비 및 영향을 받은 제품에 대하여 적절한 조치를 취하여야 한다. 교정 및 검증 결과에 대한 기록은 유지되어야 한다. 마. 컴퓨터 소프트웨어가 규정된 요구사항에 대한 모니터링 및 측정에 사용되는 경우 소프트웨어의 성능이 의도된 적용에 적합한지 확인하여야 한다. 이는 최초 사용 전에 확인되어야 하며 필요한 경우 재확인 되어야 한다.					
8. 측정, 분석 및 개선 8.1 일반 요구사항	가. 제조업자는 다음 사항에 필요한 모니터링, 측정, 분석 및 개선 프로세스를 계획하고 실행하여야 한다. 1) 제품의 적합성 입증 2) 품질경영시스템의 적합성 보장 3) 품질경영시스템의 효과성 유지 나. 측정, 분석 및 개선에는 통계적 기법을 포함한 적용 가능한 방법 및 사용범위에 대한 결정을 포함하여야 한다.					

품질관리기준 요구사항	심 사 기 준	심사결과				비고
		A	B	C	D	
8.2 모니터링 및 측정 8.2.1 피드백	가. 제조업자는 품질경영시스템 성과 측정의 하나로서 고객요구사항을 충족시켰는지 여부에 대한 정보를 모니터링 하여야 한다. 나. 이러한 정보의 획득 및 활용 방법을 결정하여야 한다. 다. 제조업자는 품질 문제의 조기 경보를 제공하는 피드백 시스템과 시정 및 예방조치 프로세스로의 입력을 위한 문서화된 절차를 수립하여야 한다. 라. 제품의 안전성 및 유효성과 관련된 새로운 자료나 정보를 알게 된 경우에는 식품의약품안전청장이 정하는 바에 따라 이를 보고하고 필요한 안전대책을 강구하여야 한다.					
8.2.2 내부감사	가. 제조업자는 다음 사항을 결정하기 위하여 계획된 주기로 내부감사를 실시하여야 한다. 1) 품질경영시스템이 계획된 결정사항, 제조업자가 설정한 품질경영시스템 요구사항 그리고 이 기준의 요구사항을 충족시키는지 여부 2) 효과적으로 실행되고 유지되는지 여부 나. 제조업자는 감사 대상 프로세스 및 분야의 상태와 중요성뿐만 아니라 이전 감사의 결과를 고려하여 감사 프로그램을 계획하여야 한다. 감사 기준, 범위, 주기 및 방법을 정하여야 한다. 감사 프로세스의 객관성 및 공정성이 보장되도록 감사자를 선정하고 감사를 실시하여야 한다. 감사자는 자신의 업무에 대하여 감사를 실시하여서는 아니 된다. 다. 감사의 계획, 실시, 결과의 보고 및 기록유지에 대한 책임과 요구사항에 대하여 문서화된 절차에 규정하여야 한다. 라. 감사대상 업무에 책임을 지는 관리자는 발견된 부적합 및 원인을 제거하기 위한 조치가 적시에 취해질 수 있도록 보장하여야 한다. 후속조치는 취해진 조치의 검증 및 검증 결과의 보고를 포함하여야 한다.					
8.2.3 프로세스의 모니터링 및 측정	제조업자는 품질경영시스템 프로세스에 대한 모니터링 및 해당되는 경우 측정을 위한 적절한 방법을 적용하여야 한다. 이 방법은 계획된 결과를 달성할 수 있는 프로세스의 능력을 입증하여야 한다. 계획된 결과가 달성되지 못한 경우 제품의 적합성이 보장될 수 있도록 적절한 시정 및 시정조치가 이루어져야 한다.					
8.2.4 제품의 모니터링 및 측정 8.2.4.1 일반 요구사항	가. 제조업자는 제품에 대한 요구사항이 충족됨을 검증하기 위하여 제품의 특성을 모니터링 및 측정하여야 한다. 이는 계획된 결정사항 및 문서화된 절차에 따라 제품실현 프로세스의 적절한 단계에서 수행되어야 한다. 나. 합격판정 기준에 적합하다는 증거를 유지하여야 한다. 기록에는 제품의 출하를 승인한 인원을 표시하여야 한다. 다. 계획된 절차가 만족스럽게 완료되기 전에 제품이 출고 또는 서비스가 제공되어서는 아니 된다.					

품질관리기준 요구사항	심 사 기 준	심사결과				비고
		A	B	C	D	
8.2.4.2 추적관리대상 의료기기에 대한 특별 요구사항	제조업자는 모든 시험검사를 수행하는 인원을 식별하고 기록하여야 한다.					
8.3 부적합 제품의 관리	가. 제조업자는 의도하지 않은 사용 또는 인도를 방지하기 위하여 요구사항에 적합하지 않은 제품이 식별되고 관리됨을 보장하여야 한다. 부적합 제품의 처리에 대한 관리 및 관련 책임과 권한은 문서화된 절차로 규정되어야 한다. 나. 제조업자는 부적합 제품을 다음의 방법으로 처리하여야 한다. 1) 발견된 부적합의 제거를 위한 조치 실시 2) 특채 하에 사용, 출고 또는 수락을 승인 3) 본래 의도된 사용 또는 적용을 배제하는 조치의 실시 다. 제조업자는 부적합 제품이 법적 요구사항을 충족하는 경우에만 특채가 허용됨을 보장하여야 한다. 특채 승인자를 식별할 수 있도록 기록을 유지하여야 한다. 라. 특채를 포함하여 부적합 상태와 취해진 모든 후속조치에 대한 기록은 유지되어야 한다. 마. 부적합 제품이 시정된 경우 요구사항에 적합함을 입증할 수 있도록 재검증되어야 한다. 바. 부적합 제품이 인도 또는 사용 후 발견되면 제조업자는 부적합의 영향과 잠재적 영향에 대한 적절한 조치를 취하여야 한다. 제품의 재작업(1회 이상)이 필요한 경우 제조업자는 최초 작업지침서와 동일한 권한 및 승인 절차에 따라 작업지침서에 재작업 프로세스를 문서화하여야 한다. 작업지침서의 권한 부여 및 승인 이전에 제품의 재작업으로 인한 모든 부정적인 영향에 대하여 결정하고 문서화하여야 한다.					
8.4 데이터의 분석	가. 제조업자는 품질경영시스템의 적합성과 효과성을 입증하고 효과성의 개선여부를 평가하기 위하여 적절한 데이터를 결정, 수집 및 분석하는 문서화된 절차를 수립하여야 한다. 나. 데이터의 분석에 있어 모니터링 및 측정의 결과로부터 그리고 다른 관련 출처로부터 생성된 데이터를 포함하여야 한다. 다. 데이터의 분석은 다음에 관한 정보를 제공하여야 한다. 1) 피드백 2) 제품 요구사항에 대한 적합성 3) 예방조치에 대한 기회를 포함한 프로세스 및 제품의 특성과 경향 4) 공급자 라. 데이터 분석결과에 대한 기록은 유지되어야 한다.					

품질관리기준 요구사항	심 사 기 준	심사결과				비고
		A	B	C	D	
8.5 개선 8.5.1 일반 요구사항	가. 제조업자는 품질방침, 품질목표, 감사 결과, 데이터분석, 시정조치 및 예방조치, 경영검토 등의 활용을 통하여 품질경영시스템의 지속적인 적절성 및 효과성을 보장하고 유지하는데 필요한 모든 변경을 식별하고 실행하여야 한다. 나. 제조업자는 권고문의 발행 및 실행에 대한 문서화된 절차를 수립하여야 한다. 다. 이러한 절차는 어떤 경우에서도 실행이 가능하여야 한다. 라. 모든 고객 불만 조사 기록을 유지하여야 한다. 조사결과 조직 외부에서의 활동으로 인하여 고객 불만이 발생된 것으로 판명된 경우 조직 내·외부간에 관련 정보를 교환하여야 한다. 마. 고객 불만에 대한 시정 및 예방조치를 실행하지 않는 경우 그 근거는 승인되고 기록되어야 한다. 바. 제조업자는 부작용 보고에 관한 문서화된 절차를 수립하여야 한다.					
8.5.2 시정조치	가. 제조업자는 부적합의 재발 방지를 위하여 부적합의 원인을 제거하기 위한 조치를 취하여야 한다. 나. 시정조치는 당면한 부적합의 영향에 대하여 적절하여야 한다. 다. 문서화된 절차에는 다음을 위한 요구사항을 정하여야 한다. 1) 부적합의 검토(고객 불만 포함) 2) 부적합 원인의 결정 3) 부적합의 재발 방지를 보장하기 위한 조치의 필요성에 대한 평가 4) 해당되는 경우 문서개정을 포함한 필요한 조치의 결정 및 실행 5) 모든 조사 및 취해진 조치의 결과를 기록 6) 취해진 시정조치 및 그 효과성에 대한 검토					
8.5.3 예방조치	가. 제조업자는 부적합의 발생방지를 위하여 잠재적 부적합의 원인을 제거하기 위한 예방조치를 결정하여야 한다. 예방조치는 잠재적인 문제의 영향에 대하여 적절하여야 한다. 나. 문서화된 절차에는 다음 요구사항이 규정되어야 한다. 1) 잠재적 부적합 및 그 원인 결정 2) 부적합의 발생을 방지하기 위한 조치의 필요성에 대한 평가 3) 필요한 조치의 결정 및 실행 4) 모든 조사 및 취해진 조치의 결과를 기록 5) 취해진 예방조치 및 그 효과성에 대한 검토					

1. 평가표

가. "A(적절함)" 이라 함은 품질관리기준에서 규정한 요구사항을 준수하고 있음이 인정되는 경우를 말한다.

나. "B(보완필요)" 라 함은 품질관리기준에서 규정한 요구사항을 이행하고 있지 아니하거나 품질관리기준에서 규정한 요구사항을 준수하고 있으나 준수의 입증근거 또는 실현가능성, 기록의 적절성 등이 미흡하여 개선 등 보완조치가 필요한 경우를 말한다.

다. "C(부적절함)" 이라 함은 최초 심사시 "보완필요"로 판정된 항목이 재심사에서도 "보완필요"로 판정된 경우를 말한다.

라. "D(해당없음)" 이라 함은 품질관리기준에서 규정한 요구사항에 해당되지 않는 경우를 말한다.

2. 판정기준

가. 적 합

심사기준별 심사결과 모든 항목이 "A(적절함)"인 경우

나. 보완요구

심사기준별 심사결과 1개 이상의 "B(보완필요)"가 있는 경우

1) 현장 재심사가 필요한 경우

기준에서 요구하는 사항이나 절차서/지시서에서 하나의 요건에 대한 품질시스템상의 누락 또는 전체적인 붕괴, 또는 다수의 경미한 보완사항이 있는 경우로서 품질시스템의 붕괴 우려가 있는 경우

2) 현장 재심사가 필요하니 아니한 경우

기준에서 요구하는 사항이나 절차서/지시서에서 소수의 경미한 보완사항이 있는 경우로서 요건을 부분적으로 충족시키지 못한 경우

다. 부적합

심사기준별 심사결과 1개 이상의 "C(부적절함)"이 있는 경우

[별표 2]

의료기기 수입 및 품질관리기준 적합성평가기준 및 평가표

(제4조제2항 관련)

1. 기준서의 작성 · 비치

수입업자는 수입의료기기의 품질관리를 적절히 이행하기 위하여 제품표준서 및 수입관리기준서를 작성하여 비치하여야 한다.

2. 제품표준서

수입업자는 제품표준서를 품목마다 작성하여야 하며, 제품표준서에는 다음 각 목의 사항이 포함되어야 한다.

가. 의료기기의 품목명 및 형명

나. 수입의료기기의 제조업자명 및 제조국명

다. 형상 및 구조 · 완제품의 자가품질관리시험규격

라. 법 제19조 내지 법 제22조에 따라 의료기기 용기 등에 기재하여야 할 사항

마. 설치방법 및 순서(설치관리가 필요한 의료기기에 한한다)

바. 멸균방법 · 멸균기준 및 멸균판정에 관한 사항(멸균 의료기기에 한한다)

사. 제품표준서의 제정자 및 제정연월일(개정한 경우에는 개정자 · 개정연월일 및 개정사유를 기재한다)

3. 수입관리기준서

수입관리기준서에는 다음 각 목의 사항이 포함되어야 한다.

가. 제품관리 및 시험검사에 관한 사항

나. 시험검사결과 판정 및 불합격품의 처리에 관한 사항

다. 시험검사시설의 관리에 관한 사항

라. 수입의료기기의 제조업자와의 연락방법
마. 수입의료기기 제조업자의 제조 및 품질관리상황에 대한 확인사항
바. 수입관리기준서의 제정자 및 제정연월일(개정한 경우 개정자·개정연월일 및 개정사유를 기재한다)

4. 품질책임자의 지정

수입업자는 수입업소마다 1인 이상의 품질책임자를 두어 품질관리에 관한 업무를 수행하도록 하고, 2인 이상의 품질책임자를 둔 때에는 그 업무를 분장하여 책임의 한계를 명확하게 하여야 한다.

5. 품질책임자의 임무

품질책임자는 다음 각 목의 사항을 이행하여야 한다.
가. 품질관리를 적절히 이행하기 위하여 제품표준서 및 수입관리기준서를 비치·활용하여야 한다.
나. 가목의 서류를 기준으로 하여 작업지시서를 작성하고, 기준에 적합하게 운영되고 있는지 여부를 점검·확인하여야 한다.
다. 수입의료기기의 제조업자가 적정한 제조 및 품질관리를 하고 있는지 여부를 확인하여야 한다.

6. 수입제품의 품질관리업무

가. 수입의료기기의 표시사항 및 포장에 대하여 적합 여부를 확인하고, 그 기록을 작성하여야 한다.
나. 수입의료기기 및 부속품의 보관·출하에 대하여 관리기록을 작성하여야 한다.
다. 수입의료기기의 당해 제조소의 품질관리실태에 대한 적합성을 확보하기 위하여 생산국의 정부, 생산국의 정부가 위임한 기관, 또는 식품의약품안전청장이 인정하는 기관에서 해당 수입의료기기를 제조하는 제조소의 품질관리실태가 시행규칙 별표 3의 의료기기 제조 및 품질관리기준과 동등이상이거나

국제기준에 적합함을 인정하는 서류로서 2년이 경과되지 아니한 것(유효기간이 기재된 것은 유효기간 이내의 것)을 비치하여야 한다.

라. 제품보관시설을 점검하여 그 기록을 작성하여야 한다.

마. 수입의료기기가 중고품일 경우에는 시험검사기관의 검사필증이 붙은 것이 아니면 출하하지 말아야 한다.

7 시정조치

수입업자는 의료기기의 품질에 관하여 불만이 발생한 경우 품질책임자가 그에 대한 원인규명과 시정조치를 취할 수 있도록 관련절차를 마련하고 이를 이행하여야 한다.

8. 기록

수입업자는 다음 각 목의 기록을 작성하여 관리하여야 한다.

가. 제6호의 수입제품의 품질관리업무에 관련된 기록

나. 시정조치에 관한 기록

다. 시험검사에 관한 기록

라. 시험실과 시험시설 관리에 관한 기록

마. 멸균에 관한 기록

바. 설치관리에 관한 기록

사. 교육훈련에 관한 기록

아. 그밖에 이 기준에 의한 업무처리에 관한 기록

9. 교육

수입업자는 작업원이 맡은 업무를 효과적으로 수행하고 수입의료기기에 대한 품질을 확보할 수 있도록 작업원에 대하여 품질관리에 관한 교육계획을 수립하고 문서로 작성하여 관리하여야 한다.

<table>
<tr><th colspan="6">의료기기 품질관리기준 적합성 평가표</th></tr>
<tr><td>업 소 명</td><td colspan="2"></td><td colspan="2">업허가번호</td><td></td></tr>
<tr><td>대 표 자</td><td colspan="2"></td><td colspan="2">품 질 책 임 자</td><td></td></tr>
<tr><td>소 재 지</td><td colspan="5">
(☎) (FAX)</td></tr>
<tr><td>적용기준</td><td colspan="5">□ 제조 및 품질관리기준 적합인정 □ 수입 및 품질관리기준 적합인정
□ 외국 제조 및 품질관리기준 적합인정 □ 임상시험용 의료기기</td></tr>
<tr><td>심사구분</td><td colspan="5">□ 최초심사 □ 정기갱신심사 □ 재심사
□ 수시심사 □ 기타( )</td></tr>
<tr><td rowspan="3">심사품목</td><td>품 목 군</td><td colspan="4"></td></tr>
<tr><td>제 품 명
(품목명 및 형명)</td><td colspan="4"></td></tr>
<tr><td>등 급</td><td colspan="4"></td></tr>
<tr><td rowspan="3">심 사 단</td><td>의료기기감시원</td><td colspan="4"></td></tr>
<tr><td>품 질 심 사 원</td><td colspan="4"></td></tr>
<tr><td>품질관리심사기관</td><td colspan="4"></td></tr>
<tr><td rowspan="3">심사결과</td><td>총평가항목수</td><td>A(적절함)</td><td>B(보완필요)</td><td>C(부적절함)</td><td>D(해당없음)</td></tr>
<tr><td></td><td></td><td></td><td></td><td></td></tr>
<tr><td>종 합 평 가</td><td colspan="4">□ 적 합 □ 부 적 합
□ 보 완(. . . 까지 □ 서류재심사, □현장재심사)</td></tr>
<tr><td colspan="6">의료기기 제조·수입 및 품질관리기준 제6조에 따른 적합성 평가 결과입니다.

년 월 일

의료기기감시원 : (인)
품 질 심 사 원 : (인)
대 표 자 : (인)</td></tr>
</table>

품질관리기준 요구사항	심 사 기 준	심사결과				비고
		A	B	C	D	
1. 기준서의 종류	제품표준서·수입관리기준서를 작성·비치하고 있는가.					
2. 제품표준서	제품표준서는 품목마다 작성되어 있으며, 품목명 및 형명이 기재되어 있는가.					
	수입의료기기의 제조업자명 및 제조국명이 기재되어 있는가					
	형상 및 구조와 완제품에 대한 시험기준 및 시험방법(자가품질관리시험규격)이 적정하게 작성되어 있는가.					
	의료기기법 제19조 내지 제22조에 따라 의료기기 용기등에 기재하여야 할 사항은 적절하게 기재되어 있는가.					
	설치방법 및 순서가 작성되어 있으며 내용이 적절한가. (설치관리가 필요한 의료기기에 한한다)					
	멸균방법, 멸균기준, 멸균판정에 관한 사항이 정해져 있으며 그 내용이 적정한가. (멸균의료기기에 한한다)					
	제품표준서의 제정자 및 제정연월일(개정한 경우에는 개정자, 개정연월일 및 개정사유)은 기재되어 있는가.					
3. 수입관리 기준서	제품의 반입, 보관, 출고의 방법과 절차 등 제품관리에 관한 사항과 시험검사에 관한 사항이 적절하게 규정되어 있는가.					
	시험검사결과 판정 및 불합격품의 처리방법 및 절차가 적절하게 규정되어 있는가.					
	시험검사시설 및 기구의 관리방법 및 절차가 적절하게 규정되어 있는가.					
	수입선 제조자와의 연락방법과 제조자의제조 및 품질관리상황을 확인하기 위한 절차를 규정하고 있는가.					
	수입관리기준서의 제정자 및 제정연월일(개정한 경우에는 개정자, 개정연월일 및 개정사유)은 기재되어 있는가.					
4. 품질책임자의 지정	품질책임자를 두고 있는가.					
	당해 업소의 수입관리업무에 종사하고 있는가.					
	2인 이상의 품질책임자를 둔 경우 그 업무를 분장하여 책임의 한계가 명확하게 되어 있는가.					

품질관리기준 요구사항	심 사 기 준	심사결과				비고
		A	B	C	D	
5. 품질책임자의 임무	품질책임자는 제품표준서, 수입관리기준서를 원활히 활용하고 있는가.					
	제품표준서, 수입관리기준서를 기준으로 하여 작업지시서를 작성하고, 기준에 적합하게 운영되는지 여부를 점검·확인하고 있는가.					
	수입의료기기의 제조업자가 적정한 제조 및 품질관리를 하고 있는지 여부를 확인하고 있는가.					
6. 수입제품의 품질관리업무	수입의료기기의 표시사항 및 포장에 대하여 적합여부를 확인하고, 그 기록을 작성하고 있는가.					
	수입의료기기 및 부속품의 보관·출하에 대하여 관리기록을 작성하고 있는가.					
	수입의료기기의 당해 제조소의 품질관리실태에 대한 적합성을 확보하기 위해 생산국의 정부, 생산국의 정부가 위임한 기관, 또는 식품의약품안전청장이 인정하는 기관에서 해당 수입의료기기를 제조하는 제조소의 품질관리실태가 시행규칙 별표 3의 의료기기제조및품질관리기준과 동등이상이거나 품질시스템 관련 규격에 적합함을 인정하는 서류로서 2년이 경과되지 아니한 것(유효기간이 기재된 것은 유효기간 이내의 것)을 비치하고 있는가.					
	제품보관시설을 점검하여 그 기록을 작성하고 있는가.					
	수입의료기기가 중고품일 경우에는 각 수입품별로 시험검사기관의 시험검사성적서를 보관하고 검사필증에 대한 기록이 있는가.					

품질관리기준 요구사항	심 사 기 준	심사결과				비고
		A	B	C	D	
7. 시정조치	품질에 관한 불만이 발생되었을 경우 원인규명과 시정조치를 취할 수 있도록 관련 절차를 마련하고 이를 이행하고 있는가.					
8. 기록	수입선 제조업자의 품질관리실시상황 확인에 관한 기록은 적절히 보관되고 있는가.					
	제품의 보관 및 출납에 관한 기록은 적절히 보관되고 있는가.					
	중고품 수입의료기기가 있는 경우 각 수입품별 시험검사성적서 및 검사필증에 대한 기록은 적절히 보관되고 있는가.					
	시험검사에 관한 기록은 적절히 보관되고 있는가.					
	시험실과 시험시설 관리에 관한 기록은 적절히 보관되고 있는가.					
	시정조치에 관한 기록은 적절히 보관되고 있는가.					
	멸균에 관한 기록은 적절히 보관되고 있는가.					
	설치관리에 관한 기록은 적절히 보관되고 있는가.					
	교육훈련에 관한 기록은 적절히 보관되고 있는가.					
	기타 업무처리에 관한 기록은 적절히 보관되고 있는가.					
9. 교육	수입업무를 효과적으로 수행하고 품질을 확보하기 위하여 교육훈련에 관한 계획 또는 지침을 마련하고 이행하고 있는가.					

1. 평가표

가. "A(적절함)" 이라 함은 품질관리기준에서 규정한 요구사항을 준수하고 있음이 인정되는 경우를 말한다.

나. "B(보완필요)" 라 함은 품질관리기준에서 규정한 요구사항을 이행하고 있지 아니하거나 품질관리기준에서 규정한 요구사항을 준수하고 있으나 준수의 입증근거 또는 실현가능성, 기록의 적절성 등이 미흡하여 개선 등 보완조치가 필요한 경우를 말한다.

다. "C(부적절함)" 이라 함은 최초 심사시 "보완필요" 로 판정된 항목이 재심사에서도 "보완필요"로 판정된 경우를 말한다.

라. "D(해당없음)" 이라 함은 품질관리기준에서 규정한 요구사항에 해당되지 않는 경우를 말한다.

2. 판정기준

가. 적 합

심사기준별 심사결과 모든 항목이 "A(적절함)"인 경우

나. 보완요구

심사기준별 심사결과 1개 이상의 "B(보완필요)"가 있는 경우

1) 현장 재심사가 필요한 경우

기준에서 요구하는 사항이나 수입관리기준서/지시서에서 하나의 요건에 대한 수입품질관리체계상의 누락 또는 전체적인 붕괴, 또는 다수의 경미한 보완사항이 있는 경우로서 수입품질관리체계의 붕괴 우려가 있는 경우

2) 현장 재심사가 필요하니 아니한 경우

기준에서 요구하는 사항이나 수입관리기준서/지시서에서 소수의 경미한 보완사항이 있는 경우로서 요건을 부분적으로 충족시키지 못한 경우

다. 부적합

심사기준별 심사결과 1개 이상의 "C(부적절함)"이 있는 경우

[별표 3]

품질관리심사기관 관리운영기준

1. 품질관리심사기관의 요건

가. 일반요건

(1) 품질관리심사기관의 업무수행 방침, 절차 및 그 운영은 공정하여야 한다.

(2) 품질관리심사기관은 모든 신청자가 이용할 수 있도록 하여야 하며 부당한 금전적 또는 그밖의 조건을 부과하여서는 아니 된다.

(3) 신청자의 품질관리기준에 대한 적합성평가기준은 별표 1 및 별표 2에 따른다. 이 기준에 대하여 별도의 해석이 필요한 경우 식품의약품안전청장의 승인을 받아야 한다.

(4) 품질관리심사기관은 제9조에 따라 식품의약품안전청장에게 등록한 업무범위 내에서 적합성평가를 실시하여야 한다.

나. 조직구조

품질관리심사기관의 조직구조는 심사활동에 대한 신뢰성을 제공할 수 있어야 하며 다음의 요건을 만족하여야 한다.

(1) 품질관리심사기관은 심사업무를 수행함에 있어 독립성과 공정성이 보장되어야 하며 결정사항에 대하여 책임을 가져야 한다.

(2) 품질관리심사기관의 장은 다음의 업무에 대해 총괄적 책임을 가진 운영책임자 또는 위원회를 지정하여야 한다.

(가) 이 기준에 따른 심사업무의 실시에 대한 감독

(나) 품질관리심사기관 업무수행방침의 수립 및 이행

(3) 품질관리심사기관 운영의 공정성을 보장하는 문서화된 조직구조를 갖추어야 한다. 이 조직구조는 심사업무 수행과 관련된 방침과 원칙을 수립함에 있어 이해

관계를 가진 당사자들이 참여할 수 있도록 구성되어야 한다.

(4) 품질관리심사기관 운영 및 심사업무 수행과 관련하여 책임과 의무를 이행하기 위한 업무처리 규정을 마련하여야 하며, 품질관리심사기관의 업무정지 등으로 심사업무의 계속적인 수행이 곤란한 경우에 대비한 방침과 절차를 명확히 규정하고 있어야 하고, 운영 및 활동으로 발생한 배상책임 등의 책무를 위한 수단이나 협정을 보유하여야 한다.

(5) 품질관리심사기관의 안정적인 운영에 필요한 재원 및 자원을 갖추어야 하며 심사업무를 수행하는데 필요한 전문적인 지식과 경험이 있는 직원으로 구성된 독립된 조직을 갖추어야 한다.

(6) 심사업무를 수행하는 조직의 직원들은 심사의 전문성, 공정성 및 독립성을 저해하는 다른 업무를 수행하여서는 아니 된다.

(7) 심사업무관련 운영능력에 대한 신뢰성이 보장될 수 있도록 다목의 품질경영시스템을 갖추어야 한다.

(8) 품질관리심사기관의 활동은 심사의 기밀성, 객관성 또는 공정성에 영향을 미치지 않도록 보장되어야 하며, 신청자에게 직접 또는 간접적으로 다음 사항을 제안 또는 홍보하여서는 아니된다.

(가) 적합인정 또는 유지를 위한 자문서비스 제공

(나) 특정기관의 자문을 받도록 권고 또는 알선

(다) 품질관리체계의 설계, 실행 또는 유지에 관한 자문서비스

(라) 특정기관의 자문을 받을 경우 비용의 경감, 시간절감 등의 혜택이 있음을 제의 또는 정보 제공

(9) 운영책임자와 품질관리심사기관의 모든 직원들은 심사과정 및 심사결과 등에 영향을 미치거나 미칠 수 있는 상업적, 재정적 또는 기타 압력에 영향을 받지 않음이 보장되어야 한다.

다. 품질경영시스템

(1) 품질관리심사기관의 장은 품질목표와 실천의지를 포함한 품질방침을 정하여 문서화하여야 하며 조직의 모든 계층에서 품질방침을 이해하고 시행할 수 있도록 유지·관리하여야 한다.

(2) 품질관리심사기관의 장은 이 기준의 해당조항에 따라 수행할 업무의 종류 및 업무량에 적절한 품질경영시스템을 갖추어 문서화하여야 하며 이를 품질관리심사기관의 직원들이 활용할 수 있도록 하여야 한다. 품질관리심사기관의 장은 문서화된 품질매뉴얼, 절차서 및 지침서 등이 효과적으로 실시되고 있음을 입증하여야 하며 다음의 사항에 대하여 권한을 갖는 품질경영책임자를 지정하여야 한다.

(가) 이 기준에 따른 품질경영시스템의 확립, 실시 및 유지

(나) 품질경영시스템 검토 및 개선을 위하여 운영실적을 품질관리심사기관의 장에게 보고

(3) 품질경영시스템은 품질매뉴얼, 관련 절차서, 지침서 등의 형태로 문서화되어야 하며 품질매뉴얼에는 다음의 사항이 포함되어야 한다.

(가) 품질방침

(나) 품질관리심사기관의 법적 지위에 관한 사항

(다) 심사업무에 영향을 미치는 운영책임자 및 소속직원의 자격, 경험 및 권한

(라) 품질관리심사기관의 장을 중심으로 한 권한, 책임 및 업무분담의 계통을 나타내는 조직도(이 조직도에는 심사책임자와 적합인정 결정책임자와의 관계가 나타나야 한다)

(마) 품질관리심사기관의 조직에 관한 사항(이 경우 나목의 (2)에 따른 운영책임자 또는 위원회에 대한 세부사항, 구성, 업무분담 및 운영규정을 포함한다)

(바) 내부감사 및 품질경영시스템 검토를 실시하기 위한 방침 및 절차

(사) 문서관리를 포함한 업무처리 절차

(아) 심사업무에 관한 운영 · 기능상 업무담당자의 책임과 권한

(자) 품질심사원을 포함한 품질관리심사기관 소속 직원에 대한 교육 · 훈련 계획

(차) 심사후 부적합에 대한 처리절차 및 취해진 시정조치의 유효성을 보증하는 절차

(카) 그밖에 적합인정서의 발급, 신청자의 품질관리기준 적합성평가, 사후관리 등 심사업무 실시에 필요한 방침과 절차

(타) 이의제기, 불만 및 분쟁의 처리를 위한 방침과 절차

라. 적합인정의 승인 및 취소에 관한 조건

(1) 품질관리심사기관의 장은 적합인정의 승인, 취소 등의 조건을 규정하여야 하며 신청자가 적합성에 영향을 미칠 수 있는 정도로 품질관리체계를 변경하는 경우 이를 품질관리심사기관에 통보하도록 요구하여야 한다.

(2) 품질관리심사기관은 최초 적합인정, 재심사, 정기갱신심사 등 심사업무 전반에 대한 문서화된 절차를 갖추어야 한다.

마. 내부감사 및 품질경영시스템 검토

(1) 품질관리심사기관의 장은 품질경영시스템의 실행 및 유효성을 검증하기 위하여 체계적인 방법으로 심사업무와 관련된 모든 절차에 대하여 최소한 연 1회 이상 내부감사를 실시하고 다음의 사항을 보장하여야 한다.

(가) 감사대상 조직의 직원 및 품질관리심사기관의 장에게 감사결과 통보 및 보고

(나) 시의적절한 방법으로 시정조치를 실시

(다) 감사 및 시정조치 결과의 기록·유지

(2) 품질관리심사기관의 장은 이 기준의 요구사항, 품질방침 및 품질목표를 만족하고 적합성 및 유효성을 지속적으로 유지하기 위하여 최소한 연 1회 이상 품질경영시스템의 검토를 실시하고 그 기록을 유지하여야 한다.

바. 문서화

(1) 품질관리심사기관의 장은 다음의 사항을 문서로 작성·관리하여야 한다.

(가) 심사업무의 수행근거에 관한 문서

(나) 적합인정의 승인, 정지 및 취소 등의 기준과 절차

(다) 심사지침 등을 포함한 지침서 및 절차서

(라) 심사수수료에 관한 사항

(마) 이의제기, 불만 및 분쟁의 처리절차에 관한 문서

(바) 적합인정을 받은 업체 목록

(2) 품질관리심사기관의 장은 심사업무에 관한 모든 문서 및 관련 자료를 관리하는

절차를 수립하고 각 최신본과 개정상태를 식별할 수 있는 문서목록을 유지하고 있어야 한다. 이 문서들의 최초 작성 또는 개정이나 변경을 하는 경우에는 권한을 위임받은 자가 발행전에 타당성을 검토하고 승인하여야 한다.

사. 기록

(1) 품질관리심사기관의 장은 심사업무 관련서류를 5년간 보관하여야 하며, 적정한 보존을 위한 방침과 절차를 갖추어야 한다.

(2) 심사관련서류는 식별이 가능하게 유지 관리되어야 하며, 보안이 유지된 상태로 안전하게 보관되어야 한다.

아. 비밀유지

품질관리심사기관의 장은 업무수행과정에서 수집된 신청자에 관한 정보의 비밀유지를 위한 문서화된 절차서를 마련하여야 하며, 이 기준에서 특별히 요구하는 경우 외에는 신청자의 서면동의가 없는 한 제3자에게 누설하여서는 아니된다.

2. 품질관리심사기관의 직원 및 심사단의 구성요건

가. 일반요건

(1) 심사업무를 수행하는 조직의 직원은 해당 직무에 필요한 능력이 있어야 하고, 그 조직은 최소한 선임품질심사원 1인과 2인 이상의 품질심사원 또는 이에 상응하는 전문심사관 3인 이상을 확보하여야 한다.

(2) 심사업무를 수행하는 직원의 자격, 교육훈련 및 경력에 대한 기록과 각자의 직무와 책임을 명확하게 기술한 지침서를 최신상태로 유지·관리하고 있어야 한다.

나. 품질심사원, 전문심사관 및 기술전문가의 자격기준

(1) 품질심사원은 대학 또는 동등이상의 학교를 졸업한 자로서 다음의 1에 해당되어야 한다.

(가) 품질경영체제 의료기기분야 인증심사원

(나) 품질경영체제 심사원보 자격을 취득하고 의료기기 품질관리분야에 1년 이상 종사한 자

(다) 산업표준화법시행규칙 제6조에 따른 의료기기분야의 인증심사원

(2) 전문심사관은 품질심사원 또는 선임품질심사원 중 식품의약품안전청장이 정하는 교육과정을 이수하고, 심사 경력이 있어야 한다.

(3) 기술전문가는 품질심사원 자격기준을 만족시킬 필요는 없으나 다음의 1에 해당되어야 한다.

(가) 연구기관, 공공기관 및 단체 또는 기업체 등에서 의료기기분야의 관련 업무를 10년 이상 직접 연구·기획하였거나 시행한 자

(나) 의료기기분야의 기술사 또는 박사학위 소지자

다. 심사단의 구성요건

(1) 심사단은 식품의약품안전청 소속 의료기기감시원과 상근 품질심사원 또는 전문심사관으로 편성되어야 한다. 다만, 필요한 경우 심사 대상 의료기기 관련 기술전문가를 심사단에 포함시킬 수 있으며, 기술전문가는 품질심사원 또는 전문심사관의 감독하에 심사단에 자문할 수 있다.

(2) 심사단은 적용되는 관련법령, 심사기준 및 요건 등에 대한 지식과 의료기기의 품질관리에 충분한 다음과 같은 경험과 능력을 갖추고 있어야 하며, 서면 및 구두로 의사를 효과적으로 전달할 수 있어야 한다.

(가) 신청자의 품질관리기준 평가 및 그 이행의 효율성 결정

(나) 신청자의 품질관리기준 평가에 적용되는 특정 규격, 기준 등의 이해

(다) 심사 대상 의료기기와 관련된 의도된 용도 및 위험성 평가

(라) 설계, 제조공정 및 관련 기술 등의 평가

(3) 심사단(기술전문가 포함)은 심사과정을 통하여 신청자에게 자문을 하여서는 아니 된다.

라. 품질심사원, 전문심사관 및 기술전문가에 관한 기록

(1) 품질관리심사기관의 장은 품질심사원, 전문심사관 및 기술전문가에 대하여 다음의 사항에 대한 기록을 최신 상태로 유지·관리하여야 한다.

(가) 성명 및 주소

(나) 직급 및 직위

(다) 학력 및 전문기술자격 입증자료

(라) 심사업무범위 및 부여근거, 실무경험과 교육훈련

(마) 최근의 자격갱신일자

(바) 신청자에 대하여 자문서비스를 제공하지 않겠다는 내용의 서약서

(2) 품질관리심사기관의 장은 품질심사원 및 기술전문가가 이 기준의 요구사항을 충족시키고 있음을 확인할 수 있는 기록을 유지·관리하여야 한다.

3. 심사업무 절차

품질관리심사기관은 이 기준에서 정하지 아니한 세부사항에 대하여는 식품의약품안전청장으로부터 승인받은 세부운영규정에에 따라 심사업무를 실시하여야 한다.

가. 심사준비

(1) 품질관리심사기관은 신청자가 제출한 '의료기기 품질관리기준 적합인정 신청서'와 구비서류 등을 평가하고, 심사를 수행할 품질심사원 또는 전문심사관 및 필요한 경우 심사대상 의료기기 관련 기술전문가를 선정하여야 한다.

(2) 품질관리심사기관은 특정 품질심사원 또는 전문심사관 및 기술전문가의 선정에 있어 신청자의 이의제기 가능성을 고려한 예고기간을 두고, 심사를 수행할 품질심사원 또는 전문심사관 및 기술전문가의 명단을 신청자에게 알려야 한다.

(3) 품질관리심사기관은 심사계획 및 일정 등을 신청자와 협의하여야 한다.

(4) 심사단은 현장심사의 준비를 위하여 구비서류와 관련 규정 등을 검토하여야 하고, 그 취급에 적절한 기밀을 유지하여야 한다.

(5) 품질관리심사기관은 신청자로부터 제공받은 모든 서류 및 정보 등을 심사단에 제공하여야 한다.

나. 심사

(1) 심사단은 품질관리기준과 관련된 모든 요구사항에 근거하여 신청자의 품질관리

체계 모든 단계에서 발췌한 문서와 기록을 검토하여야 하며, 발췌된 샘플은 의료기기의 의도된 사용과 관련된 위험성, 제조기술의 복잡성, 제조되는 의료기기의 범위 및 판매후 사후관리에 유용한 자료를 반영하여야 한다.

(2) 심사단은 면담, 문서조사 및 관련 영역에서 활동 및 상태의 관찰을 통하여 객관적 증거를 수집하고 검증하여야 한다.

(3) 지적사항은 다음과 같이 기록하여야 한다.

(가) 명확하고 간결한 표현

(나) 객관적 증거로 입증

(다) 충족되지 못한 특정 요구사항을 표시

다. 심사결과의 알림

(1) 심사단은 심사현장을 떠나기 전에 신청자의 경영진 및 관련 책임자 등과 회의를 가져야 하며, 그 회의에서 신청자의 품질관리기준 평가결과를 알리고, 심사단이 발견한 지적사항 및 그 근거에 대하여 신청자에게 질문 기회를 부여하여야 하며, 발견된 지적사항에 대하여 경영진의 동의가 있어야 한다.

(2) 심사단은 신청자의 품질관리기준 적합성 평가에 대한 결과보고서를 품질관리심사기관에 제출하여야 한다.

(3) 품질관리심사기관은 결과보고서에 따라 신청자에게 '의료기기 제조·수입 및 품질관리기준 적합인정서' 또는 '보완요구서'를 송부하여야 하며, 보완요구서에는 신청자가 보완하여야 할 사항을 명시하여야 한다.

4. 이의, 불만 및 분쟁 처리절차

품질관리심사기관의 장은 신청자 또는 기타 관련자가 제기한 이의, 불만 및 분쟁을 처리하기 위한 절차를 규정하고 있어야 하며, 다음의 사항을 기록하여야 한다.

(1) 심사업무에 대한 모든 이의, 불만, 분쟁의 기록 및 그에 대한 처리의 기록

(2) 적절한 시정 및 예방조치

(3) 취해진 시정조치의 문서화 및 유효성 평가

[별표 4]

의료기기 제조 및 품질관리기준 적합인정표시 기준

(제7조의3 관련)

가. 적합인정 표시 도안

1) 도안

2) 크기 비율 : 가로 * 세로 = 1 * 0.83

3) 색상 코드 : 팬텀칼라 2736CVC

나. 표시 방법 및 기준

1) 적합인정 표시는 가목의 크기와 색상을 기본으로 하여, 제품의 특성과 포장 재질 등에 적합하게 다양한 크기(비율은 동일하여야 함)와 색상을 적용하여 사용할 수 있되, 표시 디자인을 변경해서는 아니된다.

2) 가목의 적합인정 표시 방법은 「의료기기법」 제19조 내지 제21조에 따른 기재사항에 준하여 당해 제품의 용기, 외장, 외부포장 및 첨부문서 중 하나 또는 전부에 부착할 수 있다.

[별지 제1호서식] (앞쪽)

<table>
<tr><td colspan="4">의료기기 품질관리기준 적합인정 신청서</td></tr>
<tr><td>접수번호</td><td colspan="3"></td></tr>
<tr><td>업 체 명</td><td colspan="3"></td></tr>
<tr><td>대 표 자</td><td></td><td>업허가번호</td><td></td></tr>
<tr><td>소 재 지</td><td colspan="3">
(☎) (FAX)</td></tr>
<tr><td>담 당 자</td><td></td><td>연 락 처</td><td></td></tr>
<tr><td rowspan="2">심사구분</td><td colspan="3">□ 제조 및 품질관리기준 적합인정 □ 수입 및 품질관리기준 적합인정
□ 외국 제조 및 품질관리기준 적합인정 □ 임상시험용 의료기기</td></tr>
<tr><td colspan="3">□ 최초심사 □ 정기갱신심사 □ 재심사
□ 수시심사 □ 기타( )</td></tr>
<tr><td rowspan="3">심사품목</td><td>품 목 군</td><td colspan="2"></td></tr>
<tr><td>제 품 명
(품목명 및 형명)</td><td colspan="2"></td></tr>
<tr><td>등 급</td><td colspan="2"></td></tr>
<tr><td colspan="2">적합인정비용</td><td colspan="2"></td></tr>
<tr><td colspan="2">심사요청일</td><td colspan="2">년 월 일</td></tr>
<tr><td colspan="4">「의료기기 제조·수입 및 품질관리기준」 제5조 및 제7조에 따라 위와 같이 품질관리기준 적합성평가를 신청합니다.

년 월 일
신청인 (서명 또는 인)

○○○ 품잘관리심사기관장 귀하</td></tr>
<tr><td colspan="4">※ 구비서류
1. 의료기기제조(수입)업 허가증 사본 또는 의료기기 조건부 제조(수입)업 허가증 사본(임상시험용 의료기기는 제외)
2. 품질매뉴얼, 수입관리기준서, 작업지시서, 제품표준서 등 품질관리문서
3. 그 밖에 제품설명서, 외국 제조소의 품질관리실태 적합인정 서류 등 적합성평가에 필요한 자료</td></tr>
</table>

210㎜×297㎜[일반용지 60g/㎡(재활용품)]

[별지 제2호서식] (앞쪽)

의료기기 제조 및 품질관리기준 적합인정서 (Certificate of GMP)

- 업 소 명(Name of Manufacture)

- 소 재 지(Address of Manufacture)

- 대 표 자 명(Representative of Manufacture)

- 품 목 군 : 품 목 명(붙임 참조)
(Name of Category : Name of Classification)(See attached list)

의료기기 제조 및 품질관리기준에 적합함을 인정합니다.
(We hereby certify that the above manufacture complies with Korea Good Manufacturing Practices for the product(s) listed above.)

발행일자(Date of Issue) : . . .
유효기한(Date of Expiration) : . . .

(식 품 의 약 품 안 전 청 장) 직인

(품 질 관 리 심 사 기 관 장) 직인

210㎜×297㎜[일반용지 60g/㎡(재활용품)]

(뒤쪽)

변경 및 처분사항 (Changes and Administrative measures)	
일　자(Date)	내　용(Description)

[붙임]

연번 (No.)	품 목 군 (Name of Category)	품 목 명 (Name of Classification)	허가(신고)번호 (License No.)

210㎜×297㎜[일반용지 60g/㎡(재활용품)]

[별지 제3호서식] (앞쪽)

의료기기 수입 및 품질관리기준 적합인정서
(Certificate of GIP)

▪업 소 명(Name of Import)

▪소 재 지(Address of Import)

▪대 표 자 명(Representative of Import)

▪품 목 군 : 품 목 명(붙임 참조)
(Name of Category : Name of Classification)(See attached list)

의료기기 수입 및 품질관리기준에 적합함을 인정합니다.
(We hereby certify that the above import complies with Korea Good Importing Practices for the product(s) listed above.)

발행일자(Date of Issue) : . . .
유효기한(Date of Expiration) : . . .

(식 품 의 약 품 안 전 청 장) 직인

(품 질 관 리 심 사 기 관 장) 직인

210mm×297mm[일반용지 60g/㎡(재활용품)]

(뒤쪽)

변경 및 처분사항 (Changes and Administrative measures)	
일 자(Date)	내 용(Description)

[붙임]

연번 (No.)	품 목 군 (Name of Category)	품 목 명 (Name of Classification)	허가(신고)번호 (License No.)

210mm×297mm[일반용지 60g/㎡(재활용품)]

[별지 제4호서식]

<table>
<tr><th colspan="6">의료기기 품질관리심사결과 보고서</th></tr>
<tr><td>업 체 명</td><td colspan="2"></td><td colspan="2">업허가번호</td><td></td></tr>
<tr><td>대 표 자</td><td colspan="2"></td><td colspan="2">품 질 책 임 자</td><td></td></tr>
<tr><td>소 재 지</td><td colspan="5">
(☎) (FAX)</td></tr>
<tr><td>적용기준</td><td colspan="5">□ 제조 및 품질관리기준 적합인정 □ 수입 및 품질관리기준 적합인정
□ 외국 제조 및 품질관리기준 적합인정 □ 임상시험용 의료기기</td></tr>
<tr><td>심사구분</td><td colspan="5">□ 최초심사 □ 정기갱신심사 □ 재심사
□ 수시심사 □ 기타( )</td></tr>
<tr><td rowspan="3">심사품목</td><td>품 목 군</td><td colspan="4"></td></tr>
<tr><td>제 품 명
(품목명 및 형명)</td><td colspan="4"></td></tr>
<tr><td>등 급</td><td colspan="4"></td></tr>
<tr><td rowspan="3">심 사 단</td><td>의료기기감시원</td><td colspan="4"></td></tr>
<tr><td>품 질 심 사 원</td><td colspan="4"></td></tr>
<tr><td>품질관리심사기관</td><td colspan="4"></td></tr>
<tr><td colspan="2">심 사 일 자(년/월/일)</td><td colspan="4">. . . ~ . . .</td></tr>
<tr><td rowspan="3">심사결과</td><td>총평가항목수</td><td>A(적절함)</td><td>B(보완필요)</td><td>C(부적절함)</td><td>D(해당없음)</td></tr>
<tr><td></td><td></td><td></td><td></td><td></td></tr>
<tr><td>종 합 평 가</td><td colspan="4">□ 적 합 □ 부 적 합
□ 보 완(. . . 까지 □서류재심사, □현장재심사)</td></tr>
<tr><td colspan="6">「의료기기 제조·수입 및 품질관리기준」 제6조에 따라 위와 같이 품질 관리 심사결과를 보고합니다.
년 월 일
○○○품질관리심사기관장 직인</td></tr>
<tr><td colspan="6">※ 첨부서류: 품질관리기준 적합성평가표 1부</td></tr>
</table>

210㎜×297㎜[일반용지 60g/㎡(재활용품)]

[별지 제5호서식]

<table>
<tr><td colspan="5" align="center">의료기기 품질관리심사기관 등록신청서</td></tr>
<tr><td rowspan="3">신청
기관</td><td>법 인 명</td><td></td><td>사업자등록번호</td><td></td></tr>
<tr><td>대 표 자</td><td colspan="3"></td></tr>
<tr><td>소 재 지</td><td colspan="3">(☎) (FAX)</td></tr>
<tr><td colspan="2">설 립 근 거</td><td colspan="3"></td></tr>
<tr><td colspan="2">설 립 목 적</td><td colspan="3"></td></tr>
<tr><td colspan="2">설 립 년 월 일</td><td colspan="3"></td></tr>
<tr><td colspan="2">품질관리심사분야</td><td colspan="3"></td></tr>
<tr><td colspan="5">「의료기기 제조·수입 및 품질관리기준」 제9조에 따라 위와 같이 의료기기 품질관리심사기관으로 등록을 신청합니다.

년 월 일
신청인 (서명 또는 인)

식품의약품안전청장 귀하</td></tr>
<tr><td colspan="5">※ 구비서류
1. 정관(법인인 경우에 한함)
2. 사업계획서
3. 품질관리심사기관의 요건이 별표 3의 기준에 적합함을 입증하는 자료</td></tr>
</table>

210㎜×297㎜[일반용지 60g/㎡(재활용품)]

[별지 제6호서식]

제 호

의료기기 품질관리심사기관 등록증

법인명 :

대표자 :

소재지 :

사업자등록번호 :

등록조건 :

「의료기기 제조·수입 및 품질관리기준」 제9조에 따라 의료기기 품질관리 심사기관으로 등록되었기에 위와 같이 등록증을 발급합니다.

년 월 일

식품의약품안전청장 직인

210㎜×297㎜[일반용지 60g/㎡(재활용품)]

[별지 제7호서식]

<table>
<tr><td colspan="6">의료기기 품질관리심사결과 정기보고서</td></tr>
<tr><td>품질관리
심사기관명</td><td colspan="5"></td></tr>
<tr><td>주 소</td><td colspan="5">(☎) (FAX)</td></tr>
<tr><td>심사기간</td><td colspan="5">. . . ~ . . . (/ 분기)</td></tr>
<tr><td rowspan="7">심사실적</td><td></td><td>계</td><td>적합</td><td>보완</td><td>부적합</td></tr>
<tr><td>제조업체</td><td></td><td></td><td></td><td></td></tr>
<tr><td>수입업체</td><td></td><td></td><td></td><td></td></tr>
<tr><td>외국 제조업체</td><td></td><td></td><td></td><td></td></tr>
<tr><td>임상시험용
의료기기</td><td></td><td></td><td></td><td></td></tr>
<tr><td>계</td><td></td><td></td><td></td><td></td></tr>
<tr><td colspan="5"></td></tr>
<tr><td colspan="6">「의료기기 제조·수입 및 품질관리기준」 제12조에 따라 위와 같이 의료기기 품질관리 심사실적을 보고합니다.

년 월 일

○○○품질관리심사기관장 [직인]</td></tr>
<tr><td colspan="6">※ 첨부서류: 의료기기 품질관리심사결과 세부목록 1부</td></tr>
</table>

210㎜×297㎜[일반용지 60g/㎡(재활용품)]

[별지 제8호서식]

의료기기 품질관리심사결과 세부목록

품질관리심사기관명				년도 / 분기	
연번	구분	업체명	최초심사 (적합·보완요구·부적합)	재심사 (적합·부적합)	비고

210㎜×297㎜[일반용지 60g/㎡(재활용품)]

참고문헌

1. 의료기기설계학, 신광출판사, 윤형로, 박성빈
2. 의용계측공학, 여문각, 의공학 교육연구회
3. 생체재료학, 자유아카데미, 한국생체재료학회
4. 의공실무, 교육개발연구원, 대한의용생체공학회 교육위원회
5. 현대 의료기기, 상학당, 나승권
6. 의료기기, 교육개발연구원, 대한의용생체공학회 교육위원회
7. 기초의학 및 의공학, 상학당, 나승권
8. 의료안전, 법규 및 정보, 교육개발연구원, 대한의용생체공학회 교육위원회
9. 의공학의 이해, 고려의학, 김태전 외
10. 기초의학 및 의공학, 교육개발연구원, 대한의용생체공학회 교육위원회

찾 아 보 기

ㄱ

ㄴ

ㄷ

ㅁ

ㅂ

ㅅ

ㅇ

ㅈ

ㅊ

ㅋ

ㅌ

의료기기설계학

2011년 2월 15일 제1판 1쇄 인쇄
2011년 2월 22일 제1판 1쇄 발행

공저자 ◎ **엄년식 · 홍주현 · 김경찬**
발행자 ◎ **조 승 식**
발행처 ◎ (주) 도서출판 **북스힐**
서울시 강북구 수유 2동 258-20
등 록 ◎ 제 22-457 호

(02) 994-0071(代)

(02) 994-0073

bookswin@unitel.co.kr
www.bookshill.com

값 30,000원

ISBN 978-89-5526-730-3